VALOR y CAPITAL

ESCRITOS ESCOGIDOS

John R. Hicks

NOTA DEL EDITOR

En las fórmulas y símbolos matemáticos se ha respetado la grafía de la edición original en inglés.

Thomson Reuters y el logotipo de Thomson Reuters son marcas de Thomson Reuters

Aranzadi es una marca de Thomson Reuters (Legal) Limited

© 2021 Fundación ICO, para esta edición

© 2021 [Thomson Reuters (Legal) Limited / Fundación ICO]

© Portada: Thomson Reuters (Legal) Limited

Thomson Reuters y el logotipo de Thomson Reuters son marcas de Thomson Reuters.

Aranzadi es una marca de Thomson Reuters (Legal) Limited.

© 2021 Thomson Reuters (Legal) Limited
Editorial Aranzadi, S.A.U.
Camino de Galar, 15
31190 Cizur Menor (Navarra)
ISBN 978-84-1391-411-4
DL NA 2052-2021
Printed in Spain. Impreso en España
Fotocomposición: Editorial Aranzadi, S.A.U.
Impresión: Rodona Industria Gráfica, SL
Polígono Agustinos, calle A, nave D-11
31013 Pamplona

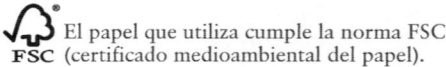 El papel que utiliza cumple la norma FSC (certificado medioambiental del papel).

Créditos

Los textos incluidos en la presente edición han sido cedidos para su traducción y publicación en español mediante las siguientes autorizaciones:

Oxford University Press (© Oxford University Press)

John Wiley & Sons-Books (© John Wiley & Sons)

PSL Quarterly Review (© PSL Quarterly Review)

John Hicks, 1972

Índice

VALOR Y CAPITAL.
Una investigación sobre algunos principios fundamentales de teoría económica
J. R. Hicks

Plan de la obra. Una doble investigación (i) en la teoría del valor, que comprende un estudio de las interrelaciones e interacciones mutuas de los mercados; (ii) en la economía dinámica –la teoría del capital y el interés– con el estudio del sistema económico como un proceso en el tiempo.

PARTE I
LA TEORÍA DEL VALOR SUBJETIVO

CAPÍTULO I

1. Teoría de la utilidad de Marshall. 2. Curvas de Pareto e indiferencia. 3, 4. El carácter ordinal de la utilidad. 5. Necesidad de una teoría basada sistemáticamente en la utilidad ordinal. 6. Tasa marginal de sustitución. 7. Tasa marginal de sustitución decreciente. 8. Fundamento lógico de la economía deductiva. 9. Generalización al caso de muchos bienes.

CAPÍTULO II

1. La deducción de Marshall de la ley. 2. Efectos de los cambios en los ingresos. 3. Efectos de los cambios de precios. Efectos renta y efectos sustitución. 4. Ampliación del concepto de *mercancía*. 5. Demanda del mercado. 6. El caso Giffen. 7. La curva de oferta.

CAPÍTULO III

1. La definición de Edgeworth-Pareto. 2. Una definición revisada. 3, 4, 5. Efectos de la modificación de un precio en la distribución del gasto en general. 6. La demanda de un grupo de mercancías.

PARTE II
EL EQUILIBRIO GENERAL

PARTE III
LOS FUNDAMENTOS DE LA ECONOMÍA DINÁMICA

PARTE IV
EL FUNCIONAMIENTO
DEL SISTEMA DINÁMICO

interés como estabilizador. 3. Tasas largas y cortas. 4. La falta de fiabilidad del interés. 5. Los contratos pasados son un desestabilizador. 6. Rigidez de precios. 7. Razones de la especial importancia de los salarios rígidos. 8. ¿Por qué deberían ser rígidos los salarios? 9. El sentido de los precios normales (i) como causa de la rigidez salarial, (ii) como estabilizador por derecho propio.

ESCRITOS ESCOGIDOS

Presentación

LUCINIO MUÑOZ
Director de la Fundación ICO
Agosto, 2021

SUMARIO

Desde la Fundación ICO publicamos una nueva obra de nuestra colección de Clásicos del Pensamiento económico, esta vez dedicada a John Hicks. John Hicks fue uno de los grandes contribuidores al desarrollo de la ciencia económica en el siglo XX y fue el primer economista británico en recibir el Premio Nobel de Economía, en 1972[1] (conjuntamente con Kenneth Arrow) por sus aportaciones en los campos de la teoría del equilibrio general y de la economía del bienestar y esperamos que la presente edición sirva para difundir su pensamiento y su obra en nuestro idioma.

En su artículo biográfico titulado «Sir John Richard Hicks», John Creedy[2] contextualiza los comienzos de Hicks señalando que el período en el que llegó a su madurez como economista, la década de los años treinta, ha sido descrita como «los años de

---

[1] Se puede consultar la referencia a Hicks en la página web de los Premios Nobel en: *https://www.nobelprize.org/prizes/economic-sciences/1972/hicks/facts/*.

[2] «Sir John Richard Hicks. 1904.1989», John CREEDY. University of Melbourne. Biographical Memoirs of Fellows of the British Academy, XII, 215-231. The British Academy 2013 *https://www.thebritishacademy.ac.uk/documents/1485/08_Hicks.pdf*.

la alta teoría», en los que tuvieron lugar muchos nuevos desarrollos e innovaciones, tras la desaparición de muchos de los economistas neoclásicos. Coase, escribe Creedy, señaló que lo que hicieron los economistas de la London School of Economics, principalmente Robbins, Hayek y Hicks, jugó un papel importante en el surgimiento de un movimiento internacional que dio paso a la «edad moderna de la Economía».

Paul Samuelson, con quien Hicks desarrolló una intensa relación intelectual y personal, señala que Hicks fue un economista más importante incluso que su propia elevada reputación (para poner su figura en contexto, en los años cuarenta fue el economista más citado, superando incluso a Keynes) pero que, quizá, no alcanzó todo el reconocimiento que merecía. Samuelson aventura que esto pudo deberse a que Hicks no se adscribió a ninguna de las escuelas económicas de su tiempo y a que siempre mantuvo su independencia intelectual, configurándose como un académico solitario (solitary scholar). Sus cambios de opinión a lo largo de su carrera (su evolución o «conversión», a la que luego aludiremos) son un ejemplo de independencia, de honestidad intelectual y de fortaleza de carácter: un ejemplo también del espíritu crítico y del escepticismo ideológico que es esperable de un académico en general y de un científico de la economía en particular.

Quiero empezar esta nota introductoria agradeciendo su participación en esta edición al doctor Josep María Vegara, catedrático emérito y profesor de Teoría Económica de la Universidad Autónoma de Barcelona, que es el autor del utilísimo estudio introductorio sobre la obra de John Hicks y ha sido esencial en la edición de este libro, así como a todos aquellos que han contribuido a que esta obra sea una realidad en la Colección de Clásicos del Pensamiento Económico, que edita la Fundación ICO.

Quiero también aprovechar esta ocasión para rendir un sincero y muy sentido homenaje al profesor Juergen Donges, miembro del Patronato de la Fundación ICO y fallecido este año. Cuando en la Fundación ICO nos planteamos los criterios para seleccionar un autor para nuestra Colección de Clásicos del Pensamiento Económico, intentamos tener en cuenta, tanto la importancia de su contribución en el desarrollo de la ciencia económica, como la potencial relación de su obra con algún aspecto destacado del debate económico. Fue el profesor Donges quien defendió la elección este año de John Hicks, argumentando la importancia y la trascendencia de su obra, en línea con la de otros autores «clásicos» cuya obra hemos publicado, desde Adam Smith hasta Paul Samuelson, pasando por David Ricardo, John Stuart Mill, Alfred Marshall, Vilfredo Pareto, Irving Fischer, Arthur C. Pigou, Walter Eucken, Knut Wicksel, John Maynard Keynes, James Tobin, Milton Friedman o James Buchanan y Gordon Tullock.[3] Después de haber tenido la oportunidad de conocer algo más la obra

[3] Se puede ver los títulos publicados hasta ahora en la página web de la Fundación ICO: *https://www.fundacionico.es/economia/colecciones-de-clasicos/colecciones-clasicos-la-economia/clasicos-pensamiento-economico/*.

de Hicks, con ocasión de la edición de este libro, se entiende y se valora mucho más la sugerencia del profesor Donges, a quien ya echamos mucho de menos.

Para esta edición hemos seleccionado la obra más conocida de John Hicks, Valor y Capital, publicada originalmente en 1939, junto a tres artículos más breves, escogidos por el profesor Vegara, que son muy relevantes para valorar la aportación de Hicks en su conjunto. Así, se han incluido también esta edición, en primer lugar, las traducciones de dos artículos de su «primera época», en la que él mismo se caracteriza como economista «neoclásico»:

– «Mr. Keynes and the "Classics": A Suggested Interpretation», escrito en 1937 y origen de su famosísimo modelo IS-LM.[4]
– «The Foundations of Welfare Economics», de 1939, en el que hace una síntesis de la situación hasta el momento de la economía del bienestar y esboza su famoso «principio de compensación», en línea con las aportaciones de Kaldor.

El otro artículo, corresponde a su segunda época, en la que Hicks ya no se considera un economista neoclásico (al menos en el sentido habitual dado a dicha categorización).[5] Así, se ha incluido:

– «The Formation of an Economist», publicado en 1979, en el que Hicks explica la evolución de su pensamiento y de sus intereses en el campo de la ciencia económica.

1. TRAYECTORIA INTELECTUAL Y ACADÉMICA

John Richard Hicks nació en 1904, en Warwick (Inglaterra) y ganó una beca para estudiar Matemáticas en Oxford, aunque, finalmente, se decantó por una «nueva disciplina» que parecía tener futuro y donde le aconsejaron que «podría ser más fácil encontrar un empleo», la Filosofía, Ciencias Políticas y Economía, «una disciplina más diseñada para políticos que para académicos», como señala el propio Hicks en el comienzo del artículo «The formation of an economist» (aunque enfatizando, a renglón seguido, que él quería ser un «académico»[6]) Hicks se graduó con unas notas

---

[4] IS-LL, en su versión original.
[5] El propio Hicks escribió, en «The Formation of an Economist»: «*J. R. Hicks… [is] a "neoclassical" economist now deceased…John Hicks [is] a non-neo-classic who is quite disrespectful towards his "uncle".*», reconociendo su «conversión», a la que luego aludiremos.
[6] The Formation of an Economist: «*I took my degree in "philosophy, politics and economics", a new course just established at Oxford, a course which was perhaps better devised for the training of politicians than that of academics (…) But I wanted to be academic and, although I had done very little economics, I was advised that economics was an expanding industry, so I would have a better chance of employment…*».

relativamente mediocres (*second-class honors*) y reconociendo él mismo que «sin un conocimiento adecuado en ninguna de las asignaturas que había estudiado» («*no adequate qualification in any of the subjects*»).

Desde 1926 hasta 1935, John R. Hicks dio clases en la London School of Economics (LSE, en adelante), donde, bajo los auspicios de Lionel Robbins, director del departamento de Economía, coincidió, además con otros prestigiosos economistas como Abba Lerner, Nicholas Kaldor, Friederic Hayek, Richard Sayers y Roy Allen, además de con Ursula Webb, con la que se casó en 1935 y con quien compartió trabajo e inquietudes. Hicks consideró su período en la LSE como una de las fases más fértiles intelectualmente de su vida, y en la que desarrolló algunas de las mejores partes de su trabajo. Bajo la dirección y el impulso de Lionel Robbins, la LSE se había consolidado como un centro de prestigio internacional, donde, a pesar de su sesgo «neoclásico», las divergencias entre las distintas tendencias coexistían en un excelente ambiente de debate intelectual.

Esta fue también una época de formación y de apertura al pensamiento de otros economistas, más allá de los británicos. Hicks tenía un conocimiento del italiano y del alemán que le permitió leer a Pareto y a varios economistas de las escuelas austríaca y sueca (que tenían su obra traducida al alemán, como Myrdal y Wicksell). Una experiencia muy relevante en esta época fue su estancia como profesor sustituto en la universidad en Sudáfrica. Allí percibió cómo los sindicatos, que eran sólo de blancos, actuaban como monopolistas en favor de una minoría de trabajadores, lo que pudo reforzar su creencia, defendida con carácter general entre la mayoría de los economistas de la LSE, en que el mercado puede encontrar un equilibrio con muy poca interferencia del Estado. Así, en 1932 publicó su primera gran contribución «académica», «Theory of Wages», que es «enteramente neoclásica» y que tuvo una influencia notable en economistas de ambos lados del Atlántico.

El propio Hicks señala que, en sus nueve primeros años de trabajo que estuvo en la LSE (desde 1926 a 1935), pasó desde una terrible ignorancia («appalling ignorance») a sus primeros logros académicos, entre los que él mismo destaca:

–   La invención de la elasticidad de sustitución (en Theory of Wages, 1932).
–   La distinción entre los efectos renta y sustitución (income and substitution effects), en «Reconsideration of the theory of value» (1934).
–   Su propuesta sobre el «espectro de liquidez» (liquidity spectrum), en línea con lo señalado por Keynes en su «liquidity preference theory».

Entre 1935 y 1938, Hicks dio clases en Cambridge, en un momento de enorme efervescencia intelectual en dicha universidad en torno a la figura de John Maynard Keynes. Fue allí donde escribió su libro más conocido, *Value and Capital*, publicado en 1939 y que reeditamos, en una nueva traducción al español, en esta edición y para cuyo comentario nos remitimos al estudio del profesor Vegara. Hicks era percibido entre los seguidores de Keynes como un economista neoclásico y él mismo señala que en aquel momento en Cambridge el ambiente estaba muy enrarecido por el continuo enfrentamiento entre los defensores y los detractores de Keynes[7]. Esto pudo llevarle a trabajar más aislado y a concentrarse en escribir su libro, basado en el trabajo que había realizado en la LSE.

Keynes publicó su Teoría General del Empleo, el Interés y el Dinero en 1936 y, para sorpresa de sus seguidores y del propio Hicks, le pidió a éste que escribiera un comentario crítico sobre el mismo para la revista «The Economic Journal». Hicks escribió su comentario, en un artículo de 15 páginas, titulándolo «'Mr Keynes's Theory of Employment», poniendo el desempleo masivo como centro de la contribución keynesiana, aunque él mismo señaló que la Teoría General era más que una nueva teoría explicativa del desempleo[8]. Posteriormente, con la idea de hacer la propuesta de Keynes más comprensible, Hicks publicó en 1937 el artículo antes mencionado y que incluimos en esta edición, «Mr. Keynes and the "Classics": A Suggested Interpretation», en el que planteó lo que algunos han denominado una sencilla interpretación, «hidráulica», de la Teoría General, convertida, con múltiples aportaciones posteriores, en el modelo IS-LM, una de las principales herramientas didácticas y divulgativas de lo que se ha llamado la «síntesis neoclásica». Tras esta publicación, los intereses académicos de Hicks se dirigieron a otros temas, y, en la segunda parte de su carrera, el propio autor fue muy crítico, tanto con su propio modelo, como con la utilización que se había hecho del mismo.[9]

Entre 1938 y 1946, John Hicks fue catedrático en la Universidad de Manchester, donde escribió la parte más importante de su obra sobre Economía del Bienestar, con su importante aportación a la Contabilidad Social (Social Accounting). En este período publicó su libro «Social Framework», que considera que debería haberse titulado «The Social Accounts», puesto que su novedad residía en la utilización de la contabilidad social en la enseñanza de la economía. En el artículo «The Foundations of Welfare Economics», que se incluye en esta edición, Hicks adelanta su preocupación por esta rama de la teoría económica, a la que se dedicaría durante su etapa en Manchester, coincidente casi con la duración de la Segunda Guerra Mundial.

[7] The Formation of an Economist: «(...) *people are terribly prone to quarrelling with each other. At that time the Cambridge faculty was divided into parties which wouldn't talk to each other. I didn't enjoy that at all*».

[8] Ver el estupendo artículo titulado «Hicks's 'conversion' – from J.R. to John», de Luigi L. PASINETTI y Gian Paolo MARIUTTI, publicado en el libro *Markets, Money and Capital. Hicksian Economics for the Twenty-first Century*, editado por Roberto Scazzieri, Amartya Sen y Stefano Zamagni. Cambridge University Press 2008, al que nos referiremos también más adelante.

[9] Para mayor detalle, ver también el artículo citado de PASINETTI y MARIUTTI, así como la exposición del profesor Vegara.

Durante estos años, su obra saltó el Atlántico y Hicks alcanzó gran populari-
dad entre muchos de los economistas americanos. En 1946 hizo su primera visita
a los EEUU, donde sus libros (Value and Capital, pero también Theory of Wages)
habían tenido una importante repercusión y allí conoció personalmente a Schumpeter, a Viner y a los jóvenes de la nueva generación, como Samuelson, Arrow,
Friedman, Patinkin... Una buena parte del análisis que sólo había esbozado en
Value and Capital fue desarrollado por esta nueva generación de la corriente que
se denominó «síntesis neoclásica». Sin embargo, Hicks cree haberles decepcionado
y reconoce que su punto de vista se distancia de las corrientes «americanas», tanto
por: su utilización de la «teoría por la teoría», la excesiva idealización del libre
mercado y el exceso de fe en los modelos econométricos para contrastar la teoría
con la realidad.[10]

Desde 1946 hasta su retiro en 1971, Hicks dio clases en Oxford. Primero, como
«research fellow» del Nuffield College (1946-52), después como Drummond Professor of Political Economy (1952-65), y, finalmente, otra vez como research fellow
of All Souls College (1965-71). Incluso después de jubilarse, Hicks se mantuvo muy
activo intelectualmente hasta su muerte (su último artículo, *The Unification of Ma-*
croeconomics, se entregó en abril de 1989, un mes antes de su muerte, el 20 de mayo
de 1989).

El estudio del profesor Vegara detalla los principales hitos de la producción de
Hicks durante su etapa de Oxford y, en esta introducción, tan sólo querría referirme,
tomando sus propias palabras del artículo «The formation of an Economist», a la
«fractura» que el propio Hicks identifica entre su trabajo hasta 1950 y el que produjo
a partir de 1960. Entre medias, hay unos años en los que Hicks se dedica, junto a
su esposa Ursula Webb, a realizar algunos trabajos de «consultoría internacional» en
Nigeria, India, Ceilán y algunos países del Caribe, que Hicks considera como un pa-
rón en su carrera académica, tras la cual, se produce lo que él mismo denomina una
especie de «resurgimiento» o renacimiento intelectual.

A su regreso a la academia y la teoría económica, Hicks decidió que podía
volver a su trabajo previo, tomando de Keynes lo que le gustaba y dejando a un
lado aquello que no le convencía. En 1950 publicó su contribución a las teorías del
ciclo de los negocios, en 1965 escribió «Capital and Growth», sobre crecimiento y
capital tocando aspectos tales como las fluctuaciones económicas, el crecimiento
económico y la teoría del capital y después reunió todos sus escritos sobre teoría
monetaria en un volumen titulado «Critical Essays in Monetary Theory». A finales
de los años 60 comenzó a cambiar su campo de investigación hacia el estudio de
la relación entre la teoría económica y la historia económica y así, publicó su libro
A Theory of Economic History. En 1973 publicó *Capital and Time*, retomando

---

[10] Ver «The Formation of an Economist».

el enfoque de la escuela austríaca sobre el capital, en 1974 y 1975 escribió, respectivamente *The Crisis in Keynesian Economics* y *The Scope and Status of Welfare Economics*; y en 1979 plasmó sus reflexiones metodológicas en *Causality in Economics*.

Señala el propio Hicks que, en este período, desde la década de los 60, volvió a algunos modelos formales pero que, sobre todo, intentó desarrollar algunos conceptos analíticos que pudieran ayudar a entender lo que sucede en el mundo. De estos conceptos, resalta tres:

– El contraste entre mercados con precios flexibles (*flexprice markets*) y con precios fijos (*fixprice markets*). En los mercados de precios flexibles, los precios se determinan por la interacción entre la oferta y la demanda y estos mercados se caracterizan por la existencia de intermediarios. En los tiempos modernos, predominan, sin embargo, los mercados de precios fijos, en los que éstos los fijan los productores. En su trabajo más reciente, Hicks intenta pensar en términos de una economía en la que coexisten ambos tipos de mercados.
– La profundización en el concepto de liquidez, esbozado insuficientemente por Keynes, que no tuvo en cuenta su relación con el tiempo.
– El concepto de «impulso», que surgió en el libro *Capital and Time*, pero que luego se desarrolló con más detalle. Considera que una gran invención o un importante cambio en las circunstancias puede generar una cadena de consecuencias, algunas de las cuales pueden deducirse utilizando modelos teóricos.

2. INFLUYENTE ACADÉMICO TEÓRICO CON VARIEDAD DE INTERESES Y UNA INQUEBRANTABLE INDEPENDENCIA INTELECTUAL

Paul A. Samuelson, hace un buen resumen sobre la figura de Hicks[11] cuando señala: «Hicks fue uno de los últimos de una especie casi extinguida de académicos: un generalista que se dedicó a la Microeconomía y a la Macroeconomía, a la Economía Matemática y a la Economía General, a la teoría pura y a las aplicaciones de política económica. No formó parte de ninguna escuela o corriente económica. John Hicks sólo formó parte de su propia escuela». Señala Samuelson también que tenía un temperamento ambicioso que le llevó a considerarse un rival a la altura de Keynes en la tarea de crear un nuevo paradigma de equilibrio con desempleo.

---

[11] En el prefacio del libro *«John Hicks – His Contributions to Economic Theory and Application»* *http://www.drkps.com/books/john-hicks-his-contributions-to-economic-theory-and-application.html.* *«Hicks was one of the last of an almost extinct species of scholars: a generalist who covered microeconomics and macroeconomics, mathematical economics and literary economics, pure theory and policy applications. He was part of no school; John Hicks was his own school.(...) A temperament of no small aspiration, he thought of himself as a rival of Keynes in creating a new less-than-full employment equilibrium paradigm».*

El propio Hicks, en su discurso del Premio Nobel,[12] resume muy bien estos aspectos: «Durante estos últimos años he realizado contribuciones a varias ramas de la teoría económica. He escrito sobre el dinero y sobre el comercio internacional, así como sobre el crecimiento y sus fluctuaciones. También he realizado algunos pequeños trabajos de economía aplicada, especialmente relacionados con los problemas de los países en desarrollo, varios de los cuales he visitado en compañía de mi mujer, una buena parte de cuyo trabajo se ha centrado en este campo».

Como señala el profesor Vegara en su estudio introductorio, Hicks fue, sobre todo, un influyente académico, tanto en el campo de la microeconomía como en el de la macroeconomía –un hecho poco habitual, como en el caso de Tobin– pero, a diferencia de Keynes y de Hayek, por ejemplo, realizó sus aportaciones alejado del día a día de los debates de la política económica de su tiempo (podría considerarse el prototipo del académico universitario aislado en su «torre de marfil»). El propio Hicks explica en su discurso de aceptación del Premio Nobel la causa de su reticencia a entrar en el debate de política económica:[13] «He sido reticente a pronunciarme sobre los grandes temas referidos a la aplicación práctica de la economía, puesto que estoy convencido de que uno no debe pronunciarse salvo que conozca los datos y mantenerse al corriente de los datos cambiantes, tanto a escala mundial, como incluso nacional, es más de lo que alguien, cuyo interés principal está en los principios, puede abarcar. Una mera familiaridad con unas estadísticas que hayan sido preparadas e interpretadas por otros no es suficiente».

3. LA IMPORTANCIA DE LA METODOLOGÍA: EL «CONSTRUCTOR DE HERRAMIENTAS»

Como señala el profesor Vegara, Hicks, probablemente por su formación matemática, atribuye mucha importancia al método y, en la medida de los posible, intenta en todo momento exponer cuáles son sus restricciones y sus hipótesis en cada caso. Hicks intenta ofrecer soluciones a los problemas formales con los que se encuentra, pero no tiene la intención de resolverlos todos, de modo que, en muchos casos, deja apuntados cuáles son los posibles desarrollos y los temas que requieren más análisis. Hicks llevó la cuestión metodológica también al campo de la Historia, en su libro *A Theory of Economic History* (1939), donde critica el método histórico utilizado por grandes figuras como Toynbee o Spengler, «que tiene más atractivo estético que científico». Otro libro específicamente dedicado a la metodología es *Causality in Economics* (1980).

---

[12] Se puede ver en la página web de la organización de los Premios Nobel, en *https://www.nobelprize.org/prizes/economic-sciences/1972/hicks/biographical/*.

[13] «*I have been reluctant to pronounce on larger issues of practical economics since I am convinced that one should not pronounce unless one knows the facts; and to keep abreast of changing facts on a world, or even on a nation scale, is more than can be done by one whose main concern is with principles. A mere familiarity with statistics that have been prepared and digested by others is not sufficient*».

En este aspecto, resulta muy interesante el análisis realizado por Roberto Scazzieri y Stefano Zamagni en su estupendo artículo titulado «*Between theory and history: on the identity of Hicks's economics*»[14] Scazzieri y Zamagni señalan que John Hicks fue, fundamentalmente, un economista teórico que nunca se adhirió a un único esquema o corriente ideológica. Señalan también, citando a Matthews, que Hicks fue, sobre todo, un generador de conceptos, un «conceptualizador». Utilizando la famosa expresión de que la Economía proporciona una «caja de herramientas», Hicks es mucho más un creador o fabricante de herramientas que un mero usuario de las mismas. Explican Scazzieri y Zamagni que Hicks consigue encontrar un equilibrio entre las limitaciones y el rigor del análisis económico y el reconocimiento explícito de la relevancia del contexto, de la historia y de las instituciones de cada momento. Hicks considera las teorías económicas como el resultado de concentrar la atención en unas circunstancias determinadas, por lo que dichas teorías pueden ser útiles para identificar ciertos patrones causales concretos, obviando otros que también serían posibles si el foco de atención hubiera sido otro. Así, Hicks estaba dispuesto a aceptar el carácter contingente y dependiente del contexto de las distintas teorías económicas, admitiendo la posibilidad de que coexistan varias en un único momento y, sobre todo, de la necesidad de utilizar otras teorías, otros «focos de atención» cuando las circunstancias cambian.

Desde el punto de vista metodológico, llaman también la atención en Hicks:

- La utilización simultánea, sobre todo en su segunda época, de los métodos inductivo y deductivo. Así, señalan los dos autores antes citados, que, en primer lugar, Hicks intenta inferir patrones derivados de la existencia de ciertas uniformidades estadísticas observadas en la historia y, después examina las implicaciones de los fenómenos particulares para intentar deducir cómo una situación se puede derivar de otra.
- Como dice el profesor Vegara, la importancia de los procesos dinámicos como clave en el proceso de investigación de Hicks, que pone el énfasis no tanto en el resultado final, sino en la configuración del propio proceso de cambio. En este sentido, Hicks equipara la economía positiva con la economía de los estados estáticos y la contrapone a la Dinámica Económica y Economía Dinámica.

Scazzieri y Zamagni concluyen su estudio señalando que las áreas de investigación más directamente relacionadas con los intereses principales de Hicks como académico teórico son: los mercados, el dinero, el capital y los procesos dinámicos. Así, los mercados proporcionan el soporte material de la teoría del valor, introduciendo vínculos intertemporales (a través de las expectativas y del traspaso de un ejercicio a

---

[14] «Between theory and history: on the identity of Hicks's economics», Roberto SCAZZIERI and Stefano ZAMAGNI, en el libro *Markets, Money and Capital, Hicksian Economics for the Twenty-first Century*, Edited by Roberto Scazzieri, Amartya Sen y Stefano Zamagni. Cambridge University Press, 2008.

otro de los stocks físicos) y, al mismo tiempo, proporcionan ciertos amortiguadores para limitar el efecto de ciertas perturbaciones, internas o externas, sobre el sistema económico. El dinero y la liquidez permiten separar temporalmente las decisiones de compra y de venta de los agentes económicos. La acumulación de capital enfatiza la importancia de la duración de los procesos de producción y, por tanto, la necesidad de considerar las repercusiones en el tiempo futuro de los mismos. Hicks utiliza la interacción de estos conceptos para intentar deducir las relaciones causales que se producen en cada momento histórico, intentando no perder de vista los condicionantes específicos de la doble perspectiva con la que actúan los agentes económicos (ex ante y ex post, vinculadas a través de las expectativas).

Citando a Baumol, Samuelson destaca que la principal contribución «hicksiana» estriba no en los teoremas que se derivan de sus obras, sino en los métodos en virtud de los cuales se consiguen esos resultados, en la lógica y la potencia de dichos métodos y en su transferibilidad a otros campos de investigación. Una buena parte de su contribución consiste, por tanto, en los caminos que ha abierto a otros economistas.

4. DE JOHN R. HICKS A JOHN HICKS: LA «CONVERSIÓN» DE UN ECONOMISTA NEOCLÁSICO A UN KEYNESIANISMO ESCÉPTICO

Como se ha señalado, John Hicks mantuvo, durante toda su vida, una gran independencia intelectual y un escepticismo científico que le hizo no adscribirse a ninguna de las principales escuelas económicas. Él se llegó a definir, como señala en su estudio introductorio el profesor Vegara, como un «keynesiano escéptico» o, incluso, como un semikeynesiano. Aunque su modelo IS-LM constituye una herramienta fundamental de la denominada síntesis neoclásica, Hicks no se adscribió a dicha corriente, ni a ninguna otra y su independencia intelectual le llevó a una suerte de aislamiento, tanto en Cambridge como luego en Oxford.

Una de las circunstancias que más llaman la atención sobre la trayectoria académica e intelectual de Hicks es lo que algunos denominan su «conversión», desde los postulados neoclásicos más firmes, hasta una suerte de keynesianismo heterodoxo y propio. Como señala el estudio del profesor Vegara, se dice que hay, como mínimo, dos Hicks: el John Richard Hicks de sus comienzos, economista neoclásico que intenta explicar el desempleo keynesiano como un caso especial del modelo neoclásico en el que los precios no son totalmente flexibles, y el John Hicks de su segunda época, que reniega de algunas de sus contribuciones originales y, sobre todo, del uso que se les ha dado por otros[15] y que busca su propio camino. En esta transición intelectual es curioso también que Hicks recibió el Premio Nobel de Economía en 1972, con-

[15] El propio Hicks escribió, en «The Formation of an Economist», incluido en este volumen: «*J. R. Hicks...[is] a "neoclassical" economist now deceased...John Hicks [is] a non-neo-classic who is quite disrespectful towards his "uncle."*».

juntamente con Arrow por sus aportaciones a las teorías del equilibrio general y de la economía del bienestar, dos pilares básicos de la construcción neoclásica que él había contribuido a fundamentar, precisamente en un momento en el que la citada «conversión» ya había comenzado. En este punto, es también importante señalar que este proceso de cambio es un proceso gradual, una evolución, más que una revolución.

Como señala el profesor Vegara, él mismo reconoce su evolución e incluso sus errores y, citando a Christopher Bliss, parece que, en cada década, Hicks se hacía más ecléctico y más innovador y, en su edad madura se adentró en áreas en las que no era un especialista, intentando especular y aventurar propuestas teóricas, con más o menos fortuna, pero siempre con una enorme independencia y honestidad intelectual.

Para el lector interesado en conocer más sobre esta «conversión» se recomienda vivamente la lectura del excelente estudio de Luigi L. Pasinetti y Gian Paolo Mariutti, titulado: *«Hicks's 'conversion' – from J. R. to John».*[16] Desde un punto de vista teórico, John Hicks mantuvo siempre un escepticismo muy científico, que le llevó a pensar que las teorías, aunque necesarias, dependen del contexto temporal y que el cambio en el contexto puede requerir la utilización de un marco teórico distinto. En este sentido, Hicks fue cambiando sus planteamientos teóricos cuando vio que la teoría no concordaba con lo que percibía que ocurría en la realidad de su tiempo. Cuando la teoría no concuerda con la realidad… uno cambia la teoría.

Como ponen de manifiesto los dos autores citados, Hicks nunca se sintió parte de ninguna corriente o escuela de pensamiento económico y se fue distanciando progresivamente de algunas de las conclusiones de la primera parte de su obra. Al poner el estudio del dinero y de la historia económica en el centro de sus intereses de investigación, se volvió muy crítico con la falta de realismo, la abstracción y el reduccionismo de algunas de sus primeras contribuciones que, además, se habían utilizado por otros para defender conclusiones que no se derivaban de su propio trabajo.

Al final de su proceso de conversión, el nuevo Hicks se diferencia del antiguo en que el nuevo Hicks enfatiza: la naturaleza dinámica y cambiante de las economías industriales, la importancia primordial del dinero en las economías modernas, la necesidad de prestar más atención a las cadenas causales, a las dinámicas de los procesos y no tanto a las situaciones de equilibrio. Además, en su última etapa Hicks criticó la utilización de lo que él denominó «the production function apparatus»; rechazó la utilización del modelo IS-LM como instrumento principal para explicar la macroeconomía y para interpretar las aportaciones de la economía keynesiana; rechazó la aceptación de ciertas hipótesis *ad hoc* en flagrante contradicción con la realidad, como la de los rendimientos decrecientes a escala; enfatizó que los puntos más débiles

---

[16] «Hicks's "conversion" – from J. R. to John», Luigi. L. PASINETTI y Gian Paolo Mariutti, en el libro *Markets, Money and Capital Hicksian Economics for the Twenty-first Century*, editado por Roberto Scazzieri, Amartya Sen y and Stefano Zamagni. Cambridge University Press, 2008.

del modelo neoclásico son su insuficiente (o incluso inexistente) consideración de la relevancia del dinero y de la dinámica temporal.

Pasinetti y Mariutti terminan su estudio sobre la conversión de John R. Hicks en John Hicks con tres enseñanzas que pueden deducirse de la trayectoria hicksiana:

- Hicks nos hace reflexionar sobre la importancia de no hacer que las herramientas conceptuales se impongan a la agenda científica. Así, por ejemplo, Hicks considera que, si los economistas habían prestado más atención al estudio del equilibrio y menos al de la evolución histórica, no es porque ésta sea menos relevante que aquel, sino porque las herramientas utilizadas tradicionalmente por los economistas se adaptan mejor al estudio del equilibrio. Hicks concluye que las herramientas en las ciencias sociales tienen que estar al servicio de la agenda científica y no al revés.
- Hicks defiende que, para ser relevante, la Economía tiene que estar en permanente diálogo con otras ciencias sociales y otras disciplinas y no puede adoptarse un enfoque único y reduccionista.
- Hicks advierte que el empleo del dinero, por una parte, y de la dinámica temporal histórica, por otra, hacen saltar por los aires el sistema walrasiano sin que éste pueda corregirse o reformularse. Yendo al ejemplo de su propio modelo IS-LM, considera que no tiene sentido seguir utilizándolo cuando sabemos que las dos curvas se mueven continuamente e incluso cambian de forma cuando cambia cada una de sus variables. No tiene sentido seguir aferrado a algo que, como generalización macroeconómica, se sabe que es defectuoso.

5. SOBRE LA SELECCIÓN DE LAS OBRAS DE ESTE LIBRO

Como en el caso de cualquier autor, la mejor forma de entender el pensamiento económico de Hicks es acudir directamente a la lectura de sus obras, escritas con un estilo elegante y comprensible a la vez[17] y creemos que, además, el estudio introductorio del profesor Vegara (al que se acompaña una extensa bibliografía) será de muchísima utilidad para acometer esta tarea. Para esta edición, presentamos una cuidada traducción directa al español, realizada por Estrella Trincado desde las obras originales.

---

[17] Samuelson señala, respecto al estilo de Hicks: «*A final element of luck enhanced Hicks' total impact on the field. He was privileged to be able to write well and knew how to blow his own horn*». Sabía escribir bien y «darse bombo». Por su parte, John Creedy señala: «*And while his work often involved highly technical material, he wrote in a style that attracted a wide audience at a time when most economists did not have his mathematical training*», aunque, luego, matiza: «*In later years Hicks's style became somewhat prolix as he took it for granted that his readers were interested in knowing every twist and turn in his own developing understanding of a subject (...) Hicks would take several different paths in turn, each time stopping mid-way with a long silence, until producing his final eloquent preferred response*».

Para esta edición se ha decidido seleccionar *Value and Capital*, considerada por muchos como la *magna opus* hicksiana. Como se ha señalado, este libro corresponde al primer Hicks, al John R. Hicks «neoclásico», del que luego renegaría el nuevo John Hicks. Sin embargo, merece la pena traer la cita de John Creedy sobre este libro, en la que concluye que «es el tipo de libro cuya relectura siempre se agradece»:

> *No cabe duda de que, de todos sus libros, Valor y Capital ha sido el que ha tenido mayor influencia y longevidad. Se citó en la justificación de la concesión del Premio Nobel de Economía. Los capítulos iniciales, sobre la teoría del valor, continúan proporcionando los modelos que se usan en las explicaciones de los libros de texto. Estos capítulos contienen, con su estilo característico, la esencia de su trabajo con R.G.D. Allen. La forma de exposición debe más a Marshall que a otras obras más modernas; todo el contenido más técnico se ha trasladado enteramente a anexos, de modo que el texto presenta los resultados de una forma mucho más accesible. Además, el libro comparte con Marshall la característica de que proporciona mucho más a aquellos que ya están familiarizados con la amplia literatura en la que se basa, pero, al mismo tiempo es lo suficientemente comprensible para los no iniciados. Es, por tanto, la clase de libro que merece la pena releer.*[18]

Respecto a los otros tres artículos, seleccionados por el profesor Vegara, consideramos que pueden ser complementos muy útiles para acercarse, no sólo a la figura de uno de los economistas más influyentes del siglo pasado, sino también para acceder, de primera mano, a su exposición de ideas y conceptos que fueron y siguen siendo, aún hoy, enormemente relevantes.

6. FINAL

John Creedy termina su artículo biográfico sobre John Richard Hicks:

> *Después de transcurrido un tiempo, la mayor parte de los economistas son olvidados o ignorados, independientemente de lo importantes que fueran en su momento. Sería interesante hacer la prueba para saber cuántos de los actuales licenciados y jóvenes profesores han oído hablar de la mayoría de los galardonados con un Premio Nobel o, incluso aunque su nombre no les fuera totalmente desconocido, cuántos podrían citar alguna de sus contribuciones. Es muy probable, sin embargo, que el nombre de Hicks y su relación con mu-*

---

[18] Aunque CREEDY también introduce una «puya», echando en cara a Hicks que no mencionase a algunas de sus fuentes: «*There is, however, a curious feature of this book in that, despite Hicks's wide reading and his sincere attachment to the history of the subject, he does not display the historian's respect for sources*».

chos de los conceptos clave y de los elementos fundamentales de la teoría eco-
nómica pervivan en la memoria colectiva. Desde la perspectiva actual, resulta
claro que hay mucho que celebrar en la dedicación continuada de Hicks a las
cuestiones fundamentales de la teoría económica.

Como se señalaba anteriormente, John Hicks siguió trabajando hasta un mes antes de su muerte. En su última época, cuando ya su mujer había muerto y él estaba muy frágil y necesitaba asistencia para moverse, le comentó a Samuelson, con un sentido del humor muy británico: «Fortunately I am dying from my feet up rather than from my brain down»[19]. Genio y figura...

---

[19] «Afortunadamente, me estoy muriendo de pies para arriba, en lugar de de cerebro para abajo».

Estudio introductorio

JOSEP MARÍA VEGARA CARRIÓ

Catedrático emérito de la Universidad Autónoma de Barcelona

Ex-profesor de la UPC y de la UPF

John R. Hicks y/o John Hicks

(1904-1989)

1. BIOGRAFÍA

John Richard Hicks nació en Warwick –Gran Bretaña– en 1904; su padre era periodista en un periódico local. De 1917 a 1922 estudió en la escuela pública y obtuvo una beca para estudiar matemáticas en el Clifton College de Bristol y –posteriormente– en el Balliol College de la Universidad de Oxford; fue un estudiante brillante en matemáticas y finalmente se graduó en un nuevo programa de *Filosofía, ciencias políticas y economía*. En 1926 Hicks se incorporó a la London School of Economics-LSE, dirigida por Lionel Robbins y coincidió –entre otros– con Abba Lerner, Nicholas Kaldor y Frederic Hayek; su relación más intensa –y más conflictiva, en este caso– fue con Hayek quien, en 1931, se incorporó a la LSE como catedrático.

Sobre la etapa de Hicks en la LSE resulta de interés el documentado relato de M. Desai (2006) –Michio Morishima, 1923-2004, *Proceedings of the British Academy*, *138, 259-281, The British Academy,* en el que Hicks juega un relevante papel. La tesis doctoral de Michio Morishima consistió precisamente en un trabajo de matematización del libro de Hicks, *Value and Capital.* Posteriormente –en 1963– Morishima publicó *Equilibrium, Stability and Growth*, así como *Theory of Growth* (1969), con notable impacto.

Para precisar la evolución de su trayectoria resulta clave –además de muy interesante y esclarecedora– la entrevista, fue realizada en 1977, pero no fue publicada en inglés hasta 2009, en Pizano D.(2009) *Conversations with economists*[1]. En la entrevista, Hicks utiliza un estilo entre distante e irónico y explica que *Debería comenzar diciendo que voy a tener que cambiarme de nombre. Valor y Capital (1939) fue escrito por un economista neoclásico llamado J. R. Hicks que ya murió mientras que, como he insinuado en otra parte, los libros* Una Teoría de la Historia Económica *(1969) y* Capital y Tiempo *(1973) fueron escritos por John Hicks, un economista que no es neoclásico y que le falta el respeto a su tío con frecuencia. Es importante anotar que estos dos últimos trabajos pertenecen a la misma categoría puesto que son el fruto de un enfoque histórico... Me he vuelto escéptico últimamente no sólo de la función de producción sino también de la frontera tecnológica (p. 147).* Lo veremos con el detalle necesario.

En este contexto, sorprende la posición de determinados analistas que no incorporan la entrevista a la información relevante para situar las posiciones y la evolución de Hicks, puesto que la citada entrevista pone de manifiesto una ruptura profunda en su proceso de evolución teórica.

2. HICKS J. R. (1932) *THEORY OF WAGES*

John Richard Hicks empezó a estudiar Matemáticas en la Universidad de Oxford y posteriormente cambió a la especialidad denominada «Economía y **Filosofía**». En 1930 empezó a dar clases en la *London School of Economics.* En 1935 se desplazó a la Universidad de Cambridge.

Inicialmente, se especializó en economía laboral, con un enfoque neoclásico. Sus primeros artículos –publicados en *Economica*, en 1928 y 1930– estaban centrados en las relaciones industriales; su primer artículo sobre economía fue *Edgeworh, Marshall and the Indetermination of wages,* publicado en junio de 1930. En 1932 publicó su primer libro –*Theory of Wages*– y en 1935 se incorporó a la Universidad de Cambridge, en donde escribió el libro *Valor y Capital.* Durante el período 1938-1946 fue

---

[1] Véase PIZANO, D. (2009) «Conversations with economists», D. Pizano Jorge Pinto Books (traducción en *Coyuntura Económica,* diciembre de 1977).

profesor en la Universidad de Manchester y, en 1946, finalmente retornó a Oxford, en donde permaneció hasta su retiro, en 1965. Hicks falleció en 1989.

Posteriormente, Hicks reelaboró la formulación del equilibrio general de Walras y las condiciones necesarias de estabilidad. Contribuyó asimismo a la teoría del bienestar, formulando el denominado 'criterio de compensación' de Kaldor-Hicks. Economista polivalente, trató temas muy variados; su análisis y su formulación relativa a la obra de Keynes ha sido muy influyente, especialmente su modelo IS-LM. En 1972 recibió –junto con Kenneth J. Arrow– el Premio Nobel de Economía *por sus estudios, pioneros, sobre el equilibrio general de la economía*[2]. Hicks fue Presidente de la Royal Economic Society (1960-62).

La primera publicación de Hicks fue el artículo *The Theory of Wages*, publicado en 1932, en el contexto de la Gran Depresión. Sobre esta primera experiencia Hicks escribió: *Recuerdo que me había sorprendido la privilegiada posición de los sindicatos en Sudáfrica, que eran sindicatos de blancos. Esto puede explicar mi posición bastante anti-sindicalista en mi libro* La teoría de los salarios, *que espero no fuera tan anti-sindicalista como mucha gente cree. Con estos antecedentes caí fácilmente en la línea ultraliberal que se convirtió en dominante en la Sección de Economía en la LSE. Es la línea de von Hayek. Todo parecía cuadrar, incluso mi interés por un autor tan reaccionario como Pareto […]*[5]. *Debe de haber sido durante el primer año de Robbins en la LSE (1929) cuando empecé a destacar en el terreno teórico. Creo que la primera cosa que hizo que se me tuviera en cuenta fue el primer borrador […] sobre la elasticidad de substitución*[3].

3. HICKS J. R. (1937) *THE FORMATION OF AN ECONOMIST*[4]

En este artículo Hicks explica al lector que eligió ser economista para '*ganarse la vida*'. En el momento de tomar la decisión había obtenido su primer grado en Oxford y –según explica– en Oxford recibió una excelente formación no especializada, si bien el tema principal eran las matemáticas. Eligió un grado denominado de *Filosofía, política y economía*; se trataba de un grado creado en los años 20 y que todavía hoy existe en la Universidad de Oxford.

[2] Ver: *https://www.nobelprize.org/prizes/economic-sciences/1972/hicks/biographical.*

[3] KLAMER, A. (1989) «**An accountant among economists.** Conversations with Sir John R. Hicks», *Journal of Economic Perspectives*, february 1989, Volume 3, Number 4). Sobre esta etapa londinense de Hicks resulta muy interesante el relato que –el también economista– de la LSE,–Meghnad Desai ha publicado en VIZARD, P. (2011) *Introduction. Arguing about the World: The Work and Legacy of Meghnad Desai*. Ed. Mary Kaldor and Polly Vizard. London: Bloomsbury Academic, 2011. xii-xviii. Bloomsbury Collections. Web. 6 May 2021.

[4] HICKS, J. R. (1979) «The Formation of an Economist», *Banca Nazionale del Lavoro, Quarterly Review,* núm. 130 (September 1979): 195-204.

Durante el período 1926-35 estudió –y también enseñó– en la London School of Economics. Sus primeros éxitos –explica Hicks– fueron *la invención del concepto de elasticidad de substitución, la distinción de los efectos substitución y renta* –en colaboración con Roy Allen (1934)– y la formulación del denominado *'liquidity spectrum'*, es decir, el abanico de niveles de liquidez existente en una economía. En el segundo año tuvo la oportunidad de viajar a Sudáfrica. Le interesaban mucho los problemas laborales y, *desde este punto de vista, Sudáfrica constituyó una revelación…por el contraste entre el sindicalismo concebido como agente de la mejora de las condiciones de trabajo en general* y el papel de sindicatos *que no se ocupaban más que de los intereses de una minoría de trabajadores blancos.* Explica que modificó su concepción inicial de los sindicatos pues empezó a concebirlos como agentes monopolistas, de modo que era adecuado aplicar a su caso la teoría del monopolio. Expresa claramente que se convirtió en un partidario del libre mercado, incluso antes de abandonar Sudáfrica; seguidamente se instaló en Cambridge durante el período 1935-38.

Su ocupación principal durante los años 30 en Cambridge, fue escribir *Valor y Capital*, que fue publicado en 1939. Explica con claridad que *su propio modelo dinámico es presentado de modo que guarda alguna relación con la obra de Keynes; pero no es muy keynesiano. Debe mucho más…a Myrdal y a Lindhal.* Toma distancia respecto de los Capítulos monetarios del libro y explica que no es de ellos sino de su artículo «A Suggestion for Simplifying the Theory of Money» que procede su trabajo posterior sobre temas monetarios. El segundo semestre de 1946 realizó su primera visita a los Estados Unidos (p. 201); contactó con 'viejos amigos' como Schumpeter y Viner y también estableció nuevas relaciones con colegas como Arrow, Friedman y Patinkin.

En 1979 Hicks escribe: *Echando la vista atrás, veo una gran brecha entre mis primeras contribuciones, sustancialmente concluidas en 1950, y el trabajo en el que he estado comprometido desde 1960,* escribe en *The Formation of an Economist*[5]. Por otra parte, califica sus años sesenta como los de su *Risorgimento*; a partir de 1965 estuvo retirado en el All Souls College de Oxford. Hicks sigue y escribe: *Sin embargo, con este bagaje, el futuro se me abría… Entonces, de manera incidental, me vi orientado hacia los modelos formales, principalmente a nuevos conceptos analíticos que pueden ayudarnos a mejorar la comprensión de lo que ha sucedido y está sucediendo en el mundo. Señalaré tres de ellos que ahora mismo creo que son suficientemente relevantes.*

El primero es el contraste entre lo que se ha llamado mercados de precios flexibles y los de precios fijos … El segundo es una profundización del concepto de liquidez… y El tercero es el concepto de impulso que surgió de 'Capital y tiempo'. Considero que una invención, u otro cambio importante en las circunstancias, como la apertura

---

[5] Hicks, J. R. (1979), pp. 6-7.

de un nuevo mercado, produce una cadena de consecuencias, algunas de las cuales pueden seguirse en teoría... Sigue y explica que *desde 1965 he sido profesor jubilado, de modo que aunque mantengo discusiones útiles con colegas de Oxford, no he sido miembro de un grupo, como lo fui en los primeros tiempos en la LSE*[6].

4. EL MODELO KEYNESIANO IS-LM (1937)

Keynes –como editor del *Economic Journal*– solicitó a Hicks una recensión de su recién publicado libro *Teoría General*, la cual apareció en abril de 1937 bajo el título *Mr. Keynes's Theory of Employment* en *Econometrica*[7]; por otra parte, Hicks publicó también –un año después– *Mr. Keynes and the 'classics', a suggested interpretation*, también en *Econometrica*[8], un artículo –muy influyente– que constituye una síntesis compacta de la teoría keynesiana. Como es bien conocido, el modelo IS-LM de Hicks ha jugado –y juega todavía– un importante papel en la difusión y en la enseñanza de la macroeconomía keynesiana. Seguidamente, examinaremos la formulación de Hicks sobre el tema.

Sean:

x la producción de bienes de capital; y la producción de bienes de consumo; N_x el número de trabajadores ocupados en el sector productor de bienes de capital; N_y, idem en el sector productor de bienes de consumo;

M la cantidad de dinero;

w el salario monetario y I el valor de la renta;

$f_x(N_x)$ es la función de producción del sector de bienes de capital; $f_y(N_y)$ es la función de producción del sector de bienes de consumo.

La producción de bienes de capital, en términos físicos, no incrementa la capacidad de producción en el período, por cuanto Keynes está realizando un análisis a corto plazo que –expresamente– la excluye. Y la producción de bienes de consumo la expresa como $y = f_y(N_y)$.

El precio de los bienes es igual a su coste marginal (en términos de salarios). Así pues, podemos escribir:

– Precio unitario de los bienes de capital: $w(dN_x / dx)$
– Precio unitario de los bienes de consumo: $w(dN_y / dy)$
– Valor de la inversión x: $I_x = wx(dN_x / dx)$

[6] *Op. cit.*, p. 8.
[7] HICKS, J. R. (1936) «Mr. Keynes's Theory of Employment», *The Economic Journal*, Vol. 46, Núm. 182 (Jun., 1936) pp. 238-253.
[8] En *Econometrica*, «Mr. Keynes and the "classics". A Suggested Interpretation», *Econometrica*, april 1937, vol. 5.

– Valor del consumo y: $I_y = wy(dN_y \,/\, dy)$
– Renta total: $I = I_x + I_y$
– Cantidad de dinero: $M = kI$
– y la Inversión es función del tipo de interés i: $I_x = C(i)$

Por otra parte, al analizar el ahorro considera que éste depende del tipo de interés y de la renta; así pues: $I_x = S(i, I)$. En definitiva, las variables y las funciones son:

x la producción de bienes de capital.
y la producción de bienes de consumo.
N_x el número de trabajadores ocupados en el sector productor de bienes de capital.
N_y *idem* en el sector productor de bienes de consumo.
M la cantidad de dinero.
w el salario monetario.
I es el valor de la renta.
$f_x(N_x)$ es la función de producción del sector de bienes de capital.
$f_y(N_y)$ es la función de producción del sector de bienes de consumo.

La producción de bienes de capital, en términos físicos, se expresa como $x = f_x(N_x)$. Se trata de una inversión que no incrementa la capacidad de producción en el período por cuanto se está realizando un análisis a corto plazo.

La producción de bienes de consumo, también en términos físicos: $y = f_y(N_y)$.

El precio de los bienes es igual a su coste marginal (en términos de salarios). Así pues:

– Precio unitario de los bienes de capital: $w(dN_x \,/\, dx)$.
– Precio unitario de los bienes de consumo: $w(dN_y \,/\, dy)$.
– Valor de la inversión x: $I_x = wx(dN_x \,/\, dx)$.
– Valor del consumo y: $I_y = wy(dN_y \,/\, dy)$.
– Renta total: $I = I_x + I_y$.
– Cantidad de dinero: $M = kI$.
– Y la Inversión es función del tipo de interés i: $I_x = C(i)$.

Y al considerar el ahorro escribe que éste depende del tipo de interés y de la renta'; así pues: $I_x = S(i, I)$. Por otra parte, las tres ecuaciones de la teoría clásica, según Hicks, son:

A)   Los clásicos según Hicks:

a) $M = kI$ (1)
b) $I_x = C(i)$ (2)
c) $I_x = S(i, I)$ (3)

Finalmente, la variable exógena –la cantidad de dinero, M– determina totalmente la renta I.

B) Keynes según Hicks

$M = L(I,i)$ (a'): la demanda de dinero para transacciones y por la preferencia por la liquidez keynesiana;

$I_x = C(i)$ (b'): la demanda de inversión es función de la eficacia marginal;

$I_x = S(Y)$ (c'): el ahorro es función exclusivamente de la renta.

b1) *El mercado de bienes reales (IS)*

Las ecuaciones (b') y (c') proporcionan directamente una relación entre la renta –Y– y la tasa de interés, *i:* corresponde a la curva IS de la Figura 1. La pendiente es negativa puesto que un aumento del tipo de interés induce una inversión menor y, por lo tanto, genera una renta menor.

b2) *El mercado financiero (LM)*

Por otra parte, la ecuación (a') expresa que la demanda de dinero resulta de la suma de la demanda para transacciones –proporcional a la renta– más la generada por la preferencia por la liquidez, la cual aumenta si *i* se reduce; así pues, ésta posee una derivada de Y respecto de *i* positiva. Las dos curvas determinan el tipo de interés –*i*– y la renta, Y.

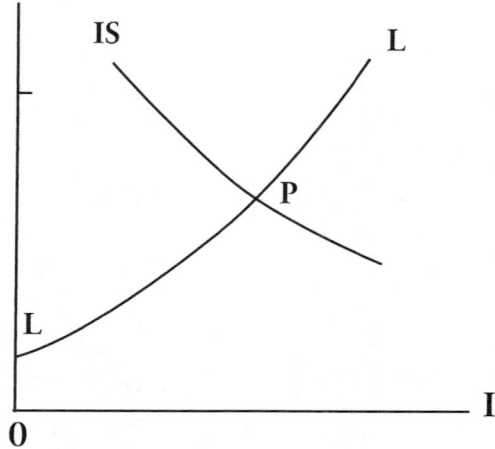

Gráfico 1.–El gráfico IS-LM

El punto clave: la forma de las curvas y la trampa de la liquidez

Es lógico preguntarse si son relevantes las formas de las dos curvas: Hicks escribe: *Esto nos lleva a lo que desde muchos puntos de vista es lo más importante del libro de Keynes.* Y sigue, precisando que *No sólo es posible mostrar que determinada oferta de dinero implica determinada relación entre la renta y el interés (nuestra curva LL) sino que también podemos afirmar proposiciones referentes a la forma de la curva. A su izquierda tenderá a ser casi horizontal y a su derecha casi vertical. Esto se debe a que 1) existe un cierto mínimo por debajo del cual es muy poco probable que pueda situarse el tipo de interés, y 2) existe (aunque Keynes no insista en ello) un nivel máximo de renta que puede financiarse con una cantidad dada de dinero, podemos imaginar que la curva se acerca a estos límites de forma asintótica*[9].

Al margen de dicho caso singular, Hicks destaca: *De esta forma, si la curva IS se encuentra claramente hacia la derecha (por la existencia de una fuerte propensión a invertir o al consumo), P –que corresponde al punto de intersección entre IS y LM– estará situado en esa parte de la curva de pendiente claramente positiva, en cuyo caso la teoría clásica es una buena aproximación que precisa solo de las calificaciones que le proporcionan los últimos marshallianos. Un incremento del incentivo a invertir hará aumentar el tipo de interés, como en la teoría clásica pero tendrá también algún efecto subsidiario en el sentido de elevar la renta y, por lo tanto, el empleo.*

Hicks agrega que *La demostración de la existencia de este mínimo se convierte entonces en una cuestión de importancia fundamental.* Es la famosa 'trampa de la liquidez': *Si aumenta la cantidad de dinero, la curva LL se desplaza hacia la derecha, pero la parte horizontal de ambas curvas es casi la misma*[10] (*véase el Gráfico 2*).

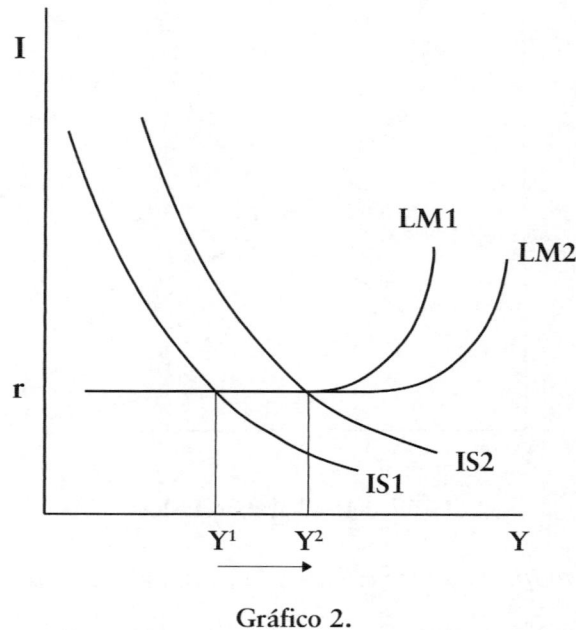

Gráfico 2.

[9] Hicks, J. R. (1937), en Mueller M.G. ed.(1966) *Readings in Macroeconomics*, p. 142.
[10] Hicks, J. R. (1937), en Mueller M.G. ed. (1966) *Readings in Macroeconomics, op. cit.,* pp. 142-3.

Hicks ya había simplificado otros modelos de tres dimensiones reduciéndolos a modelos de dos dimensiones para poder expresarlos gráficamente mediante un gráfico en el plano: para ello bastaba utilizar el sistema inicial para eliminar una de las variables y poder prescindir de una de las ecuaciones; aplicó este enfoque para obtener su modelo IS-LM.

El modelo IS-LM de Hicks ha jugado un importante papel en la difusión y en la enseñanza de la macroeconomía keynesiana y también de la denominada síntesis neoclásica. La trampa de la liquidez ha cobrado notable relevancia en el contexto de la reciente crisis financiera.

5. HICKS J. R. (1939a) *THE FOUNDATIONS OF WELFARE ECONOMICS*

Hicks se ocupó de un tema especialmente controvertido, con una clara dimensión ideológica por cuanto –como resulta patente– posee una inevitable vertiente ética e ideológica y en torno a la que existen profundas diferencias de criterio. Hicks se plantea *Qué políticas es verosímil conduzcan al bienestar social y cuáles generan despilfarro y empobrecimiento*[11]; en este contexto, el *Principio de Compensación de Kaldor-Hicks* juega un importante papel en la obra de Hicks: el Principio afirma que un proyecto es adoptable cuando genera un excedente capaz de ser –potencialmente– utilizado para efectuar compensaciones potenciales, efectivas o no.

Supongamos que se desean comparar dos asignaciones de recursos A y B; A consiste en efectuar una determinada obra pública y B, consiste precisamente en no realizarla: en general, B comportará que algunos individuos mejoren y que otros empeoren su situación. De acuerdo con el criterio de compensación, un cambio de A a B constituye una mejora si aquéllos que mejoran pudieran compensar a los que pierden e incluso así, pudieran mejorar ellos. El criterio sólo se refiere a la compensación potencial. Tomar una decisión sobre B comporta, inevitablemente, provocar impactos sobre la distribución de la renta y del bienestar; en consecuencia, el criterio de compensación no es suficiente pues es preciso valorar también estos últimos impactos.

6. HICKS J. R. (1939b) *VALUE AND CAPITAL*

Hicks publicó *Valor y capital* en 1939[12]; en la Introducción precisa que no pretende presentar un Manual de economía sino ocuparse de lo que denomina '*cosas nuevas*', basándose en un nuevo método de análisis. Hicks utiliza la 1.ª y la 2.ª Parte para reformular la teoría del equilibrio general de Walras y de Pareto. En la 3.ª Parte plantea las bases de la economía dinámica, en especial de la teoría del capital y del

---

[11] Hicks, J. R., *op. cit.,* p. 697.
[12] Hicks, J. R. (1939b) *Value and Capital. A Inquiry into some Fundamental Principles of Economics,* Clarendon Press, Oxford, UK. (*Valor y capital,* FCE, 1945, traducción de Javier Márquez).

tipo de interés. Y en la 4.ª Parte analiza el funcionamiento de un sistema dinámico; utiliza ampliamente la técnica matemática de los multiplicadores.

En la 1.ª Parte se ocupa de la reformulación de la teoría subjetiva del valor. Hicks innova, introduciendo la tasa marginal de substitución entre dos mercancías, noción que substituye el principio de la utilidad marginal decreciente. Y en la 2.ª Parte utiliza la nueva teoría del valor para reformular la teoría del equilibrio general de Walras y Pareto.

En la 3.ª Parte formula las bases de la economía dinámica, en especial de la teoría del capital y del tipo de interés. La economía dinámica la caracteriza mediante el fechado de todas las cantidades; destaca que la complicación del tema la origina el hecho de que los ajustes necesarios para conseguir el equilibrio exigen tiempo; las expectativas juegan también un papel importante.

Los períodos temporales. Hicks precisa que no mantiene la división temporal de Marshall[13]. Hicks –por su parte– opera en términos de *la semana, el plan y las expectativas*. Define 'la semana' *como aquel período que es lo bastante breve para que pueda hacerse caso omiso de las variaciones de los precios que se produzcan durante el mismo*; lo ilustra con el ejemplo de un mercado que realiza únicamente contratos durante un día por semana, de modo que los precios contratados se mantienen durante los seis días siguientes. Y precisa que los planes que se adopten en *una determinada semana no dependen sólo de los precios corrientes, sino también de las expectativas de los precios futuros que tengan los planeadores*[14].

Capítulo X. «Equilibrio y desequilibrio». A partir de este Capítulo el problema económico consiste en distribuir los recursos procedentes del pasado para satisfacer las necesidades presentes y futuras, las cuales dependerán de los precios vigentes y de las expectativas sobre el futuro. La coincidencia de las expectativas con los valores reales no es automática debido a diversas causas que Hicks examina y que provocan diversos tipos de desequilibrios, lo cual le conduce al tema de la organización económica; realiza una primera brevísima referencia al socialismo y una segunda, más extensa, al capitalismo y, en especial, sobre el comercio de futuros como una forma particular de coordinación que existe en las economías de iniciativa privada; constata que el papel de dichos mercados es muy limitado, precisamente como consecuencia de la incertidumbre.

Capítulo XI «Sobre el interés». Las operaciones económicas poseen para Hicks una fecha concreta y, en este marco, las operaciones de préstamo son aquéllas en las que existe una promesa de librar en una fecha futura determinada una cantidad acordada de bienes o de dinero; las operaciones denominadas en dinero son las más importantes y por este motivo, se limita a estudiar los tipos de interés monetarios.

---

[13] *Valor y capital, op. cit.*, (1939b) p. 138
[14] *Op. cit.*, pp. 138-141.

La Parte IV está dedicada al *Funcionamiento del sistema dinámico*. En primer lugar, el Capítulo XV trata de *El planeamiento de la producción*, que comporta seleccionar combinaciones de inputs y de outputs con una fecha asociada y seleccionados aplicando el criterio del *valor capitalizado* máximo, una vez conocidos los precios, los tipos de interés y las expectativas correspondientes; el enfoque equivale pues a utilizar los precios actualizados. El *valor actualizado* de una corriente monetaria *V1*, *V2... Vt*, tiene como expresión:

$$V_0 = \ldots + V_t(1+i)^{-t} + \ldots$$

El Capítulo XVIII trata sobre *El interés y el plan de producción*. Hicks previene al lector de que *nos acercamos a un problema realmente controvertido*; Hicks destaca que, si bien existe consenso sobre las consecuencias de cambios de los precios sobre el plan de producción, no ocurre lo mismo con lo que sucede con los cambios en el tipo de interés. Nos recuerda que *hay una teoría 'clásica' (de* Böhm-Bawerk*)*, pero señala que *su validez es muy discutida*[15]. Hicks se propone pues exponer la formulación correcta de un tema clásico, especialmente debatido.

Para avanzar en la dirección adecuada necesita disponer –como intentó realizar Böhm-Bawerk– de un índice numérico que caracterice el plan de producción y que *pueda confiarse que cambie en una determinada dirección al variar la tasa de interés*[16]. Como sabemos, ésta era la idea que llevó a Böhm-Bawerk a definir el *período medio de producción*. Hicks aplica la idea de Böhm-Bawerk pero no a los valores físicos sino a la corriente de los valores monetarios actualizados correspondientes. Así pues, Hicks define el período medio de producción del modo siguiente[17]:

$$\textit{Periodo medio de producción:} \quad \tau = \sum_{i=1}^{n} V_t * t \Big/ \sum_{i=1}^{n} V_t$$

definición que afirma no plantea las dificultades de la definición de Böhm-Bawerk.

El *período medio de producción* de Hicks no es una medida física –pues es función del tipo de interés– y para que tenga un significado económico coherente con la teoría del capital, expuesta por Hicks, debería variar en *sentido inverso* al tipo de interés. Esta afirmación de Hicks no es correcta; Edwin Burmeister clarificó el tema, demostrando que el resultado Hicks es erróneo[18].

[15] *Op. cit.*, p. 257.
[16] *Op. cit.*, p. 263.
[17] *Op. cit.*, p. 281
[18] Burmeister, J., en *Growth Theory and Dynamics*, Cambridge U.P., 1980 presenta un ejemplo contradictorio con las exigencias de Hicks.

Hicks indica seguidamente que ya ha explicado las condiciones generales del equilibrio que denomina *equilibrio temporal* y que se refiere –en su terminología– a *una semana*. Indica que los cambios que considerará son cambios puramente hipotéticos, en el sentido de que únicamente se planteará '*qué habría ocurrido' si a, b o c*, (los gustos, los recursos o las expectativas) hubiesen sido diferentes. Apunta que realizar este ejercicio *no* es lo mismo que tratar el problema propiamente dinámico pues *Los problemas concretos que se han de examinar bajo el epígrafe de análisis del equilibrio temporal...comprenden asuntos tan controvertidos como los efectos del ahorro e inversión sobre la tasa de interés, y la de los cambios generales en los salarios en dinero. Creo que estos temas se aclararán considerablemente como resultado de las investigaciones que vamos a comenzar*[19].

En el último Capítulo, Hicks explica *El concepto de la economía en el que la mayoría nos hemos educado se basaba en la teoría estática, de modo que ahora, cuando nos encontramos con los lineamientos principales de una teoría dinámica y ésta resulta ser muy diferente de la teoría estática, no tenemos más remedio que admitir que nuestra visión de conjunto de las cosas cambia...*Y presenta lo que califica como *algunas reflexiones provisionales*[20]. La novedad radica en el papel clave que Hicks atribuye a las invenciones y a las innovaciones, en una línea schumpeteriana.

Señala que para reconciliar la teoría del ciclo con la realidad histórica es necesario destacar *la oferta de oportunidades de inversión que proporcionan la invención y la innovación*, precisando que *no hay razón para suponer que el ritmo de las innovaciones sea muy regular*; de hecho,...*un grado modesto de irregularidad en la oferta será suficiente para provocar un ciclo* y, finalmente, *no hay razón para no estar satisfecho con el ritmo medio de las innovaciones durante un largo período; de modo que todo el problema se reduce a dulcificar las fluctuaciones del ritmo de innovación o, más bien, a dulcificar aquellas grandes fluctuaciones de la actividad económica pues están provocadas por estos movimientos primarios*[21].

Conviene señalar que otra obra temprana de Hicks es el libro –publicado en 1942– *The Social Framework*, que constituye un interesante texto para la enseñanza de la economía, articulado en torno a la Contabilidad Nacional.

Me parece oportuno comentar que, en ocasiones, se critica la obra de Hicks en base a la escasa importancia que Schumpeter le otorga en su monumental e influyente *Historia del Análisis Económico* –en dos volúmenes– que sólo menciona a Hicks en dos ocasiones, ocupando apenas una página; ahora bien, es muy relevante tener en cuenta que la primera edición de la *Historia* de Schumpeter fue publicada en 1954,

---

[19] *Valor y capital, op. cit.*, pp. 299.
[20] *Op. cit.* pp. 359 y 360.
[21] HICKS, J. R. (1945) *op. cit.*, pp. 365-8. Sobre este tema véase FLASCHEL, P. (2009) *Macroeconomics of Capitalism*, Springer Verlag, Berlin-Heildelberg.

antes de que apareciera *Capital and Growth*, de modo que la relevancia de Hicks estaba construyéndose.

7. HICKS J. (1965) *CAPITAL AND GROWTH*

Los problemas dinámicos se hallan en el centro de los libros *Capital and Growth* –publicado en 1965– y de *Capital and Time*, publicado en 1973. En la primera obra Hicks precisa que *todo lo más que podemos hacer es definir una situación estática como aquella en la que ciertas variables clave ...se mantienen constantes. Una situación dinámica es, por oposición, aquella en que estas variables varían; y la teoría dinámica es el análisis de los procesos que las hacen variar*[22]. El centro del análisis dinámico es pues *el propio proceso de cambio* y no sólo los *resultados finales del mismo*[23].

En el Prefacio de *Capital y Crecimiento*[24] Hicks indica *Los fenómenos que se presentan en una economía en desarrollo (cambiante) son terriblemente complejos; cualquier teoría que los englobe se ve forzada a simplificar y, en cierto modo, a una excesiva sobre simplificación.* Dicho esto, precisa que la 'Teoría Económica' es para él, esencialmente, una teoría matemática.

Hicks menciona a Joan Robinson, a Frank Hahn y a Robert C. O. Mattews y expresa *su mayor reconocimiento* a Michio Morishima, de quien fue estudiante en la Universidad de Osaka, en 1960. Morishima, por su parte, en el *Prefacio* de *Theory of Economic Growth* –publicado en 1969– relata que redactó el libro durante el curso 1963-64, mientras residía en el All Souls College de Oxford como Senior Visiting Fellow, coincidiendo con John Hicks, el cual estaba escribiendo *Capital and Growth*.

Veamos el contenido de *Capital y crecimiento*. La Primera Parte tiene como título, *Métodos de economía dinámica*. En el Capítulo I Hicks escribe: *Considero la Teoría del Crecimiento como aquella parte de la rama de la teoría económica que trata a la vez de las tendencias y de las fluctuaciones...Una situación dinámica es... aquella en la que estas variables varían y la teoría dinámica es el análisis de los procesos que las hacen variar*[25]. Esta es la definición que anticipa utilizará en los Capítulos siguientes y que –precisa– deja un lugar importante para la Estática.

Capítulo II. «El concepto de equilibrio». Inicialmente precisa que *la economía estática, en la que tanto los deseos como recursos permanecen invariables, está en equilibrio cuando todos los 'individuos' que la componen escogen de entre las posibles alternativas las cantidades que prefieren producir y consumir* e indica que el término

[22] HICKS, J. (1965) *Capital and Growth*, p. 6. (*Capital y crecimiento*, Ed. Bosch, Barcelona, 1967). Traducción de A. Bosch y A. Pastor.
[23] *Op. cit.*, p. 20.
[24] *Op. cit.*, p. 5.
[25] *Op. cit.*, p. 20.

'preferencia' hay que interpretarlo como la maximización de algo. Por otra parte, *las posibles alternativas vienen determinadas en parte por las 'restricciones exógenas'*[26] y, de modo especial, destaca que *si existe equilibrio queda todavía por demostrar que hay una tendencia hacia él.* Y subraya: *Hemos entrado de lleno en el camino de la dinámica*[27].

Capítulo III. «El método estático en la teoría dinámica». Hicks precisa que un método es *'una familia de modelos'*. Distingue los cuatro métodos siguientes de la dinámica económica: *1. El método estático; 2. El método del Equilibrio Temporal; 3. El método de Precios Fijos y 4. El método del Equilibrio de Crecimiento. 1.* El método Estático. *La teoría estática se usa como la teoría del período elemental del proceso dinámico.* Hicks se explica con claridad: *En cada período elemental, el modelo se considera en equilibrio estático. El proceso se reduce a una serie de equilibrios estáticos.* Precisa asimismo que la característica crucial del método estático consiste en que el equilibrio en *t* pueda considerarse determinado por los parámetros referidos al *mismo momento;* por otra parte, *Una teoría dinámica adecuada, incluso en la etapa del período elemental, debe tener en cuenta el hecho de que muchas actividades que se realizan durante un período están orientadas a conseguir objetivos fuera del período... En general existen muchos vínculos de este tipo; pero el más importante... es el stock de capital físico que se transmite de un período al siguiente.*

Capítulo IV. «Modelos de crecimiento "primitivos". Adam Smith y Ricardo». Hicks llama la atención sobre el tercer Capítulo del Libro segundo de *Wealth of Nations*, el famoso Capítulo titulado «*De la acumulación de capital, o del Trabajo Productivo e Improductivo*». Hicks precisa: *Voy a centrarme exclusivamente en el modelo puro, que se fundamenta en el supuesto de que la única forma de capital (la única forma que importa) es el capital circulante.* Por otra parte, indica que *el período elemental es el año agrícola. El stock de capital inicial es la cosecha del último año, una cierta cantidad de 'trigo'*[28].

Capítulo V. «El método de Marshall». Hicks destaca que «*Marshall percibió con toda claridad el problema principal. Supo darse cuenta del método estático (hasta entonces el único método empleado en teoría económica) no conducía, cuando se aplicaba hasta sus últimas consecuencias, más allá de un estado estacionario. (p. 67). Pensó que no existía una alternativa al enfoque estático ...no cabía otra solución que emplear una teoría estática incompleta...Teníamos que encerrar nuestras dificultades en "el cercado de la cláusula ceteris paribus". Éste es, en pocas palabras, el método de Marshall*».

[26] *Op. cit.*, pp. 30-31.
[27] *Op. cit.* p. 38.
[28] *Op. cit.*, p. 54.

Capítulo VI. «El método del equilibrio temporal». *El primero de los métodos (propiamente) dinámicos que voy a considerar es el elaborado (muy conscientemente) por Erik Lindhal, en 1929-30 (p. 76)... Los economistas suecos... tuvieron la gran ventaja de partir de Wicksell... Toda la aportación de Wicksell (tanto en el terreno monetario como en los demás) se reduce al análisis del equilibrio estacionario...los precios relativos permanecen constantes a lo largo del tiempo*[29]. En el método del Equilibrio Temporal, *el sistema está en equilibrio en cada período elemental; y es este equilibrio el que determina los precios,... Tiene que existir alguna manera de determinarlos, pero será una manera exógena. Los precios están determinados fuera del modelo. Es claramente una revolución... asociada a la «Revolución keynesiana»... En la teoría dinámica*[30] *no existe un precio como stock y un precio como flujo... Existe un equilibrio flujo-stock en el período*[31].

Capítulo VII. «El método de los precios fijos». Hicks precisa inicialmente que la debilidad fundamental del método del Equilibrio Temporal radica en el supuesto de que el mercado se halla en equilibrio incluso *en el 'cortísimo plazo'*. Hicks destaca que *Este supuesto proviene de Marshall, pero incluso en una economía muy competitiva resulta difícil aceptar este equilibrio a tan corto plazo; y mucho menos con respecto a la moderna industria manufacturera. Era inevitable que llegase el momento de desechar tal supuesto*[32].

Las consecuencias que surgen del indicado rechazo son relevantes pues *Si los precios vienen fijados exógenamente, es natural que se empiece suponiéndolos constantes.* Nos hallamos ante *Una revolución asociada a la llamada 'Revolución keynesiana'... Cuando los precios se mantienen constantes, las cantidades de bienes y servicios pueden agregarse...el modelo se convierte en un modelo de Precios Fijos... tiene una tendencia a hacerse macroeconómico: una tendencia ampliamente confirmada por la experiencia... Sin embargo, resultaría imprudente pasar rápidamente al campo de la macroeconomía*[33].

Capítulo VIII. «Stocks y Flujos». El equilibrio de stocks *es un punto clave de la teoría de Precios Fijos...El equilibrio de stocks es un equilibrio en un instante del tiempo; en términos contables es un equilibrio del balance*[34]. Hicks precisa que *La diferencia esencial, cuando pasamos a la teoría de los Precios Fijos, consiste en que la posición en que se encuentra la empresa en un momento determinado ... no tiene por qué ser una posición que la empresa haya 'elegido'. Y, por ello, lo que realmente importa es la*

[29] *Op. cit.*, p. 77.
[30] *Op. cit.*, p. 85.
[31] *Op. cit.*, p. 85.
[32] *Op. cit.*, p. 96.
[33] *Op. cit.*, pp. 98-99.
[34] *Op. cit.*, p. 105.

magnitud del desequilibrio al final del período elemental. Es por este motivo que *en la teoría de los Precios Fijos sí hacemos uso del equilibrio de stocks; porque es en ausencia del equilibrio de stocks cuando el propio desequilibrio se arrastra a otros períodos*[35].

Capítulo IX. «Un problema de ajuste de stocks». Plantea un problema a nivel microeconómico, con un único producto acabado, almacenable, que requiere *n* períodos para ser producido. El ajuste de los stocks a una demanda fluctuante tiene… *un doble problema: por un lado, hay que estimar cual será la evolución futura de la demanda y, por otro, hay que corregir los excesos y las deficiencias de los stocks que resultan de los errores pasados*[36]. Establece la notación siguiente:

Dt la demanda; Ot la producción; It la producción iniciada en t; St stock efectivo; y S*t el stock deseado al principio del período.

Se cumple pues: $St+1 - St = Ot - Dt$. Por definición, se verifica: $S^*t - St = Et$, de modo que en equilibrio de stocks, $Et=0$. La primera regla que adopta comporta considerar la componente flujo –Ft– más una fracción del déficit Et: $It=Ft+\lambda Et$ lo cual permite formular la ecuación de diferencias fundamental de dicho método de ajuste.

Capítulo X. «Macrodinámica de raíz keynesiana». Hicks se plantea la aplicación de su análisis de stocks y flujos a la teoría macroeconómica de Precios Fijos. Señala que incluso dentro de este campo tan limitado *hay dos tipos de modelos que conviene considerar*[37]. *El análisis dinámico…puede conseguirse introduciendo retardos o distinguiendo entre inversión 'ex-ante' e inversión ex-post* pero por su parte, se propone seguir *dos camino bastante distintos.*

El *primero* de ellos *se basa en el empleado por Keynes en su TG pero no es idéntico al modelo keynesiano: considera que lo que está dado es la inversión 'neta' en capital fijo –At– siendo Kt el capital circulante,* de modo que la igualdad entre el ahorro y la inversión total se formula como:

$At + (Kt+1 - Kt)= sYt$ siendo s la proporción de renta ahorrada.
(c. fijo c. circulante   ahorro)

Si K^*t es el capital circulante deseado y $Et=K^*t - Kt = cYt$, siendo c la relación capital *circulante-producto*, la condición *flujo de equilibrio* se expresa como: $At+-c(Yt+1-Yt)=sYt$, ecuación en diferencias que determina la trayectoria de equilibrio a partir de un valor de Yt inicial dado[38].

[35] *Op. cit.*, p. 107.
[36] *Op. cit.*, p. 118.
[37] *Op. cit.*, p. 126.
[38] *Op. cit.*, p. 130.

Segunda Parte.   «Equilibrio de crecimiento»

Capítulo XII. «Esbozo del modelo». Alcanzado este punto, Hicks abandona el supuesto de precios fijos, de modo que éstos *deben determinarse, de alguna manera, como parte del sistema... Llegamos a un nuevo método...*que presenta como *uno de los métodos de la Dinámica Económica;* precisa que, en el mismo, *el equilibrio a lo largo del tiempo tiene un sentido más restringido. Los datos fundamentales (gustos y tecnología) se consideran invariables; el único cambio admitido es una expansión uniforme.* Precisa que *Denominaremos Equilibrio de Crecimiento al equilibrio de una economía como ésta, que se expansiona a una tasa de crecimiento constante.*

El caso principal de Equilibrio de Crecimiento que hemos encontrado hasta ahora es el modelo de raíz harrodiana que antes de alcanzar el tope del pleno empleo) crece uniformemente a su tasa «garantizada». Precisa que se trata de *un equilibrio de crecimiento a largo plazo...(que) es la generalización del "estado estacionario"*[39].

El uso principal de la teoría del Equilibrio de Crecimiento *tiene lugar en el análisis comparativo, en la dinámica comparativa*[40]. Indica que *Una situación como ésta podría darse en el establecimiento de un país nuevo*[41] en el que los bienes de capital son tractores que operan en granjas, los salarios están fijados en términos de trigo y éste es el único bien producido.

Sea:

π *el precio del bien de consumo*	*P el precio del bien de capital*
w el salario	*q rendimiento del bien de capital*
r tasa de beneficio	α *coeficientes de producción (capital)*
β *(trabajo) en la prod de bb. de consumo*	*a (capital) coeficientes de producción*
b (trabajo) en la producción de capital	

Podemos escribir las ecuaciones del precio *r, p* y π, en equilibrio:

$$q = rp$$
$$\Pi = q\alpha + w\beta$$
$$p = qa + wb$$

de modo que la ecuación salario-precio es: $\Pi/w = \beta + r \, \alpha \, b/(1 - ra)$ lo que permite demostrar que Π/w es positivo y que crece con *r.*

Hicks formula las ecuaciones de las cantidades: $K = \alpha \, \xi + a \, x$ y $L = \beta \, \xi + bx$, cumpliéndose $x = gK$ y muestra que existe una perfecta simetría entre las ecuaciones relativas a las cantidades y las ecuaciones del precio; la cuestión central que destaca es que *los precios pueden ajustarse.*

[39] *Op. cit.*, p. 157.
[40] *Op. cit.*, p. 159.
[41] *Op. cit.*, p. 162.

Capítulo XIII. «La elección de la técnica». *Hay que considerar,. dos formas de cambio de las técnicas:(1) cuando solamente se produce un cambio en el bien de capital, o bien, (2) cuando se da un cambio tanto en el bien de consumo como en el bien de capital.* Hicks precisa que *lo único que vamos a considerar ahora es la respuesta de la técnica a la variación de precios. Suponemos todavía que la tecnología está dada*[42].

Formula la relación existente –para una técnica dada– entre el salario real y la tasa de beneficio, o sea, el conocido gráfico (*w-r*) que refleja los pares de valores compatibles para las diversas técnicas, lo cual permite trazar la curva de su envolvente que contiene los valores *w-r* vigentes (*la envolvente exterior*) o *frontera del salario*; la relación entre w y r, es el concepto central de la teoría de la elección de técnicas. Se puede trazar para una técnica o para varias técnicas; como es conocido, el gráfico se utiliza para realizar análisis relacionados con la selección de técnicas.

Capítulo XIV. «Muchos bienes de capital». Hicks elimina el supuesto según el que se emplea un único bien de capital; concretamente, introduce los tornos como capital necesario para producir los tractores en la economía imaginaria. Y se pregunta *¿se deduce algo de estas reglas acerca de la relación capital-producto?* Su respuesta es la siguiente: *no puede decirse que la relación capital-producto, en equilibrio de crecimiento, sea independiente de la tasa de crecimiento... considerar la relación capital-producto constante puede ser una simplificación aceptable (dentro de una determinada técnica, o –a precios constantes– de una determinada tecnología). En estos términos puede defenderse el supuesto de constancia; pero su defensa no puede llegar demasiado lejos.*

Capítulo XV. «Las participaciones de los factores en el equilibrio de crecimiento». Precisa que lo visto a partir del Capítulo XII es una generalización del Estado Estacionario clásico y Hicks precisa: *quizá podamos sentirnos autorizados a considerar que una economía real funciona como si se hallase, en algún sentido, en una fase de transición hacia un equilibrio de crecimiento; pero éste es el único camino a través del cual la teoría del equilibrio de crecimiento puede tener algo que decir sobre lo que sucede ante nosotros en la práctica.* Dicho lo cual, procede al análisis de un modelo simplificado con un único bien de capital y sin depreciación; formula las ecuaciones de precio y cantidad obtiene la curva wL/rpK.

Casi todo lo que sigue hace referencia al problema de la participación de los factores en el equilibrio de crecimiento; inicia el análisis considerando un solo bien de capital, sin depreciación, y formula la expresión de wL/rpK; analiza asimismo la curva de ahorro, incluido el caso en el que parte del ahorro procede de los salarios. Finalmente, analiza otro problema de distribución factorial, planteando qué ocurre

[42] *Op. cit.*, p. 173.

si la tecnología es variable y responde que, en el caso general, *no puede haber reglas; solo una clasificación.*

Capítulo XVI. «Transición». *Empezamos a emerger de la teoría del equilibrio de crecimiento. Las aplicaciones se presentan cuando se pasa más allá de la teoría en términos de precios para contemplar los cambios de precios como parte del mecanismo económico... Llegados a este punto hemos de desagregar. ... En cualquier momento histórico, el capital existente no puede ser el que sería adecuado a la tecnología existente; de forma inevitable, refleja la tecnología pasada; resulta más o menos inadecuado para la tecnología existente*[43]. Y precisa el gran cambio se produce en el momento *en que abandonamos el supuesto de un solo bien de capital.* Finalmente, Hicks destaca que *Es de la mayor importancia que exista flexibilidad a lo largo de la Transición; una economía que insista en proceder a sus ajustes sobre una base de precios fijos los llevará a cabo 'con una mano atada a la espalda'*[44], o sea, sin disponer de la necesaria capacidad de adaptación.

La Tercera Parte del libro tiene como título «Crecimiento óptimo».

Capítulo XVII. «Tipos de teoría del óptimo». Hicks destaca que el problema central de la teoría dinámica del óptimo *es el problema de la planificación. Dada una dotación inicial de capital, incorporada en bienes de capital concretos, y dado un flujo esperado de trabajo ¿cuál es el plan de producción –en presente y futuro– que permitirá alcanzar un objetivo dado del modo más eficiente posible?*

Hicks indica: *hay un problema básico para la dinámica, cuya contrapartida estática no existe. Es el problema del Horizonte. Normalmente, un plan de producción ha de extenderse a lo largo de un período temporal definido. Desde el tiempo 0 a T.* Hicks precisa que los caminos vuelven a separarse en este punto. *Podemos, o bien fijar nuestra atención en el flujo de bienes de consumo, tratando de maximizarlo, pero en este caso hemos de imponer alguna restricción relativa al capital final; no debe permitirse que éste caiga por debajo de un nivel fijado (que cualquiera de las componentes caiga por debajo de un nivel fijado). O bien, podemos fijar nuestra atención sobre el capital final, tratando de maximizarlo.* Precisamente, la teoría de la 'Eficiencia Inter-temporal' *(Turnpike) se ocupa de un problema de optimización del segundo tipo:* maximizar el capital final[45].

Capítulo XVIII. «El "Equilibrio" de von Neumann». En la teoría de von Neumann, el resultado del proceso de producción incluye los medios de producción utilizados con un año adicional de antigüedad, de modo que la *producción conjunta* es el caso general (excepto en el último año). *La teoría de la eficiencia inter-temporal (la*

---

[43] *Op. cit.*, p. 211.
[44] *Op. cit.*, p. 224.
[45] *Op. cit.*, p. 235.

teoría de la trayectoria óptima cuando el stock final de capital ...es la única cantidad a maximizar) tiene dos vertientes, la primera debida a von Neumann establece las condiciones para la existencia de una trayectoria de equilibrio ...a 'largo plazo' del sistema...la segunda (establece que)...si se concede tiempo suficiente al sistema, la trayectoria óptima...se aproximará a la trayectoria de equilibrio, manteniéndose pegada a ésta durante la mayor parte de su curso[46]. Sobre el funcionamiento del modelo general, Hicks identifica las siguientes propiedades:

I.   *La trayectoria de equilibrio es una trayectoria de crecimiento equilibrado.*
II. *La trayectoria de equilibrio es una trayectoria óptima*[47].
III. *La trayectoria de equilibrio es la única trayectoria que, usando la técnica cumbre, es continuamente variable*[48].

Capítulo XIX. «El Teorema del Turnpike o de la trayectoria eficiente; su importancia». *Pasamos a la segunda parte de la teoría-teorema del 'Turnpike' propiamente dicho...Vamos a partir ahora de un stock que no sea un stock de equilibrio...Vamos a proponernos como objetivo alcanzar, al término de un número de períodos dado (T) el stock máximo accesible; stock que deberá tener una composición dada...* Es decir, se plantea cuál es el carácter de la trayectoria óptima cuando no puede seguirse la trayectoria de von Neumann. Su respuesta es formular el objetivo como sigue: *se trata de maximizar el 'valor' del stock, de composición dada, para ponderaciones cualesquiera. Está claro que las ponderaciones que más nos conviene usar son los precios de equilibrio, ya que es en términos de dichos precios como se expresa la propiedad óptima de la trayectoria de von Neumann*[49].

Por otra parte, la lista de bienes que forman parte del stock inicial *es la misma que la de los bienes incluidos en el stock de equilibrio y en el stock final...*El Capítulo concluye con el siguiente párrafo: *la enseñanza principal (de) la teoría del turnpike (es que): que el stock final al término del proceso de planificación es lo único que tiene 'utilidad'... ¿tiene sentido considerar la producción de bienes de consumo durante esta fase como algo sin importancia? Espero que el lector esté de acuerdo conmigo en que no. Pero si esto es así, no podemos quedarnos satisfechos con la teoría expuesta en estos Capítulos. Ésta no puede ser nuestra única teoría del óptimo*[50].

Capítulo XX. «La frontera inter-temporal de la producción». Hicks precisa inicialmente que en este Capítulo se ocupará de otra teoría del óptimo, la cual se propone como objetivo maximizar el flujo, la corriente de bienes de consumo. Supone

[46] *Op. cit.*, p. 236.
[47] *Op. cit.*, p. 242.
[48] *Op. cit.*, p. 250.
[49] *Op. cit.*, p. 257.
[50] *Op. cit.*, p. 258.

que...*todos los recursos deben ser reproducibles a un coste determinado... (y)... tampoco puede haber una oferta fija de tierra. La oferta de trabajo es... un dato como lo son la de tierra y la del capital inicial, El problema es el de la maximización del output a lo largo del período del plan (de 0 a T) con un solo bien de consumo...* Precisa que los outputs correspondientes a estos recursos son los bienes de consumo y el capital final... *porque no hay un método directo para valorar el capital final relativamente a la corriente de bienes de consumo (ξo, $\xi 1$, ...,ξ_{T-1})*[51]; *esto es así porque el valor de un capital lo determinan los resultados futuros. Necesitamos algún truco que nos ayude a soslayar este obstáculo.* Señala que parecen existir dos caminos.

Una forma de proceder consiste en tratar el capital final como una restricción, o sea, maximizando la corriente de bienes de consumo, pero de modo que quede un stock de capital dado. Hicks explica que *Ampliando el período del plan, puede ampliarse indefinidamente la parte de dicho período en la que la rigidez del stock final no tiene gran importancia.*

Hicks precisa que existen dos formulaciones de la teoría del óptimo orientada al consumo que tienen más interés que las restantes. Concretamente, son las siguientes: *1. En la primera formulación tratamos el proceso de planificación como un proceso que se extiende en un futuro indefinido, de modo que la elección se hace entre corrientes 'infinitas' de bienes de consumo,... 2. En la segunda forma, los outputs de bienes de consumo, después del tiempo T, han de mantener una tasa de crecimiento prescrita (que puede ser igual a cero)*[52].

Capítulo XXI. «Ahorro óptimo». Para la forma más sencilla de la teoría que se propone formular en este Capítulo, Hicks necesita los tres supuestos especiales siguientes, si bien –como precisa– *No todos son necesarios, pero uno sí lo es. 1) el primero es la* estacionariedad, *en el sentido de que el sistema de necesidades (inter-temporal) permanece invariable a lo largo del tiempo*[53]. *2) el segundo supuesto es el de* homogeneidad de grado uno *de la función de producción: un aumento de la riqueza total hará aumentar el consumo planeado, para todos los períodos, en la misma proporción (p. 288). Cuando este supuesto se combina con la* estacionariedad *el resultado es drástico*[54], avisa Hicks. *3) El tercer supuesto es el de* independencia[55]...*ésta nace cuando se supone que la función de utilidad toma la forma de utilidades separadas, Uo+U1+... +Un.*

Hicks subraya que es *la independencia (en este sentido) la que, combinada con los demás supuestos, opera la transformación*[56]. ... *¿Qué ha sucedido? Hemos de volver*

[51] *Op. cit.*, pp. 269-270.
[52] *Op. cit.*, p. 273.
[53] *Op. cit.*, p. 286.
[54] *Op. cit.*, p. 288.
[55] *Op. cit.*, p. 289.
[56] *Op. cit.*, p. 289.

a los supuestos y analizarlos de nuevo. Uno de ellos, sin duda poco convincente, es el de la homogeneidad. ¿Podemos prescindir de él y obtener algo más aceptable? ... Si prescindimos de la homogeneidad, pero mantenemos la estacionariedad habremos de prescindir de la trayectoria de crecimiento constante. Pero quizás sea esto lo que debemos abandonar[57].

Capítulo XXII. «Interés y crecimiento». Los resultados obtenidos en los dos últimos Capítulos –explica Hicks– *indican claramente que la relación clave de la teoría del óptimo intertemporal es una relación entre el tipo de interés y la tasa de crecimiento, lo cual no ha de sorprendernos... porque ya sucedía en aquella teoría del equilibrio que la tasa de beneficio (r) y la de crecimiento (g) ocupaban una posición similar*[58]. Presenta brevemente su modelo que lo contrasta con el de von Neumann.

1.–La diferencia de menor importancia (entre el presente modelo y el de von Neumann) reside en el hecho de que el sistema de von Neumann no tiene factor limitativo alguno cuya tasa de crecimiento venga dada exógenamente...y. todo puede reproducirse...[59] Por el contrario:

2.–La razón más importante es la diferencia de objetivo. Si (como en el caso de von Neumann) el único criterio del óptimo, es el stock final, al término del proceso, se sigue de ello que, para alcanzar un óptimo, la tasa media de crecimiento a lo largo de todo el proceso ha de ser la mayor posible. Si la tasa máxima –cuya existencia está demostrada– es accesible; si el capital inicial permite alcanzarla, entonces ésa es la tasa de crecimiento que debe lograrse a lo largo de la trayectoria óptima. Si el capital inicial es tal que no permite alcanzar la tasa máxima, entonces la trayectoria óptima ha de acercarse tanto como sea posible a ella[60]. Señala, por otra parte, que en *la teoría alternativa, el objetivo es la maximización de la 'utilidad' del flujo de consumo; lo cual 'no' implica la maximización de la tasa de crecimiento*[61].

Cuarta Parte: «Después de la teoría del crecimiento».

Capítulo XXIII. «Keynes después de la teoría del crecimiento». Hicks inicia el Capítulo con un extraño anuncio, escribiendo: *Quedan aún por resolver problemas esenciales; pero habremos de tratarlos de forma bastante superficial* y precisa que uno de los temas pendientes es lo que denomina 'la cuestión monetaria' e indica que se ocupará del tema en este Capítulo. *No voy a profundizar en ello; no diré más que lo estrictamente necesario para llegar a una distinción que me parece tener una importancia esencial. Es la distinción que aparece (básicamente) en las últimas obras de*

[57] *Op. cit.*, p. 292.
[58] *Op. cit.*, p. 297.
[59] *Op. cit.*, p. 306.
[60] *Op. cit.*, p. 306.
[61] *Op. cit.*, p. 307.

Keynes; aunque, como veremos, aquí se presenta bajo un enfoque un tanto diferente. Sigue y escribe: *El modelo básico de la* General Theory *de Keynes es un modelo de período corto (o incluso un modelo de período elemental). Sin embargo, en más de una ocasión…(Keynes) parece estar contemplando una aplicación a más largo plazo de su modelo: la visión keynesiana del 'día del juicio', como la llamó Pigou. Es esta parte de la obra de Keynes la que podemos examinar de nuevo con la ayuda de los resultados obtenidos en las partes II y III de la presente obra. Veremos que no es necesario adoptar la visión apocalíptica propugnada por Keynes (y por Pigou)*[62].

Hicks señala –sin reservas– que *a lo largo de nuestro estudio del equilibrio y de las trayectorias de crecimiento óptimo hemos hecho abstracción del dinero* e, inmediatamente, precisa que *No hubiera habido dificultad si el único dinero admitido hubiera sido un dinero-mercancía (dinero metálico, como sin duda quisiéramos decir).*Y explica que *Un dinero puramente 'fiduciario' sin un 'respaldo' de bienes, no es, desde el punto de vista analítico, otra cosa que una parte del sistema general de créditos y deudas existentes, en cualquier momento, entre los 'individuos' o 'entidades' que componen el sistema económico*[63]. *Desde este punto de vista, el Gobierno o los Gobiernos aparecen como entidades de una determinada especie; el dinero no es más que una clase de deuda pública debida por ciertas clases de entidades; basta con considerarlo como una clase de deuda*[64].

Hicks avisa al lector: *Aquí es naturalmente, donde llegamos a Keynes –y a la preferencia por la liquidez…– no es sino una parte de un tema más general aún: la de la coexistencia de activos de rendimientos distintos. disponibles…para los mismos individuos en mercados accesibles*[65].

En la conclusión Hicks destaca que: *Hay lugar para la política monetaria como suavizadora de los efectos que sobre los precios pueden tener los cambios del tipo real de beneficio, cambios que son de esperar. No hay que hacerse demasiadas ilusiones sobre ella, pero algo puede esperarse de su actuación*[66].

Capítulo XXIV. «La función de producción». Hicks, en el último Capítulo, señala que *Hay una forma de función de producción que me parece justificable como un instrumento de análisis estático; y hay problemas reales –problemas estáticos– para los que lo único que se precisa es el análisis estático. No puede haber duda de que cuando nos limitamos a comparar los 'estados' en que se hallan dos economías, las diferencias existentes entre la magnitud de sus respectivos productos reales (cualquiera que sea, en general, el proceso de medición) han de atribuirse a diferencias en las dotaciones*

[62] *Op. cit.*, p. 313.
[63] *Op. cit.*, pp. 314-5.
[64] *Op. cit.*, p. 315.
[65] *Op. cit.*, p. 318.
[66] *Op. cit.*, p. 327.

de factores (trabajo y capital físico), a diferencias en el conocimiento técnico, o a diferencias en la eficiencia con que se aplican los factores ... Mientras no nos ocupemos más que de comparaciones estáticas ... podemos permitirnos el uso de esta función de producción[67].

Hicks precisa que realizará lo que denomina '*un ejercicio*'. Concretamente: *construiré una economía imaginaria, no absolutamente distinta de una economía real, aunque su funcionamiento diferirá de una economía real en varios aspectos importantes. Estas diferencias se elegirán deliberadamente para poner de relieve la función de producción. Podremos ver exactamente* qué sucede cuando tratamos de interpretar *nuestro sistema imaginario en términos de una función de producción. Veremos que las mismas dificultades surgirán en nuestra economía imaginaria se plantearán también en una economía real.* Hicks destaca que la ventaja asociada al uso de la indicada economía imaginaria consiste en que las dificultades aparecerán con mayor claridad.

La hipótesis relativa a la indicada economía imaginaria –que Hicks califica como crucial– consiste en suponer que *los avances técnicos que experimenta son discontinuos.* Concretamente: *experimenta una sucesión de inventos importantes, pero dispone de tiempo para adaptarse a cada uno de ellos antes de que aparezca el siguiente avance. Esta discontinuidad no es quizás tan irrealista como parece; no es muy difícil relatar la historia efectiva en términos de grandes invenciones... acompañadas por mejoras secundarias, consideradas como consecuencias derivadas de las mismas*[68].

Veamos la argumentación de Hicks. Considera un *esquema imaginario* en el que se generan inventos –de modo discontinuo– en 1900, en 1910 y en 1920; y que en 1909 y 1919 la economía se configura en un *estado 'estacionario'*; en este estado, la oferta de trabajo no se puede incrementar. *Una interpretación natural sería (pienso) la siguiente. Supongamos que el nivel de precios de la mercancía de consumo... se mantiene constante...; que no existe ahorro neto de las rentas personales; y que no existen ahorros netos de las rentas empresariales, en el sentido de que la inversión bruta es igual a la depreciación 'medida en términos de coste histórico'.* Una regla de este tipo –precisa Hicks– tiene el mérito de que es consistente –en determinadas circunstancias– con el mantenimiento del equilibrio[69].

Hicks explica que *todo esto son preliminares a nuestro problema central: ¿Cómo puede describirse este proceso en términos de una función de producción?* Una pregunta que Hicks indica que puede dividirse en varias partes. *En primer lugar, está la cuestión de la 'comparación' del nuevo equilibrio (1909) con el anterior (1899). En ambos momentos existe un equilibrio estacionario, de modo que la comparación es*

---

[67] *Op. cit.*, p. 329.
[68] *Op. cit.*, pp. 329-330.
[69] *Op. cit.*, p. 295.

casi una comparación estática. Casi, pero no del todo. Por cuanto los dos equilibrios son equilibrios del mismo sistema; están vinculados entre sí por la condición de que no se ha realizado ahorro neto entre las dos fechas.

El producto ha aumentado por el cambio en la tecnología; por hipótesis, la oferta de trabajo (por hipótesis) no se ha modificado; y la oferta de capital ha permanecido constante, en el sentido en que se usa ahora el término 'constante'. ¿Podemos expresar adecuadamente este cambio por un desplazamiento de una función de producción que ahora hay que escribir como $X = F(L, pK/\pi)$, ya que la oferta de capital viene representada por su valor 'real'? ¿Puede considerarse fija la oferta de capital cuando es así que el capital se ha transformado siguiendo nuestra regla esencial?

La respuesta es que sí, se puede. Aunque a veces se ha pensado que este punto presenta dificultades, no es aquí donde surgen los conflictos. Para este propósito se admite la necesidad de una función de producción especial, un tanto refinada (muy distinta de aquella de la que partimos[70].

Tratemos de construirla en términos de nuestro modelo de 'tractores'. Ya que no hay ahorro, s y g son iguales a cero. En consecuencia, las ecuaciones en cantidades se reducen a las formas sencillas:

$$K = \alpha \, \xi \qquad L = \beta \, \xi n$$

Ahora, pK/π es la variable independiente. Y, en equilibrio se cumple:

$$\frac{pK}{\pi L} = \frac{a}{\text{\ss}} \left[\frac{m}{1 + (m-1)ra} \right]$$

una expresión para la relación 'capital'–trabajo en términos de los coeficientes técnicos 'para una técnica determinada'.

Hay que distinguir claramente una función de producción de este tipo de la función original, en la que el capital venía medido en unidades físicas, de modo que el producto marginal del capital era rp/pi (la cuasi-renta de una 'máquina'). Con 'esta' función de producción el capital es pK/π y su producto marginal es igual al tipo de beneficio. Así pues, una vez más, cuando nos ocupamos tan sólo de comparar posiciones de equilibrio, puede usarse la función de producción (o 'una' función de producción)[71]. Seguidamente, analiza el período de ajuste, de 1900 a 1909.

Existe una especial y sofisticada función de producción que resulta necesaria para esta finalidad (que es muy diferente de la función de producción con la que comenzamos); pero que es –de todos modos– una función de producción perfectamente

[70] *Op. cit.*, p. 332.
[71] *Op. cit.*, p. 334.

válida[72]. Unas páginas después, escribe: *Aquí concluyo. Dejar la discusión en este punto, sin sacar una moraleja o embarcarse en prescripciones de política económica, es dejarla a medio camino. Pero es así como deseo dejarla*[73].

8.   EL MODELO KEYNESIANO IS-LM, DE NUEVO (1980)

Hicks no abandonó el tema IS-LM; pero lo aparcó durante un tiempo. Lo retomó en 1980, publicando el artículo «IS-LM: An Explanation», en el *Journal of Post Keynesian Economics*[74]; precisó que en la reconstrucción de la teoría Keynesiana que publicó en 1974, prescindió del enfoque IS-LM, pero sin explicar las razones de dicho cambio de criterio, motivo por el que lo hace en el artículo de 1980. Hicks escribe: *En la reconstrucción de la teoría Keynesiana que publiqué aproximadamente en las mismas fechas no se puede encontrar. Pero no he explicado las razones de dicho cambio de opinión o de actitud.*

Intentaré hacerlo en este artículo[75]. Prosigue y escribe: *Tan pronto como leí La Teoría General me di cuenta inmediatamente de que mi modelo y el de Keynes tenían cosas en común. Ambos fijábamos nuestra atención en el comportamiento de una economía durante un período –un período que tenía un pasado y que nada de lo que se hiciera durante el período podía alterar– y un futuro que, durante el período, era desconocido. Las expectativas relativas al futuro, no obstante, afectarían lo que sucedería durante el período. Ninguno de nosotros formulaba la hipótesis de las 'expectativas racionales'; en nuestros modelos, las expectativas eran estrictamente exógenas*[76].

Hicks destaca seguidamente las dos diferencias existentes entre los dos modelos. La primera diferencia –*que califica como la más* obvia– consiste en que el suyo *es un modelo de precios flexibles, un modelo de competencia perfecta, en el que todos los precios son flexibles, mientras que, en el modelo de Keynes, el nivel de los salarios monetarios (como mínimo,* precisa Hicks) *está determinado exógenamente. Por lo tanto, el modelo de Keynes era consistente con la existencia de paro, mientras que el mío era un modelo de pleno empleo...No pensé –incluso en 1936– que esto fuera realmente importante. IS-LM era, de hecho, una traducción del modelo de precios no flexibles de Keynes según mi enfoque.*

La otra diferencia –que Hicks califica como *más fundamental*– se refiere a la duración del período considerado: *El período de Keynes (él lo precisó), era de 'pe-*

---

[72] *Op. cit.*, p. 297.
[73] *Op. cit.*, p. 341.
[74] Hicks, J. (1980-81) «IS-LM: An Explanation», *Journal of Post Keynesian Economics*, Vol. 3, Núm. 2 (Winter, 1980-1981), pp. 139-154.
[75] Hicks, J. (1980-81) *op. cit.*, p. 139.
[76] Hicks, J. (1980-81) *op. cit.*, p. 140.

riodo corto', una expresión dotada de connotaciones derivadas de Marshall; no nos equivocaremos si pensamos que se refería al año. El mío era un modelo de 'período ultra-corto'. Por mi parte, lo denominé una semana. Pueden ocurrir muchas más cosas en un año que en una semana; Keynes quería permitir que ocurrieran muchas cosas. Por mi parte, quería evitarlo...En consecuencia, mis mercados abrían tan solo los lunes[77].

9. LA ENTREVISTA DE 1989. FLUJOS Y STOCKS

En otra interesante entrevista, realizada en 1989 –véase Klamer (1989)– Hicks es más explícito y contundente que en otras ocasiones; refiriéndose al modelo IS-LM precisa que *Aquéllas dos curvas del modelo no encajan. Una es un equilibrio de flujos, la otra es un equilibrio de stocks*[78]. Precisa asimismo que *No hace muchos años realicé una especie de revisión del IS/LM, pero creo que ahora he conseguido el objetivo. Es muy simple. Las dos curvas no se pertenecen. Una es un equilibrio de flujos y la otra es un equilibrio de stocks sobre... la base de buenos principios contables, cada sector debería tener una cuenta de flujos y otra cuenta de stocks*[79].En una segunda conversación, el entrevistador –Arjo Klamer– afirma con total claridad: *Usted parece también pensar el capital como un contable.*

Claramente, la posición teórica de Hicks había evolucionado: *me parece que Vd. piensa desde un punto de vista contable. Cuando leo sus trabajos, veo balances* (Hicks responde: Sí. Klamer prosigue y pregunta: *Ingresos (Sí) y Ud. percibe los pedidos (Sí). Usted parece también pensar sobre el capital como un contable.* Claramente, la posición teórica de Hicks había evolucionado.

Otro ejemplo: sobre su modelo IS-LM, afirmaba en 2009, año de la entrevista con Pizano: *Estoy de acuerdo con usted cuando afirma que el gráfico IS-LM redujo la Teoría General a la economía del equilibrio; no está realmente en el tiempo. He tomado conciencia del carácter artificial de dicho procedimiento*[80], una afirmación que parece razonable interpretar como una toma de distancia respecto de su formulación anterior.

Llama la atención el hecho de que Hicks no haya explicado de modo sistemático los motivos y las razones teóricas, analíticas, por las que evolución tal como lo hizo; hubiera sido muy útil. Por otra parte, no explicitó si estaba ubicado en un nuevo paradigma, si compartía –o no– las críticas principales a la teoría neoclásica del capital o si compartía –o no– un nuevo paradigma, por poner sólo dos ejemplos.

[77] Hicks, J. R. (1980), p. 141.
[78] Véase la entrevista con J. R. Hicks, en Klamer, A. (1989) «An Accountant among Economists: Conversations with J. R. Hicks», *Journal of Economic Perspectives*, 3.(4): 167-189.
[79] Pizano, D. (2009) *Conversation with Economists*, Jorge Pinto Books, New York. Pizano D. indica que la conversación tuvo lugar en Oxford, en junio de 1977.
[80] Hicks, J., en Pizano, D. (2009), *op. cit.*, pp. 30-32.

Hicks no abandonó el tema IS-LM; lo retomó en 1980 en el artículo *IS-LM: An Explanation*[81], publicado en el *Journal of Post Keynesian Economics*. Hicks precisa que: *Tan pronto como leí la Teoría General reconocí inmediatamente que mi modelo y el de Keynes tenían cosas en común. La TG fue publicada en 1936. Los dos fijaban nuestra atención en el comportamiento de una economía durante un período, un período que tenía un pasado y que nada de lo que hiciera durante el período podía alterar, y un futuro que durante el período era desconocido. Las expectativas sobre el futuro, por el contrario, sí afectarían a lo que sucedería durante el período. Ninguno de nosotros formulaba la hipótesis de las 'expectativas racionales'; en nuestros modelos, las expectativas eran estrictamente exógenas*[82].

Destaca, seguidamente, las dos diferencias existentes entre los dos modelos, el suyo –de 1980– y el de Keynes, de 1936. La primera diferencia consiste en que su modelo es un modelo de precios flexibles, mientras que en el de Keynes, el nivel de los salarios monetarios (como mínimo, precisa Hicks) está determinado exógenamente. *Por tanto, el modelo de Keynes era consistente con la existencia de paro, mientras que el mío era un modelo de pleno empleo... IS-LM era, de hecho, una traducción del modelo de precios flexibles de Keynes en mis propios términos*[83].

10. EL NUEVO HICKS

Llama la atención el hecho de que Hicks no haya explicado –*de modo sistemático*– los motivos y las razones teóricas, analíticas, por las que evolucionó cómo lo hizo; hubiera sido muy útil. Por otra parte, no explicitó si estaba ubicado en un nuevo paradigma o si compartía –o no– las críticas principales a la teoría neoclásica del capital, por poner sólo dos ejemplos.

Tanto John R. Hicks como John Hicks tenían una gran curiosidad intelectual que incluía claramente los aspectos metodológicos, los cuales ocupan un importante lugar, especialmente en los dos libros, *A Theory of Economics History* –publicado en 1969– y en *Causality in Economics*, publicado en 1979. Son dos manifestaciones del 'nuevo Hicks'.

11. HICKS J. (1969) *A THEORY OF HISTORY*

Nuestro autor se plantea en qué sentido se puede intentar formular una '*teoría de la historia*', dado que –como destaca– para muchos expertos teoría e historia son disciplinas opuestas o, en el mejor de los casos, son disciplinas alternativas. Su visión

---

[81] HICKS, J. R. (1980-81) *IS-LM: «An Explanation...»*, publicado en el *Journal of Post Keynesian Economics*, Vol. 3, No. 2 (Winter, 1980-1981), pp. 139-154.
[82] HICKS, J. (1980) *op. cit.*, p. 140-1.
[83] HICKS, J.R. (1969) «Una teoría de la historia», *op. cit.*, p. 12.

de la relación del historiador con la teoría es clara y la expresa con contundencia: *No es asunto del historiador pensar en términos teóricos. O quizá se concedería que puede hacer uso de algunas partes pequeñas y desconectadas de teoría que sirvan como hipótesis para la ilustración de algunos procesos históricos particulares; pero sólo esto. Creo que comprendo este escepticismo y, en cierta medida, lo comparto. Estoy más de acuerdo con él que con los grandes proyectos de Toynbee o Spengler, los artífices de modelos históricos que tienen más atractivo estético que científico. Definitivamente, mi 'teoría de la historia' no será una teoría de la historia en este sentido*[84].

Hicks se plantea en qué sentido se puede intentar formular una *'teoría de la historia'*, dado que –como destaca– para muchos expertos teoría e historia son disciplinas opuestas o, en el mejor de los casos, son disciplinas alternativas. Su visión de la relación del historiador con la teoría es clara y la expresa con contundencia: *No es asunto del historiador pensar en términos teóricos. O quizá se concedería que puede hacer uso de algunas partes pequeñas y desconectadas de teoría que sirvan como hipótesis para la ilustración de algunos procesos históricos particulares; pero sólo esto. Creo que comprendo este escepticismo y, en cierta medida, lo comparto. Estoy más de acuerdo con él que con los grandes proyectos de Toynbee o Spengler, los artífices de modelos históricos que tienen más atractivo estético que científico. Definitivamente, mi 'teoría de la historia' no será una teoría de la historia en este sentido.* Una crítica realmente dura, dirigida explícitamente por nuestro autor a dos historiadores reconocidos que se han arriesgado mucho más allá de los hechos ocurridos y de su conexión, formulando sus propias interpretaciones generales sobre la dinámica histórica.

El otro referente de Hicks sobre el tema es –inevitablemente– Marx, de quien afirma que *aplicó a la historia algunas ideas generales que tomó de su economía, por lo que el modelo que él imaginó en historia tenía algún soporte extra-histórico. Esto es mucho más de lo que deseo intentar.* Marx elaboró una teoría de la historia, centrada en el materialismo histórico y en la sucesión de modos de producción: es posible que Hicks se refiriera a este aspecto de la teoría global de Marx, pero no lo especifica. Prosigue: *No parece irracional suponer que podamos obtener de las ciencias sociales, y no sólo de la economía (en vista de lo que se ha dicho), algunas ideas generales que puedan utilizar los historiadores para ordenar su material. Supongo que la mayor parte de los historiadores están de acuerdo en que esto es así. Lo que queda como una cuestión sin resolver es si esto sólo puede hacerse en pequeña medida, para propósitos concretos, o si puede hacerse en gran escala, de manera que el curso general de la historia pueda encajar en aquélla, al menos en algunos aspectos importantes.*

Sigue con una nueva referencia a la obra de Marx, en esta ocasión para lamentar los escasos avances que se han realizado en una línea que –a su juicio– disponía de potencialidades relevantes: *Sin embargo, es sorprendente que cien años después de* El

---

[84] HICKS, J. R. (1969) *Una teoría de la historia, op. cit.*, pp. 4-5.

capital, *después de un siglo durante el que ha habido enormes progresos en las cien-cias sociales, haya surgido tan poca cosa más*; ahora bien, ello no significa que Hicks adopte el enfoque de Marx sobre el tema, pues sigue y escribe: *Aunque Marx haya estado en lo cierto es su visión de los procesos lógicos que funcionan en la historia, nosotros, con más conocimiento de la realidad y de la lógica social del que él tenía, y con otro siglo de experiencia a nuestra disposición, deberíamos concebir la naturaleza de aquellos procesos de una forma diferente.*

Hicks se propone contribuir al tema y se plantea por dónde empezar. Su opción consiste en destacar que *Hay una transformación que es previa a la aparición del ca-pitalismo de Marx y que, en términos de economistas más recientes parece que es aún más fundamental. Esta es la aparición de la economía de cambio. Esto nos vuelve a una etapa de la historia muy anterior, al menos para sus comienzos,* una fase sobre la que destaca se sabe muy poco[85].

Concluye, escribiendo: *Dije al principio que no daría a la 'historia económica' una interpretación estricta. Espero haber cumplido esta promesa. He intentado presen-tar la historia económica, a la manera que lo hicieron los grandes escritores del siglo XVIII, como parte de una evolución social considerada mucho más ampliamente. He intentado indicar las líneas que conectan la historia económica con las cosas que ordi-nariamente consideramos fuera de ella. Pero cuando uno llega a ser consciente de estos lazos, comprende que reconocerlo no es suficiente. Hay hilos que van de la economía a las otras ciencias sociales, a la política, a la religión, a la ciencia y a la tecnología, se desarrollan ahí y después vuelven a la economía. He hecho poco por seguirlos; pero de ningún modo trato de negar su existencia[86].*

El libro *Capital and Time* fue publicado en 1973 y, en el mismo, Hicks desarrolla lo que denomina una '*teoría austríaca del capital*' –en la línea de Böhm-Bawerk y de Hayek– con el objetivo de eliminar sus insuficiencias y errores que –a su juicio– limi-taban su validez y su aplicación. En su planteamiento juega un papel clave el *Teorema Fundamental*, según el cual –salvo en un caso límite –que explica ha decidido excluir de su consideración– *una reducción del tipo de interés incrementa el valor actualizado de la curva de todos los procesos...mientras que un incremento del tipo de interés lo reducirá.* Ya he mencionado la crítica de E. Burmeister.

12. HICKS J. (1980) *CAUSALITY IN ECONOMICS*

Hicks inicia el libro escribiendo: *Causalidad y economía son palabras que he situado juntas en el título pero que, a menudo, no se hallan juntas. La causalidad, la relación entre causa y efecto se considera constituye un tema de filósofos* (p. vii), pero

---

[85] HICKS, J. R. (1969) *op. cit.*, p. 8.
[86] HICKS, J. R.(1969) *op. cit.*, p. 150.

precisa que el estudio de la causalidad *es mucho más amplio que el estudio de la economía; se refiere a lo que es la ciencia y buena parte de la historia* (p. x).

En el Capítulo I se sumerge en la economía y se plantea tres razones para tratar el tema. La primera consiste en constatar que *el conocimiento económico, si bien no es negligible, es extremadamente imperfecto* (p. xiii). La segunda razón consiste en la relación existente entre la economía y el tiempo. *Una propiedad que fue afirmada por David Hume como esencial a las causas y a los efectos, consiste en la prioridad en el tiempo de las causas sobre el efecto* (pp. 2-3). La tercera razón consiste en la estrecha relación existente entre la economía y la toma de decisiones.

Y se plantea: ¿qué queremos expresar cuando en términos de la Nueva Causalidad afirmamos que A es causado por B? Responde: pues que *B es algún acontecimiento ocurrido en algún momento del pasado y que B es, además, algún acontecimiento que continuaremos suponiendo que ha ocurrido en alguna fecha posterior y tenemos evidencia satisfactoria en el sentido de que ambos acontecimientos ocurrieron efectivamente*[87]. *Por otra parte, debido a la causalidad debemos mantener que si A no hubiera existido, B no existiría; si no-A entonces no-B. Pero no-A y no-B no son acontecimientos que hayan ocurrido; son acontecimientos que no han ocurrido. (En discusiones recientes entre historiadores son descritos como 'contra-factuales'). En consecuencia, deben ser contemplados como construcciones teóricas; no podemos afirmar nada sobre ellos a menos que dispongamos de alguna teoría relativa a cómo las cosas están conectadas.*

Por otra parte, Hicks se pregunta: ¿*puede afirmarse, en términos de la Nueva Causalidad, que todo acontecimiento debe tener una causa? Y su respuesta es clara: La causalidad, en términos de la Nueva Causalidad puede únicamente establecerse si se dispone de alguna teoría, o de alguna generalización en la que los hechos puedan encajar*[88].

Hicks precisa que cuando *Adam Smith denominó su libro* An Inquiry into the Nature and Causes of the Wealth of Nations, *estaba pensando en términos de la nueva causalidad. Adam Smith, al igual que Gibbon, era amigo de Hume; la economía moderna, al igual que la historiografía moderna, como uno puede verificar actualmente, tiene sus orígenes en el mismo círculo, refiriéndose al grupo que gravitaba en torno a Hume*[89].

La economía, desde estas fechas, ha estado comprometida con la Nueva Causalidad, en la búsqueda de 'leyes' o generalizaciones sobre la base de las cuales podamos afirmar algo sobre las causas de los acontecimientos. Es una búsqueda que en el caso de la economía es obviamente una tarea sin fin, por cuanto la economía, como ya

[87] Hicks, J. R. (1979) *op. cit.*, p. 8.
[88] Hicks, J. R. (1979) *op. cit.*, p. 8.
[89] Hicks, J. R. (1979) *op. cit.*, p. 9.

dije al principio, es de modo característico, una ciencia imperfecta. La relación de la economía con la Nueva Causalidad es, sin embargo, bastante especial, por cuanto –precisa Hicks– la economía se refiere a acciones humanas y a decisiones, un campo más próximo a la Causalidad Antigua –con agentes– que a la Nueva Causalidad[90].

En el Capítulo II Hicks se propone proceder a un examen más ajustado de la definición de causalidad, en los términos resumidos en la formulación de *no A implica no B*; precisa que las fechas de ocurrencia –*Ta* y *Tb*– pueden corresponder, no a fechas sino a períodos de tiempo (p. 12). Explica que *la afirmación 'A causó B' tiene cierta ambigüedad. Puede significar que A es una de las causas de B (causalidad débil) o puede significar que A es la causa única de B (causalidad fuerte)*, excluyendo pues cualquier otra causa[91].

Para Hicks, lo básico *es pues la definición de causalidad débil; una vez establecida ésta con firmeza, podemos construir con solidez, a partir de ella, la causalidad fuerte...Pero incluso en el caso de causalidad débil debemos formular una distinción adicional.* Por esta razón, Hicks explica que existen dos tipos de causalidad débil que denomina *la causalidad 'separable' y la causalidad 'no-separable'. Una causa 'separable' A es aquélla de la que se puede afirmar que A constituye, por sí misma, 'una' causa de B, mientras que de una causa 'no separable' no se puede afirmar que A sea algo más que una parte de una causa separable*[92].

La primera posibilidad es clara; en ella, A1 y A2 superan los tests, tanto por separado como conjuntamente; para que el efecto se produzca, las *dos causas –A1 y A2–* deben hallarse presentes, deben estar activas, simultáneamente.

Capítulo V. «Causalidad contemporánea: stocks y flujos». Hicks inicia el Capítulo afirmando que existe *un tipo de causalidad... característica de la economía moderna...la Causalidad Contemporánea que se mantiene no solo para el enfoque keynesiano, tan pronto como el tiempo es tomado seriamente, tan pronto como formulamos una distinción adecuada entre el pasado y el futuro*[93]... *Buena parte del trabajo de los economistas se refiere al futuro, con previsiones y planificación ... La historia económica, por el contrario, está más bien escasa de acontecimientos. Los hechos de la historia económica son distintos.*

Existen dos tipos de series temporales, con tipos distintos de referencias temporales[94]. *En una de ellas cada ítem se refiere a un punto en el tiempo y, en el otro, se relaciona con un período...Los economistas modernos han aprendido mucho sobre la distinción stock-flujo a partir del trabajo de los contables... Cuando existe tanto un flujo de oferta*

[90] Hicks, J. R. (1979) *op. cit.*, pp. 9 y 12.
[91] Hicks, J. R. (1979) *op. cit.*, p. 13.
[92] Hicks, J. R. (1979) *op. cit.*, p. 13.
[93] Hicks, J. R. (1979) *op. cit.*, p. 62.
[94] Hicks, J. R. (1979) *op. cit.*, p. 64.

(de coches nuevos) como un stock de coches viejos un stock de oferta (de coches viejos Keynesiana procedentes del pasado) esperaríamos que los precios en los dos mercados mantuvieran alguna relación... El primer economista que apreció esto fue Keynes[95].

Capítulo VI. «La causalidad contemporánea en Keynes». Al iniciar el Capítulo, Hicks indica que –por su parte– denomina *teoría keynesiana* a la teoría formal contenida en los *manuales* keynesianos y no en la propia obra de Keynes; precisa que los manuales detallan: (1) la función consumo, (2) la curva de la eficiencia marginal del capital y (3) la preferencia por la liquidez. Señala que existen dos versiones del multiplicador, la versión de Keynes y la Kahn, esta segunda de tipo secuencial.

En el segundo punto de Keynes, la inversión es función del tipo de interés; aquí no hay duda de que –en la intención de Keynes– el interés es la causa y la inversión es el efecto. *La insistencia de Keynes en el carácter orientado hacia el futuro de la función de inversión es importante y válida.* aunque señala que Keynes le *asignó un nombre desafortunado*[96].

Por otra parte, Hicks precisa que *La única alternativa es recurrir, al igual que antes, al* Método del Equilibrio. *Construir un modelo en el que las expectativas pueden ser descritas como invariables, a lo largo de un período, suponiendo que 'durante el período' las expectativas sean correctas... Keynes cortó este nudo. Concentró su atención en la Inversión en Capital Fijo*[97].

Precisa que, *si rechazamos la línea de escape de Keynes, la única alternativa es el Método del Equilibrio, o sea, construir un modelo en el que las expectativas pueden ser descritas como invariables, durante el período, suponiendo que las expectativas durante el período sean correctas. Un modelo de este tipo no es realista. Lo utilizamos sólo como un estándar de comparación con el actual. Por lo menos, para aplicaciones históricas no es inapropiado... el modelo nos muestra qué hubiera podido ocurrir si alguna causa hubiera sido distinta...*[98].

Hicks se pregunta ¿*Cómo funciona esto con la tercera parte de la teoría de Keynes, la preferencia por la liquidez entre el tipo de interés y la oferta de dinero que, como Keynes subrayaba, es una relación stock..., que se refiere a un punto en el tiempo y no a un período?* Por otra parte, Hicks afirma –con dureza– que la *parte más débil del modelo Keynesiano convencional es, en definitiva, la relación de la preferencia por la liquidez que, desde otros puntos de vista quizás más importantes, es su rasgo característico*[99].

[95] HICKS, J. R. (1979) *op. cit.*, p. 69.
[96] HICKS, J. R. (1979) *op. cit.*, p. 80.
[97] HICKS, J. R. (1979) *op. cit.*, p. 82.
[98] HICKS, J. R. (1979) *op. cit.*, pp. 81-83.
[99] HICKS, J. R. (1979) *op. cit.*, pp. 81-83.

Capítulo VII. «La causalidad secuencial: retardos y reservas». La causalidad secuencial, en la que el efecto sigue a la causa, corresponde –escribe Hicks– a *la idea simple de causalidad... Pero es también el tipo natural con la que finalizar, por cuanto, en casos concretos es, a menudo, el caso más difícil. Y en la economía, como veremos, esto puede ser formidable.* Implica siempre una dificultad adicional, *por cuanto si afirmamos que A fue una causa de B, siendo la fecha que corresponde a B posterior a la que corresponde a A ¿no necesitamos algo más que la conexión lógica considerada anteriormente?* Dicho esto, Hicks considera necesario formular dos preguntas suplementarias[100].

Primera pregunta: ¿qué se supone que ha ocurrido entre las dos fechas? Segunda pregunta: ¿por qué transcurrió tanto tiempo entre las dos fechas, ni más ni menos?...A menos que podamos proporcionar alguna respuesta aceptable a estas preguntas suplementarias, nuestra afirmación de causalidad, de causalidad secuencial, no se halla correctamente formulada[101]... Hasta cierto punto, ocurre lo mismo en la economía, si bien la cadena causal posee, en este caso, un carácter bastante especial...La economía...se refiere a decisiones que aparecen como un estadio intermedio en la mayor parte de sus procesos causales. Así, incluso en el caso más simple, la causalidad secuencial en la economía posee dos etapas: una etapa a priori, del objetivo a las decisiones en las que se basa o está influida por, y otra a posteriori, de las decisiones a sus efectos (objetivos)...Las dos etapas exigen tiempo y generan problemas bastante diferentes. Cada una de estas etapas puede tomar tiempo... El economista, como el historiador, se halla a menudo implicado en cadenas de causalidad.

13. COMENTARIO FINAL

Chistopher Bliss ha escrito: *cada década de la vida de Hicks parecía hallarle más ecléctico e innovador*[102]. Ciertamente, su voluntad de especular y de escribir sobre áreas nuevas en las que no se había introducido previamente fue un rasgo notable de sus últimos escritos. Ejemplos especialmente llamativos son sus dos obras, *Una teoría de la historia económica* (1969) –en la que asumió los riesgos inherentes a proponer una magna teoría de la historia económica– y *La causalidad en la economía,* en la que se introdujo en temas normalmente reservados a filósofos y a estadísticos.

Bliss concluye: *Hicks es un economista de extraordinaria formación y erudición*[103]; una conclusión contradictoria con la de Frank Hahn. Hicks ha sido cierta-

---

[100] Hicks, J. R. (1979) *op. cit.,* p. 87.

[101] Hicks, J. R. (1979) *op. cit.,* p. 87.

[102] Bliss, Ch. (2008) Hicks, John Richard (1904-1989). In: Palgrave Macmillan (eds.) *The New Palgrave Dictionary of Economics.* Palgrave Macmillan, London.

[103] Bliss, Ch. (2008), p. 2.

mente un influyente académico, tanto en el campo de la microeconomía como en el de la macroeconomía –un hecho poco habitual– y, a diferencia de Keynes y de Hayek –por ejemplo– desplegó sus contribuciones alejado del día a día de los debates de la política económica de su tiempo. Por otra parte, resulta patente que el pensamiento de Hicks evolucionó y, periódicamente, él mismo procedió a recapitular su posición y a explicar muchas de las razones y de los argumentos de sus cambios, facilitando con ello la comprensión de su pensamiento, lo cual siempre es de agradecer.

* * *

BIBLIOGRAFÍA

BLISS, Ch. (2008) From *The New Palgrave Dictionary of Economics*, Second Edition, Edited by Steven N. Durlauf and Lawrence E. Blume, Palgrave Macmillan, UK.

CUNNINGHAM WOOD, J., WOODS RONALS, N., eds. (1989) *Sir John Hicks: Critical Assessments of Contemporary Economists*, Routledge.

DESAI, M. (2012) *Michio Morishima 1923-2004*, in Marshak P.J. (2012) «Proceedings of the British Academy», 138. *Biographical Memoirs of Fellows*, V. (Published to British Academy Scholarship Online: January 2012).

DOSTALLER, G. (2001) «De J. R. à John ou les métamorphoses de Hicks, éléments de biographie intellectuelle», *Cahiers d'économie Politique, 2001/1 (n° 39)*, pages 9 à 23.

HAMOUDA, O. F. (1993) *John R. Hicks. The economist's Economist*, Blackwell Publishers, Oxford.

KLAMER, A. (1989) «An Accountant among Economists: Conversations with Sir John R. Hicks», *Journal of Economic Perspectives*, Vol. 3, Núm. 4, fall 1989.

LINDBECK, A. ed. (1992) *From Nobel Lectures, Economics 1969-1980*, Editor Assar Lind-beck, World Scientific Publishing Co., Singapore, 1992.

ROUX, D. (2006) *Los premios Nobel de Economía 1969-2005*, Akal, Madrid.

SEGURA, J., RODRÍGUEZ BRAUN C. (1998) *La economía en sus textos*, Ed. Taurus, Madrid.

VEGARA J. M. (2020) *Historia del Pensamiento Económico. Un Panorama Plural*, Ed. Pirámide, Madrid. Capítulo 14.

PUBLICACIONES DE JOHN R. HICKS

HICKS, J. R. (1932) *The Theory of Wages,* MacMillan & Co, London, 1963.

HICKS, J. R., Dr. (1933) IV. «A Note on Mr. Kahn's Paper», *Review of Economic Studies,* Oxford University Press, vol. 1(1), pages 78-80.

HICKS, J. R. (1934) «A Note on the Elasticity of Supply», *Review of Economic Studies*, Oxford University Press, vol. 2(1), pages 31-37.

HICKS, J. R. (1936a) «Distribution and Economic Progress: A Revised Version», *Review of Economic Studies,* Oxford University Press, vol. 4(1), pages 1-12.

HICKS, J. R. (1936b) «Keynes Theory of employment», *The Economic Journal*, Vol. 46, Núm. 182 (Jun., 1936), pp. 238-253.

HICKS, J. R. (1939) *Mr. Hawtrey on Bank Rate and the Long-term Rate of interest*, Manchester School, University of Manchester, vol. 10(1), pages 21-37, June.

HICKS, J. R. & HICKS, U. K. (1939) «Public Finance in the National Income», *Review of Economic Studies,* Oxford University Press, vol. 6(2), pages 147-155.

HICKS, J. R. (1939) *A Reply*, Manchester School, University of Manchester, vol. 10(2), pages 152-155, December.

HICKS, J. R. (1940) «A Comment», *Review of Economic Studies*, Oxford University Press, vol. 8(1), pages 64-65.

HICKS, J. R., U. K. HICKS, (1941) *The Taxation of War Wealth*, Oxford: Clarendon Press.

HICKS, J. R. (1941a) *Saving and the Rate of Interest in War-time,* Manchester School, University of Manchester, vol. 12(1), pages 21-27, December.

HICKS, J. R. (1941b) «The Rehabilitation of Consumers' Surplus», *Review of Economic Studies*, Oxford University Press, vol. 8(2), pages 108-116.

HICKS, J. R. (1942) *The social framework: an introduction to economics*, Oxford, Clarendon Press.

HICKS, J. R. (1942) «Consumers' Surplus and Index-Numbers», *Review of Economic Studies*, Oxford University Press, vol. 9(2), pages 126-137.

HICKS, J. R. (1943) «The Four Consumer's Surpluses», *Review of Economic Studies*, Oxford University Press, vol. 11(1), pages 31-41.

HICKS, J. R. & HICKS, U. K. (1943) «The Beveridge Plan and Local Government Finance», *Review of Economic Studies,* Oxford University Press, vol. 11(1), pages 1-19.

ROBERTSON, D. H. & HICKS, J. R. & LANGE, O. (1944) «The Inter-relations of Shifts in Demand», *Review of Economic Studies,* Oxford University Press, vol. 12(1), pages 71-78.

HICKS, J. R. (1945) «The Generalised Theory of Consumer's Surplus», *Review of Economic Studies,* Oxford University Press, vol. 13(2), pages 68-78.

HICKS, J. R. (1948) *The Problem of Budgetary Reform*, Clarendon Press, 1948.

HICKS, J. R. (1950) *Contribution to the Theory of the Trade Cycle,* Clarendon Press, Oxford.

HICKS, J. R. (1956) *A Revision of Demand Theory*, Oxford University Press.

HICKS, J. R. (1953a) «An Inaugural Lecture», *Oxford Economic Papers*, Oxford University Press, vol. 5(2), pages 117-135.

HICKS, J. R. (1953b) «A Reply», *Review of Economic Studies*, Oxford University Press, vol. 21(3), pages 218-221.

HICKS, J. R. (1954) «The Process Of Imperfect Competition», *Oxford Economic Papers*, Oxford University Press, vol. 6(1), pages 41-41.

GOLDSMITH, W. & HICKS, J. R. (1955) «The National Balance Sheet Of The United States Of America, 1900-1949», *Review of Income and Wealth, International Association for Research in Income and Wealth,* vol. 4 (1), pages 322-386, March.

HICKS, J. R. (1958) «The Measurement Of Real Income», *Oxford Economic Papers,* Oxford University Press, vol. 10(2), pages 125-162.

HICKS, J. R. (1959) «A "Value and Capital" Growth Model», *Review of Economic Studies*, Oxford University Press, vol. 26(3), pages 159-173.

HICKS, J. R. (1960) «Thoughts On The Theory Of Capital. The Corfu Conference», *Oxford Economic Papers,* Oxford University Press, vol. 12(2), pages 123-132.

HICKS, J. R. (1961a) «Economic Theory and the Evaluation of Consumers' Wants», *The Journal of Business*, University of Chicago Press, vol. 35, pages 256-256.

HICKS, J. R. (1961b) «Prices and the Turnpike: I. The Story of a Mare's Nest», *Review of Economic Studies*, Oxford University Press, vol. 28(2), pages 77-88.

HICKS, J. R. (1961c) «Marshall's Third Rule: A Further Comment», *Oxford Economic Papers*, Oxford University Press, vol. 13(3), pages 262-265.

HICKS, J. R. (1965) *Capital and Growth*, Clarendon Press, Oxford University Press.

HICKS, J. R. (1966) «Growth And Anti-Growth», *Oxford Economic Papers*, Oxford University Press, vol. 18(3), pages 257-269.

HICKS, J. R. (1969a) «Direct and Indirect Additivity», *Econometrica*, Econometric Society, vol. 37(2), pages 353-354, April.

HICKS, J. R. (1969b) «Automatists, Hawtreyans, and Keynesians», *Journal of Money, Credit and Banking,* Blackwell Publishing, vol. 1(3), pages 307-317, August.

HICKS, J. R. (1969c) *A Theory of Economic History*, Oxford University Press.

HICKS, J. R. (1970a) «A Neo-Austrian Growth Theory», *Economic Journal*, Royal Economic Society, vol. 80(318), pages 257-281, June.

HICKS, J. (1970b) «Elasticity of Substitution Again: Substitutes and Complements», *Oxford Economic Papers*, Oxford University Press, vol. 22(3), pages 289-296, November.

HICKS, J. R. (1971) «Reply to Professor Beach», *Economic Journal*, Royal Economic Society, vol. 81 (324), pages 922-925, December.

HICKS, J. R. (1972) *The Sveriges Riksbank Prize in Economic Sciences in Memory of Alfred Nobel 1972*, Biographical. Nobel Prize.org. May 2021. *https://www.nobel-prize.org/ prizes /economic-sciences/1972/hicks/biographical/*.

HICKS, J. R. (1973) *Capital and Time. A Neo-Austrian Theory*, Oxford University Press, Oxford.

HICKS, J. R. (1975) *Crisis in Keynesian Economics*, Basil Blackwell.

HICKS, J. R. (1974b) «Real and Monetary Factors in Economic Fluctuations», *Scottish Journal of Political Economy*, Scottish Economic Society, vol. 21(3), pages 205-214, November.

HICKS, J. (1975a) «Revival of Political Economy: The Old and the New», *The Economic Record*, The Economic Society of Australia, vol. 51(3), pages 365-367, September.

HICKS, J. R. (1975b) «The Scope and Status of Welfare Economics», *Oxford Economic Papers*, Oxford University Press, vol. 27(3), pages 307-326, November.

HICKS, J. R. (1975c) «The Quest for Monetary Stability», *South African Journal of Economics*, Economic Society of South Africa, vol. 43(4), pages 248-256, December.

HICKS, J. R. (1975d) *Value and Capital: An Inquiry into some Fundamental Principles of Economic Theory*, Oxford University Press (*Valor y capital*, Fondo de Cultura Económica, México. 1945)

HICKS, J. (1976) «Must Stimulating Demand Stimulate Inflation?», *The Economic Record*, The Economic Society of Australia, vol. 52(4), pages 409-422, December.

HICKS, John & HOLLANDER, S. (1977a) «Mr. Ricardo and the Moderns», *The Quarterly Journal of Economics*, Oxford University Press, vol. 91(3), pages 351-369.

HICKS, J. R. (1977b) *Economic Perspectives: Further Essays on Money and Growth*, Oxford University Press.

HICKS, John (1978) «Notes and Comments on Capital, Expectations and the Market Process (Review Note)», *South African Journal of Economics*, Economic Society of South Africa, vol. 46(4), pages 269-271, December.

HICKS, J. (1979a) *Causality in Economics*, Basic Books Blackwell Pu.,

HICKS, J. (1979b) *Critical Essays in Monetary Theory,* Oxford University Press.

HICKS, J. (1979c) «The Formation of an Economist», *PSL Quarterly Review*, Vol. 32 No. 130.

HICKS, J. (1981-83) *Collected Essays in Economic Theory* (3 vols, 1981-83).

HICKS, J. (1981) *Wealth and Welfare: Collected Essays on Economic Theory*. Volume I. Oxford: Basil Blackwell.

HICKS, J. (1982a) *Money, Interest and Wages: Vol. I of Collected Essays on Economic Theory*, Volume II, Harvard University Press.

HICKS, J. (1982b) *Money, Interest and Wages: Vol. II of Collected Essays on Economic Theory*, Volume II, Harvard University Press.

HICKS, J. (1983) *Classics and Moderns: Vol. III of Collected Essays on Economic Theory*, Volume III, Harvard University Press.

HICKS, John [Sir] (1984) «The "New Causality": An Explanation», *Oxford Economic Papers*, vol. 36(1), pages 12-15, March.

HICKS, J. R. (1986) *A Revision of Demand Theory*, Oxford University Press.

HICKS, J. R. (1989) *A Market Theory of Money*, Oxford University Press.

HICKS, John [Sir] (1987) «La crise de l'économie keynésienne», *Revue Française d'Économie*, vol. 2(4), pages 3-21.

HICKS, J. R. (1989) *A Market Theory of Money*, Oxford University Press.

HICKS, John [Sir] (1988) «*A Conversation with Sir John Hicks about "Value and Capital"*», *Eastern Economic Journal*, vol. 14(1), pages 1-6, Jan-Mar.

HICKS, John (1989) «The Assumption of Constant Returns to Scale», *Cambridge Journal of Economics*, vol. 13(1), pages 9-17, March.

HICKS, J. R. (1989) *A Market Theory of Money*, Oxford University Press.

HICKS, J. (1990) «The Unification of Macro-economics», *Economic Journal*, vol. 100(401), pages 528-538, June.

VALOR y CAPITAL

UNA INVESTIGACIÓN SOBRE ALGUNOS PRINCIPIOS FUNDAMENTALES DE TEORÍA ECONÓMICA

por

J. R. HICKS

PROFESOR DE NUFFIELD COLLEGE
OXFORD

SEGUNDA EDICIÓN

OXFORD
EN CLARENDON PRESS

OXFORD
UNIVERSITY PRESS

Publicado en Estados Unidos
por Oxford University Press Inc., Nueva York

© John Hicks 1939

Reimpreso 2001

ISBN 0-19-828269-9

Prefacio a la segunda edición

La mayoría de las modificaciones que he realizado en esta nueva edición son correcciones a pequeños lapsus técnicos en la argumentación publicada originalmente. Había resuelto las condiciones generales de estabilidad de la elección del consumidor (todavía creo) de manera bastante correcta; pero no utilicé todas las condiciones disponibles matemáticamente, ya que en ese momento no podía dar ningún sentido económico a algunas de ellas. En esto estaba equivocado; como resultado de un trabajo más reciente (mío y de otros), parece que las condiciones que ignoré tienen un sentido económico muy importante y, por no haberlas usado, se resintieron las etapas posteriores de mi argumento. Por ello, estas etapas se complicaron más de lo necesario, de modo que he tenido que simplificarlas haciendo las rectificaciones necesarias.

La proposición general, que pasé por alto, se expone ahora en las páginas 64-5. Se han realizado los consiguientes ajustes en las páginas 87, 88, 92, 120-2, 249 y en los sitios correspondientes del apéndice matemático. Otras consecuencias de la nueva propuesta se analizan en la Nota adicional A.

Otro punto donde el argumento original parecía defectuoso no se prestó al mismo tipo de corrección. Por tanto, el texto no se ha modificado. La cuestión se ha analizado en la Nota adicional B.

Me he sentido obligado a introducir enmiendas técnicas de este tipo, pero no he sentido la misma necesidad de ocuparme de aquellas críticas, por fundadas que estuvieran, referidas a cuestiones más fundamentales. Al escribir la Introducción a este libro, ya me cuidé de enfatizar que no pretendía proponer un sistema completo de teoría económica. Simplemente estaba siguiendo un enfoque particular, me llevara donde me llevara. Es mejor que el libro de Valor y Capital sea un estado de la cuestión al que se puede llegar por ese método y dejar para otro momento la discusión sobre sus relaciones con otros métodos (quizá mejores).

Sin embargo, hay un movimiento crítico cuya investigación ya ha dado lugar a un nuevo modelo -con una teoría que difiere de la mía, aunque está estrechamente relacionada con ella. Una nueva edición de este libro parecería incompleta si no se hiciera alguna referencia al trabajo del profesor Samuelson y sus colaboradores. Por tanto, lo he comentado, aunque de manera muy breve e inexacta, en la última de mis notas adicionales.

J. R. H.
Oxford
Julio de 1946

Prefacio a la primera edición

LAS ideas en las que se basa este libro fueron concebidas en la London School of Economics durante los años 1930-5. No eran, en modo alguno, ideas exclusivamente mías, sino que surgieron a través de una especie de proceso social que tuvo lugar entre las personas que trabajaban allí, en ese momento bajo la dirección del profesor Robbins. Aquellos a quienes recuerdo particularmente por su contribución son R. G. D. Allen, Kaldor, Lerner, el Profesor Hayek, Rosenstein-Rodan y Edelberg. Cada uno de ellos probablemente podrá reconocer algo propio en estas páginas, pero a mí me resultaría demasiado difícil atribuir a cada uno su contribución para darles agradecimientos específicos.

Si la primera etapa en el desarrollo de este libro fue inusualmente social, las etapas posteriores son el fruto de un trabajo individual. He tomado las ideas que surgieron en Londres y las he dirigido en otras direcciones de las que soy el único responsable. He recibido algunas críticas muy útiles de Sraffa y de uno o dos de los profesores anteriormente mencionados. Pero la separación física ha hecho imposible recrear la colaboración constante de los primeros años. Por tanto, esta obra se convierte en mi propio informe personal sobre el significado y las implicaciones de las cosas que descubrimos.

La única deuda que sí debo reconocer, que concierne a todas las etapas del trabajo, es con mi esposa. Formaba parte del grupo del que procedían estas ideas e hizo un seguimiento constante de su posterior desarrollo, mientras que el hecho de que este libro se escribiera al mismo tiempo que su Finance of British Government fue, de diferentes maneras, una oportunidad única para mí. Creo que las partes de mi libro que tratan sobre el mercado de capitales son las más beneficiadas de esta coincidencia, pero no hay ninguna que no se haya beneficiado de que en todo momento su obra me recordara que el lugar de la teoría económica es ser sirviente de la economía aplicada.

J. R. H.
Manchester
Octubre de 1938

Introducción

AUNQUE este libro trata un número considerable de temas estudiados generalmente en libros de teoría económica, no pretende ser unos «Principios de Economía». Su objetivo es muy diferente. El ideal que cualquier escritor de unos *Principios* debería plantearse es el del poeta clásico: «Expresar mejor que nunca lo que tantas veces se pensó». En este libro trataré casi exclusivamente cosas nuevas. Me limitaré a los aspectos de cada tema sobre los que tengo algo nuevo que decir, o al menos, trataré de pasada los aspectos conocidos.

Siendo así, podría pensarse que las siguientes páginas, que buscan decir algo nuevo sobre muchas ramas de una ciencia bien desarrollada como la economía, solo podrían contener una serie de ensayos, no un libro unificado. Sin embargo, creo que he escrito un libro. La base de esta afirmación no reside en la unidad de tema, sino en la unidad de método. Creo que he tenido la fortuna de encontrar un método de análisis que es aplicable a una amplia variedad de problemas económicos. El método surge de algunos de los problemas más simples y fundamentales, por lo que tienen cabida aquí. Quizá resulte más esclarecedor cuando se aplica a los problemas más complejos (como los de las fluctuaciones económicas) –de modo que también tienen su sitio aquí–.

Los que se dedican al estudio de cuestiones tan complicadas a menudo apelan a la necesidad de tener algún método para tratar más de dos o tres variables a la vez. Los diagramas geométricos pueden resolver fácilmente problemas simples de dos o tres variables, pero cuando el problema se hace más complejo, fallan los métodos geométricos al uso. ¿Qué puede hacerse? La respuesta obvia es: recúrrase al álgebra. Pero, aparte del hecho de que muchos economistas no son muy duchos en álgebra, el tipo de métodos algebraicos comúnmente empleados, si bien son de alguna utilidad para plantear problemas, son mucho menos eficientes para describir gráficos, cuando estos se pueden utilizar. Mi nuevo método quería precisamente hacer frente a este problema. Por supuesto, he hecho uso de las matemáticas para construir este método, pero afortunadamente el método se puede explicar y utilizar sólo con un uso sistemático de gráficos. Así, podré prescindir de las matemáticas casi por completo en el texto, aunque (para aquellos que gustan de esas formulaciones) resumiré las matemáticas relevantes al final en un Apéndice[1].

La investigación demuestra que la mayoría de los problemas con varias variables de los que debe ocuparse la teoría económica son problemas de interrelación entre mercados. Así, los problemas más complejos de la teoría de los salarios implican interrelaciones del mercado de trabajo, el mercado de bienes de consumo y (quizá) el mercado de capitales. Los problemas más complejos del comercio internacional implican interrelaciones de los mercados de importaciones y exportaciones con el mercado de capitales. Y así sucesivamente. Lo que necesitamos sobre todo es una técnica para estudiar las interrelaciones entre los mercados.

Cuando buscamos una técnica de este tipo, solemos recurrir de forma natural a los trabajos de los autores que han estudiado de manera especial esas interrelaciones, es decir, los economistas de la escuela de Lausanne, Walras y Pareto, a quienes, creo, debe añadirse Wicksell. El método del Equilibrio General, que plantearon estos autores fue especialmente diseñado para describir el sistema económico como un todo, en la forma de un patrón complejo de interrelaciones entre mercados. Nuestro trabajo sigue su tradición y será una continuación de la de ellos.

Sin embargo, no es posible encontrar en su obra todo lo que buscamos. Walras (*Éléments d'économie politique pure*, 1874) se limitó a plantear el problema. Marshall describió bastante bien su obra con la frase (que claramente tenía a Walras en mente): «La utilidad principal de las matemáticas puras en cuestiones económicas parece consistir en ser una ayuda para que una persona escriba de forma rápida, breve y exacta, algunos de sus pensamientos para su propio uso, y en asegurarse de que tiene premisas suficientes, y solo suficientes, para extraer sus conclusiones (es decir, que el número de ecuaciones no son ni más ni menos que el de incógnitas)»[2]. El Equilibrio General no había logrado mucho más que esto en 1890[3]. Sin embargo, es una lástima que la autoridad de Marshall haya llevado a tantas personas a creer que la utilidad de las matemáticas se limita a hacer un recuento de ecuaciones.

Fue Pareto (*Manuel d'économie politique*, 1909) el que dio un paso más. Sin embargo, la obra de Pareto, por importante e influyente que sea, es sólo un comienzo. Está limitada por la falta de atención que presta a los problemas del capital y el interés. Incluso en la teoría del valor, donde la teoría es más sólida, ésta viciada por

---

[1] Un enunciado puramente matemático de mi método (al menos en la medida en que se aplica a la teoría del valor) ya apareció en francés-*Théorie mathématique* de la *Valeur* (París, Hennann).

[2] Marshall, *Principios*, Prefacio a la Primera Edición.

[3] Incluso hay muchas implicaciones en el mero recuento de ecuaciones e incógnitas, cuando se realiza sistemáticamente. Véase el capítulo IV posteriormente, y mi artículo, «Léon Walras» (*Econometrica*, 1934).

una falta de claridad en algunos puntos vitales, sobre los que tendremos que llamar la atención.

No se puede culpar a Wicksell de haber descuidado el capital y los intereses, pues éstos fueron los problemas que más le preocuparon. Pero, al escribir antes que Pareto, no pudo utilizar los avances que éste introdujo en la teoría del valor, y (creo que en cierto modo como consecuencia) su teoría del capital se limita a considerar el estado estacionario como una abstracción artificial. A pesar de estas limitaciones, hizo maravillas. En particular, su teoría del dinero y el interés (*Geldzins und Güterpreise*, 1898) ha sido la base de la teoría monetaria moderna.

Por tanto, nuestra tarea presente puede expresarse en términos históricos de la siguiente manera. Tenemos que reconsiderar la teoría del valor de Pareto, y luego aplicar esta teoría del valor mejorada a los problemas dinámicos del capital que Wicksell no pudo abordar con las herramientas que tenía a su alcance.

Dado que las obras de Walras y Pareto no están disponibles en inglés y en general los lectores ingleses no están muy familiarizados con ellas, resumiré las partes de su trabajo a medida que las necesite para mi argumentación. No daré por supuesta la teoría del valor de Pareto, sino la más conocida teoría del valor de Marshall, y esto tendrá algunas ventajas, ya que no considero que la teoría de Pareto sea superior a la de Marshall en todos los aspectos. Una de las cosas que tenemos que hacer es completar la teoría de Pareto en aquellos aspectos en los que es defectuosa comparada con la de Marshall.

Del mismo modo, cuando lleguemos a problemas dinámicos, no dejaré de prestar atención al importante trabajo que en ese campo se ha hecho a través de los métodos marshallianos –aludo, en particular, a la obra de Keynes–. La *Teoría General de la Ocupación, el Interés y el Dinero* (1936) de Keynes apareció cuando mi propio trabajo estaba bien avanzado, pero aún estaba incompleto en varios aspectos. Dado que estábamos interesados en temas tan similares, era inevitable que la obra de Keynes me influyera bastante. La segunda mitad de este libro habría sido muy diferente si no hubiera tenido la *Teoría General* a mi disposición. Los capítulos finales de la Parte IV, en particular, son muy keynesianos.

Cuando comencé a trabajar sobre el capital, tenía la esperanza de crear una Teoría Dinámica completamente nueva, la teoría que muchos autores habían reclamado pero que ninguno, en ese momento, había construido. Estas esperanzas se han desvanecido, porque Keynes llegó primero[4]. Sin embargo, sigo pensando que vale la pena hacer mi propio análisis, aunque pueda parecer pedestre frente al de Keynes. Un

---

[4] Las primeras etapas de mi propio trabajo están resumidas en tres artículos escritos antes de leer la *Teoría General*: «Gleichgewicht und Konjunktur» (*Zeitschriftfür Nationalokonomie*, 1933); «A Suggestion for Simplifying the Theory of Money» (*Economica*, 1935); «Wages and Interest – the Dynamic Problem» (*Economic Journal*, 1935).

enfoque menos refinado tiene la ventaja de ser más sistemático. Además, creo que he aclarado varias cosas importantes que él no dejó del todo claras[5].

Debo confesar que, cuando trabajaba con el libro de Keynes, me sorprendía la forma en que éste se las arreglaba para desenmarañar una serie de confusiones sin utilizar ningún aparato especial, yendo directamente a lo realmente importante. Esto lo consigue utilizando de manera magistral la intuición y con una aguda observación del mundo real, y descartando lo no esencial yendo directamente a lo esencial. Sin embargo, esa misma facultad tiene sus inconvenientes y para muchos lectores resulta inadecuada. «Supongamos», no pueden por menos de decir, «supongamos» que estuviera equivocado. Supongamos que algunas influencias fueran más importantes de lo que Keynes piensa, y otras menos importantes. ¿No cambiarían mucho las cosas? Esta pregunta merece una respuesta. De hecho, es particularmente deseable que el lector sepa diferenciar las cosas que son fruto de la lógica pura, y que por tanto puede estar obligado a creer, de las cosas que son el punto de vista del Sr. Keynes en cuestiones sociales, donde el lector puede querer disentir. Ahora podremos, *frente* a Keynes como *frente* a Wicksell, prescindir de supuestos especiales. Así podremos ver exactamente por qué Keynes llega a resultados diferentes a los de los economistas anteriores en cuestiones cruciales de política social, y podremos dar vueltas en torno a estas inquietantes consideraciones, examinándolas desde varios puntos de vista y tomando nuestras propias decisiones al respecto.

Espero que estas líneas de nuestra investigación (contenidas en las Partes III y IV) le parezcan a la mayoría de los lectores las más interesantes, ya que ciertamente son las más importantes. Debo disculparme con el lector por ponerlas al final del libro, pertrechadas tras la Parte II, en vez de al principio, donde tal vez preferiría que estuvieran. Esto no ha podido evitarse, ya que la característica peculiar de nuestra teoría del capital es que depende de nuestra teoría del valor mejorada. Los problemas de capital e interés presentan, de hecho, dos tipos de complicaciones: una es la complicación propia de los problemas dinámicos como tal, pero la otra es simplemente la complicación de los mercados interrelacionados, que pueden tratarse por separado. Cuando tratemos con los problemas dinámicos, será muy conveniente dominar estos enredos en esencia irrelevantes en la Parte II. Entonces podemos separar las dificultades dinámicas especiales –aquellas implicadas en la concepción de la formación de precios como un proceso en vez de ser un sistema de precios «estático»–. Estos se tratan en la Parte III, que por tanto no depende especialmente de nuestra teoría del valor. Los problemas generales, que son los más importantes, en los que tenemos que

---

[5] Ver, en particular, mis explicaciones sobre la relación entre ahorro e inversión (capítulo XIV, nota), del período de producción (capítulo XVII), de los préstamos a corto y largo plazo (capítulo XI), de por qué es tan relevante que los salarios sean rígidos (Cap. XXI), y del proceso de acumulación de capital (capítulo XXIII).

afrontar tanto las confusiones dinámicas así como las de los mercados interrelacionados, se abordarán finalmente en la Parte IV.

Por ello, pido al lector que refrene su impaciencia por leer sobre ahorro e inversión, interés y precios, auges y depresión, y que quede satisfecho volviendo a aprender sobre la utilidad marginal. Se ha dicho que los métodos indirectos son a veces más productivos que los directos, y quizás sea apropiado discutir la teoría del capital en un escenario que ilustre ese famoso principio.

Por tanto, este es el plan que tenemos ante nosotros:

La Parte I se ocupa de la teoría del valor subjetivo –«los deseos y su satisfacción»–, el mismo tema que el libro III de los principios de Marshall. Lo que tengo que decir al respecto es necesario para lo que viene después, pero también tiene un interés especial. Mi trabajo sobre este tema comenzó con la intención de proporcionar una base teórica necesaria para los estudios estadísticos de la demanda, de modo que en ese campo tiene clara relevancia. Se incluyen también otros asuntos de importancia metodológica fundamental.

La Parte II utiliza los resultados de nuestra teoría revisada del valor subjetivo para reelaborar el análisis del equilibrio general de Walras y Pareto. Lo más importante aquí es la oportunidad que se nos abre de trascender del mero recuento de ecuaciones e incógnitas, y establecer leyes generales para el funcionamiento de un sistema de precios con muchos mercados. Esto es básico para liberar a la teoría de Lausana de los cargos de esterilidad que le imputaban los marshallianos. Creo que lo he hecho. Sin embargo, la Parte II es relativamente árida. Es completamente «estática» y, aunque algunos importantes economistas se han contentado con ajustar su pensamiento a este marco, deja demasiado fuera los problemas reales como para ser suficiente. Sin embargo, si simplemente se considera como una teoría formal de la interrelación entre mercados, resulta útil. Así es como quiero que se considere aquí.

La Parte III trata de los Fundamentos de la Economía Dinámica. Se ocupa particularmente de la formulación de problemas que, como vimos, fueron la principal preocupación del análisis del equilibrio general en su etapa walrasiana. Entraré en el asunto con mucho más detalle de lo que hizo Walras en su esbozo de una teoría del capital. Así, la Parte III contendrá, por ejemplo, lo que tengo que decir sobre cuestiones controvertidas como la determinación del tipo de interés. También contendrá una discusión sobre el significado de algunos conceptos vitales, como el de ingreso y ahorro.

La Parte IV trata del funcionamiento de un sistema dinámico. Aquí se reúnen los resultados de las Partes II y III para formar una teoría del proceso económico en el tiempo. La parte II nos proporciona las leyes de funcionamiento de un sistema de mercados interrelacionados en general. La parte III nos habrá familiarizado con las características de algunas clases especiales de mercados de gran importancia, como el mercado de capitales. Antes de poder comprender completamente el funcionamiento del mercado de capitales, es necesario urdir la trama.

Así pues, el programa que tenemos ante nosotros es bastante extenso, y me siento obligado a limitarlo en varios sentidos. Una limitación de nuestro análisis se pondrá de manifiesto muy pronto, y es mejor reconocerla cuanto antes. Nos basaremos en el supuesto de competencia perfecta, es decir, casi siempre desdeñaremos la influencia que pueden tener sobre la oferta los cálculos realizados por los vendedores de su propia influencia en los precios de mercado. (Lo mismo ocurre con la demanda). En realidad, muchas ofertas y demandas probablemente se vean influidas en cierta medida por tales cálculos; puede que esta influencia sea importante. Sin embargo, es muy difícil tener en cuenta esta influencia salvo en los problemas más sencillos. De modo que, aunque sin duda el análisis de este libro mejoraría si se prestara más atención a la competencia imperfecta, he pensado que es mejor dejarlo por el momento. No creo que esta omisión menoscabe los resultados más importantes de este trabajo, pero es un asunto que deberemos investigar a su debido tiempo.

Otra limitación importante ya está implícita en nuestro subtítulo. Se trata de un trabajo de economía teórica, considerado como el análisis lógico de un sistema económico de empresa privada, sin referencia a los controles institucionales. Interpretaré esta limitación con bastante rigor, porque considero que el análisis lógico puro del capitalismo es una labor por sí misma, mientras que el estudio de las instituciones económicas se lleva a cabo mejor con otros métodos, como los del historiador económico (incluso cuando las instituciones son contemporáneas). La economía comienza a acercarse al final de su recorrido sólo cuando se cumplen estas dos tareas. Pero la división del trabajo entre ellas debe ser clara, y debemos trazar claramente la línea divisoria.

Sin embargo, debe reconocerse que el precio de esta austeridad es que el economista puramente teórico será incapaz de decidir si alguna de las oportunidades o riesgos que diagnostica se dan o no en el mundo real en un momento determinado. Se ve obligado a aparcar esta cuestión para otra investigación, aunque al menos con su estudio habrá ayudado a algún investigador, al señalarle algunas de las cosas de las que debe ocuparse.

PARTE I

La teoría del valor subjetivo

«La razón también es cuestión de elección».

(El Paraíso Perdido)

Capítulo I

Utilidad y preferencia

1. LA TEORÍA pura de la demanda del consumidor, a la que Marshall y sus contemporáneos dedicaron gran atención, ha sido menos estudiada en el siglo XX. El tercer libro de los *Principios* de Marshall sigue diciendo la última palabra sobre el tema en lo que respecta a obras en inglés. Ahora bien, la teoría de la demanda de Marshall es sin duda admirable,[1] pero es sorprendente que a pesar del tiempo transcurrido su valor no se haya puesto en tela de juicio. Esto sería explicable si realmente no hubiera nada más que decir sobre el tema, y si cada paso en el análisis de Marshall estuviera fuera de toda de discusión. Pero esto no es el caso; varios escritores han dado a entender que no les satisfacía la forma en que Marshall trata el problema,[2] y en realidad lo más discutible es el primer paso que da y del que depende todo lo demás.

Primero, recordemos el esquema general del argumento básico de Marshall.[3] Un consumidor con una determinada renta monetaria se enfrenta a un mercado de bienes de consumo en el que los precios de los bienes ya están determinados. La pregunta es, ¿cómo dividirá sus gastos entre los diferentes bienes? Por conveniencia, se supone que los bienes están disponibles en unidades muy pequeñas.[4] Se supone que el consumidor deriva de los bienes que compra una determinada «utilidad», siendo la cantidad de utilidad una función de las cantidades de bienes adquiridos, y que gasta

---

[1] Mi experiencia personal es que una mayor investigación no ha hecho sino aumentar mi admiración por la teoría de MARSHALL. Espero que al lector le pasara lo mismo.

[2] Por ejemplo, WICKSTEED, *Common Sense of Political Economy*, cap. 1-3; ROBBINS, *Nature and Significance of Economic Science*, cap. 6.

[3] *Principios*, iii. 5. 2.

[4] Por supuesto, este supuesto conveniente de continuidad siempre distorsiona un poco la situación (o a veces más que un poco) en lo que respecta al consumidor individual. Pero si nuestro estudio del consumidor individual no es sino un paso hacia el estudio de un grupo de consumidores en el mercado, podemos confiar en que estas falsificaciones desaparecerán cuando se sumen las demandas individuales.

sus ingresos de manera que le generen la máxima cantidad de utilidad posible. Pero la utilidad se maximizará cuando la unidad marginal de gasto produzca el mismo incremento de utilidad en cada dirección. Si esto es así, una transferencia del gasto de un uso a otro implicará una mayor pérdida de utilidad en el uso donde se reduce el gasto que será compensada por la ganancia de utilidad en el uso donde se incrementa el gasto (según el principio de utilidad marginal decreciente). Por tanto, la utilidad total debe disminuir, sea cual sea la transferencia que se realice. Dado que, si son unidades pequeñas, pueden despreciarse las diferencias entre las utilidades marginales de dos unidades sucesivas de una mercancía, la conclusión puede formularse de otra manera: las utilidades marginales de las diversas mercancías compradas deben ser proporcionales a sus precios.

Por tanto, el argumento de Marshall parte de la premisa de maximizar la utilidad total en función de la ley de la utilidad marginal decreciente, para llegar a la conclusión de que las utilidades marginales de las mercancías compradas deben ser proporcionales a sus precios.

Pero entonces, ¿qué es esta «utilidad» que el consumidor maximiza? ¿Y cuál es la base exacta de la ley de la utilidad marginal decreciente? Marshall no responde a estas cuestiones satisfactoriamente. Sin embargo, Pareto arrojó más luz.

2. El *Manuel d'économie politique* de Pareto (1909) debe considerarse como la siguiente obra clásica de la teoría de la demanda del consumidor, de donde arranca toda investigación moderna. No es que el libro de Pareto sea en absoluto comparable al de Marshall. El *Manual* pretende ser una especie de *Principios* generales, pero trata la mayoría de los problemas de manera bastante superficial, mientras que su famosa teoría del Equilibrio General no es más que una reformulación más elegante de las doctrinas de Walras. Sin embargo, Pareto era un especialista en la teoría de la utilidad, y sus investigaciones bien merecen que se les preste atención. Dado que no son muy familiares para los lectores ingleses, resumiré los argumentos relevantes con bastante cuidado.

Pareto originalmente partió de la misma teoría de la utilidad que Marshall. En la primera etapa del desarrollo de sus ideas habría considerado bastante aceptable el argumento que acabamos de resumir aquí. Pero en lugar de centrar su atención después, como hizo Marshall, en la demanda de un solo bien (para investigar la relación entre la curva de utilidad marginal decreciente y la curva de demanda), Pareto dirigió su atención al problema de los bienes relacionados –complementarios y competitivos–. Así, amplió el análisis anterior, o más bien, lo que comenzó como una ampliación, terminó como una revolución.

Con el fin de estudiar los bienes relacionados, Pareto adoptó un artificio geométrico de Edgeworth[5]: la curva de indiferencia. Cuando, como Marshall, nos enfrenta-

[5] *Mathematical Psychics*, pp. 21-2.

mos a una sola mercancía, podemos trazar una curva de utilidad total, midiendo las cantidades de esa mercancía a lo largo de un eje, y las cantidades totales de utilidad derivadas de esas cantidades de mercancía a lo largo del otro eje. De la misma manera, cuando hay dos mercancías, podemos dibujar una superficie de utilidad. Midiendo las cantidades de los dos productos X e Y a lo largo de dos ejes horizontales, obtenemos un gráfico en el que cualquier punto P representa una colección de cantidades dadas (PM y PN) de los dos productos. Desde cada uno de esos puntos, podemos levantar una ordenada en una tercera dimensión cuya longitud represente la utilidad derivada de esa serie de cantidades. Uniendo los extremos de estas ordenadas, obtenemos una «superficie de utilidad» (Fig. 1).

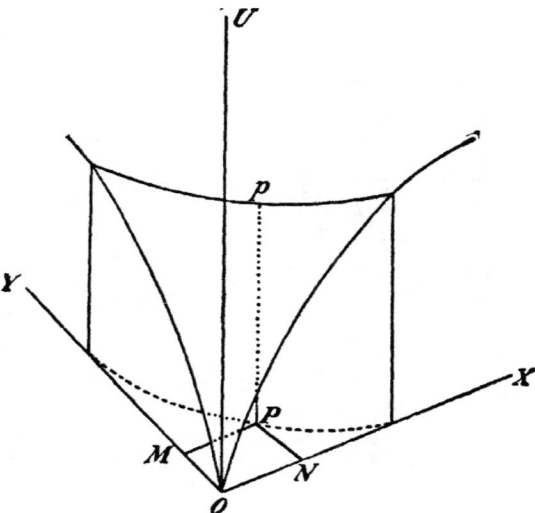

Fig. 1.

En principio, esto es bastante simple, pero los diagramas tridimensionales son difíciles de manejar. Afortunadamente, tras haber visitado una vez la tercera dimensión, no es necesario quedarse allí. La tercera dimensión puede eliminarse y podemos volver de nuevo a las dos.

En vez de utilizar un modelo tridimensional, podemos utilizar un mapa (Fig. 2). Manteniendo las cantidades de los dos productos X e Y a lo largo de los dos ejes, podemos marcar en el diagrama horizontal las curvas de nivel de la superficie de utilidad (la línea discontinua en la Fig. 1). Estas son las curvas de indiferencia. Unen todos los puntos que corresponden a la misma altura de la tercera dimensión, es decir, a la misma utilidad total. Si P y P' están en la misma curva de indiferencia, eso significa que la utilidad total derivada de tener *PM* y *PN* es la misma que la derivada de tener *P'M'* y *P'N'*. Si *P»* está en una curva de indiferencia más alta que *P* (las curvas deberán estar numeradas para distinguir entre más alta y más baja), entonces *P"M"* y *P"N"* darán una utilidad total más alta que *PM* y *PN*.

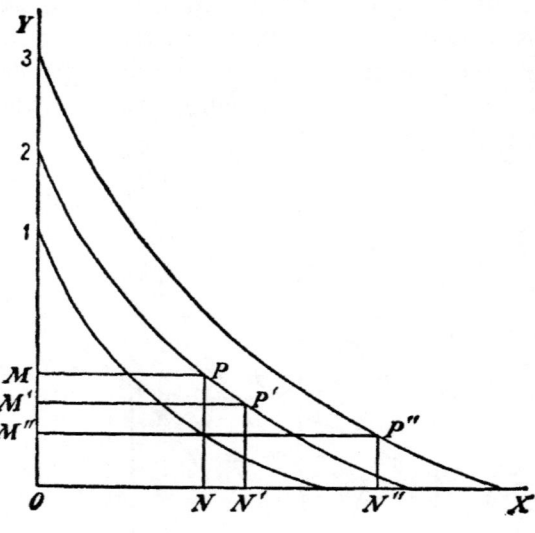

Fig. 2.

¿Cuál será la forma de estas curvas de indiferencia? Siempre que cada bien tenga una utilidad marginal positiva, las curvas de indiferencia deben tener una pendiente negativa, porque si *X* tiene una utilidad marginal positiva, un aumento en la cantidad de *X*, no acompañado de ningún cambio en la cantidad de *Y* (es decir, un simple movimiento hacia la derecha en el gráfico), debe incrementar la utilidad total, y así llevarnos a una curva de indiferencia más alta. Del mismo modo, un simple movimiento hacia arriba debe conducir a una curva de indiferencia más alta. Solo es posible permanecer en la misma curva de indiferencia si estos movimientos se compensan: *X* aumenta e *Y* disminuye, o *X* disminuye e *Y* aumenta. Por tanto, las curvas deben tener pendiente negativa.

La pendiente de la curva que pasa por cualquier punto *P* tiene un significado muy concreto y relevante: es la cantidad de *Y* que necesita el individuo para compensar la pérdida de una pequeña unidad de *X*. Ahora bien, la ganancia en utilidad por disfrutar de tal cantidad de *Y* es igual a la cantidad de *Y* ganada multiplicada por la utilidad marginal de *Y*. La pérdida de utilidad sufrida por perder la cantidad correspondiente de *X* es igual a la cantidad de *X* perdida multiplicada por la utilidad marginal de *X* (siempre que las cantidades sean pequeñas). Por tanto, dado que la ganancia es igual a la pérdida, la pendiente de la curva será

$$= \frac{cantidad\ de\ Y\ obtenida}{cantidad\ de\ X\ perdida} = \frac{utilidad\ marginal\ de\ X}{utilidad\ marginal\ de\ Y}$$

La pendiente de la curva que pasa por P mide la relación entre la utilidad marginal de X y la utilidad marginal de Y cuando el individuo tiene cantidades PM y PN de X e Y respectivamente.

¿Tenemos más información sobre las formas de las curvas? Pareciera que debería haber algún método de explicar a través de este esquema el principio de utilidad marginal decreciente. A primera vista, esta explicación parece posible. A medida que uno se mueve a lo largo de una curva de indiferencia, obtiene más X y menos Y. El aumento de X disminuye la utilidad marginal de X, la disminución de Y aumenta la utilidad marginal de Y. En ambos casos, por lo tanto, la pendiente de la curva debe disminuir. Las curvas descendentes, cuya pendiente disminuye a medida que nos movemos hacia la derecha, serán convexas hacia el origen, tal y como se han dibujado en el gráfico.

Pero ¿esto se deduce necesariamente? En lo que respecta a los efectos directos de los que hablábamos, debe ser así. Pero también hay otros efectos indirectos. El aumento de X no sólo puede afectar a la utilidad marginal de X, sino también a la utilidad marginal de Y. Con esos bienes relacionados, no necesariamente se deduce el argumento anterior. Supongamos que el aumento de X reduce la utilidad marginal de Y, y que la disminución de Y aumenta la utilidad marginal de X, y que hay muchos efectos recíprocos de este tipo. Entonces estos efectos cruzados pueden en realidad compensar los efectos directos, y un movimiento a lo largo de la curva de indiferencia hacia la derecha puede aumentar la pendiente de la curva. Este es sin duda un caso muy extraño, pero es consistente con una utilidad marginal decreciente. No es lo mismo la utilidad marginal decreciente que la convexidad de las curvas de indiferencia.

3.   Llegamos ahora a lo realmente notable acerca de las curvas de indiferencia: el descubrimiento que apartó la teoría de Pareto de la de Marshall, y abrió el camino a nuevos resultados de amplia trascendencia económica.

Imaginemos un consumidor con una renta monetaria dada que gasta todo ese ingreso en las dos mercancías X e Y, exclusivamente. Supongamos que los precios de esos productos están dados en el mercado. Entonces podemos saber las cantidades que comprará viendo su mapa de indiferencia, sin ninguna información de las cantidades de utilidad que obtiene de los bienes.

Señalemos una distancia OL a lo largo del eje X (Fig. 3), que represente la cantidad de X que el consumidor podría comprar si gastara todos sus ingresos en X, y una cantidad OM en el eje Y, que represente la cantidad de Y que podría obtener si gastara todos sus ingresos en Y, y unamos L y M. Entonces, cualquier punto de la línea LM

representa un par de cantidades de las dos mercancías que podría comprar con sus ingresos. A partir de L, para adquirir alguna cantidad de Y, tendrá que renunciar a X en la proporción indicada por la relación de precios, y la pendiente de la línea LM indica la relación de precios.

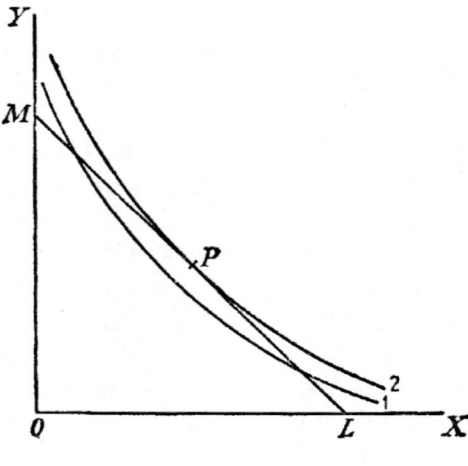

Fig. 3.

Por cualquier punto de la línea LM pasará una curva de indiferencia, pero por lo general ésta cortará a la línea LM. Si esto sucede, el punto no puede ser de equilibrio porque, al moverse a lo largo de la línea LM en una dirección u otra, el consumidor siempre podrá pasar a una curva de indiferencia más alta, lo que le da una mayor utilidad. Por tanto, no está maximizando su utilidad en ese punto en particular.

Solo se maximiza la utilidad cuando la línea LM toca una curva de indiferencia, porque si el consumidor se mueve en cualquier dirección desde el punto de tangencia, pasará a una curva de indiferencia más baja.

La tangencia entre la línea de precios y una curva de indiferencia es la expresión, en términos de curvas de indiferencia, de la proporcionalidad entre las utilidades marginales y los precios.

4.   Por tanto, podemos traducir la teoría de la utilidad marginal en términos de curvas de indiferencia, pero, haciendo eso, hemos hecho mucho más que una mera traducción porque, en el proceso, hemos dejado atrás algunos de los datos originales y, sin embargo, hemos llegado al resultado deseado.

La teoría de Marshall implica que para saber las cantidades de bienes que un individuo comprará a precios dados, debemos conocer su superficie de utilidad. La teoría de Pareto solo supone que debemos conocer su mapa de curvas de indiferencia, pero éste transmite menos información que la superficie de utilidad. Solo nos dice que el individuo prefiere un determinado conjunto de bienes a otro. No nos dice, como pretende hacer la superficie de utilidad, *por cuánto* se prefiere la primera colección a la segunda.

Los números que otorgamos a las curvas de indiferencia son, de hecho, totalmente arbitrarios. Será conveniente que aumenten a medida que avanzamos hacia curvas más altas, pero los números pueden ser 1, 2, 3, 4 ..., 1, 2, 4, 7 ..., 1, 2, 7, 10 ..., o cualquier serie ascendente que queramos tomar.

Así, el pequeño ejercicio de geometría de Pareto llevó a una conclusión metodológica de gran importancia. En cualquier teoría del valor, es necesario poder definir exactamente lo que entendemos por consumidor con «necesidades dadas» o «gustos dados». En la teoría de Marshall (como en la de Jevons, Walras y los austriacos) las «necesidades dadas» se interpretan como una función de utilidad dada, una intensidad de deseo determinada para cualquier colección particular de bienes. Este supuesto ha incomodado a mucha gente, y Pareto demuestra en su trabajo que no es necesario en absoluto. Las «necesidades dadas» pueden definirse adecuadamente como una *escala de preferencias* dada. Basta con suponer que el consumidor prefiere una cesta de bienes a otra. No tiene sentido decir que desea una cesta un 5 por ciento más que la otra, ni nada por el estilo.

Por supuesto, esto no significa que no pueda darse algún argumento para suponer que existe una medida cuantitativa adecuada de utilidad, satisfacción o deseabilidad. Si uno es utilitarista en filosofía, tiene perfecto derecho a ser utilitarista en economía. Pero si uno no lo es (y pocas personas son utilitaristas en la actualidad), también deben tener derecho a una economía libre de supuestos utilitarios.

Desde este punto de vista, el descubrimiento de Pareto no hace sino abrir una puerta, que podemos cruzar o no cuando nos apetezca. Pero desde el punto de vista económico-técnico hay fuertes razones para suponer que deberíamos traspasar ese umbral. El concepto cuantitativo de utilidad no es necesario para explicar los fenómenos del mercado. Por tanto, según el principio de la navaja de Occam, es mejor prescindir de él, porque, en la práctica, no es indiferente que una teoría contenga entidades innecesarias. Estas entidades son irrelevantes para el problema en cuestión y es probable que su presencia empañe la visión. La importancia de esto solo puede demostrarse en la experiencia. Espero convencer al lector de que en este caso tiene importancia.

5.   Basados en este principio, ahora debemos preguntarnos si una teoría completa de la demanda del consumidor, al menos tan completa como la de Marshall, no puede construirse partiendo del supuesto de una *escala de preferencias*. Al construir una teoría de este tipo, es necesario rechazar en cada ocasión cualquier concepto que dependa en lo más mínimo de la utilidad cuantitativa, de modo que no pueda derivarse únicamente del mapa de indiferencia. Partimos únicamente del mapa de indiferencia; es lo único admisible.

Al hacer esta reconsideración, prescindimos de la ayuda de Pareto, porque incluso después de que Pareto hubo establecido su gran propuesta, continuó usando conceptos derivados del anterior grupo de ideas. La razón fue, quizá, que no se tomó la molestia de reelaborar sus conclusiones anteriores a la luz de una proposición a la que sólo llegó en una etapa bastante tardía de su trabajo en economía.[6] Sea como fuere, la verdad es que pudo haber perdido una oportunidad.

La primera persona que aprovechó la oportunidad fue el economista y estadístico ruso Slutsky en un artículo publicado en la revista italiana *Giornale degli Economisti* en 1915.[7] La teoría que se expone en este capítulo y los dos siguientes son esencialmente de Slutsky, aunque la exposición queda modificada por el hecho de que no vi la obra de Slutsky hasta que la mía estaba muy avanzada, y algún tiempo después de que R. G. D. Allen y yo mismo hubiéramos publicado lo sustancial de estos capítulos en *Economica*.[8] El trabajo de Slutsky es muy matemático y no da muchos argumentos sobre el significado de su teoría. Quizá esto (y la fecha de su publicación) expliquen por qué no tuvo ninguna influencia durante tanto tiempo, y tuvo que ser redescubierto. El presente volumen es la primera exploración sistemática del territorio que descubrió Slutsky.

6.   Ahora debemos llevar a cabo una purga, rechazando todos los conceptos que están contaminados por la utilidad cuantitativa y reemplazarlos, en la medida en que necesiten ser reemplazados, por conceptos que no contengan tal implicación.

Evidentemente, la primera víctima debe ser la propia utilidad marginal. Si la utilidad total es arbitraria, también lo es la utilidad marginal. Pero todavía podemos dar un significado preciso a la proporción de dos utilidades marginales, cuando se dan las cantidades poseídas de ambas mercancías.[9] Esta cantidad está representada por la pendiente de una curva de indiferencia, y eso es independiente de la arbitrariedad de que hablábamos.

---

[6] Además, PARETO consumió toda su energía en perseguir un espejismo. Cuando se consumen más de dos bienes, es posible que la ecuación diferencial del sistema de preferencias no sea integrable. Esto fascina a los matemáticos, pero no parece tener ninguna importancia económica en absoluto, «los únicos problemas para los que podría ser relevante son tratados mucho mejor con otros métodos». Cf. PARETO, *Manuel*, pp. 546-57; «Économie mathématique» (en *Encyclopédie des Sciences mathématiques*, 1911), pp. 597, 614. Una discusión reciente sobre la no integrabilidad se encuentra en N. GEORGESCU-ROEGEN, «The Pure Theory of Consumers Behavior» (*Q.J.E*, agosto de 1936).

[7] E. SLUTSKY, «Sulla teoria del bilancio del consumatore» (G.d.E., julio de 1915). Véase también R. G. D. ALLEN, «Theory of Consumers Choice» del profesor Slutsky (*Review of Economic Studies*, 1936).

[8] «A Reconsideration of the Theory of Value» (*Economica*, 1934).

[9] Por otro lado, no tiene sentido hablar de la proporción de la utilidad marginal de *X* respecto a la de *Y* con un conjunto de cantidades poseídas cuando se calcula la utilidad marginal de *X*, y otro conjunto cuando se calcula la utilidad marginal de *Y*.

Para evitar el peligro de asociaciones engañosas, démosle a esta cantidad un nuevo nombre y llamémosla tasa marginal de sustitución entre las dos mercancías. Podemos definir la tasa marginal de sustitución de X por Y como la cantidad de Y que compensaría al consumidor por la pérdida de una unidad marginal de X. Esta definición está completamente libre de cualquier dependencia de una medida cuantitativa de utilidad.

Es evidente que para que un individuo esté en equilibrio en un sistema de precios de mercado, su tasa marginal de sustitución entre dos bienes cualesquiera debe ser igual a la proporción de sus precios. De lo contrario, encontraría una clara ventaja en sustituir una cantidad de uno por un valor igual (a la tasa de mercado) del otro. Así, debemos describir de ese modo la condición de equilibrio en el mercado.

Puede observarse que, hasta ahora, apenas nos hemos apartado de Marshall en esta formulación. La tasa marginal de sustitución de X por Y es la que él habría llamado la utilidad marginal de X en términos de Y. Si queremos, podemos transcribir a Marshall y decir que el precio de una mercancía es igual a la tasa marginal de sustitución de esa mercancía por dinero.

7. La segunda víctima (esta vez más importante) debe ser el principio de utilidad marginal decreciente. Si la utilidad marginal no tiene un significado preciso, la utilidad marginal decreciente tampoco puede tenerlo. Pero ¿por qué convención la sustituiremos?

Por la regla de que las curvas de indiferencia deben ser convexas a los ejes. En terminología actual a esto se le puede llamar el principio de la tasa marginal de sustitución decreciente.[10] Puede expresarse en los siguientes términos: Supongamos que comenzamos con una cantidad dada de bienes y luego continuamos aumentando la cantidad de X y disminuyendo la de Y de tal manera que el consumidor no esté ni mejor ni peor en equilibrio. Entonces, la cantidad de Y que debemos sustraer para compensar una segunda unidad de X será menor que lo que hay que restar para compensar la primera unidad. En otras palabras, cuanto más X se sustituya por Y, menor será la tasa marginal de sustitución de X por Y.

Pero, ¿cuál es la razón exacta por la que debemos reemplazar la utilidad marginal decreciente por este principio concreto –el principio de la tasa marginal de sustitución decreciente–? Como ya hemos visto,[11] no son exactamente lo mismo. Por tanto,

---

[10] En este momento debo disculparme con el lector por este engorroso cambio de terminología. En «A Reconsideration» examiné el cambio al revés y, por tanto, hablé de una tasa marginal de sustitución creciente, mientras que aquí hablo de una tasa decreciente. Resulta obvio por qué a primera vista esta terminología resultaba más conveniente. Pero ahora he llegado a la conclusión de que la ventaja de mantener la terminología más familiar de MARSHALL supera a esa ligera diferencia de conveniencia.
[11] Ver anteriormente, p. 28.

la sustitución no es una mera traducción. Se trata de un cambio positivo en los fundamentos de la teoría, y requiere de una justificación muy concreta.

La justificación es esta. Necesitamos el principio de la tasa marginal de sustitución decreciente por la misma razón que la teoría de Marshall necesitaba el principio
de la utilidad marginal decreciente. Mientras que la tasa marginal de sustitución no
disminuya en el punto de equilibrio, el equilibrio no será estable. Aun si la tasa marginal de sustitución es igual a la relación de precios de modo que la adquisición de una
unidad de X no produjera ninguna ventaja apreciable, si la tasa marginal de sustitución aumenta, sería ventajoso adquirir una cantidad mayor. Es instructivo representar
lo anterior en el gráfico de curvas de indiferencia (Fig. 4).

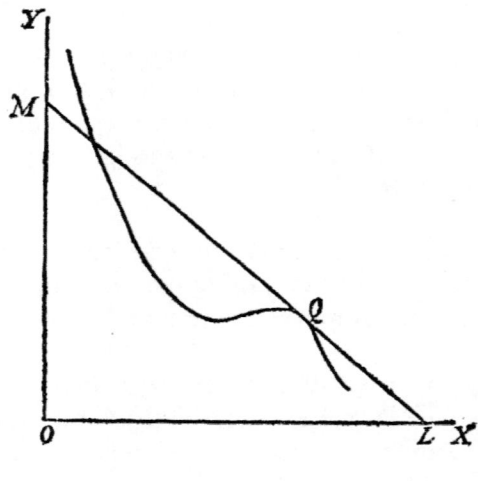

Fig. 4.

En el punto Q del gráfico, la tasa marginal de sustitución es igual a la relación de
precios, de modo que la línea de precios toca a la curva indiferencia en Q. Pero la tasa
marginal de sustitución está aumentando (la curva de indiferencia es cóncava respecto a los ejes), de modo que un movimiento que se aleje de Q en cualquier dirección a
lo largo de LM llevaría al individuo a una curva de indiferencia más alta. Por tanto, Q
es un punto de utilidad mínima, no máxima, y no puede ser un punto de equilibrio.

Por tanto, está claro que para que un punto cualquiera sea una tasa de equilibrio
a unos precios adecuados, la tasa marginal de sustitución debe ser decreciente en
ese punto. Como sabemos, por experiencia, que casi todo el mundo tiene puntos de
posible equilibrio en sus mapas de indiferencia (es decir, deciden consumir tal o cual
cantidad de mercancías, y no tienen las dudas perpetuas del asno de Buridán), se deduce que en ocasiones debe ser cierto el principio de la tasa marginal de sustitución
decreciente.

Sin embargo, para que la economía progrese, no basta con que ese principio sea cierto a veces. Es necesaria una validez más general que esa. La ley de la utilidad marginal decreciente solía suponerse generalmente válida (con quizá algunas excepciones especiales), y en esa validez general se basaban importantes conclusiones económicas. Tendremos que investigar de nuevo esas conclusiones. Pero, para que puedan ser válidas, necesitan una propiedad del mapa de curvas indiferencia que sea verdadera *más que algunas veces*.

¿Cuáles fueron, de hecho, las bases sobre las que los economistas solían justificar su principio general de utilidad marginal decreciente? Normalmente, éstos apelaban a la experiencia, aunque a una experiencia de un tipo tan incómodamente vago que no permitía una verdadera comprobación. Los críticos no han tardado en señalar que este procedimiento no era muy científico, y las dudas que ha suscitado nuestro examen sobre la inteligibilidad de la «ley de la utilidad marginal decreciente» solo pueden fortalecer el punto de vista contrario al procedimiento tradicional. Sin embargo, si abandonamos el principio de utilidad marginal decreciente por ser de utilidad dudosa e incluso irrelevante, ¿podemos basar en una «experiencia» similar el principio general de la tasa marginal de sustitución decreciente? De nuevo, supongo que podríamos salir airosos de ello, pero sería deseable tener una base más firme.

8.   Creo que podemos obtener esa base más firme si reflexionamos sobre el propósito para el que necesitamos ese principio. Queremos deducir de él leyes relativas al comportamiento del mercado, es decir, leyes que se ocupan de la reacción del consumidor a los cambios en las condiciones del mercado. Cuando las condiciones del mercado cambian, el consumidor se mueve de un punto de equilibrio a otro. En cada una de estas posiciones debe mantenerse la condición de una tasa marginal de sustitución decreciente, o el consumidor no podría asumir tal posición en absoluto. Hasta aquí, todo está claro, pero para pasar a la ley de tasa marginal de sustitución decreciente, tal y como se hace en la teoría económica, es necesario hacer un supuesto. Tenemos que suponer que la condición se cumple en todos los puntos intermedios, de modo que no haya desvíos de las curvas entre las dos posiciones de equilibrio. (Si esos giros se producen, pueden producirse consecuencias curiosas, como que haya algunos sistemas de precios en los que el consumidor no pueda elegir entre dos formas diferentes de gastar sus ingresos). El principio general de la tasa marginal decreciente de sustitución simplemente descarta esas singularidades, y por ese principio seleccionamos la posibilidad más simple de las que se nos presentan.

A medida que avancemos, encontraremos que la mayoría de las «leyes» de la teoría económica pura pueden verse desde este punto de vista. La economía pura muchas veces se saca conejos de la chistera y plantea proposiciones aparentemente *a priori* que se refieren aparentemente a la realidad. Es fascinante intentar descubrir cómo se metieron ahí los conejos, porque los que no creemos en la magia estamos convencidos de que de alguna manera consiguieron esconderse en el bombín. Por mi parte, he llegado a convencerme de que entran ahí de dos modos. Una es a través del supuesto que se hace al comienzo de todo argumento económico de que las cosas que se tratan en la argumentación son las únicas que deben tenerse en cuenta en cualquier problema práctico. (Este es siempre un supuesto peligroso, y casi siempre es más o menos erróneo, razón por la cual la aplicación de la teoría económica resulta delicada). Eso nos señala gran parte del camino, pero no todo él. El otro supuesto es el que acabamos de aislar, el supuesto de que pueden despreciarse los desvíos de la curva, que el sistema de necesidades (y también, como veremos más adelante, el sistema productivo) tiene un grado suficiente de regularidad para que cualquier conjunto de cantidades cercanas a aquellas que nos interesan sea una posición de equilibrio posible en algún sistema de precios. Una vez más, este supuesto puede ser equivocado, pero siendo el supuesto más simple posible, es un buen supuesto de partida, y de hecho parece que está bastante de acuerdo con la experiencia.

Ahora empieza a iluminarse el camino que tenemos frente a nosotros. Si este es el verdadero fundamento del principio de la tasa marginal de sustitución decreciente entre los bienes de consumo, se pueden descubrir otros principios cuyo fundamento sea exactamente similar. Se pueden enumerar estos principios y sus consecuencias. Algunos de ellos tratan sobre la producción, y se considerarán posteriormente en el capítulo VI. El resto son derivaciones, en un campo u otro, del principio enunciado en este capítulo. Que las derivaciones son muchas se ve a primera vista cuando consideramos lo amplia que es la variedad de elecciones humanas que pueden encajar en el marco de la escala de preferencias de Pareto. Lo que comienza como un análisis de la elección del consumidor entre bienes de consumo termina como una teoría de la elección económica en general. Tenemos ante nosotros un principio unificador de toda la economía.

9.   Pero esto es apresurarse. Se necesita mucha preparación antes de poder transitar estas largas avenidas y podemos concluir este capítulo con una necesaria explicación preparatoria.

Durante la mayor parte de la discusión anterior hemos hecho la extrema simplificación de que la elección del consumidor se limitaba a gastos en dos clases de bienes. Ya es hora de que abandonemos esta simplificación, porque si nuestra teoría se limitara a este caso simple, no habría mucho que decir al respecto. De hecho, uno de los principales defectos de la técnica de la curva de indiferencia es que invita a concentrase en este caso simple, un énfasis que puede resultar muy peligroso.

Cuando el gasto se distribuye entre más de dos bienes, el mapa de indiferencia pierde su sencillez. Para tres bienes necesitamos tres dimensiones, y para más de tres bienes, la geometría ya no nos sirve para nada. Sin embargo, los principios que hemos establecido en este capítulo permanecen intactos en esencia. La tasa marginal de sustitución puede definirse como antes, con la condición adicional de que las cantidades consumidas de todas las demás mercancías (Z...) no han de variar. El consumidor solo está en pleno equilibrio si la tasa marginal de sustitución entre dos bienes es igual a su relación de precios. Para el principio de la tasa marginal decreciente de sustitución, hay poca diferencia.

Para que el equilibrio sea estable, cuando el gasto se distribuye entre muchas mercancías, es preciso que el consumidor no pueda alcanzar una posición preferida con ninguna sustitución de valores de mercado iguales. Esto significa no solo que debemos tener una tasa marginal de sustitución decreciente entre cada par de mercancías, sino también que las sustituciones más complicadas (de algunas X por algunas Y y algunas Z) deben descartarse. Podemos expresar esto diciendo que la tasa marginal de sustitución ha de disminuir para sustituciones en cualquier dirección. Esta es una condición bastante rígida, pero a medida que avancemos se verá que tiene implicaciones de gran importancia.

Bajo idénticos principios que antes, supondremos que la tasa marginal de sustitución disminuye en todas las direcciones en cada posición de las que nos ocupemos en nuestro análisis. No creo que esto pueda determinarse introspectivamente, o desde la «experiencia», pero puede justificarse de la misma manera que hemos justificado la condición más sencilla. Sin embargo, ahora queda claro que se trata de una hipótesis bastante radical, que nos sitúa en el principio de un largo camino y de la que podemos esperar deducir algunos resultados positivos.

Capítulo II

La ley de la demanda del consumidor

1. AHORA, a partir de las condiciones de equilibrio y el supuesto básico de regularidad que expusimos en el capítulo anterior, debemos deducir las leyes de comportamiento del mercado –saber qué se puede decir sobre la forma en que reaccionará el consumidor cuando los precios cambien–. El estudio de las condiciones de equilibrio es siempre un medio para obtener un fin. Buscamos información sobre las condiciones que gobiernan las cantidades adquiridas a precios dados para poder utilizarla para descubrir cómo cambiarán las cantidades que se compran tras el cambio de los precios.

Esta etapa de nuestra investigación corresponde a aquella de la teoría de Marshall en la que éste deduce la pendiente descendente de la curva de demanda a partir de la ley de la utilidad marginal decreciente. Merece la pena señalar la forma en que Marshall lleva a cabo esa deducción. Supone que la utilidad marginal del *dinero* es constante.[1] Por tanto, la relación entre la utilidad marginal de un bien y su precio es una relación constante. Si el precio baja, la utilidad marginal también debe reducirse. Pero, por la ley de la utilidad marginal decreciente, esto implica un aumento en la cantidad demandada. Por tanto, una caída del precio aumenta la cantidad demandada. Este es el argumento que tenemos que reconsiderar.

¿Qué implica que la utilidad marginal del dinero sea constante? En nuestra terminología, parece significar que los cambios en la oferta de dinero del consumidor (es decir, en el problema en cuestión, su ingreso) no afectarán a la tasa marginal de sustitución entre el dinero y cualquier mercancía en particular X (ya que la tasa marginal de sustitución es igual a la proporción de las utilidades marginales de X y el dinero.) Por tanto, si su ingreso aumenta y el precio de X permanece constante, el precio de X

---

[1] Esto, por supuesto, elimina cualquier distinción entre la utilidad marginal decreciente de una mercancía y la tasa marginal decreciente de sustitución de esa mercancía por dinero. En consecuencia, explica por qué MARSHALL se conformó con hablar de la disminución de la utilidad marginal.

seguirá siendo igual a la tasa marginal de sustitución, sin variar la cantidad de X que se compra. Por tanto, la demanda de X es independiente de la renta. Su demanda de cualquier producto es independiente de sus ingresos.

A continuación, se verá que esto es realmente lo que Marshall quería decir con la constancia de la utilidad marginal del dinero. No es que supusiera que la demanda de bienes de los consumidores no depende de sus ingresos, sino que, en su teoría de la demanda y el precio, generalmente descuidaba el lado de la renta. Descubriremos que tenía muy buenas razones para hacerlo, que la constancia de la utilidad marginal del dinero es de hecho una simplificación sin importancia que resulta bastante inofensiva para la mayoría de las aplicaciones que el propio Marshall le dio. Pero no es inofensiva para todas ellas. No siempre es bueno hablar con vaguedad de los efectos que los cambios en los ingresos tendrán sobre la demanda. Hay distintas ventajas de disponer de una teoría del valor en la que se aclaran todas las relaciones de demanda, precio y renta.

2.   Volvamos ahora al diagrama de curvas de indiferencia y comencemos investigando los efectos de los cambios en la renta. Más adelante continuaremos estudiando los efectos de los cambios de los precios, pero será más fácil tratar los cambios de precios si examinamos primero los efectos de los cambios de renta. Por tanto, mantenemos el supuesto del capítulo anterior de que los precios de X e Y están dados, pero introducimos el supuesto de que hay cambios en la renta del consumidor.

Hemos visto antes que si el ingreso del consumidor es OL (medido en términos de X) u OM (medido en términos de Y), el punto de equilibrio estará en P, que es donde LM toca a una curva de indiferencia (Fig. 5). Si ahora sus ingresos aumentan, LM se moverá hacia la derecha, pero la nueva línea $L'M'$ seguirá siendo paralela a LM, mientras que los precios de X e Y no cambien (ya que, entonces, $OM' / OL' = OM / OL$, la proporción de precios no se altera.) El nuevo punto de equilibrio estará en P', donde $L'M'$ toca a una curva de indiferencia.

A medida que el ingreso continúa aumentando, $L'M'$ sigue moviéndose hacia la derecha y el punto P' traza una curva, que podemos llamar la *curva de renta-consumo*.[2] Representa la forma en que varía el consumo cuando la renta aumenta y los precios se mantienen sin cambios. A través de cualquier punto P del diagrama se podría trazar una curva de renta-consumo; así a cada posible sistema de precios corresponderá una curva renta-consumo.

¿Qué se puede decir sobre la forma de la curva renta-consumo? Por experiencia en la elaboración de gráficos, podemos suponer que normalmente tendrá pendiente positiva y hacia la derecha, pero eso no es suficiente para demostrar que necesaria-

---

[2] En «A reconsideration of the Theory of Value» llamé a esto la curva de gasto. No cabe duda de que claramente ese era un nombre inadecuado.

mente se comportará de esa manera. De hecho, su forma solo tiene que ajustarse a una condición. Una curva de renta-consumo no puede cruzarse con ninguna curva de indiferencia más de una vez. (Porque si así fuera, eso significaría que la curva de indiferencia tendría dos tangentes paralelas, lo cual es imposible si las curvas de indiferencia son siempre convexas al origen). Por tanto, si bien lo más posible es que las curvas de renta-consumo tengan pendiente positiva, también es posible que se deslicen hacia la izquierda o con pendiente negativa (PC_1 o PC_2 en la Fig. 6) sin cortar a una curva de indiferencia más de una vez.

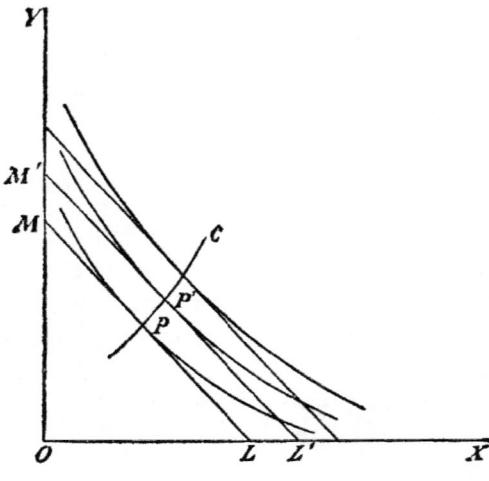

Fig. 5.

Sin duda, así debería de ser. A veces se presentan curvas como PC_1. Se dan cuando la mercancía X es un bien «inferior», consumido en grandes cantidades con bajos niveles de ingresos, pero reemplazado, en todo o en parte, por bienes de mayor calidad cuando aumenta el ingreso. Por ejemplo, la margarina es un ejemplo obvio. La investigación estadística ha demostrado su cualidad de «inferior»,[3] pero no hay duda de que hay muchos otros. La mayoría de las calidades más bajas de los bienes a la venta son probablemente, en este sentido, bienes inferiores.[4]

[3] Cf. ALLEN y BOWLEY, *Family Expenditure*, pp. 36, 41.
[4] El hecho de que ese principio pudiera interpretarse fácilmente de manera que excluyera a los bienes inferiores de la teoría económica, es una ilustración curiosa de la confusión en la que la teoría del valor podría caer si no se abandonara por completo el principio de la utilidad marginal decreciente. De hecho, PARETO propuso esta interpretación en un período del desarrollo de sus ideas (*Manuale di economía politica*, pp. 502-3; pero cf. la edición francesa posterior, pp. 573-4). En vez de confiar únicamente en

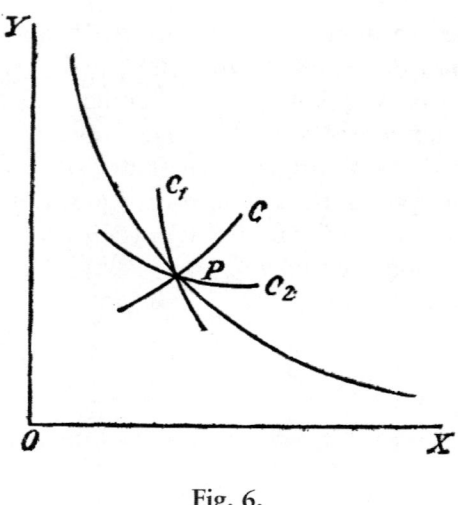

Fig. 6.

Aunque la construcción en forma de diagrama que acabamos de utilizar sólo es válida para el caso de dos bienes (X e Y), es evidente que debe sostenerse un argumento similar sin importar cuántos sean los bienes entre los que se distribuye la renta. Si aumentan los ingresos y se gastan esos mayores ingresos, entonces debe haber un mayor consumo en alguna dirección, quizá en la mayoría de ellas o incluso en todas, pero es perfectamente posible que haya un número limitado de bienes cuyo consumo realmente disminuya. Este es un resultado muy negativo y es evidente que no necesitamos profundizar más en él.

3.   Pasemos ahora a considerar los efectos de un cambio de precio. Aquí nuevamente comenzamos con el caso de dos bienes. Ahora, deben considerarse fijos la renta y el precio de Y; pero el precio de X es variable. Las posibilidades de consumo que se abren ahora se representan en el gráfico (Fig. 7) mediante líneas rectas que unen M (OM es la renta medida en términos de Y, y por tanto fija) a puntos de OX que varían según varíe el precio de X. Cada precio de X determinará una línea LM (incrementando OL a medida que baja el precio), y el punto de equilibrio correspondiente a cada precio vendrá dado por el punto en el que la línea LM toca a una curva de indiferencia. La curva MPQ que une estos puntos puede denominarse curva

el *verdadero* principio de la tasa marginal de sustitución decreciente (que la tasa disminuirá cuando X sea sustituido por Y a lo largo de una curva de indiferencia), éste propuso también lo que ahora podemos considerar con justicia un principio falso: que la tasa marginal de sustitución de X por Y disminuirá cuando la oferta de Y se reduzca sin ningún aumento en la oferta de X. Si esto fuera siempre cierto, excluiría la posibilidad de que X fuera un bien inferior. Por tanto, este principio de Pareto no siempre puede satisfacerse.

precio-consumo. Representa la forma en que cambia el consumo cuando el precio de X varía y lo demás permanece igual.

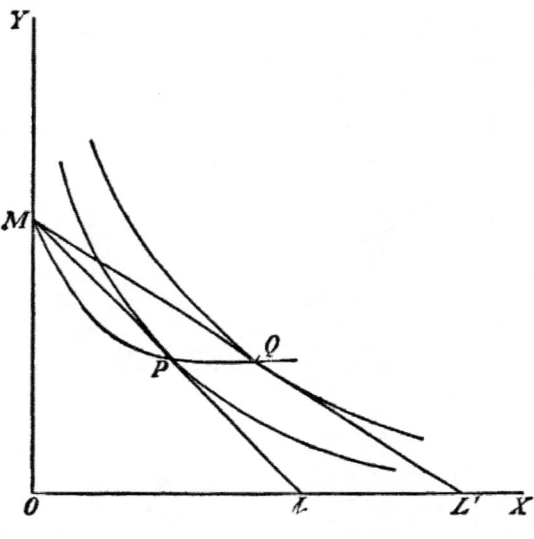

Fig. 7.

Partiendo de una posición particular de *LM*, tenemos dos conjuntos de líneas rectas y sus correspondientes puntos de contacto. Tenemos las líneas paralelas a *LM*, cuyos puntos de contacto trazan la curva renta-consumo. Tenemos las líneas que pasan por *M*, cuyos puntos de contacto trazan la curva precio-consumo. Cada curva de indiferencia ha de tener por tangente una línea de cada uno de estos conjuntos. Tomemos una curva de indiferencia I_2, que sea más alta que la curva de indiferencia I_1, cuya tangente es *LM*. La curva I_2 tiene por tangente en *P'* una línea paralela a *LM*, y en el punto *Q* una línea que pasa por *M*. Ahora bien, el gráfico pone de manifiesto que *Q* debe estar a la derecha de *P'* (se sigue de la convexidad de la curva de indiferencia). Esta propiedad debe ser válida para todas las curvas de indiferencia que sean más altas que la curva original, por tanto, a medida que avanzamos hacia curvas de indiferencia más altas, la curva de precio-consumo que pasa por *P* debe estar siempre a la derecha de la curva de renta-consumo que pasa por el mismo punto (Fig. 8).

Esta proposición, que parece mera geometría, resulta tener gran importancia económica y, de hecho, es básica para gran parte de la teoría del valor. Tratemos de examinar sus implicaciones.

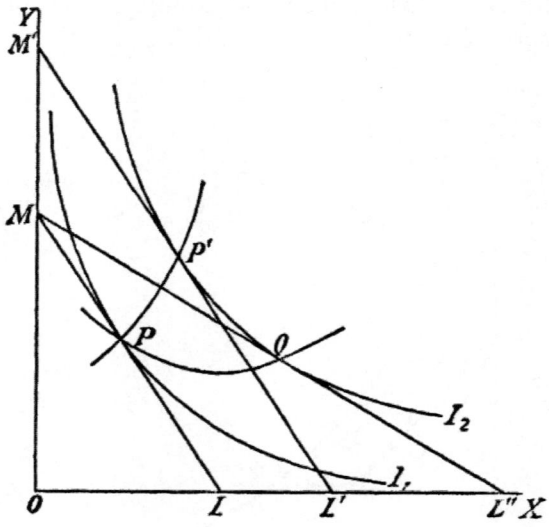

Fig. 8.

Cuando el precio de X cae, el consumidor se mueve a lo largo de la curva precio-consumo de P a Q. Vemos ahora que este movimiento de P a Q es equivalente a un movimiento de P a P' a lo largo de la curva de renta-consumo, y a un movimiento de P' a Q a lo largo de una curva de indiferencia. Nos resultará muy instructivo pensar que el efecto del precio sobre la demanda se divide en estas dos partes separadas.

Una caída en el precio de una mercancía en realidad afecta a la demanda de esa mercancía de dos formas diferentes. Por un lado, mejora la situación del consumidor, aumenta su «ingreso real» y su efecto por esta vía es similar al de un aumento en el ingreso. Por otro lado, cambia los precios relativos y, por tanto, aparte del cambio en la renta real, habrá una tendencia a sustituir la mercancía cuyo precio ha bajado por otras mercancías. El efecto total sobre la demanda es la suma de estas dos tendencias.

Se puede demostrar, además, que la importancia relativa de estas tendencias depende de las proporciones en las que el consumidor divida su gasto entre este producto (X) y otros bienes. La medida en que mejore tras una caída en el precio de X dependerá de la cantidad de X que inicialmente compraba. Si esa cantidad era grande en relación con sus ingresos, se beneficiará mucho más, y el primer efecto (el efecto renta, podemos llamarlo) será muy importante. Pero si la cantidad era pequeña, la ganancia es pequeña y es probable que el efecto renta quede absorbido por el efecto sustitución.

Es este último punto el que justifica el supuesto de «utilidad marginal constante» de Marshall. Se observará que nuestros dos efectos difieren en cuanto a la certeza de su funcionamiento. Del principio de la tasa marginal de sustitución decreciente se deduce que el efecto sustitución es absolutamente cierto: ha de actuar siempre a favor de un aumento en la demanda de una mercancía cuando el precio de esa mercancía cae. Pero el efecto renta no es tan inequívoco. Normalmente funcionará de la misma manera, pero en el caso de bienes inferiores lo hará al contrario. Por tanto, es importante tener en cuenta que este efecto renta indeterminado será de relativa poca importancia en todos aquellos casos en los que la mercancía representa un pequeño porcentaje del presupuesto del consumidor, porque sólo en estos casos (afortunadamente, los casos más importantes) tenemos una ley de demanda relativamente inequívoca. Sólo en esos casos podemos estar seguros de que una caída del precio conducirá a un aumento de la cantidad demandada.

Marshall centró su atención en estos casos y, por tanto, descuidó el efecto renta. Esto se debe a su supuesto de que la utilidad marginal del dinero podía considerarse constante, lo que significaba que despreciaba el efecto sobre la demanda de los cambios en la renta real que resultan de los cambios en el precio. Esto fue una simplificación perfectamente admisible en muchos casos y, ciertamente, simplificaba enormemente su teoría. De hecho, es una de esas simplificaciones brillantes que abundan en la teoría de Marshall. Los economistas continuarán usándolas, pero pisarán terreno más firme si saben qué es lo que están descuidando. A medida que avancemos encontraremos problemas que Marshall dejó de lado y que se comprenden con más facilidad cuando tenemos un concepto claro del efecto renta.

4.   El argumento geométrico de la sección anterior parece aplicarse sólo al caso en que el consumidor divide su gasto entre dos mercancías y no más, pero en realidad no es tan limitado. Supongamos que consideramos X e Y, no como pan y patatas, o té y margarina (mercancías físicas), sino la primera como pan (una mercancía física), y la otra como poder adquisitivo general (el «dinero» de Marshall). La elección del consumidor es una elección entre gastar su dinero en pan o tenerlo disponible para gastar en otras cosas. Si decide no gastarlo en pan, lo convertirá después en alguna otra cosa comprando algún otro bien o bienes con él. Pero incluso si Y lo convierte en patatas, todavía podría convertirlo en otra cosa ya que algunas patatas se asan y otras se hierven. Estas posibilidades no nos impiden trazar un determinado mapa de curvas de indiferencia entre el pan y la patata. Del mismo modo, mientras se conozcan las condiciones en que el dinero se puede convertir en otras mercancías, no hay razón para no establecer un determinado mapa de curvas de indiferencia entre cualquier mercancía X y el dinero (es decir, el poder adquisitivo en general). La distribución del poder adquisitivo entre otras mercancías es exactamente igual a la distribución de una mercancía entre varios usos, que puede realizarse aun cuando solo haya otra mercancía en un sentido físico.

Este principio es de aplicación bastante general.[5] Mientras que los precios relativos se supongan invariables, una colección de objetos físicos siempre puede tratarse como si fueran divisibles en unidades de una sola mercancía. Siempre que se supongan dados los precios de otros bienes de consumo, pueden agruparse en una mercancía «dinero» o «poder adquisitivo en general». De manera similar, para otros fines, si se hace caso omiso de los cambios en los salarios relativos, es lógico suponer que todo el trabajo es homogéneo. Aún habremos de señalar otras aplicaciones de esta idea a medida que avancemos en nuestro estudio.[6]

Por el momento, solo usaremos este principio para asegurarnos de que la clasificación del efecto del precio sobre la demanda entre efecto renta y efecto sustitución, y la ley de que al menos el efecto sustitución siempre incrementa la demanda cuando los precios bajan, son válidos comoquiera que el consumidor esté gastando su renta.

5.   Hasta aquí, nos hemos preocupado por el comportamiento de un solo individuo. Pero la economía, al final, no se preocupa mucho por el comportamiento de los individuos aislados. Su preocupación es el comportamiento de los grupos. El estudio de la demanda individual es solo un medio para el estudio de la demanda del mercado. Afortunadamente, con nuestros métodos actuales podemos hacer la transición muy fácilmente.

La demanda del mercado tiene casi exactamente las mismas propiedades que la demanda individual. Esto puede verse de inmediato si nos damos cuenta de que lo que podemos dividir en dos partes, debidas respectivamente al efecto renta y al efecto sustitución, es el cambio real en la cantidad demandada (ocasionado por una pequeña alteración en el precio). El cambio en la demanda de un grupo es la suma de cambios en las demandas individuales. Por tanto, también es divisible en dos partes, una correspondiente a la suma de los efectos renta individuales y la otra a la suma de los efectos sustitución individuales. Las mismas proposiciones que se sostuvieron sobre los efectos individuales son válidas para los efectos de grupo.

(1)   Dado que todos los efectos sustitución individuales favorecen un mayor consumo del bien cuyo precio ha bajado, el efecto sustitución de grupo también debe hacerlo.

(2)   Los efectos sobre los ingresos individuales no tienen una dirección invariable y, por tanto, tampoco se pueden predecir los efectos renta del grupo. Por supues-

[5] De hecho, es una consecuencia del principio señalado al final del último capítulo de que la tasa marginal de sustitución debe disminuir para sustituciones en cualquier dirección. (Ver Apéndice, § 8 [4] y § 10.)

[6] Más allá de esto no parece necesario preocuparse por la definición de «mercancía». Debe permitirse que varíen las colecciones de cosas que consideramos que componen una mercancía según el problema que estamos examinando.

to, un bien puede ser inferior para algunos miembros de un grupo y no inferior para el grupo en su conjunto, compensándose los efectos negativos sobre la renta de este sector con los efectos positivos sobre la renta del resto del grupo.

(3)   El efecto renta del grupo será por lo general insignificante si el grupo en su conjunto gasta una pequeña proporción de sus ingresos totales en la mercancía en cuestión.

6.   Por tanto, ya podemos hacer un resumen de la ley de la demanda. La curva de demanda de una mercancía debe tener pendiente negativa, consumiéndose más cuando baja el precio en todos los casos en que la mercancía no es un bien inferior. Incluso si es un bien inferior, de modo que el efecto renta sea negativo, la curva de demanda seguirá comportándose de manera ortodoxa siempre que la proporción de ingreso gastada en el producto sea pequeña, de modo que el efecto renta sea pequeño. Incluso si no se cumple ninguna de estas condiciones, y la mercancía es un bien inferior que juega un papel importante en los presupuestos de sus consumidores, no se sigue necesariamente que una caída en el precio disminuya la cantidad demandada. Porque incluso un gran efecto negativo sobre el ingreso puede verse compensado por un gran efecto sustitución.

Se ve, pues, con claridad hasta qué punto son complicadas las condiciones que se han de cumplir antes de considerar cualquier excepción a la ley de la demanda. Sólo es probable que los consumidores gasten una gran proporción de sus ingresos en lo que para ellos es un bien inferior si su nivel de vida es muy bajo. El famoso caso Giffen, citado por Marshall,[7] se ajusta exactamente a estos requisitos. Con un nivel de ingresos bajo, los consumidores pueden satisfacer la mayor parte de su necesidad de alimentos con un solo alimento básico (pan en el caso de Giffen), que será reemplazado por una dieta más variada si aumentan sus ingresos. Si el precio de este alimento básico cae, tienen bastante excedente disponible para gastar y pueden gastar este excedente en mejores alimentos que reemplazan al alimento básico y reducen su demanda. En un caso como éste, el efecto renta negativo puede ser lo suficientemente fuerte como para compensar el efecto sustitución. Pero es evidente que esos casos deben ser muy raros.

Por tanto, como era de esperar, la simple ley de la demanda –la pendiente descendente de la curva de demanda– actúa de una manera casi infalible. Las excepciones son raras y carecen de importancia. Nuestra técnica no tiene nada que ofrecer en esta dirección.

7.   Pero tan pronto como traspasamos este caso típico, debemos hacer algunas aclaraciones reveladoras.

[7] *Principles*, p. 132.

Hasta ahora hemos supuesto que el ingreso del consumidor es fijo en términos de dinero. ¿Qué pasa si no es así, si va al mercado no solo como comprador sino también como vendedor? Supongamos que viene con un stock fijo de un bien X, del cual está dispuesto a retener una parte para su consumo personal si las condiciones del precio son favorables a hacerlo.

Está claro que nuestros argumentos anteriores no se verán afectados mientras el precio de X permanezca fijo. No hay inconveniente en suponer, si queremos, que el consumidor cambia toda la cantidad de que disponía por dinero a un precio fijo, y entonces se encontrará exactamente en la misma posición que nuestro consumidor cuya renta era fija en términos monetarios. En este caso, si quiere, puede volver a comprar una parte de sus X.

Pero ¿qué pasa si el precio de X varía? El efecto sustitución será el mismo que antes. Una caída en el precio de X fomentará la sustitución de X por otros bienes, lo que será favorable a una mayor demanda de X, es decir, una menor oferta. Pero el efecto renta no será el mismo que antes. Una caída en el precio de X empeorará la situación del vendedor de X, lo que disminuirá su demanda (aumentará su oferta) a menos que considere X un bien inferior.

De este modo se pone de manifiesto la diferencia significativa entre la posición del vendedor y la del comprador. En el caso del comprador, el efecto renta y el efecto sustitución funcionan en la misma dirección, salvo en el caso excepcional de bienes inferiores. Para el vendedor, solo actúan en el mismo sentido en ese caso excepcional. Por lo general, funcionan en direcciones opuestas.

La situación se torna más incómoda por el hecho de que no es fácil pasar por alto los efectos sobre los ingresos de los vendedores. Los vendedores suelen derivar gran parte de sus ingresos de algo que venden en particular. Por tanto, esperaremos encontrar muchos casos en los que el efecto renta sea tan poderoso como el efecto sustitución, o sea, dominante. Así, nos vemos obligados a concluir que una caída en el precio de X puede disminuir o aumentar su oferta.

No cabe duda de que la importancia práctica de esa curva de oferta es más evidente en el caso de los factores de producción. Así, una caída en los salarios puede llevar a que el asalariado trabaje con menor intensidad, pero a veces trabajará más porque, por un lado, los menores sueldos por producto hacen que el esfuerzo necesario para producir una unidad marginal de producción parezca menos rentable, o lo sería si el ingreso no cambia; pero, por otro lado, sus ingresos se reducen y las ganas de trabajar más duro para compensar la pérdida de ingresos puede verse contrarrestada por la primera tendencia.[8]

Sin embargo, siempre que exista la posibilidad de reservar una demanda se presentará esta curva de oferta, es decir, siempre que, en igualdad de condiciones, el

[8] ROBBINS, «Elasticity of Demand for Income in Terms of Effort» (*Economica*, 1930, p. 123).

vendedor prefiera desprenderse de menos en vez de más. Así, la oferta de productos de granja no demasiado especializados es otro buen ejemplo. Es probable que cualquier curva de oferta de este tipo, trazada en un gráfico que represente precios y cantidades, vuelva sobre sí misma en algún momento. No podemos estar seguros de que tenga una pendiente positiva (Fig. 9).

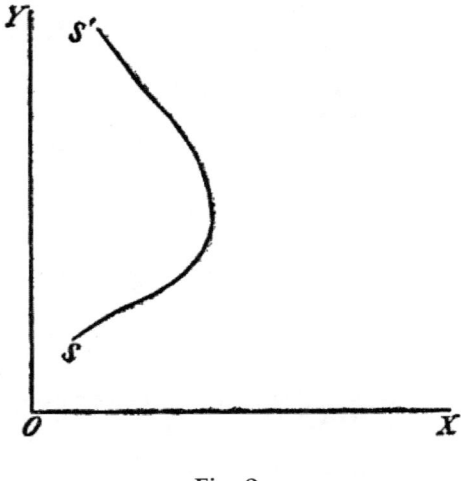

Fig. 9.

Se sabe desde hace mucho tiempo que existe esta asimetría entre oferta y demanda; quizá debería reconocerse como uno de los descubrimientos de Walras.[9] Pero mientras no se supiera la razón de la asimetría, era muy fácil olvidarse de su existencia. Puede considerarse que el primer fruto de nuestra nueva técnica es haber aclarado este asunto. Eso es en sí mismo bueno y, a medida que progresemos en nuestro estudio, veremos que abre el camino a algunos métodos analíticos muy convenientes.

Nota al capítulo II
El excedente del consumidor

Del libro III de los *Principios* de Marshall, lo que más controversias y problemas ha causado es la doctrina del excedente del consumidor. Los resultados que acabamos de alcanzar clarifican esta doctrina y, por tanto, aunque está un poco fuera de nuestra línea de investigación, puede ser útil examinarla aquí.

[9] WALRAS, *Éléments déconomie politique pure* (publicado por primera vez en 1874), lecciones 5-7.

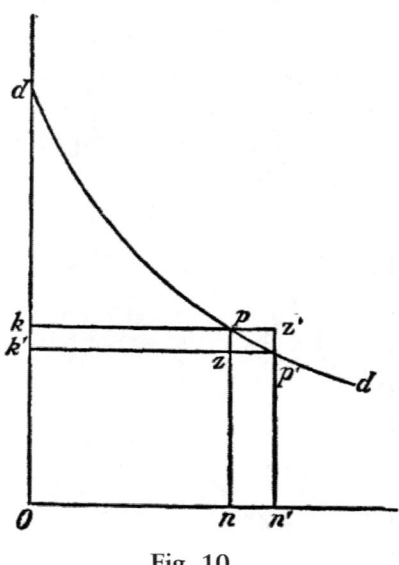

Fig. 10.

El excedente del consumidor es el único ejemplo en este campo en el que Marshall quizá se pasó de ingenioso. Pero él era muy ingenioso, y no debemos caer en el típico error de los que tratan este tema de no reconocerle el talento que tenía. Se trata de una de esas doctrinas engañosas que parecen mucho más sencillas de lo que son en realidad. Puede expresarse fácilmente de una forma totalmente falaz, pero también sería falaz no admitir que Marshall se tomó muchas molestias para liberarla de falacias.

Por tanto, debemos contrastar el argumento de Marshall con el del inventor original del excedente del consumidor –Dupuit–. Dupuit, escribiendo en 1844, dio una versión que no tiene nada que ver con el refinamiento de Marshall.[10]

Éste sostuvo sin rodeos que «l'économie politique doit prendre pour mesure de l'utilité d'un objet le sacrifice maximum que chaque consommateur serait disposé à faire pour se le procurer»[11] (p. 40) y, por tanto, que la «utilidad» asegurada por el hecho de comprar *on* unidades de un bien al precio *pn* viene dada por el área *dpk* en el gráfico de demanda precio-cantidad (p. 63). Esto lo dice sin entrar en detalles. Marshall usa el mismo gráfico (Fig. 10) y llega al mismo resultado, pero él hace la salvedad de que la utilidad marginal del dinero debe suponerse constante.[12]

---

[10] La obra de Dupuit apareció en los *Annales des Ponts et Chaussées*, por lo que permaneció inaccesible hasta la elegante reimpresión de M. de Bernardis titulada *De l'utilité et de sa mesure* (Turín, 1933) de la que tomo las citas.

[11] «La economía política debe tomar como medida de la utilidad de un objeto el máximo sacrificio que cada consumidor estaría dispuesto a realizar para obtenerlo.»

[12] Marshall, *Principios*, p. 842

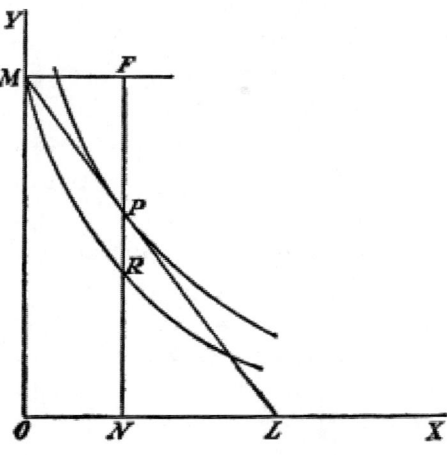

Fig. 11.

Es fácil poner de manifiesto la importancia de este supuesto en el mapa de curvas de indiferencia, midiendo, como antes, la mercancía X en un eje y el dinero en el otro (Fig. 11). Si el ingreso del consumidor es OM, y el precio de X está indicado por la pendiente de ML, que toca a una curva de indiferencia en P, ON será la cantidad de X comprada y PF la cantidad de dinero pagada por ella. Ahora, P está en una curva de indiferencia más alta que M, y lo deseable es disponer de una medida monetaria de esta ganancia de «utilidad». Al igual que Dupuit, Marshall considera «el exceso del precio que (el consumidor) estaría dispuesto a pagar para prescindir de la cosa sobre lo que realmente paga».[13] El precio que realmente paga se mide en nuestro gráfico por PF, el precio que estaría dispuesto a pagar por RF, donde R se encuentra en la misma curva de indiferencia que M (de modo que, si comprara ON y pagara RF por ello, no estaría mejor). El excedente del consumidor es, por tanto, la longitud de la línea RP.

RP es una representación perfectamente general del excedente del consumidor, independientemente de cualquier supuesto sobre la utilidad marginal del dinero. Pero no es necesariamente igual al área bajo la curva de demanda en el gráfico de Marshall, a menos que la utilidad marginal del dinero sea constante. Esto se puede ver de la siguiente manera. Si la utilidad marginal del dinero es constante, la pendiente de la curva de indiferencia en R debe ser la misma que la pendiente de la curva de indiferencia en P, es decir, la misma que la pendiente de la recta MP. Por tanto, un ligero movimiento hacia la derecha a lo largo de la curva de indiferencia MR aumentará la RF en la misma cantidad que un ligero movimiento a lo largo de MP aumenta la PF.

[13] *Ibid.*, p. 124.

Pero el incremento en *PF* es la cantidad adicional pagada por un pequeño incremento en la cantidad comprada al precio dado por *MP*, una cantidad medida por el área *pnn'z'* en la Fig. 10. La longitud *RF* se construye a partir de una serie de tales incrementos y, por tanto, debe quedar representada en la Fig. 10 por el área construida a partir de incrementos tales como *pnn'z'*. Esto no es más que *dpno*.

Por tanto, *RP* estará representada en la Fig. 10 por *dpk* –el excedente del consumidor de Marshall–.

Esto es válido siempre que la utilidad marginal del dinero sea constante –siempre que se pueda despreciar el efecto renta–. Pero ¿hasta qué punto está justificado, en este caso, seguir el criterio de Marshall de omitir los efectos renta? Este no es uno de los casos en el que se puedan ignorar sin peligro. Marshall ignora la diferencia entre la pendiente de la curva de indiferencia en *P* y la pendiente de la curva de indiferencia en *R*. Es probable que esta diferencia sea menos importante cuanto menos importante en el presupuesto del consumidor sea el producto que estamos considerando. Pero la diferencia puede seguir siendo significativa, aunque la proporción de los ingresos gastados en la mercancía sea pequeña. Seguirá siendo importante, si *RP* es grande, si el excedente del consumidor es abultado, de modo que la pérdida de oportunidad de comprar la mercancía sea equivalente a una gran pérdida de ingresos.

Ésta es la debilidad que se mantiene incluso en la versión de Marshall de la teoría del excedente del consumidor, pero no es necesario mantenerla. Debemos recordar que la noción de excedente del consumidor no es en sí misma deseable, sino que es un medio para demostrar una proposición muy importante que se suponía que dependía de ella. Sin embargo, esa proposición se puede demostrar de hecho sin necesidad de darla por supuesto.

Como hemos visto, lo mejor que se puede hacer es considerar el excedente del consumidor como un medio de expresar, en términos de renta monetaria, la ganancia que obtiene el consumidor como resultado de una caída en el precio. O mejor, podríamos decir que es la *variación compensatoria* de la renta, cuya pérdida simplemente compensaría la caída del precio sin dejar al consumidor en una posición mejor que antes. Ahora bien, se puede demostrar que esta variación compensatoria no puede ser menor que una cierta cantidad mínima y, normalmente, será mayor que esa cantidad. Esto es todo lo que hace falta.

Supongamos que el precio de las naranjas es de 2 centavos cada una, y que a este precio una persona compra 6 naranjas. Ahora supongamos que el precio cae a un centavo, y que a este precio más bajo la persona compra 10 naranjas. ¿Cuál es la variación compensatoria de la renta? No podemos saberlo exactamente, pero sí sabemos que no puede ser menor de 6 centavos. Supongamos de nuevo que, al mismo tiempo que baja el precio de las naranjas, sus ingresos se han reducido en 6 centavos. Entonces, en las nuevas circunstancias, puede, si lo desea, comer la misma cantidad de naranjas que antes, y la misma cantidad de todas las demás mercancías. Todavía puede optar por lo que antes había sido su preferencia, de manera que no puede empeorar. Pero con el cambio en los precios relativos, es probable que pueda sustituir alguna cantidad de naranjas por otras cosas, mejorando su situación. Sin embargo, si puede perder 6 centavos y seguir estando mejor, 6 centavos debe ser menor que la variación compensatoria. Tendría que perder más de 6 centavos para estar tan bien como antes.[14]

Esto es todo lo necesario para extraer las importantes consecuencias que se derivan del principio de excedente del consumidor en la teoría de la tributación. Demuestra, por ejemplo, por qué (aparte de los efectos distributivos) un impuesto sobre los productos básicos impone una carga mayor a los consumidores que un impuesto sobre la renta. Si el precio de las naranjas baja de 2 a 1 como resultado de una reducción en los impuestos, entonces (suponiendo costes constantes) la reducción en los ingresos fiscales de nuestro consumidor será de 6. Si se le quita del impuesto sobre la renta, se encontrará en mejor posición y el gobierno no habrá empeorado.

Es probable que puedan probarse de la misma manera otras deducciones extraídas del principio del excedente del consumidor.[15]

[14] Por tanto, se puede demostrar que la variación compensatoria es mayor que el área *kpzk'* en la Fig. 10. ¿También se puede probar que es menor que el área *kz'p'k'*? A primera vista, uno podría pensar que sí, pero de hecho no se puede dar una prueba igualmente rigurosa de ello. Esto se ve claramente si usamos el mapa de indiferencia (Fig. 11). La línea que presenta oportunidades de compra, cuando el precio de las naranjas cae en 1 centavo y el ingreso se reduce en 10 centavos, ya no pasa por el punto original de equilibrio *P*. Por tanto, no tenemos información fidedigna sobre la curva de indiferencia que toca. Sólo nos queda el recurso de deducir de nuestro argumento anterior que la variación compensatoria será menor que el rectángulo más grande, siempre que la utilidad marginal del dinero pueda considerarse constante.

[15] En un artículo que apareció después de haber escrito lo anterior («The General Welfare in relation to Problem of Taxation and of Railway and utility Rates», *Econometrica*, julio de 1938), el profesor HOTELLING ofrece un argumento sustancialmente similar y lo aplica a problemas de bienestar económico. Sería interesante someter la parte fundamental del libro del profesor Pigou a este tipo de críticas. Mi impresión es que la mayor parte de él saldría bastante bien parada.

Capítulo III

Complementariedad

1. LA DEFINICIÓN de bienes complementarios y competitivos dada por Edgeworth y Pareto (Marshall no entró en el tema) es la siguiente.[1] Y es complementario de X en el presupuesto del consumidor si un aumento en la oferta de X (manteniéndose constante Y) eleva la utilidad marginal de Y; Y es competitivo de X (o es un bien sustitutivo de X) si un aumento en la oferta de X (manteniéndose constante Y) disminuye la utilidad marginal de Y. De acuerdo con esta definición, parece evidente que la relación competitiva complementaria es reversible: si Y es complementario de X, X es complementario de Y; si Y es un sustitutivo de X, X es un sustitutivo de Y.[2] Además, si la utilidad marginal del dinero es constante, se sigue inmediatamente de esta definición que una caída en el precio de X, aumentando la demanda de X, aumentará la utilidad marginal de Y si X e Y son complementarios y, por tanto, aumentará la demanda de Y. De manera similar, disminuirá la demanda de Y si X e Y son sustitutivos. Hasta aquí, bien; a Edgeworth y Pareto les pareció que con esto bastaba.

Sin embargo, Pareto no tenía razón para estar satisfecho, porque cuando trató de traducir su definición en términos de curvas de indiferencia, tropezó con dificultades. De hecho, fue capaz de trazar algún paralelismo entre el caso en el que X e Y son complementarios (en la definición anterior) y aquel en el que las curvas de indiferencia entre X e Y (otras mercancías consumidas tomadas como constantes) están muy dobladas (Figura 12); entre el caso en el que las curvas de indiferencia son muy planas (Fig. 13) y aquél en el que X e Y son sustitutivos.[3] Pero el paralelismo no es del todo exacto, como se pone de manifiesto de inmediato por la imposibilidad de

---

[1] EDGEWORTH, *Papers*, vol. I, p. 117; PARETO, *Manuel*, p. 268.
[2] Con una función de utilidad dada, el orden de la diferenciación parcial es irrelevante.
[3] En la Fig. 12, un aumento de X proporciona pocas ventajas a menos que vaya acompañado de un aumento de Y. En la Fig. 13, un aumento de X puede ir acompañado de una disminución considerable de Y, y, aun así, ser ventajoso.

saber qué grado de curvatura de las curvas de indiferencia corresponde a la diferencia entre bienes complementarios y sustitutivos, lo que debería, según la definición, ser una diferencia clara.

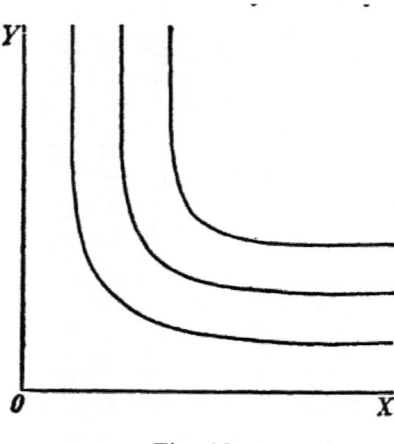

Fig. 12.

Además, la definición de Edgeworth-Pareto va en contra del propio principio de Pareto de la inconmensurabilidad de la utilidad. Si la utilidad no es una cantidad, sino sólo un índice de la escala de preferencias del consumidor, su definición de bienes complementarios no tiene un significado preciso. La distinción entre bienes complementarios y competitivos diferirá según la medida arbitraria de utilidad que se adopte.[4]

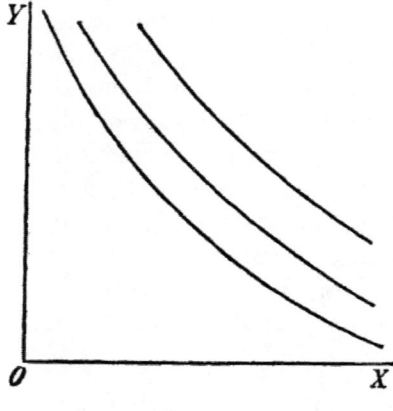

Fig. 13.

[4] Cf. Apéndice Matemático, § 5.

2.   Estas dificultades pueden superarse de la siguiente manera. Primero tenemos que reemplazar «utilidad marginal» en la definición de Edgeworth-Pareto por «tasa marginal de sustitución del dinero» (que es «utilidad marginal en términos de dinero»). Dado que la definición de Edgeworth-Pareto solo puede aplicarse si se supone que la utilidad marginal del dinero es constante, no es sorprendente que el dinero –las «otras cosas» en las que se gastan los ingresos– tenga que entrar en escena de alguna manera.

A continuación, tenemos que preguntarnos qué sucede con el «dinero» cuando aumenta la oferta de X (constante Y). No sorprenderá, a la luz de nuestras investigaciones precedentes, encontrar que la oferta de dinero tiene que reducirse de tal manera que se contrarreste el aumento de X dejando al consumidor en una situación mejor que antes.

La necesidad de esta corrección surge por la misma razón por la que tuvimos que enmendar la ley de la utilidad marginal decreciente. De hecho, es una consecuencia de nuestro cambio de la utilidad marginal decreciente por una tasa marginal de sustitución decreciente. Necesitamos una definición de bienes sustitutivos que asegure que una unidad extra del mismo producto físico es un sustitutivo de las unidades precedentes. Ahora, una unidad adicional de X definitivamente reduce la tasa marginal de sustitución de X por dinero solo si la unidad adicional se sustituye por dinero de tal manera que no deje al consumidor en una situación mejor que antes (nuestra ley de la tasa marginal de sustitución decreciente). Por tanto, debemos decir que *Y es un sustitutivo de X si la tasa marginal de sustitución del dinero por Y disminuye cuando X se sustituye por dinero de tal manera que no mejore la posición del consumidor.* Debemos decir que *Y es complementario de X si la tasa marginal de sustitución del dinero por Y aumenta al sustituirse el dinero por X.*

Esta definición no depende de una medida cuantitativa de utilidad, sino que se reduce a la definición de Edgeworth-Pareto si la utilidad marginal del dinero es constante (si los efectos renta se pueden despreciar) y, como la definición de Edgeworth-Pareto, es reversible entre X e Y. Si Y es complementario a X, X es necesariamente complementario a Y. Si Y es un sustitutivo de X, X es un sustitutivo de Y,[5] y, como veremos, es directamente aplicable a los casos en los que la utilidad marginal del dinero no puede suponerse constante.

3.   Una consecuencia muy curiosa de nuestra nueva definición es que el mapa de curvas de indiferencia, que según Pareto era un medio de aclarar el problema de los bienes relacionados, resulta tener poca utilidad directa para ese problema concreto.

---

[5] Supongamos precios distintos a los de X e Y dados, y comencemos desde la posición en la que el consumidor posee las cantidades particulares que nos interesan de X, Y, y el dinero. Sea M la cantidad máxima de dinero que el consumidor estaría dispuesto a ceder para adquirir ciertas cantidades adicionales x, y de X e Y. Entonces M es una función de x e y; y el orden de diferenciación parcial de M con respecto a x e y es irrelevante, como antes.

El mapa de curvas de indiferencia, que mide las dos «mercancías» sobre sus dos ejes, sólo es útil cuando puede considerarse que el consumidor gasta sus ingresos en dos –y sólo dos– «mercancías». En la práctica, esto suele querer decir que se ha de aplicar cuando nos interesamos por los problemas de la demanda de una mercancía física, y medimos a lo largo del otro eje todas las demás mercancías como un todo (el *dinero* de Marshall). El mapa de curvas de indiferencia es muy instructivo para estos problemas – los problemas de Marshall–, y nos permite profundizar en el análisis de lo que es posible con los métodos de Marshall. Pero el problema de los bienes relacionados no puede estudiarse mediante un mapa de curvas de indiferencia bidimensional. Son necesarias tres dimensiones para representar los dos bienes relacionados y el dinero (que es el trasfondo necesario). Esto significa que el modo más conveniente de representar la teoría es en términos algebraicos (como se hará en el Apéndice) o con palabras, como hacemos aquí.

Volvamos a la distinción entre el efecto renta y el efecto sustitución, tal como la desarrollamos en el capítulo anterior. Hemos visto cómo actúan sobre la demanda de X el efecto renta y el efecto sustitución producidos por una caída en el precio de X (permaneciendo iguales los demás precios). Ahora tenemos que analizarlos de manera más general y ver cómo se desarrollan dentro de la reordenación general del gasto del consumidor.

El efecto renta no causa muchos problemas. Una caída en el precio de X actúa como un aumento en la renta y, por tanto, tiende a aumentar la demanda de todos los bienes consumidos, excepto los bienes inferiores. Si la proporción de los ingresos gastados en X es pequeña, el efecto de la renta generalmente será pequeño; solo tendrá una pequeña influencia en la demanda de X y tendrá una pequeña influencia proporcional en la demanda de cualquier otro bien.

Como hemos visto, el efecto sustitución debe implicar una sustitución en favor de X y, por tanto, en contra de algo distinto de X. Si, como en el mapa de curvas de indiferencia, agrupamos todas las distintas mercancías de X en una sola «mercancía» (medida a lo largo del eje vertical), el efecto sustitución debe tender a disminuir la demanda de esa «mercancía» compuesta.[6] Pero sólo es obligado que disminuya la demanda de las otras mercancías tomadas juntas, no es necesario que disminuya la demanda de cada una por separado.

Supongamos que Y (una de las otras mercancías) es complementaria de X, de acuerdo con nuestra definición de complementariedad. Entonces sabemos que, si la cantidad de Y se mantiene constante, una sustitución a favor de X y en contra del dinero (ahora «otros bienes distintos de X o Y») elevará la tasa marginal de sustitución del dinero por Y. Ahora el precio de Y en términos de dinero es conocido y constante, por lo que un aumento en la tasa marginal de sustitución de dinero por Y debe impulsar la sustitución de dinero por Y, si la tasa marginal de sustitución de dinero por Y

---

[6] El movimiento de P' a Q a lo largo de la curva de indiferencia (Cap. II, Fig. 8) es hacia la derecha y hacia abajo.

debe mantenerse igual al precio de Y. Por tanto, si Y es complementario de X, una sustitución de X por dinero tiende a ir acompañada de una sustitución paralela de dinero por Y. La sustitución en favor de X estimula una sustitución similar en favor de Y.

Por otro lado, si, según nuestra definición, Y es un sustitutivo de X, una sustitución de dinero por X (permaneciendo Y constante) estimula una sustitución a favor del dinero y en contra de Y. La sustitución a favor de X tiende a ir acompañada de una sustitución contra Y. Nuestra definición de complementariedad marca la frontera entre estas dos situaciones.

4.   Cuando se hace de este modo la distinción entre complementariedad y sustitución, se aclara de paso un punto que quizá haya estado preocupando al lector. ¿Qué relación hay entre esta clase de sustitución –la que se opone a la complementariedad– y aquella que hemos estado discutiendo extensamente en capítulos anteriores, antes de empezar a ocuparnos de la cuestión de los bienes relacionados? La respuesta es que son la misma cosa.

Si un consumidor asigna su renta sólo a la compra de dos bienes, y no puede comprar ningún otro bien, entonces habrá sólo una relación de sustitución entre estos dos bienes. Porque, para obtener más de uno de ellos y *aun así no estar mejor que antes*, debe tener menos del otro. Pero cuando distribuye sus ingresos entre más de dos bienes, pueden surgir otros tipos de relación. Podría ser que todos los demás productos sean simplemente sustitutivos de uno de los productos (por ejemplo, *X)*. Esto sucederá si, cuando aumenta la oferta de X, tiene que haber una reducción en las cantidades de *todos* los demás bienes para satisfacer las dos condiciones: (1) que el consumidor no esté mejor que antes, (2) que las tasas marginales de sustitución entre estos otros bienes no se modifiquen. Aquí, la sustitución a favor de X es una sustitución en contra de cada una de las otras mercancías tomadas por separado. Pero es posible que, para que se satisfagan estas dos condiciones, deba haber un aumento en algunas de las otras mercancías, las mercancías complementarias de X. Obviamente, todas las mercancías consumidas no pueden ser complementarias de X, ya que el consumidor no puede tener más de todas las mercancías y aun así no estar mejor que antes. Vemos así por qué la complementariedad no puede surgir en el mapa de curvas de indiferencia de dos bienes, porque X e Y solo pueden ser complementarios si hay un tercer bien a cuya costa pueda tener lugar la sustitución a favor de ambos X e Y.

De hecho, los grupos complementarios de mercancías sólo son posibles si hay algo más por lo que estos puedan ser sustituidos. De los tres bienes, X, Y y «dinero», X e Y podrían ser complementarios, pero si es así, X debe ser un sustitutivo del dinero y (teniendo en cuenta lo que sucede cuando hay una sustitución a favor de Y, recordando que la relación de complementariedad XY es reversible) Y debe ser un sustitutivo del dinero. De los cuatro bienes, X, Y, Z y «dinero», X, Y, Z pueden ser todos complementarios entre sí, pero si es así, cada uno debe ser un sustituto del dinero. De hecho, aunque haya muchos bienes que entren en el gasto del consumidor, teóricamente es posible que todos menos uno formen un grupo complementario, siendo cada bien del grupo un sustitutivo del bien que queda fuera de él. Este es el máximo límite posible de complementariedad, mientras que, en el otro extremo, puede no haber complementariedad en absoluto.

En la práctica, parece poderse suponer que normalmente nos encontraremos con casos más cercanos al mínimo de complementariedad que al máximo. Cualquier bien tendrá un pequeño círculo de otros bienes a su alrededor que lo complementarán, pero su relación más probable con cualquier otro bien tomado al azar será de sustituibilidad (sin duda, imperfecta). Al menos eso es lo que uno esperaría encontrar.

5.   Ahora podemos resumir nuestras conclusiones respecto al efecto de un cambio en el precio de un bien X sobre el gasto del consumidor. Una caída en el precio de X (no alterándose los demás precios) afecta tanto a la demanda de X como a la demanda de otras mercancías a través del efecto renta y el efecto sustitución.

En lo que respecta a la demanda de X, el efecto sustitución debe aumentarla, y el efecto renta también lo hará, a menos que X sea un bien inferior.

En lo que concierne a la demanda de todos los demás bienes tomados en su conjunto (dado que sus precios están dados, esto se aplica también al gasto total en todos los demás bienes), el efecto sustitución la disminuirá y el efecto renta lo aumentará (en la práctica, siempre). Es muy probable que estos efectos sean de una magnitud comparable, por lo que la demanda total de otros bienes puede aumentar o disminuir.[7]

En lo que respecta a la demanda de algún otro bien particular Y, el efecto de sustitución la disminuirá, a menos que Y sea complementario de X; y el efecto renta lo aumentará, a menos que Y sea un bien inferior. Por tanto, se pueden distinguir varios casos:

(1) Y puede ser altamente complementario de X. Aquí el efecto sustitución puede ser lo suficientemente grande como para amortiguar cualquier efecto renta, de modo que la demanda de Y aumentará. Un ejemplo de esto (es solo un ejemplo) es el caso en el que X e Y deban usarse en proporciones fijas, de modo que la sustitución a favor de Y coincida con la sustitución a favor de X y, por tanto, es probable que sea grande en comparación con el efecto renta en aquellos casos en que el efecto sustitución sobre la demanda de X sea grande en comparación con el efecto renta sobre la demanda de X.

(2) Y puede ser ligeramente complementario de X. En este caso, el efecto renta llega a ser importante. Normalmente irá en la misma dirección que el efecto sustitución, de modo que habrá un aumento en la demanda de Y. Pero si Y es un bien inferior, los efectos renta y sustitución pueden anularse o, incluso, en un caso extremo, el efecto renta (negativo) puede ser dominante, por lo que la demanda de Y disminuye un poco.[8]

[7] Desde otro punto de vista, la demanda de otros bienes en conjunto aumentará o disminuirá según que la demanda de X tenga una elasticidad menor o mayor que 1.
[8] Compárese la excepción a la ley normal de la demanda, cuando una caída en el precio de X conduce a una caída en la demanda.

(3)   *Y* puede ser ligeramente sustituible por X. (Este es sin duda un caso muy común). Aquí el efecto renta y el efecto sustitución normalmente van en direcciones opuestas, por lo que tienden a anularse o dejar un efecto muy ligero sobre la demanda de *Y*, que puede ser en cualquier sentido. Pero si *Y* es un bien inferior, no cabe duda de que su demanda se contraerá, aunque quizá solo un poco.

(4)   *Y* puede ser altamente sustituible por X. En este caso, el efecto sustitución será claramente dominante y la demanda de *Y* debe disminuir. El caso extremo entonces es aquél en el que *X* e *Y* son sustitutivos perfectos, es decir, cuando una sustitución en favor de *X* reduce la tasa marginal de sustitución de dinero por *Y* en exactamente la misma proporción en que se reduce la tasa de sustitución de *X*. Esto sucederá normalmente cuando el consumidor no encuentre ninguna diferencia entre los dos productos como medio de satisfacer sus deseos, sean o no físicamente indistinguibles. Si *Y* es un sustitutivo perfecto de *X* y el precio de *X* cae, sin que baje el de *Y*, la demanda de *Y* debe caer a cero. La relación de sustituibilidad perfecta es reversible; si *Y* es un sustitutivo perfecto de *X*, *X* debe ser un sustitutivo perfecto de *Y*.

Para concluir esta clasificación, podemos preguntarnos cuáles son los casos en los que una caída en el precio de *X* *no* influye en la demanda de *Y*. Es evidente que esto puede suceder tanto si el efecto renta como el efecto sustitución sobre la demanda de *Y* son insignificantes (inferiores al *mínimo apreciable*), como si, no siéndolo por separado, van en direcciones opuestas y apenas son diferentes. Sin duda, este es el caso de muchas de las mercancías que los economistas han tratado habitualmente como «independientes» de una determinada mercancía *X*, porque no muestran ningún signo de que sus demandas se vean influidas por cambios en el precio de *X*; el precio de *X* no les afecta de ninguna manera. Pero uno no puede dejar de pensar que un número importante de ellos entra en el segundo caso. Es difícil creer que toda sustitución de las mercancías se haga a expensas de los sustitutivos cercanos; tenemos la sensación de que es frecuente no percibir la existencia de cierta sustituibilidad porque parece verse contrarrestada por los efectos renta.

6.   Ésta es, entonces, nuestra teoría sobre los bienes complementarios y sustitutivos en el presupuesto del consumidor. Creo haber demostrado que es una teoría coherente y precisa. Queda por demostrar que es una teoría útil –que la clasificación aplicada tiene importancia y que puede aplicarse con provecho a una variedad de problemas–.

Gran parte del resto de este libro estará dedicada a esa tarea. Sin embargo, hay uno o dos puntos preliminares que pueden dilucidarse aquí.

En primer lugar, podemos observar que los principios que hemos enunciado sobre el efecto de un cambio en el precio de *X* sobre la demanda de *Y* son tan aplicables a la demanda del mercado como a la demanda del consumidor individual. El efecto sobre la demanda de *Y* de un grupo de consumidores también se puede dividir en un efecto renta y un efecto sustitución. Es posible que *X* e *Y* sean complementarios para algunas personas y sustitutivos para otras. Si esto sucede, podemos considerarlos complementarios para el grupo en su conjunto si el efecto de sustitución total aumenta la demanda de Y cuando el precio de X cae; y sustitutivos para el grupo en su conjunto en el caso inverso. La reversibilidad de la complementariedad también es cierta cuando se trata de un grupo; si Y es complementario de X, X es complementario de Y; si Y es un sustitutivo de X, X es un sustitutivo de Y.[9]

Esta es una propiedad importante de nuestra definición que la hace aplicable. Otra se deriva del principio que establecimos en el capítulo anterior y que hemos utilizado ampliamente en éste: cuando se puede suponer que los precios relativos de un grupo de mercancías no cambian, éstos pueden tratarse como un solo producto.

Hemos visto que cuando X es una mercancía física individual, y las demás mercancías consumidas se tratan como una sola mercancía, una caída en el precio de X en relación a otros precios da lugar a una sustitución en favor de X y en contra de esas otras mercancías. (Por supuesto que también da lugar a un efecto renta, pero dejemos eso de lado por el momento.) Como resultado de este efecto sustitución, la demanda de las otras mercancías disminuye, es decir, se reduce el gasto en las demás mercancías en su conjunto (aunque, como hemos visto, puede haber un reordenamiento del gasto entre estas mercancías de manera que aumente el gasto en algunas en particular).

Llevemos este razonamiento un poco más lejos. La sustitución en favor de X y en contra de las demás mercancías se produce porque el precio de X ha caído en relación a otros precios (que han mantenido las mismas proporciones entre sí). Se repetiría la misma situación, provocando el mismo tipo de efecto sustitución, si el precio de X hubiera permanecido fijo mientras que los precios de todas las demás mercancías hubieran cambiado, pero en la misma proporción, de modo que todavía se pudiesen reunir estas mercancías en una. Esto sugiere que podemos decir que un descenso en los precios de cada una de las mercancías que forman un grupo de bienes (cada uno cayendo en la misma proporción) ha de ocasionar una sustitución en favor del grupo en su conjunto. La deducción está perfectamente justificada.

A medida que avancemos en nuestro estudio veremos que esta proposición es muy útil, pero que es importante tener claro cuáles son sus límites, es decir, lo que no significa. No quiere decir que deba haber un efecto sustitución en favor de cada una de las mercancías de una cesta tomadas por separado, de modo que (aparte de los efectos renta) la demanda de cada mercancía independiente deba aumentar. Siempre es posible que disminuyan las demandas de algunas de las mercancías que forman la cesta, ya que son sustituidas por otros bienes de la cesta. Además, debe tenerse en cuenta el efecto renta y, en los casos en los que la cesta sea grande de modo que el

---

[9] Obsérvese que sólo los efectos sustitución son reversibles. Si una caída en el precio de X aumenta la demanda de Y, no necesariamente se sigue que una caída en el precio de Y aumente la demanda de X. Sin embargo, se puede esperar tal relación si el precio de X influye bastante en la demanda de Y.

consumidor gaste una proporción considerable de sus ingresos en ella, el efecto renta será importante. Pero no es probable que haya efectos negativos sobre los ingresos en una cesta grande. Es poco probable que el consumidor gaste menos dinero en una cesta grande de mercancías cuando sus ingresos aumentan. En consecuencia, en lo que respecta a la demanda de la cesta misma, deberíamos esperar que el efecto renta se mueva en la misma dirección que el efecto sustitución.

7.   Queda por hacer una proposición importante (que no se apuntó en la primera edición de este libro), que es probablemente la generalización definitiva de la teoría de la demanda ya que se refiere, no a un cambio de precios en particular, sino a cualquier cambio en el sistema de precios al que se enfrenta el consumidor. Un cambio de precios de este tipo generará un efecto renta y un efecto sustitución. Sobre el efecto renta, en general nada hay que decir, pero sí sobre el efecto sustitución. El efecto sustitución tiene que ver con la variación en los precios relativos. Podemos aislarlo si consideramos los cambios en los precios que mantienen al consumidor en el mismo nivel de indiferencia –reduciendo todos los demás cambios a una combinación de estos cambios con un cambio proporcional en todos los precios, lo que implica una variación en la renta real e induce un efecto renta puro–.

Imaginemos un cambio en los precios que deje al consumidor en el mismo nivel de indiferencia, entonces podemos decir que la cesta de bienes que el consumidor compra debe tener mayor valor en términos de los precios antiguos que el que tenía la antigua cesta de bienes. Porque la vieja cesta de bienes era la única en ese nivel de indiferencia de la que podía disponer a los precios anteriores. De manera similar, la antigua cesta de bienes debe tener un valor más alto en términos de los nuevos precios que la nueva.

De la primera de estas desigualdades se sigue que la suma de los incrementos en las cantidades compradas (prestando la debida atención al signo) debe ser positiva cuando se valora a los precios anteriores. De la segunda desigualdad se sigue que la suma de los mismos incrementos, valorados a los nuevos precios, debe ser negativa. Estos dos enunciados solo pueden ser coherentes entre sí si la suma de los incrementos en términos del *incremento* del precio correspondiente a cada caso, es negativa. Este es el sentido en el que el cambio más generalizado de precios debe provocar un cambio en la demanda en dirección opuesta. Cabe destacar que solo se aplica al efecto sustitución; si hay un cambio en el ingreso real (o, en el caso de un grupo de consumidores, un cambio en la distribución del ingreso real), entonces también habrá que tener en cuenta el efecto renta, que seguirá sus propios principios.[10]

[10] En lo sucesivo, normalmente no necesitaremos utilizar el argumento de esta última sección. Algunas de sus consecuencias, que nos llevan en otras direcciones de las que *grosso modo* se persiguen en este libro, se analizan en la Nota Adicional A.

PARTE II
El equilibrio general

«Una luz nueva y penetrante desciende sobre la escena, dotando a los hombres y a las cosas de una aparente transparencia, y exhibiendo como un solo organismo la anatomía de la vida, el movimiento de toda la humanidad y la materia vivificada incluidas en la obra».

(Dinastías)

Capítulo IV

El equilibrio general del intercambio

1. YA HEMOS completado el desarrollo de nuestra teoría de la demanda de los consumidores. En términos generales, ¿qué hemos logrado? En primer lugar, hemos encontrado un significado preciso para el supuesto de que los «deseos» de un individuo estén dados; éste debe significar que tiene una determinada escala de preferencias. Luego hemos estudiado cómo un individuo con una determinada escala de preferencias, y una determinada oferta de mercancías, busca intercambiar esas mercancías por otras, cuando se conocen los precios de ambas cestas (de las mercancías a las que renuncia y de las que adquiere). A continuación, hemos visto cómo se verán afectadas estas decisiones de compra y venta (estas demandas y ofertas) cuando los precios varían. Por último, hemos ampliado estas leyes de oferta y demanda para que puedan aplicarse a grupos de personas en vez de a individuos aislados. Hemos descubierto cómo reaccionarán las demandas y ofertas totales de un grupo de personas a los cambios de precios, asumiendo que la escala de preferencias de cada miembro del grupo permanece fija.

A medida que avanzábamos en nuestro estudio, hemos tenido en cuenta principalmente la aplicación más obvia de nuestro análisis: el consumidor común que gasta sus ingresos en la satisfacción de sus necesidades personales inmediatas. Este era, por supuesto, el caso que Marshall, sobre quien tanto hemos comentado, seguramente tenía en mente. Pero no es el único caso al que se aplica el análisis. (De hecho, si lo hubiera sido, probablemente no hubiera merecido la pena llevarlo hasta ese grado de refinamiento).

No es necesario que los bienes que se compran y venden sean bienes de consumo, o al menos no todos ellos. La única condición necesaria es que sean deseables, que puedan comprarse y venderse, y que se les pueda asignar un orden de preferencia (un sistema de indiferencia) *que sea independiente de los precios.*

En consecuencia, están incluidos, tanto la demanda de bienes de consumo como la oferta de servicios de trabajo. Como hemos visto, se puede pensar fácilmente que el asalariado (o el empleado por cuenta ajena) elige una forma de obtener ingresos en vez de otra porque prefiere un cierto volumen de ingresos trabajando unas horas determinadas a otro volumen de ingreso con otra cantidad de trabajo.[1] También se incluye, como bien señaló Wicksteed,[2] la compra y venta de bienes, no para satisfacer los deseos individuales propios, sino para satisfacer los deseos de otras personas, o lo que se supone que son esos deseos. Pero esto no agota las posibles ampliaciones, como se pone de manifiesto cuando consideramos qué es lo que nuestro criterio excluye.

Excluye un caso comprendido incluso en el campo de los bienes de consumo. Se trata del ejemplo Vebleniano que tanto gusta en los libros de texto: la demanda de un objeto de consumo ostensible (diamantes) puede reducirse por una caída en su precio, porque el deseo de diamantes (la tasa marginal de sustitución del dinero de una determinada cantidad de diamantes) depende del precio de los diamantes y cae cuando el precio baja. Pero esto es una minucia en comparación con las exclusiones importantes.

Una de estas exclusiones es la oferta y la demanda de bienes de los productores. Un factor de producción normalmente no ocupa un lugar en la escala de preferencias de un productor. Su demanda es una demanda derivada, que depende del precio de su producto. Pretende vender el producto y luego satisfacer sus necesidades con el importe de las ventas. Si no tiene ninguna información sobre el precio del producto, no puede decir cuánto valdrá la pena pagar por una unidad del factor. Ésta es una parte del problema de la elección económica que queda completamente fuera de nuestra discusión anterior. Nos ocuparemos en los últimos capítulos de esta parte.

El otro caso que se excluye es el de la demanda especulativa. Otro lugar común de los libros de texto es que una caída del precio puede no aumentar la demanda, o incluso puede disminuirla, porque implica una expectativa de que el precio bajará todavía más. Aquí la tasa marginal de sustitución de la mercancía por dinero deja de ser independiente de los precios, debido a una reacción a consecuencia de las expectativas. Más adelante (en la Parte IV) veremos que son fundamentales las reacciones de las expectativas.

Baste aquí con dar un ejemplo. La demanda de dinero[3] es en sí misma necesariamente especulativa en sentido amplio. No hay demanda de dinero por sí misma, sino sólo como un medio para hacer compras en el futuro. Por tanto, siempre puede verse afectada por las expectativas de futuro. Todas las teorías del dinero han tenido siempre en cuenta este hecho de un modo u otro.

---

[1] Esquivo la cuestión de cómo medir la cantidad de «trabajo».
[2] *Common Sense of Political Economy*, cap. 5.
[3] De ahora en adelante no debe entenderse en el sentido especial marshalliano usado hasta el momento.

La producción y la especulación son pues dos aspectos importantes que quedan excluidos y nos ocuparemos de ellas en muchos de los siguientes capítulos.

Pero obsérvese que sólo se excluyen en la medida en que implican una reacción de los precios en la escala de preferencias del individuo. Cualquier problema que no implique tal reacción puede estudiarse mediante nuestra técnica.

2. Teniendo presente esas cosas, nos sentimos animados a pasar de nuestra teoría de la elección del consumidor a lo que puede ser, al menos, una revisión preliminar útil de la teoría del intercambio.

Supongamos que hemos de habérnoslas con un mundo donde los únicos objetos de intercambio son los servicios personales. La demanda de estos servicios estará gobernada por las leyes planteadas en los capítulos anteriores, como también lo harán las ofertas. Se eliminan todas las complicaciones de la producción y la especulación. Aunque ciertamente aún nos queda mucho camino por recorrer para tener un modelo realista del mundo, si podemos hacernos una idea clara de un sistema económico de este tipo tendremos una base sobre la cual construir, y que puede ser útil por sí misma para ciertos propósitos limitados.

Al decidirnos a tratar la teoría general del intercambio antes de ocuparnos de la producción, seguimos el ejemplo de Walras en vez del de Marshall. Fue Walras quien creó la teoría del equilibrio general del intercambio, tal y cómo se la conoce.[4] Así como antes tuvimos que resumir el trabajo de Pareto sobre la teoría del valor antes de poderlo llevar más lejos, ahora debemos resumir una parte del trabajo de Walras.

Comencemos con el caso elemental en el que sólo hay dos clases de servicios – sólo dos tipos de bienes para intercambiar–. Por tanto, cada persona es simplemente un comprador de X y un vendedor de Y, o simplemente un comprador de Y y un vendedor de X. Siempre que supongamos competencia perfecta, este caso no presentará ninguna dificultad. Debe establecerse una relación de precios, la relación de precios de X a Y. Hay una condición para establecerla: la condición de que la demanda de X debe ser igual a la oferta. (Si la demanda de X es igual a la oferta de X, se deduce aritméticamente que la demanda de Y es igual a la oferta de Y). Nuestras investigaciones previas nos han mostrado que la demanda y la oferta de X se determinarán en función de una cierta relación de precios. Para que el mercado esté en equilibrio, solo es necesario que la relación de precios se fije al nivel que iguale la oferta y la demanda.[5]

Estas son cosas conocidas, pero cuando extendemos el argumento a casos en los que se trata de más de dos mercancías, surgen algunos reparos nuevos, que son

---

[4] *Éléments déconomie politique pure* (1874), lecciones 5-15 (edición definitiva).
[5] Considerado estáticamente, un mercado está en equilibrio si cada persona actúa de tal manera que alcanza su posición preferida, teniendo en cuenta las oportunidades que se le abren. Esto supone que las acciones de las distintas personas que comercian deben ser coherentes. Para una discusión más detallada del concepto de equilibrio, ver más adelante el capítulo X.

bastante menos obvios. Así, ¿cuántos precios hay que determinar? Cuando se trata del intercambio de dos bienes tenemos que determinar un precio; de manera similar, cuando se trata del intercambio de tres bienes tenemos dos precios, y así sucesivamente: siempre uno menos que el número de bienes. Esto se puede ver de inmediato si seleccionamos una de las n mercancías como patrón de valor. Los $n - 1$ precios son entonces los precios de los otros $n - 1$ bienes en términos de la mercancía patrón. Por supuesto, las otras mercancías pueden intercambiarse mediante intercambio directo sin recurrir a la mercancía patrón, pero en equilibrio la tasa de intercambio entre dos mercancías debe ser siempre igual a la relación de sus precios en términos de la mercancía patrón. Si no, una parte u otra estaría siempre en situación de poderse beneficiar abandonando el intercambio directo y dividiendo la transacción en dos partes: primero un intercambio de una mercancía por el patrón y luego un intercambio del patrón por la otra mercancía.

Cuando se trate de intercambios múltiples, siempre será conveniente tomar una determinada mercancía como patrón de valor.[6] Hasta ahora, esta mercancía está investida con algunas de las cualidades del dinero, pero no es necesario suponer que nuestros comerciantes realmente usan la mercancía patrón como dinero; pueden hacerlo o no. Si, por alguna razón decidimos identificar la mercancía patrón con el dinero, se ha de tener muy presente que aún no se le han dado más cualidades del dinero que éstas –que es un objeto deseable y que se utiliza como patrón de valor–. Más adelante seremos capaces de dotar a nuestra mercancía patrón de otras cualidades, de modo que podamos emplearla realmente como un medio para analizar problemas genuinamente monetarios. Por el momento, es en gran medida una sombra. Sin embargo, veremos que es mucho más útil crear dinero sombra en las primeras etapas de nuestro análisis que no tener dinero en absoluto, porque entonces seremos capaces de obtener de inmediato resultados con muchas posibilidades de ser verdaderos para una economía monetaria, aun cuando no representen toda la verdad.

Por tanto, supondremos por el momento que nuestra mercancía patrón es una mercancía real como cualquier otra que ocupa un lugar ordinario en la escala de preferencias de un individuo corriente. Quienes llegan al mercado con ciertas cantidades de la mercancía patrón no necesariamente tienen la intención de gastarlas todas. Si los precios son favorables a esa decisión, pueden decidir reservar una parte.

3.   Una vez dado un cierto grupo de precios, sabemos cómo determinar la posición preferida de cualquier individuo. Esto nos señala las cantidades que demandará de los productos que no posee, y las cantidades que está dispuesto a ofrecer a cambio de los productos que sí posee. Mediante una simple suma, podemos determinar la

---

[6] *Numéraire*, como lo llamó WALRAS.

demanda y la oferta de cada producto. Si el sistema de precios es tal que iguala estas demandas y ofertas, tenemos una posición de equilibrio. De lo contrario, al menos algunos precios tenderán al alza o a la baja.

Walras demostró que el carácter determinado de esta solución está garantizado por la igualdad entre el número de ecuaciones y el número de incógnitas. Si se intercambian n tipos de bienes, esto nos da $n - 1$ precios por determinar. A primera vista, podría parecer que existen n ecuaciones para determinar esas incógnitas, ecuaciones de oferta y demanda en los mercados de n bienes. Pero no es así. Debe recordarse que para dos bienes solo teníamos una ecuación de oferta-demanda. Por muchos bienes que haya, el número de ecuaciones es siempre uno menos que el número de bienes. Esto se debe a que la ecuación de oferta y demanda en el mercado para la mercancía patrón se deriva del resto. Cuando cualquier individuo en particular ha decidido qué cantidad de cada mercancía no patrón venderá o comprará, automáticamente habrá decidido qué cantidad de la mercancía patrón comprará o venderá.[7] Por tanto,

Demanda del patrón
= Ingresos por la venta de otros bienes – Gasto en la compra de otros bienes

u

Oferta del patrón
= Gasto en la compra de otros – Importe por la venta de otros

Por tanto, para toda la comunidad,

Demanda de – oferta de – mercancía patrón
= Importe total de la venta de otros bienes – Gasto total en compra de otros bienes

y, en el momento en que la demanda de cada mercancía no patrón se hace igual a la oferta, esto debe ser igual a 0.

Por tanto, existen $n - 1$ ecuaciones independientes para determinar los $n - 1$ precios independientes.

4.   Hasta ahora todo va bien, pero ¿qué implica todo esto? Para algunas personas (incluido, sin duda, el propio Walras), el sistema de ecuaciones simultáneas que determina un sistema completo de precios parece tener una gran importancia. Derivan una intensa satisfacción intelectual de la contemplación de semejante sistema de precios sutilmente interrelacionados. Cuanto más lejos se pueda llevar el análisis (de hecho, se puede llevar bastante lejos) como para incluir, no solo la economía del intercambio, sino también la de la producción, más satisfechos están, y más sensación tienen de haber conseguido una comprensión más profunda del funcionamiento de

---

[7] Los préstamos se dejan fuera o se incluyen mediante el método de considerar los valores como una especie de mercancía. Ver posteriormente, en el capítulo XII.

un sistema económico competitivo. Yo mismo tengo una gran simpatía por este punto de vista. Creo que podemos tener una percepción clara de la realidad con solo extender los sistemas de ecuaciones walrasianos, hasta tal punto que seguiré los métodos walrasianos en buena parte de este libro, y espero mostrar que en los nuevos ámbitos son tan esclarecedores como en los antiguos, quizá incluso más. Fue un gran logro haber mostrado, incluso de manera tan esquemática, el mecanismo de la interrelación entre los mercados, y hay varias cuestiones de principio que no pueden resolverse satisfactoriamente a menos que nos repleguemos como Walras y observemos el sistema de precios como un todo.

Sin embargo, a pesar de los méritos, está claro que muchos economistas (quizá la mayoría, incluso los que han estudiado a Walras en serio) al final tienen la sensación de que su enfoque resulta algo estéril. Es cierto, dirán, que Walras ofrece una imagen de todo el sistema, pero es una imagen muy distante, y apenas equivale a la confirmación de que de alguna manera las cosas funcionarán, aunque no está muy claro cómo. Otros economistas son teóricamente menos ambiciosos, pero al menos sus resultados tienen aplicación a la vida real.

Ahora bien, creo que la razón de la esterilidad del sistema walrasiano se debe, en gran parte, a que no llegó a elaborar las leyes del intercambio para su sistema del equilibrio general. Podía establecer qué condiciones deben satisfacer los precios dados con recursos y preferencias dadas, pero no explicó qué pasaría si cambiaban los gustos o los recursos.

Es cierto que en el caso simple de dos mercancías las cosas funcionaban, haciendo sustancialmente el mismo análisis que Marshall hizo para una aplicación de ese caso (en su *Pure Theory of Foreign Trade*[8]), pero no hizo una investigación similar del caso general.

Creo que con las técnicas de que disponemos ahora, podemos hacer una investigación similar para el caso general y obtener, en todo caso, algunos resultados. Si podemos hacer esto, el método de equilibrio general podrá librarse en gran medida del reproche de esterilidad. Pues aún sin ir más allá de la teoría del intercambio, el sistema puede aplicarse a la teoría general del comercio internacional, al menos en la medida en que Marshall aplicó la suya al caso especial del comercio de dos mercancías. También tendrá otras aplicaciones especiales y, cuando se hayan tenido en cuenta la producción y la especulación, se nos abrirán puertas aún más amplias.

---

[8] WALRAS, 1874; MARSHALL, 1879. La teoría de MARSHALL se repite, pero sin ganar en claridad, en *Money, Credit and Commerce*, Apéndice.

Capítulo V

El funcionamiento
del sistema de equilibrio general

1. LAS LEYES de cambio del sistema de precios, como las leyes de cambio de la demanda individual, deben derivarse de las condiciones de estabilidad. Aquí, en primer lugar, examinamos qué condiciones son necesarias para que un sistema de equilibrio dado sea estable. Luego hacemos un supuesto de regularidad, que las posiciones cerca de la situación de equilibrio también sean estables, y de ahí deducimos reglas sobre la forma en que el sistema de precios reaccionará a los cambios en los gustos y recursos.

¿Qué se entiende por estabilidad en el intercambio? Para que el equilibrio sea estable, es necesario que un ligero movimiento que se aleje de la posición de equilibrio cree fuerzas tendentes a restablecer el equilibrio. Esto significa que una subida del precio por encima del nivel de equilibrio hace surgir fuerzas que tiendan a producir una caída de ese precio, lo que implica en competencia perfecta que un aumento en el precio hace que la oferta sea mayor que la demanda.[1] La condición de estabilidad implica que un aumento en el precio hace que la oferta sea mayor que la demanda; una caída del precio, que la demanda sea mayor que la oferta.

---

[1] Se puede observar que esta condición no es la misma que la de los *Principios,* de MARSHALL (nota de la p. 807). Marshall dice que «el equilibrio de la oferta y la demanda que corresponde al punto de intersección de las curvas de oferta y demanda es estable o inestable según que la curva de demanda se encuentre por encima o por debajo de la curva de oferta justo a la izquierda de ese punto». Es decir, una pequeña caída en la producción hace que el precio de demanda sea mayor que el precio de oferta. Esta no es idéntica a la condición dada anteriormente y, de hecho, está más cerca de la condición de estabilidad apropiada para las condiciones de monopolio que la apropiada a las condiciones de competencia perfecta. En condiciones de monopolio, el equilibrio es estable si una pequeña caída en la producción hace que el ingreso marginal sea mayor que el coste marginal. El caso de una curva de oferta «decreciente hacia adelante» (para usar la frase de Kahn), que Marshall consideró consistente con el equilibrio estable, no es consistente con el equilibrio estable en competencia perfecta.

En la teoría del intercambio, se puede hacer algo más que simplemente enunciar condiciones de estabilidad y deducir leyes de cambio a partir de ellas. Dado que la teoría del intercambio se basa en la teoría de la demanda, se puede investigar hasta qué punto la estabilidad del intercambio es consistente con la teoría de la demanda desarrollada en los capítulos II-III anteriores. Al usar esta especie de verificación, podemos aprender mucho más sobre el funcionamiento del sistema de precios que de otro modo.

2.   Comencemos por el simple intercambio de dos mercancías. No podemos esperar obtener nuevos resultados en este campo tan trillado, pero quizá reestructurando la teoría en términos de nuestro propio análisis, podemos exponerla de una manera generalizable.

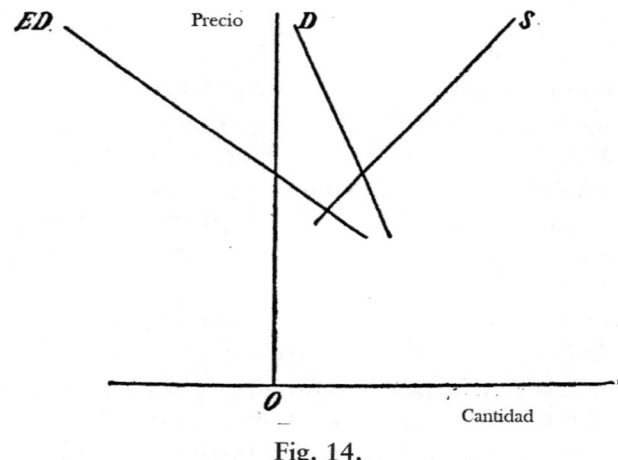

Fig. 14.

Si solo se comercia con dos mercancías (X e Y), la condición de equilibrio es que la oferta de X sea igual a la demanda de X, y la condición de estabilidad es que una caída en el precio de X en términos de Y hará que la demanda de X sea mayor que la oferta de X.[2] Llamemos a la diferencia entre la demanda y la oferta a cualquier precio el *exceso de demanda*. Entonces, la condición de equilibrio es que el exceso de demanda sea cero, y la condición de estabilidad es que una caída en el precio debe aumentar el exceso de demanda –si queremos decirlo de esa manera, la curva de exceso de demanda tendrá pendiente negativa–.[3] A partir del gráfico (Fig. 14) resulta obvio que cuando

[2] Obsérvese que cada una de estas condiciones es, de hecho, simétrica, porque la condición de equilibrio implica que la demanda de Y es igual a la oferta de Y, y la condición de estabilidad implica que un aumento en el precio de Y en términos de X hará que la oferta de Y sea mayor que la demanda de Y.
[3] Alternativamente, podemos adoptar el método de WICKSTEED de considerar la oferta como la cantidad que los vendedores no quieren quedarse de una determinada cantidad, y trazar una curva de de-

la curva de demanda es decreciente y la curva de oferta creciente, la curva de exceso de demanda debe tener pendiente negativa. Pero ¿qué se puede decir en general sobre el efecto de una caída en el precio en el exceso de demanda?

Tanto los efectos de la oferta como los de la demanda, como hemos visto,[4] pueden analizarse mediante un efecto renta y un efecto sustitución y, por tanto, el exceso de demanda se puede analizar de manera similar. Una caída en el precio genera un efecto sustitución que aumenta la demanda y disminuye la oferta; por tanto, eso debe aumentar el exceso de demanda. Determina un efecto renta en que los compradores mejoran y los vendedores empeoran. Siempre que la mercancía no sea un bien inferior para ninguna de las partes, esto significa que el efecto renta tenderá a aumentar la demanda y a *aumentar* la oferta. Por tanto, la influencia del efecto renta sobre el exceso de demanda depende de cuál de estas dos tendencias sea más fuerte. Si el efecto renta es tan fuerte por el lado de la demanda como el efecto renta por el lado de la oferta, entonces quedará cancelado el efecto renta sobre el exceso de demanda, no dejando sino un efecto sustitución. En este caso, la curva de exceso de demanda debe tener pendiente negativa; el equilibrio debe ser estable.

¿Hasta qué punto es probable que los efectos renta se anulen de esta manera? Si los compradores y vendedores son individuos semejantes y se encuentran en una situación similar, entonces es muy probable que el efecto renta se anule, ya que, en equilibrio, la oferta es igual a la demanda y, por tanto, el efecto inicial de una caída en el precio (antes de que se produzca cualquier ajuste en la oferta o la demanda) es que los compradores mejoran y los vendedores empeoran en una cantidad exactamente igual en términos de Y. Por tanto, si compradores y vendedores reaccionan de la misma manera a un cambio en los ingresos, el aumento de la demanda de los compradores (debido al efecto renta) se igualará a un aumento de la oferta de los vendedores (debido al efecto renta). El efecto renta sobre el exceso de demanda será nulo.

Por supuesto, sería mucha casualidad que las cosas se desarrollaran exactamente de esta manera. Generalmente habrá un aumento neto o una disminución neta en el exceso de demanda como resultado de la redistribución de ingresos entre compradores y vendedores. Sin embargo, excepto en los casos en que X sea un bien inferior para los compradores, pero no para los vendedores (o un bien inferior para los vendedores, pero no para los compradores) es muy probable que el efecto renta se anule.[5] Por tanto, al tratar de problemas relativos a la estabilidad del intercam-

---

manda que consista en la demanda más la demanda de reserva. Esta curva de demanda tipo «Wicksteed» tendrá las mismas propiedades que nuestra curva de exceso de demanda, solo difiriendo de ella en una constante.

[4] Capítulo II, arriba.

[5] Si hay una gran diferencia entre el número de compradores y vendedores, entonces ésta quizá sea una razón para suponer que es probable que el efecto renta, en el lado donde hay pocos, sea el más im-

bio, es razonable comenzar suponiendo que los efectos renta se anulan e investigar después qué alteraciones se producen si existe un efecto renta neto en una dirección u otra.

Si los efectos renta se cancelan, el intercambio de X por Y debe ser estable, y seguirá siendo estable si el efecto renta sobre el exceso de demanda va en la misma dirección que el efecto sustitución. El único caso posible de inestabilidad es cuando hay un efecto renta fuerte en la dirección opuesta, es decir, *los vendedores de X deberán tener mucho más interés en consumir más de X cuando estén mejor que los compradores de X.*[6]

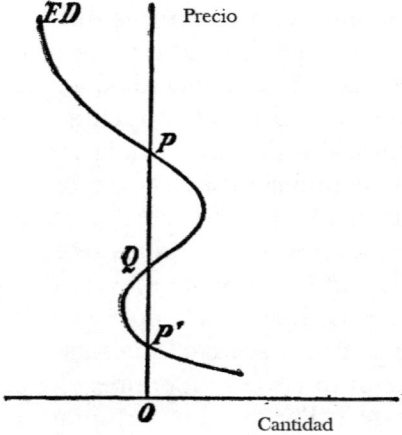

Fig. 15.

En condiciones de este tipo, el equilibrio sería inestable, pero una curva de exceso de demanda que produjera posiciones inestables (como Q, Fig. 15) aún podría dar la vuelta y producir posiciones estables (como P o P'). El tipo de dificultad que surge en tales casos es que puede haber más de una posición de equilibrio estable.

Si (como en la figura 14) sólo hay una posición de equilibrio estable, entonces el efecto de un cambio en las condiciones de la oferta o la demanda sobre el precio es muy sencillo. Un cambio en los gustos de cualquier persona que comercia de modo que, a un precio dado de X en términos de Y, desea comprar más X o vender menos X (esto implica que desea vender más o comprar menos Y), debe subir el precio de X en

portante. Por otro lado, la ganancia de ingresos reales para muchas personas puede ser tan pequeña que resulte poco sensible y, por tanto, no afecte en absoluto a su demanda.

[6] Observe que esta es, de hecho, una condición simétrica.

términos de Y (bajar el precio de Y en términos de X) pues tal cambio ha de desplazar la curva de exceso de demanda hacia la derecha. La misma regla es aún válida en la Fig. 15 siempre que partamos de una posición estable, pero si la posición estable se coloca como en P', el alza del precio puede ser brusca y discontinua.

3.   Pasemos ahora al caso del intercambio múltiple (intercambio de más de dos mercancías), en el que hemos de abrir nuevos caminos. Hasta donde yo sé, nunca antes se ha discutido la cuestión de la estabilidad en el intercambio múltiple, lo que es una lástima, porque incluso a puertas del problema surgen algunas cuestiones de considerable interés e importancia.

¿Qué entendemos por estabilidad en el intercambio múltiple? Como antes, claramente una caída en el precio de X en términos de la mercancía patrón hará que la demanda de X sea mayor que la oferta. Pero ¿este efecto debe suponerse (a) cuando se dan los precios de otras mercancías, o (b) cuando se ajustan otros precios para mantener el equilibrio en los otros mercados? Creo que la respuesta es que lo más importante es lo que sucede cuando se ajustan todos los demás precios. Si un pequeño aumento del precio no hace que la oferta sea mayor que la demanda, una vez que se han tenido en cuenta todas las consecuencias, no habrá tendencia alguna a que se restablezca el equilibrio. El mercado se alejará de la posición de equilibrio en vez de acercarse a ella. Pero si sólo no se satisface la primera condición,[7] la tendencia a alejarse del equilibrio quedará en última instancia neutralizada, aunque no directamente por el funcionamiento del mercado X, si no por las influencias en otros mercados. Es fácil ver que, en un caso como este, va a ser más complicado el establecimiento de un sistema de precios de equilibrio, pero una vez que se alcanza el equilibrio, será a pesar de todo un equilibrio estable propiamente dicho. Un movimiento que se aleje del equilibrio creará fuerzas que tiendan a restablecer el equilibrio.

Propongo llamar *perfectamente estable* a un sistema en el que se satisfacen todas las condiciones de estabilidad. Un sistema en el que algunas de ellas no se satisfacen, pero en el que la oferta se vuelve mayor que la demanda cuando el precio sube teniendo en cuenta todas las influencias posibles, será *imperfectamente estable*. Así, incluso un sistema imperfectamente estable es en última instancia estable, pero su estabilidad solo se conserva mediante influencias indirectas.

Más adelante espero demostrar que hay problemas en los que la estabilidad imperfecta es una hipótesis interesante e importante. (Algunos de los más notables sur-

---

[7] En sentido estricto, debemos distinguir una serie de condiciones: que un aumento en el precio de X haga que la oferta sea mayor que la demanda, (a) dados todos los demás precios, (b) permitiendo que el precio de Y se ajuste para mantener el equilibrio en el mercado de Y, (c) permitiendo que se ajusten los precios de Y y Z, y así sucesivamente, hasta que se hayan ajustado todos los precios. Un sistema deja de ser inestable tan pronto como se cumple la última de estas condiciones, pero la estabilidad perfecta los involucra a todos.

gen en relación con la famosa «inestabilidad del crédito»). Pero eso no nos interesa por el momento. Descubriremos que un sistema puro de intercambio múltiple, si es estable, es probable que sea perfectamente estable, y los sistemas completamente inestables, que nunca podrían reposar a un sistema de precios determinado, son poco interesantes. No tendría sentido intentar fijar sus leyes de cambio.

4.   La estabilidad general de un sistema de intercambio múltiple implica dos problemas: (i) Suponiendo que el mercado de X es estable, tomado por sí mismo (es decir, una caída en el precio de X eleva el exceso de demanda de X, dados todos los demás precios), ¿puede llegar a ser inestable debido a reacciones de los mercados de otras mercancías? (ii) Suponiendo que el mercado de X es inestable, tomado por sí mismo, ¿puede estabilizarse mediante reacciones a través de otros mercados? Comencemos con la primera de estas preguntas.

Podemos representar gráficamente el efecto en el mercado de X de las reacciones del mercado de algún otro bien particular Y (dados los precios de $Z...$) (Fig. 16).

Midamos sobre dos ejes el precio de X y el precio de Y. Cualquier punto del gráfico representará entonces un par de precios determinado y podemos señalar el precio de X que igualará la oferta y la demanda de X correspondiente con cualquier precio arbitrario de Y y que, por tanto, equilibrará el mercado de X. (Por supuesto, el mercado de Y no estará necesariamente también en equilibrio). Sin embargo, de esta manera podemos marcar un par de precios que llevará al equilibrio al mercado X. Dibujando esto como un punto en el gráfico, construyamos una serie de puntos similares, comenzando con otros precios arbitrarios de Y. Estos puntos formarán una curva que llamaremos XX'. ¿Qué se puede decir sobre la forma de esta curva?

Que un aumento en el precio de Y eleve o no el precio de X dependerá de la forma en que se vea afectada la curva de exceso de demanda de X. Si aumenta, el precio de X aumentará y XX' tendrá pendiente positiva; si baja, XX' tendrá pendiente negativa.

Pero, al igual que antes, el precio de Y influye en la curva de exceso de demanda de X a través de un efecto renta y un efecto sustitución. Las razones para suponer que el efecto renta normalmente será pequeño sobre el exceso de demanda son las mismas que en el § 2 anterior (puesto que consta dos partes que, probablemente, operen en direcciones opuestas). El efecto sustitución aumentará el exceso de demanda de X si X e Y son sustitutivos, lo reducirá si son complementarios (entendiéndose aquí sustitución y complementariedad en referencia al mercado en su conjunto, compradores y vendedores juntos). Por tanto, si (como aproximación) dejamos de lado el efecto renta, podemos decir a grandes rasgos que XX' tendrá pendiente positiva cuando X e Y sean sustitutivos, y negativa cuando sean complementarios.

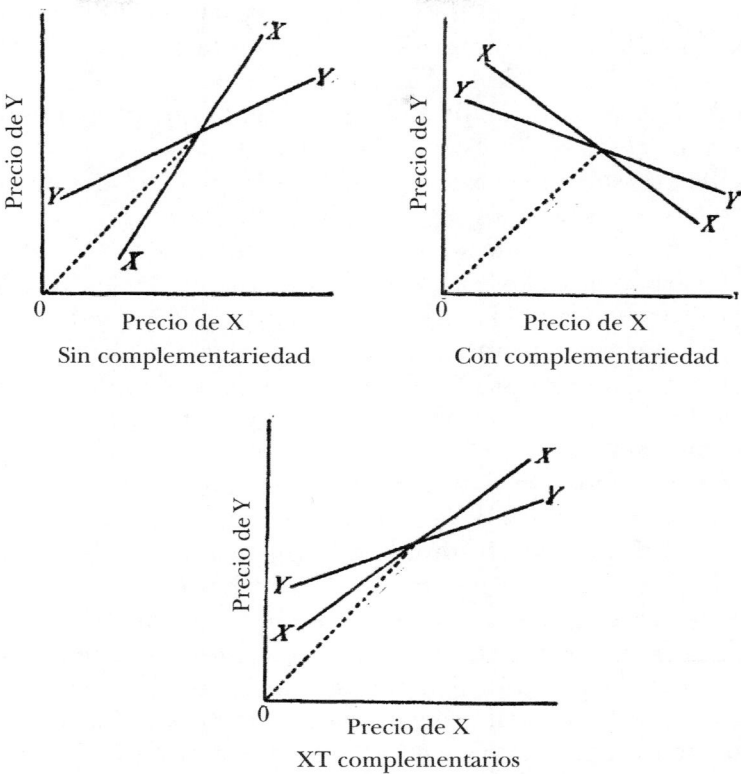

Fig. 16. Todas estas son posiciones estables.

Ahora bien, por el momento limitemos nuestra atención a los casos en los que la pendiente *XX'* es positiva. La pendiente de la curva depende de la influencia relativa de los dos precios sobre el exceso de demanda de *X*. Si el precio de *X* tiene una influencia relativamente más fuerte, entonces un aumento en el precio de *Y* elevará el precio de *X* menos que proporcionalmente. La curva *XX'* tendrá una elasticidad menor que la unidad. Tendrá una elasticidad mayor que la unidad si el precio de *Y* tiene una influencia relativamente más fuerte sobre el exceso de demanda de *X* que el precio de *X*.

Se pueden distinguir hasta cierto punto las probabilidades de que se den estos dos casos. Para este propósito, consideremos lo que sucedería si los precios de *X* e *Y* aumentaran en la misma proporción, de modo que la relación de precios de *X* a *Y* no cambiara. Esto, como hemos visto, es similar en sus efectos a una caída proporcional igual en los precios de todos los demás bienes distintos de *X* e *Y* (incluida la mercancía patrón) que, por tanto, pueden agruparse y tratarse como una única mercancía *T*.

Ahora (despreciando de nuevo el efecto renta) una caída en el precio de *T* reducirá el exceso de demanda de *X*, a no ser que *X* sea complementario de *T*. Por tanto, excepto cuando *X* es complementario de *T*, el aumento en el precio de *X* necesario para mantener el equilibrio en el mercado de *X* debe ser menos que proporcional al aumento del precio de *Y*. La curva *XX'* debe ser inelástica.

Así pues, tenemos una idea bastante clara de las propiedades de la curva *XX'*. Si se hace caso omiso de los efectos sobre la renta, nos encontramos con las siguientes reglas. Cuando no hay complementariedad, de modo que *X* es un sustitutivo tanto de *Y* como de *T* (el grupo de todos los bienes distintos de *X* e *Y*), la curva *XX'* debe tener pendiente positiva y su elasticidad debe ser menor que la unidad. Si *X* e *Y* son complementarios, *XX'* tiene pendiente negativa. Si *X* y *T* son complementarios, *XX'* tienen pendiente positiva con una elasticidad mayor que la unidad. Si los efectos sobre la renta son relevantes, estas reglas se modificarán algo, por lo que surgirán excepciones de mayor o menor importancia.

Los mismos resultados se siguen, punto por punto, para la curva *YY'*, que representa los pares de precios que llevarán el mercado de *Y* al equilibrio. *YY'* tendrá pendiente positiva si *X* e *Y* son sustitutivos, y negativa si son complementarios. Pero cuando consideramos la complementariedad entre *Y* y *T*, debemos observar que las posiciones de los ejes están invertidas. Si *Y* y *T* son complementarios, un aumento en el precio de *X* debe ir acompañado de un aumento más que proporcional del precio de *Y* para mantener el equilibrio en el mercado de *Y*. Por tanto, si medimos el precio de *X* a lo largo del eje horizontal, debemos decir que *YY'* será inelástico cuando *Y* y *T* sean complementarios, y elástico cuando *Y* sea un sustitutivo de *X* y *T*.

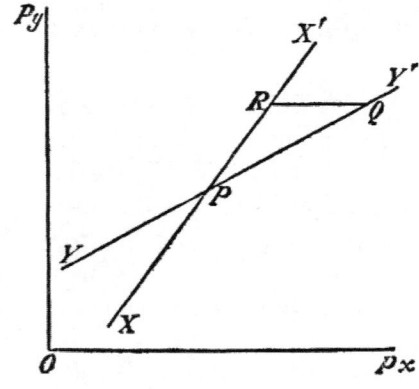

Fig. 17.

Ahora se pueden utilizar estos resultados para examinar la estabilidad del sistema. Si *XX'* e *YY'* se cruzan en un punto *P*, entonces *P* representa un par de precios en los que tanto el mercado de X como el mercado de Y estarán en equilibrio. El equilibrio será estable si un pequeño incremento en el precio de X reacciona sobre el precio de Y, y este influye de nuevo en el precio de X de tal manera que vuelve a bajarlo. La condición para esto es que XX' debe tener una pendiente positiva más pronunciada que YY' (o negativa más pronunciada que YY'). Esto será fácil de comprender examinando la figura 17. A un precio de X por encima del nivel de equilibrio, el mercado de Y se equilibraría en un punto Q de YY'. A este nuevo precio de Y, el mercado de X llegaría al equilibrio en un punto R en XX', y esto nos da un precio de X más cercano a la posición de equilibrio que aquel desde el que partimos. Por tanto, el sistema tiende a volver a la posición de equilibrio y es estable.

Sirviéndonos de esta prueba, podemos ver antes que nada que, si no hay complementariedad en el sistema, de modo que X, Y y T son todos sustitutivos entre sí, entonces el sistema debe ser estable, porque en este caso la elasticidad de XX' es menor que la unidad, y la de YY' mayor que la unidad. XX', por tanto, tiene más pendiente que YY', y la condición de estabilidad necesariamente se satisface.

Además, en el segundo gráfico de la Fig. 16 se hace evidente que la presencia de complementariedad no significa necesariamente inestabilidad. Es fácil construir casos en los que X e Y sean complementarios, pero en los que todavía se cumpla la condición de estabilidad. Sin embargo, podría suponerse a primera vista que también podrían construirse casos inestables, en los que YY' tiene pendiente más negativa que XX'. Sin embargo, esto no es así, porque la relación más perfectamente complementaria que puede existir entre dos bienes X e Y es aquella en la que deben consumirse en proporciones fijas. En este caso, un conjunto de precios de X que corresponden con precios de Y harán que el exceso de demanda de X y el exceso de demanda de Y sean igual a cero. Por tanto, las curvas XX' e YY' coinciden. Pero si el mayor grado de complementariedad posible es el que hace coincidir las curvas, es claro que se necesitaría algo más que este mayor grado posible para que se cortaran de una manera inestable. Así, en nuestro caso del intercambio en tres direcciones, no es posible que la complementariedad sea fuente de inestabilidad. Esto puede demostrarse matemáticamente para cualquier cantidad de bienes.

5.   Por tanto, podemos concluir nuestra larga investigación sobre la estabilidad del intercambio múltiple con una respuesta negativa provisional a la primera de las preguntas que nos planteábamos al principio. Si el mercado de X es estable, no es probable que por sí mismo se vuelva inestable por reacciones a otros mercados. ¿Qué pasa con la otra pregunta? Suponiendo que el mercado de X es inestable, tomado por sí mismo, ¿hay probabilidad de que las reacciones a otros mercados lo hagan estable? ¿Son probables los sistemas imperfectamente estables de equilibrio múltiple?

Esta pregunta nos dará muchos menos problemas que la anterior. El mercado de X es inestable tomado por sí mismo si un aumento en el precio de X (dados otros precios) aumenta el exceso de demanda de X. Por tanto, si se ha de estabilizar a través de reacciones indirectas de otros precios, estas reacciones indirectas deben reducir el exceso de demanda de X. Puede verse que es muy poco probable que lo hagan. Tomemos otra mercancía Y. Entonces (si se pudieran ignorar los efectos renta) sería forzoso que las reacciones a través del mercado de Y incrementen el exceso de demanda de X, porque si Y es sustitutivo de X, el aumento en el precio de X aumentará el exceso de demanda de Y y, por tanto, aumentará el precio de Y, lo que aumentará de nuevo el exceso de demanda de X. Si Y es complementario de X, el aumento del precio de X reducirá el exceso de demanda de Y y, por tanto, el precio de Y, pero esto aumentará nuevamente el exceso de demanda de X. En consecuencia, en ambos casos, la reacción indirecta aumentará el exceso de demanda de X. Si el mercado de X es inestable, tomado por sí mismo, debe ser aún más inestable cuando se tengan en cuenta los efectos indirectos.

Este argumento, sin embargo, no es concluyente pues está sujeto a pequeñas excepciones cuando se consideran las reacciones que se producen a través de un mercado más y, en cualquier caso, sólo es necesariamente cierto que las reacciones indirectas a través de otro mercado tiendan a aumentar el exceso de demanda de X cuando el precio de X aumenta, *si se hace caso omiso de los efectos renta*. Pero en este caso no se pueden descuidar porque sólo si el efecto renta es grande en el mercado de X es posible que el mercado de X, tomado por sí mismo, sea inestable. Ahora bien, si hay un gran efecto renta que tiende a aumentar el exceso de demanda de X cuando el precio de X aumenta, es posible que también exista tal efecto cuando el precio de Y cambia. Por tanto, es posible que en ocasiones las reacciones a través de los mercados de mercancías relacionadas vayan en una dirección opuesta a la que hubiéramos esperado a primera vista. Es posible que estas reacciones ejerzan una influencia estabilizadora en los mercados que, por sí mismos, son inestables.

Sin embargo, no creo que esta posibilidad tenga realmente mucha importancia, aunque se puede señalar como una posible fuente de excepciones a las reglas que estableceremos en la siguiente sección.

Resumamos las conclusiones negativas, pero tranquilizadoras, que hemos derivado de nuestros estudios sobre estabilidad. No cabe duda de que la existencia de sistemas estables de intercambio múltiple es totalmente compatible con las leyes de la demanda. De hecho, no se puede probar *a priori* que un sistema de intercambio múltiple sea necesariamente estable. Pero las condiciones de estabilidad son bastante sencillas, por lo que es bastante razonable suponer que se satisfarán en casi cualquier sistema que nos interese. La única fuente última de posible inestabilidad es una fuerte asimetría en los efectos renta. Un grado moderado de sustituibilidad entre la mayor parte de las mercancías bastará para impedir que esta causa sea efectiva.

Además, si un sistema de intercambio múltiple es estable, es probable que sea perfectamente estable. Por tanto, está justificado pasar a investigar, como haremos ahora, cómo un sistema perfectamente estable de intercambio múltiple reaccionará a los cambios en los determinantes fundamentales de los precios. Pues las «leyes económicas» que resultan son principios que esperamos encontrar que actúen en la realidad en cualquier situación que pueda reducirse a un sistema de intercambio múltiple bajo competencia perfecta.

6.   Este es el método preciso por el cual las leyes económicas pueden deducirse de las condiciones de estabilidad. Supongamos que un pequeño número de personas que comercian experimentan un cambio en sus preferencias. A efectos de la exposición, el cambio en que más nos conviene pensar es un mayor deseo de algún bien en particular, deseo que dichas personas están dispuestos a satisfacer aumentando su oferta (o disminuyendo su demanda) de la mercancía patrón, y sin alterar sus demandas y ofertas de todas las demás mercancías. ¿Qué cambio tendrá lugar en los precios? El cambio de precios debe ser tal que produzca un exceso de oferta, de otras personas que comercian, suficiente como para satisfacer el aumento de la demanda del primer grupo. Ahora bien, las condiciones de estabilidad ya nos han señalado qué cambios en los precios conducirán a un exceso de oferta en el mercado de X, mientras que otros mercados siguen, como deberían, en equilibrio. Por tanto, las condiciones de estabilidad nos permiten decir cuál será el efecto de tal aumento de la demanda.[8]

En primer lugar, debe aumentar el precio de X. Esto sucede aun teniendo en cuenta todas las reacciones secundarias en otros mercados. La única manera de que el sistema sea estable en todo momento (incluso imperfectamente estable) es que un aumento en el precio de X (considerando todas las reacciones secundarias) haga que la oferta de X sea mayor que la demanda.

También pueden decirse algunas cosas sobre los efectos sobre otros precios. Sólo podrían determinarse de forma precisa las reglas que rigen este tema si los efectos-renta pueden ignorarse. Como no es probable que este supuesto esté totalmente justificado, las reglas pueden considerarse sujetas a un margen de error. Sin embargo, conviene establecerlas sin tener en cuenta los efectos renta.

Si pudiéramos suponer que las reacciones en otros mercados se limitan a otro mercado en particular, el de Y (los precios distintos a los de X e Y casi no se ven afectados), entonces el efecto sobre el precio de Y se deduce del § 4 anterior. El precio de Y subirá si X e Y son sustitutivos, y bajará si son complementarios, porque sólo cambios de este tipo mantendrán el equilibrio en el mercado de Y.

Si algún precio más se ve afectado, entonces hemos de tener en cuenta la forma en que pueden influirse mutuamente los mercados de otros bienes, X, Z, etc. El efecto

---

[8] Cuando se considera el problema de esta manera, es evidente que puede emplearse un análisis similar para examinar los efectos de un aumento en el número de personas que comercian. Los recién llegados al mercado aumentan la demanda de algunos bienes y la oferta de otros. Por tanto, los precios deben ajustarse en la medida necesaria para que se produzcan los correspondientes excesos de oferta y demanda del antiguo sistema.

sobre el precio de Y se puede analizar de la siguiente manera. En primer lugar, si Y es un sustitutivo de X, eso tiende a elevar el precio de Y. Pero el precio de Y puede verse influido, no solo directamente de esta manera, sino también indirectamente, a través del cambio en el precio de Z. Si Z es un sustitutivo de X, el precio de Z aumentará, y si Y es también un sustitutivo de Z, esto a su vez aumentará el precio de Y. Por tanto, habrá un efecto indirecto que tenderá a aumentar el precio de Y. De manera similar, si Z es complementario de X, y complementario de Y, el precio de Z se reducirá, pero esto tenderá de nuevo a aumentar el precio de X. Por otro lado, si Z es complementario de X y un sustitutivo de Y, el efecto a través del mercado de Z será bajar el precio de Y.

Los efectos indirectos a través de terceros mercados obedecen así a la regla de que un aumento de la demanda de X elevará los precios de aquellos bienes que son sustitutivos de los sustitutivos o complementarios de los complementarios de X; bajará los precios de aquellos bienes que sean complementarios de sustitutivos o sustitutivos de complementarios.

En los casos en que varios precios se vean afectados, puede ser necesario tener en cuenta varios efectos indirectos de este tipo, así como el efecto directo. Algunas veces, quizá a menudo, todos irán en la misma dirección. X e Y pueden ser parte de una cesta de mercancías que son todas sustitutivas entre sí. El precio de Y entonces aumentará, cuando el precio de X suba, tanto por la sustitución directa entre ellos como por la sustitución indirecta a través de los otros productos de la cesta. Sin embargo, si X e Y son parte de una cesta de mercancías complementarias, no es tan sencillo. El efecto directo es bajar el precio de Y cuando la demanda de X aumenta, pero algunos de los efectos indirectos elevarán el precio de Y en su papel de complementario del complementario. Por tanto, el efecto neto puede ir en cualquier dirección.

Un sistema de intercambio múltiple en el que no haya complementariedad alguna obedecería a una regla simple. Independientemente de si se permiten muchos efectos indirectos, todos irían en la misma dirección. Cuando aumentara la demanda de X, el precio de X aumentaría y todos los demás precios también aumentarían. Además, se puede demostrar que los precios de todos los demás bienes aumentarían proporcionalmente menos que el precio de X.[9]

Por tanto, la condición de ausencia total de complementariedad no es probable en absoluto.[10] Sin embargo, hay varias razones por las que podemos esperar que

---

[9] Esto se puede ver inmediatamente si utilizamos el recurso de tratar a X (momentáneamente) como la mercancía patrón y, por tanto, consideramos el aumento de la demanda de X como un aumento de la oferta de la antigua mercancía patrón M. Entonces queda claro que, si no hay complementariedad, los precios de todas las demás mercancías deben caer en términos de X.

[10] Un ejemplo interesante, donde aproximadamente puede cumplirse, es el mercado de divisas. Para los comerciantes de divisas es probable que los billetes en varias monedas sean sustitutivos entre sí. Así, en la práctica vemos que, si hay una huida de francos a dólares, el dólar se apreciará en términos de francos, y todas las demás monedas sufrirán también un alza, pero proporcionalmente menos que el dólar.

la situación que tendría lugar en ausencia completa de complementariedad ocurrirá *grosso modo* en muchas situaciones de casos reales. (1) Están las razones que ya conocemos para esperar que la sustitución sea dominante y la complementariedad excepcional, entre pares de bienes tomados al azar. (2) Sabemos que los efectos indirectos entre cestas de bienes sustitutivos actúan en la misma dirección que los efectos directos, mientras que los efectos indirectos entre cestas de complementarios pueden tender a neutralizar los efectos directos. (3) Hemos estado suponiendo, hasta ahora, que el aumento de la demanda de X actúa sólo sobre X, y no sobre las mercancías complementarias de X. En la práctica, las demandas de una cesta de mercancías complementarias a menudo aumentan simultáneamente.

Teniendo esto en cuenta, parece que un aumento en la demanda de un bien en particular (o cesta de bienes) probablemente tenga un efecto al alza sobre los precios en general. Por supuesto, el bien, o los bienes, cuya demanda aumenta deben tener una importancia considerable para que esta tendencia ascendente se generalice. Además, siempre es probable que haya algunos bienes en particular, complementarios directa o indirectamente del primero, cuyos precios efectivamente bajarán.

7.   Creo que eso es todo lo que se puede decir sobre los efectos sobre otros precios, aunque se puede agregar una proposición más para completar las leyes del intercambio.

Hemos visto que cuando aumenta la demanda de X, el precio de X debe subir. ¿De qué depende la intensidad de su ascenso? Se puede demostrar que un determinado aumento de la demanda afectará menos al precio de X cuanta más sustituibilidad o menos complementariedad haya entre cualquier par de productos del sistema.[11]

Si la mercancía X posee un gran número de bienes sustitutivos, será mucho más fácil satisfacer una mayor demanda sin un aumento considerable de los precios. De hecho, los propios sustitutivos tenderán a subir de precio, pero el aumento se extenderá muy poco a toda la cesta de mercancías y, por tanto, afectará muy poco a cada uno de ellos (incluido el propio X). Si, por el contrario, tiene un grupo grande de complementarios para los que la demanda no ha aumentado, estos complementarios tenderán a bajar de precio (aquellas personas que aporten el exceso de oferta necesario de X tenderán a disponer de bienes complementarios a ese exceso de oferta). Esta caída en los precios de los complementarios aumentará a su vez la demanda de ellos (y, por tanto, de la propia X). Para compensarlo, será necesaria una nueva subida del precio de X.

Estos principios pueden aplicarse ahora, en segunda instancia, a los propios sustitutivos y complementarios. Si, a su vez, poseen buenos sustitutivos, sus precios se verán menos afectados por esa razón, y esto tenderá, a su vez, a disminuir el efecto sobre el precio de X. Pero si ellos, a su vez, son miembros de un grupo de complemen-

[11] Una vez más, esta proposición sólo está libre de excepciones si se hace caso omiso de los efectos renta.

tarios, esto incrementará la variación de sus precios y, consecuentemente, también aumentará la variación necesaria en el precio de X.

Por tanto, la complementariedad, igual que la sustituibilidad imperfecta, debe considerarse como un elemento de rigidez en el sistema, que disminuye la elasticidad de oferta de cualquier bien en particular. Por supuesto, si hubiéramos comenzado de la misma manera con un aumento en la oferta de X, deberíamos haber llegado a que los mismos factores disminuyan la elasticidad de la demanda.

8.   Con esto, no tengo nada más que decir sobre la teoría del intercambio. De hecho, dudo que se puedan añadir muchas más cosas en un plano similar de generalidad. Por tanto, podríamos pasar directamente a las aplicaciones. Cuando recordamos que toda la teoría tradicional del comercio internacional, por ejemplo, se basa en el análisis del intercambio simple de dos bienes, no debemos vacilar demasiado en la aplicación de nuestra teoría, que de por sí es mucho más general. Pero no seguiré ese camino, en parte porque no me interesa mucho hacer en este libro un análisis económico de problemas particulares, pero sobre todo porque no creo que sea necesario en modo alguno dejar de examinar tantos aspectos del mundo real como sea preciso si intentamos reducir los problemas reales al marco de la teoría pura del intercambio.

La razón de que sea útil haber dedicado tanto tiempo a la teoría del intercambio es completamente diferente. Veremos, cuando en los capítulos siguientes pasemos a ocuparnos de la producción, e incluso cuando lleguemos a estudiar los problemas dinámicos en la Parte IV, que nos encontraremos que vuelven a aparecer los mismos problemas que hemos examinado aquí. Al principio parecerán un poco más complicados, pero pueden traducirse a formas familiares, y resultará que ya conocemos las respuestas. Por eso, la teoría del intercambio es parte esencial del estudio del sistema económico en general.[12]

---

[12] En la primera edición de este libro, sostenía que la inestabilidad del equilibrio del intercambio podría deberse a dos causas, no a una. Además de los efectos asimétricos de la renta, que hemos discutido anteriormente, existía una «complementariedad extrema». Sin duda, tiene sentido la inestabilidad debida a los efectos asimétricos del ingreso. No es difícil, como hemos visto, imaginar casos particulares para mostrar cómo funcionará. Pero era difícil dar sentido a la «complementariedad extrema», aunque me sentí obligado a mantenerla ya que parecía estar implícita en mis matemáticas. Algunos años más tarde, cuando estaba trabajando en la teoría del excedente del consumidor («Consumers Surplus and Index Numbers», *Review of Economic Studies*, 1942), descubrí que se trataba de un error. Había pasado por alto la ley general de la demanda, ahora expuesta al final del capítulo III. Esto es lo que proporciona la razón matemática por la que la «complementariedad extrema», que implica inestabilidad, es imposible. El argumento se expone en su totalidad en el apéndice matemático, p. 356. En lo que respecta a este capítulo, el argumento se ha podido simplificar mediante la omisión de una complicación que nunca pareció tener sentido. Otras simplificaciones se indican en las pp. 121, y 249 y posteriores.
Esta misma corrección ha sido realizada por J. L. Mosak, *General Equilibrium Theory in International Trade*, Cowles Commission Monograph, 1944, p. 42.

Capítulo VI

El equilibrio de la empresa

1. A DIFERENCIA de la teoría del equilibrio del agente económico, la teoría del equilibrio de la empresa ha sido discutida en la literatura contemporánea casi hasta la saciedad.[1] En cierto sentido, tengo poco que agregar a estos debates. Sin embargo, es necesario hacer un repaso para resaltar un cierto paralelismo que existe entre el caso de la empresa y el del individuo. Este paralelismo nos permitirá exponer las leyes de la conducta de la empresa en el mercado de una forma similar a la que nos es familiar en el otro caso y, en última instancia, ampliar la teoría del intercambio expuesta en el último capítulo para tener en cuenta también la producción.

La transición entre la teoría del valor y la teoría de la producción se puede hacer mejor de la siguiente manera. Hasta ahora, hemos supuesto que nuestros comerciantes llegan al mercado con una oferta de ciertos productos o servicios, y que pueden obtener otros productos de una sola manera: mediante el intercambio. Ahora tenemos que tener en cuenta que a veces pueden obtener nuevos productos de otra manera: por transformación técnica o por producción. Claramente, no adoptarán este método a menos que sea más ventajoso que el simple intercambio. Eso significa que sólo será ventajoso convertir un conjunto de bienes intercambiables en otro conjunto a través de la producción, si el conjunto adquirido tiene un valor de mercado superior al conjunto que se entrega. Por tanto, bajo diferentes condiciones de mercado, serán rentables diferentes oportunidades de producción y estas pueden estar al alcance de diferentes personas. De esta manera, la clase de personas que adquieren bienes por transformación técnica más que por la simple venta de sus servicios (la clase de los empresarios) puede cambiar.

Por lo general, un empresario se caracteriza por el hecho de que adquiere algunos servicios (factores de producción) no porque tenga un deseo directo de ellos,

[1] Véase, por ejemplo, Joan ROBINSON, *Economics of Imperfect Competition*; SCHNEIDER, *Theorie der Produktiom;* KALDOR, «Equilibriun of the Firm» (*Econ. Jour.* 1934).

sino porque los necesita para la plena explotación de sus oportunidades productivas. Puede considerarse que la cantidad de esos factores que emplea depende enteramente de la producción que hace posible. En consecuencia, la empresa (la conversión de factores en productos) puede considerarse como una unidad económica autónoma, independiente de la contabilidad privada del empresario. Adquiere factores y vende productos; su objetivo es maximizar la diferencia entre el valor de ambos.[2]

2.   Podemos comenzar con un análisis paralelo al de nuestra teoría de la utilidad. Supongamos una empresa determinada enfrentada a un mercado perfectamente competitivo. ¿Cuáles son las condiciones necesarias para su equilibrio?

Consideremos primero el caso más simple. Una empresa tiene posibilidades técnicas de transformar un solo factor A en un solo producto X. Se conocen los precios de A y X en el mercado y, por tanto, le convendrá embarcarse en la producción siempre que el valor total del producto obtenido sea mayor que el valor total del factor empleado. Además, le convendrá producir la cantidad de producto que maximice la diferencia.

Veamos esto gráficamente. Si medimos cantidades del factor A a lo largo del eje horizontal y cantidades del producto X a lo largo del eje vertical, se puede dibujar una curva que muestre la cantidad máxima de producto que se puede obtener mediante la transformación de cada cantidad dada de factor. Por el momento, no haremos supuestos particulares sobre la forma de esta curva de producción (Fig. 18).

Supongamos ahora que se está empleando una cantidad ON del factor y, por tanto, la cantidad de producto obtenido es PN. Hagamos que OM sea igual a PN y que MK represente la cantidad de producto cuyo valor de mercado es igual al valor de la cantidad ON del factor. Entonces OK es el producto excedente que acumula la empresa. El valor de OK es la diferencia entre los ingresos y los costes.

Las condiciones de equilibrio son que OK debe ser un máximo y debe ser positivo.

En el gráfico, tal como lo hemos dibujado, no se cumple la primera de estas condiciones. Si P se mueve hacia la derecha a lo largo de la curva, la línea PK se moverá hacia arriba (manteniéndose paralela a sí misma, ya que su pendiente MK / PM es igual a la relación entre los precios del factor y el producto, que vienen dados por las condiciones del mercado). Seguirá subiendo, de modo que OK aumente, hasta que se convierta en una tangente a la curva de producción (Fig. 19). Por tanto, las condiciones de equilibrio se plantean de la siguiente manera:

[2] Además de los factores adquiridos en el mercado, una empresa también puede hacer uso de factores proporcionados por el propio empresario. Si estos factores pudieran venderse (en caso de que no se emplearan en el negocio), entonces sus precios de mercado deberán formar parte de los costes de la empresa. Sin embargo, si no pueden utilizarse de otra forma que no sea en el negocio, no originan costes y no necesitan (de hecho, no pueden) incluirse en el debe de la contabilidad de la empresa.

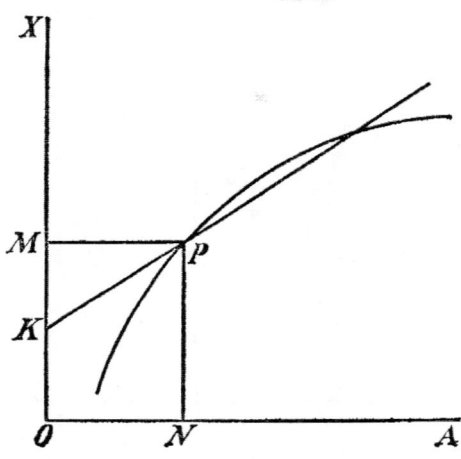

Fig. 18.

(1)   La línea *PK* debe tocar a la curva de producción. Es decir, la pendiente de la curva de producción en el punto de equilibrio debe ser igual a la relación entre el precio del factor y el precio del producto. Ahora bien, la pendiente de la curva de producción es igual al incremento del producto obtenido mediante un pequeño aumento del factor –es decir, es el producto marginal–. Por tanto, la condición se puede expresar en una de las dos formas conocidas: el precio del factor es igual al valor de su producto marginal, o el precio del producto es igual a su coste marginal.

(2)   Para que *OK* sea un máximo, no un mínimo, es necesario que la curva de producción sea convexa hacia arriba en el punto de tangencia. Esto implica que el producto marginal ha de ser decreciente, o el costo marginal creciente, en el punto de equilibrio.

Se observará que la forma de estas dos condiciones es muy similar a la de las condiciones que alcanzamos en nuestra teoría del valor subjetivo. La curva de producción, tal y como la hemos descrito, tiene propiedades extraordinariamente similares a una curva de indiferencia. Donde teníamos igualdad entre una relación de precios y una tasa marginal de sustitución, ahora tenemos igualdad entre una relación de precios y un producto marginal, que puede considerarse, si queremos, como una *tasa marginal de transformación*. En cuanto a la condición de estabilidad, la tasa marginal de sustitución decreciente se reemplaza por el producto marginal decreciente. Estas dos condiciones son, por tanto, sustancialmente idénticas, y valiéndose de ellas podremos construir una teoría de la conducta de la empresa muy similar a la de la conducta del individuo.

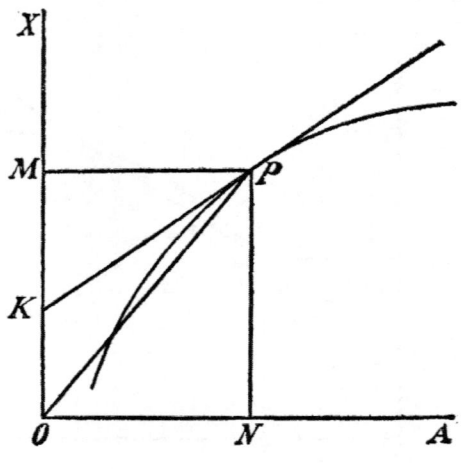

Fig. 19.

(3)   Pero en la teoría de la producción hay una tercera condición sin paralelo en la teoría del valor subjetivo. El excedente *OK* debe ser positivo. Ahora bien, sólo puede ser positivo si la pendiente de *OP* es mayor que la de *PK*, y eso significa que la pendiente de *OP* debe estar disminuyendo a medida que *P* se mueve hacia la derecha. La pendiente de *OP* mide la relación entre la cantidad de producto y la cantidad de factor, es decir, es el producto medio. La tercera condición de equilibrio es, por tanto, que el producto medio debe estar disminuyendo o el coste medio aumentando.[3]

Por tanto, las condiciones de equilibrio pueden establecerse de dos formas alternativas:

1. Precio del factor = valor del producto marginal.	1. Precio del producto = coste marginal.
2. Producto marginal decreciente.	2. Coste marginal creciente.
3. Producto medio decreciente.	3. Coste medio creciente.

3.   Hasta aquí nos lleva la geometría, pero ahora es necesario investigar si las condiciones de equilibrio así alcanzadas son, de hecho, plausibles. La segunda y tercera condiciones se relacionan con las propiedades de la curva de producción. De hecho, ¿es probable que la relación entre factor y producto tenga estas propiedades? En

[3] Alternativamente, podemos argumentar de la siguiente manera. Si hay un superávit positivo, el precio debe ser mayor que el coste medio. Pero el precio es igual al coste marginal y, por tanto, el coste marginal debe ser mayor que el coste medio. En consecuencia, la producción de una unidad adicional debe elevar el coste medio, de modo que el coste medio debe estar aumentando.

el caso paralelo del agente privado, no vimos motivos para dudar de la plausibilidad de la condición de una tasa marginal de sustitución decreciente. Pero aquí tenemos dos condiciones que plantear, no una, y preguntas mucho más serias que responder.

La crítica a las condiciones de equilibrio que se acaban de plantear se basa en dos consideraciones. Una es la frecuente convicción de los propios empresarios de que estos están produciendo en condiciones de costes medios decrecientes. El otro es de carácter más teórico y surge de la explicación de las «leyes de rendimientos crecientes y decrecientes» generalmente aceptadas por los autores modernos. Existe una tendencia al rendimiento creciente (en general, coste decreciente) debido a las economías de escala, y particularmente a la indivisibilidad de las unidades de ciertos factores y la indivisibilidad de ciertos procesos. Hay una tendencia al rendimiento decreciente (coste creciente) si aumenta la cantidad de un tipo de recursos, utilizados en la fabricación de un producto, mientras que otro tipo (o tipos) permanecen sin cambios o aumentan más lentamente. Si una empresa produce en condiciones de costes medios crecientes, eso debe significar que la última de estas dos tendencias es dominante, es decir, no solo debe haber escasez de algún tipo de recursos utilizados, sino que debe haber una escasez suficiente de recursos como para anular cualquier economía de escala que pueda existir.[4]

Por tanto, una situación como la que se muestra en nuestros gráficos solo puede surgir si el factor A se combina con algunos recursos de los que la empresa sólo posea una oferta limitada y de los que esta no puede adquirir más en el mercado. Para problemas a corto plazo, el caso del equipo fijo o la planta de la empresa, que se ha construido en el pasado y que probablemente es hasta cierto punto singular, encaja bastante bien. Para problemas a largo plazo, solo tenemos el control último que ejerce el propio empresario. La única razón por la que los costes marginales deberían aumentar es la creciente dificultad de controlar una empresa a medida que crece su escala de producción.[5]

Sin embargo, debemos recordar que tenemos dos condiciones que afrontar: el aumento de los costes marginales y el aumento de los costes medios. Los costes marginales deben aumentar a medida que la empresa se expande, a fin de garantizar que su expansión se detiene en algún momento. Pero no es una condición suficiente de equilibrio que esté aumentando el coste marginal. No es en absoluto improbable que los costes marginales aumenten un poco, debido a la dificultad del control producida por la expansión de la empresa. De hecho, puede suponerse que ésta será la más común de las condiciones con las que se encuentra una empresa. Pero si los costes marginales están sólo un poco por encima de su mínimo, el coste marginal será probablemente menor que el coste medio (cuando el coste marginal llegara a su mínimo,

[4] Cf. ROBINSON, op. cit., *Apéndice*, KALDOR, op. cit.
[5] Véase, sin embargo, posteriormente, pp. 224-5.

el costo medio sería necesariamente mayor que el coste marginal). Por tanto, si la empresa vende a un precio igual a su coste marginal, debe estar vendiendo a pérdida.

4.   Todo el mundo parece estar de acuerdo con que esta situación debe resolverse sacrificando el supuesto de competencia perfecta. Si suponemos que la empresa típica (al menos en industrias donde las economías de escala son importantes) tiene alguna influencia sobre los precios a los que vende y, por tanto, es hasta cierto punto monopolista, las dificultades anteriores desaparecen. El precio al que vende una monopolista ya no es igual a su coste marginal, sino que lo excede en un porcentaje que depende de la elasticidad de la demanda de su producto. Por tanto, es posible que el precio sea mayor que el coste medio, incluso cuando el costo marginal es menor que el costo medio.

Hasta aquí, todo va bien. Sin embargo, hay que reconocer que un abandono general del supuesto de competencia perfecta, una adopción universal del supuesto de monopolio tiene consecuencias muy destructivas para la teoría económica. Cuando existe monopolio, las condiciones de estabilidad se vuelven indeterminadas, y por tanto se remueven las bases sobre las que pueden construirse las leyes económicas. No es sólo es compatible con el monopolio la caída del coste medio, sino también la caída del coste marginal. De hecho, algo debe detener la expansión indefinida de la empresa. Ésta puede detenerse tanto por la limitación del mercado como por el aumento de los costes marginales, aunque, por supuesto, ambos pueden operar simultáneamente.

La situación que surge puede ilustrarse mediante el caso de un aumento en la demanda del producto de un monopolista (observando ahora ese mercado de manera aislada, sin tener en cuenta ninguna reacción secundaria). Un aumento en la demanda del producto puede elevar su precio o bajarlo, porque todo lo que sabemos es que el precio debe exceder al coste marginal en un porcentaje –no en un porcentaje fijo–. El efecto es doblemente indeterminado; el porcentaje puede variar y los costes marginales pueden aumentar o disminuir con un aumento en la producción. (De hecho, ni siquiera es seguro que la producción aumente. Si la demanda se vuelve menos elástica a medida que aumenta, la producción puede caer).[6]

Creo que sólo es posible salvar algo de este naufragio –y debe recordarse que la amenaza se cierne sobre la mayor parte de la teoría del equilibrio general– si podemos suponer que los mercados en los que operan la mayoría de las empresas no difieren mucho de los mercados perfectamente competitivos. Si podemos suponer que los porcentajes en los que los precios son mayores que los costes marginales no son ni

---

[6] Quizá pueda objetarse al énfasis que ponemos en este caso de que, si el efecto de un aumento en la demanda es indeterminado, el efecto de un aumento en el coste (marginal) estará determinado. Pero el efecto de tal aumento en los costes sólo queda determinado en el supuesto de competencia perfecta de los mercados de factores. El efecto de un aumento en los costes es simplemente el efecto secundario de las leyes económicas que (por tanto) todavía son válidas en esos mercados.

muy grandes ni muy variables,[7] y si también podemos suponer (lo que es en gran medida consecuencia del primer supuesto) que los costes *marginales* generalmente aumentan con la producción en el punto de equilibrio (al ser raro que haya costes marginales decrecientes), entonces las leyes de un sistema económico que funcione bajo competencia perfecta no variarán mucho en un sistema que contenga elementos de monopolio generalizados. Al menos, merece la pena dar esta vuelta de tuerca.[8] Sin embargo, debemos ser conscientes de que estamos dando un paso peligroso y, probablemente, que estamos limitando en gran medida los problemas que nuestro análisis posterior puede abordar. Sin embargo, personalmente dudo que el análisis de los problemas que tenemos que excluir por esta razón sea muy útil si se siguen los métodos de la teoría económica.

5.   Volvamos entonces al caso de la competencia perfecta. Supongamos que la empresa posee una oferta fija de algún agente productivo (su oportunidad productiva específica) que es lo suficientemente importante como para hacer que produzca a un coste medio creciente, y pasemos ahora a establecer las condiciones de equilibrio en un caso más general que el de un factor y un producto, que examinamos anteriormente.

Ya no hay ninguna razón para no generalizar todo lo posible. Las oportunidades técnicas a las que se enfrenta una empresa suelen ser bastante complicadas. Para producir una determinada mercancía, generalmente se requieren varios factores. Con frecuencia, también resulta más rentable producir una serie de mercancías conjuntas que producir una sola mercancía de forma aislada. Por tanto, pensemos que nuestra empresa usa su oportunidad productiva para convertir los factores *A, B, C...* en los productos *X, Y, Z...*

Así como las condiciones técnicas impusieron, en nuestro primer caso, una curva de producción –que daba una relación única entre la cantidad de producto y la cantidad de factor–, ahora en el caso general tenemos una relación entre las diversas cantidades de factores y las diversas cantidades de productos que se pueden obtener de ellos. (Si queremos, podemos considerarlo como una superficie en muchas dimensiones.) Dada esta relación, y dadas todas las cantidades de factores y todas las

[7] En el caso general, de una empresa que emplea varios factores, hay que tener en cuenta la posibilidad de una explotación «monopolística» de factores, así como una acción monopolística en la venta del producto. Es posible que tengamos que pensar que la empresa obtiene su excedente (tal vez necesario) del porcentaje que aplica a los compradores de su producto, por un lado, y de los porcentajes que aplica a los proveedores de factores, por el otro.

[8] Merece la pena observar que Cournot, el primer economista en dar una definición precisa de competencia perfecta, la presentó exactamente de esta manera. Ciertamente, Cournot no creía que la competencia fuera perfecta en la realidad, pero la competencia perfecta era una aproximación, enormemente simplificadora, de los hechos.

cantidades de productos menos uno, se puede deducir la cantidad máxima que se puede generar del producto restante. De manera similar, dadas todas las cantidades de productos y todas las cantidades de factores excepto uno, se puede deducir la cantidad mínima necesaria del factor restante.[9]

Partiendo de cualquier conjunto dado de cantidades compatibles, pueden tener lugar variaciones en la producción de cualquier grado de complejidad, pero todas pueden reducirse a combinaciones de alguno de los tres tipos, o todos ellos. (1) Se puede incrementar la cantidad de un producto a expensas de otro, es decir, sustituirse por otro en el margen. (2) Un factor puede sustituirse por otro. (3) Un factor y un producto pueden incrementar (o disminuir) simultáneamente.[10]

Si la empresa conoce los precios de todos los productos y todos los factores, las cantidades de factores que empleará y los productos que producirá vendrán dados por la condición de que el excedente debe ser máximo. Esto supone que no puede incrementarse por ningún tipo de variación. Así, tendremos las siguientes condiciones de equilibrio, correspondientes a las tres condiciones establecidas en el caso de un solo factor de un producto.

(1)   De acuerdo con la condición de que el precio = coste marginal, tenemos tres tipos de condiciones:

(a)   La relación de precios entre dos productos cualesquiera debe ser igual a la tasa marginal de sustitución entre los dos productos (esta es ahora una tasa técnica de sustitución).

(b)   La relación de precios entre dos factores cualesquiera debe ser igual a su tasa marginal de sustitución.

(c)   La relación de precios entre cualquier factor y cualquier producto debe ser igual a la tasa marginal de transformación entre el factor y el producto (es decir, el producto marginal del factor en términos de este producto concreto).

---

[9] Obviamente, habrá casos en los que, si las cantidades de otros factores y productos se eligen al azar, ninguna cantidad de un factor restante será suficiente para producir el conjunto dado de productos. Si la cantidad de productos es muy grande, y solo se dispone de cantidades muy pequeñas de todos los factores menos uno, puede que incluso cantidades enormemente grandes del factor restante no sean suficientes como para producir la mercancía, a menos que el factor sea muy ajustable en sus usos. Pero esta dificultad no parece importar mucho. Cuando la apliquemos, siempre partiremos de una posición de equilibrio, es decir, de un conjunto de cantidades compatibles las unas con las otras. Sólo es necesario suponer que se puede hacer algún cambio de esta posición. Creo que se me concederá eso.

[10] En el último análisis, incluso esto era innecesariamente complicado, ya que los dos primeros tipos pueden reducirse al tercero. Por tanto, la sustitución de un producto X por otro Y puede considerarse como una combinación de (1) un aumento simultáneo del producto X y del factor A, (2) una disminución simultánea del factor A y del producto Y, ajustándose las cantidades de tal manera que los cambios en el factor se cancelen. En consecuencia, no necesitamos examinar los dos primeros tipos a menos que lo deseemos. Creo, sin embargo, que nos resultará conveniente retenerlos.

(2)   Luego están las condiciones de estabilidad. Para la transformación de un factor en un producto tendremos la condición (ya establecida en el caso de un factor y un producto) de una tasa marginal de transformación decreciente o un producto marginal decreciente.

Para la sustitución de un producto por otro tendremos una condición de «tasa marginal de sustitución creciente», es decir, coste marginal creciente en términos del otro producto (coste de oportunidad marginal). Para la sustitución de un factor por otro, tendremos una «tasa marginal de sustitución decreciente».[11]

Estas condiciones tienen que cumplirse, no sólo para las sustituciones y transformaciones individuales (de un producto por un producto, un factor por un factor y un factor por un producto), sino también para las sustituciones y transformaciones de grupos de productos. La tasa marginal de sustitución entre cualquier par de grupos de productos debe aumentar y entre cualquier par de grupos de factores disminuir; la tasa marginal de transformación entre cualquier grupo de factores y grupo de productos debe disminuir.[12]

Una consecuencia de esta última regla es que el coste marginal (en términos monetarios) de producir un producto en particular debe *aumentar* cuando la producción aumenta, incluso si la oferta de todos los factores (excepto la oportunidad productiva fija) se considera una variable.

(3)   Por último, en vez de la condición única de que debe haber un superávit positivo, tenemos un conjunto de condiciones. Debe haber un superávit positivo, de modo que no merezca la pena detener la producción por completo. Pero, de manera similar, no debe merecer la pena cancelar parcialmente la producción –el abandono de la producción de cualquiera de los productos X, Y, Z...– o cualquier grupo de estos productos. Por tanto, el coste medio de la producción de cada producto debe aumentar, igual que el coste medio de producción de cada grupo de productos, incluido el grupo completo que los englobe a todos. Creo que es sólo la última de estas condiciones (a la que se aplica todo lo que se ha dicho en este capítulo sobre el coste medio) la que es probable que cause problemas. Pues es relativamente fácil conceder que un solo producto, o un subgrupo, de un conjunto de productos conjuntos, se producirá

---

[11] Una tasa marginal de sustitución de productos creciente, ya que el valor total de los productos obtenidos debe ser máximo, y una tasa marginal de sustitución de factores decreciente, ya que el valor total de los factores utilizados debe ser mínimo. Estas condiciones se pueden verificar fácilmente de forma gráfica si se supone que las cantidades de otros factores y productos están dadas y los dos productos (o factores) en cuestión se miden a lo largo de dos ejes.

[12] Es decir, si cada factor de un grupo particular se incrementa en una cantidad arbitraria y se producen una serie de incrementos del producto gracias al incremento de los factores. Si luego se agrega un segundo incremento igual a cada uno de los factores, este segundo conjunto de incrementos de factor no será suficiente como para producir un segundo conjunto de incrementos de producto igual al primero. Cf. la regla dada en el capítulo I, § 9.

generalmente a un coste medio creciente (alza muy fuerte del coste marginal). La producción de tal subgrupo se verá severamente limitada si no hay una expansión de la producción de los otros productos.

Estas son las condiciones de equilibrio en el caso general. Ahora debemos proceder como en la Parte I. Supondremos que cerca de la posición de equilibrio se mantienen las condiciones de estabilidad (2) y (3) y, a partir de ahí, deduciremos las leyes de conducta de la empresa en el mercado.

Capítulo VII

Complementariedad y sustitución técnicas

1. AHORA TENEMOS que preguntarnos qué sucede cuando una empresa que ha estado en equilibrio con ciertos precios de productos y de factores experimenta un cambio en estos precios. Habrá estado usando ciertas cantidades de factores y produciendo ciertas cantidades de productos. ¿De qué manera se verán afectadas estas cantidades?

El problema es paralelo al que estudiamos en los capítulos II y III para el individuo, y nuestro análisis sigue las mismas líneas. Sin embargo, no es sorprendente que ahora tengamos que prestar especial atención a una serie de elementos bastante diferente.

Comencemos con el caso más simple –el que discutimos ampliamente en el último capítulo–. El propio empresario tiene una oportunidad productiva de capacidad limitada. En otras palabras, emplea un solo factor y produce un solo producto. Su posición de equilibrio es, por tanto, la que se muestra en la Fig. 19 del último capítulo, y nuevamente en el punto P de la Fig. 20. Ahora supongamos que cae el precio del factor. El efecto inmediato de esto, antes de que haga cualquier cambio en la producción, es que su excedente aumentará de OK a OK_1. Pero como PK_1 no toca a la curva de producción, OK_1 no es el excedente máximo que puede obtener en las nuevas condiciones. Le convendrá moverse a lo largo de la curva de producción hasta P', donde la tangente $P'K_2$ es paralela a PK_1.

Dado que la curva de producción es convexa hacia arriba (producto marginal decreciente o coste marginal creciente), el punto P', donde es menor la pendiente positiva de la tangente en P, debe estar a la derecha de P. Por tanto, la caída en el precio del factor da como resultado un aumento en el empleo y en la cantidad del producto.

Un aumento en el precio del producto, que también implica una caída en la pendiente de la tangente, tendrá exactamente los mismos efectos.

Estos son resultados elementales, pero los métodos por los que los hemos alcanzado arrojan otras conclusiones más interesantes. Al igual que ocurre con el individuo, un cambio en los precios lleva a la empresa a una posición que puede representarse como el punto de contacto de una nueva tangente con una pendiente diferente. En lo que respecta al individuo, la nueva tangente toca a una curva diferente; en lo que respecta a la empresa, toca a la misma curva. Por tanto, en el caso de la producción, no hay nada parecido al efecto renta que tantos problemas nos dio en la teoría de la utilidad. El único «efecto producción» es similar en carácter al efecto sustitución. Es un movimiento a lo largo de la curva (en este caso una curva de producción, como en el caso de una curva de indiferencia), cuyas propiedades conocemos de las condiciones de estabilidad.

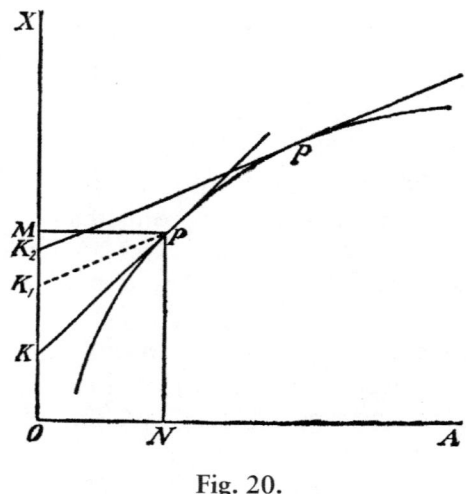

Fig. 20.

Sin embargo, hay otra complicación en el efecto producción, así como en el efecto sustitución: la complementariedad. Esta resulta ser en realidad más complicada en la teoría de la producción que en la teoría de la utilidad, porque mientras que en la teoría de la utilidad simplemente teníamos que considerar las relaciones entre mercancías, que podían considerarse (en cierto sentido) similares, aquí hemos de introducir dos tipos de mercancías: factores y productos. Sus relaciones mutuas y cruzadas son complejas y hay que desenmarañarlas.

2.   Como primer paso para lograr este fin, imaginemos un caso bastante arbitrario en el que no nos perturbe la relación entre factores y productos. Supongamos que la producción que debe generar la empresa es fija, de modo que no puede verse afectada por cambios ordinarios de precios. Supongamos que, sin embargo, se emplean dos factores, A y B. El problema entonces es producir un *output* dado a un coste mínimo. Puede ilustrarse con un diagrama como el de la Fig. 21. La curva de producción tendrá la forma de una curva de indiferencia, siendo convexa hacia abajo (tasa marginal de sustitución entre factores decreciente). La posición P, donde PK

toca a la curva de producción, será un punto de equilibrio si la relación de los precios de los factores es *MK* a *PM*. Supongamos ahora que el precio de *A* cae. La cantidad de factor *B* que tiene un valor igual a *ON* de A ahora cae de *MK* a MK_1, y el coste total de producción (en términos del factor B) cae de *OK* a OK_1. Pero como PK_1 no toca a la curva de producción, los costes pueden reducirse aún más (a OK_2) hasta a *P'* a lo largo de la curva de producción, donde $P'K_2$ es paralelo a PK_1.

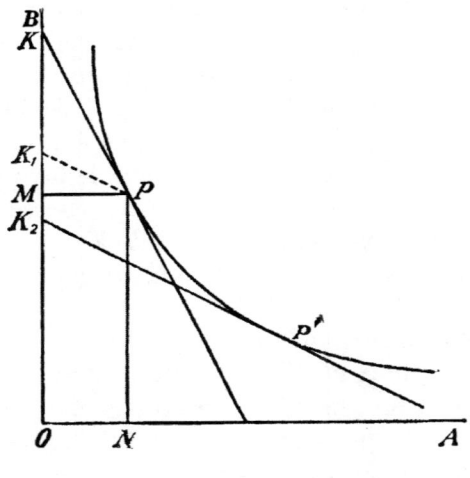

Fig. 21.

En el nuevo punto de equilibrio se emplea más *A* y menos *B*, y hay una sustitución a favor de *A* y en contra de *B*. El resultado es tan necesario como en el caso de un factor y un producto. Allí, una caída en el precio de *A* llevaba a una expansión en la oferta del producto *X*, mientras que aquí conduce a una contracción en la demanda del factor *B*. Todos los efectos son necesarios.

3. Recordando la analogía con la teoría de la utilidad, esperaríamos encontrar los resultados necesarios de este tipo en estos dos casos porque en cada uno de ellos estamos trabajando con dos variables sólo –un factor y un producto, o dos factores–. En cuanto pasamos a casos más complejos, puede esperarse que la precisión desaparezca.

Supongamos que la empresa todavía tiene que producir un *output* fijo, pero ahora emplea tres factores *A*, *B*, *C*. Supongamos que el precio de *A* cae. Entonces, dado que permanece sin cambios la relación de los precios de *B* y *C*, pueden (como en la teoría de la utilidad) tratarse como un solo factor.[1] En consecuencia, la demanda de *A* debe ex-

[1] Como en la teoría de la utilidad, esto se puede deducir matemáticamente de las condiciones de estabilidad. Ver anteriormente, p. 46, nota.

pandirse necesariamente, y la demanda de *B* y *C* (en conjunto) contraerse. Debe haber una sustitución en favor de *A* a expensas de los otros factores tomados en su conjunto.

Sin embargo, como antes, la sustitución no tiene por qué ser a expensas de cada uno de los otros factores. *B* puede ser complementario de *A*, en cuyo caso la demanda de *B* se expandirá. Habrá una sustitución a favor de *A* y *B* en contra de *C*.

Como en la teoría de la utilidad, la condición para que *A* y *B* sean complementarios es que una sustitución de *A* por *C* (la cantidad de *B* que se mantiene constante) debe desplazar la tasa marginal de sustitución de *B* por *C* en favor de *B*.

De este modo, mientras la producción se mantenga constante y consideremos sólo la sustitución entre factores, las mismas reglas que encontramos para el efecto sustitución surgen en el presupuesto del consumidor. Es evidente que sucedería prácticamente lo mismo si consideráramos el caso de una empresa que emplea una cantidad constante de factores y que varía su producción de diversos productos conjuntos bajo el estímulo de las variaciones de precios. Salvo en ese caso, un aumento en el precio de *X* conduciría a una sustitución en favor de *X* y en contra de otros productos en general, pero quizá en favor de algunos productos complementarios.

4.   Ahora bien, ¿qué sucede cuando las cantidades, tanto de factores como de productos, son variables? Este es el caso más importante.

Supongamos que la empresa fabrica un producto *X* y emplea dos factores, *A* y *B*. Entonces, dado que la relación que conecta las cantidades de factores y la cantidad de producto todavía tiene el mismo tipo de propiedades que aquellas a las que estamos acostumbrados, la demanda de *A* deberá expandirse necesariamente cuando su precio baje. Pero ¿cuáles serán los efectos sobre la oferta de *X* y sobre la demanda de *B*? Si miramos el efecto sobre el producto de forma aislada, parecería que la oferta del producto debería necesariamente expandirse (Fig. 20). Si miramos la demanda del otro factor de forma aislada, parecería que necesariamente debería contraerse (Fig. 21), pero esta forma de argumentar no es admisible. Si este tipo de argumento se hubiera aplicado al caso de tres factores que acabamos de discutir, parecería deducirse que la demanda de *A* debería expandirse a expensas de *B* y a expensas de *C*. Sabemos que esto no es necesario; *B* o *C* pueden ser complementarios de *A*.

Aplicando la noción de complementariedad al caso de dos factores y un producto, parecería que hay tres formas en las que se puede equilibrar una expansión de la demanda de *A*:

(1)   La oferta del producto *X* puede aumentar y la demanda del otro factor *B* puede reducirse (aquí no hay complementariedad).

(2)   La oferta de *X* puede aumentar, pero la demanda de *B* también puede aumentar (aquí los factores *A* y *B* son complementarios).

(3)   La demanda del factor *B* puede reducirse, pero la oferta del producto *X* también puede reducirse. Aquí hay una extraña especie de complementariedad invertida

entre factor y producto. Se hace evidente (de hecho, es directamente evidente a partir de una comparación de las figuras 20 y 21 de este capítulo) que la relación normal entre factor y producto, por la cual el empleo incrementado de un factor da como resultado un producto incrementado, tiene muchas propiedades en común con la relación de sustitución entre mercancías, entre factores o entre productos. Pero si esta relación ordinaria corresponde a la sustitución, debería haber algo que correspondiera a la complementariedad. Helo aquí. Llamémoslo «regresión». Si el factor A y el producto X son regresivos, una sustitución de A por B reducirá el producto marginal de B en términos de X y, por tanto, (a precios dados de B y X) hará que la oferta de X se contraiga.

Tengo la sensación de que al llegar a este punto el lector se frotará los ojos y pensará que algo falla en el argumento. La regresión es una relación tan peculiar que es difícil conciliarla con el sentido común. Al parecer, debe haberse omitido algo que excluya la regresión o al menos limite mucho su posibilidad. Veamos qué puede ser.

5.   Si parece tremendamente improbable la tercera alternativa (A y X regresivas), la segunda alternativa (A y B complementarias) es fácilmente aceptable para el sentido común. Descubriremos que esta es la clave del rompecabezas. Hay razones por las que podemos organizar nuestras tres alternativas en este orden de probabilidad. Lo más probable es que A y B sean complementarios, lo siguiente más probable es que no haya complementariedad ni regresión, y lo menos probable es que haya regresión. Las razones de todo esto son las mismas.

En primer lugar, consideremos un caso límite, en el que podemos probar que los dos factores *deben* ser complementarios. Recordemos que los dos factores serán complementarios si un aumento en el empleo de A (con B constante), y el consiguiente aumento en la producción de X, desplaza la tasa marginal de transformación de B en X a favor de B, es decir, eleva el producto marginal de B. (Por tanto, el criterio para que los dos factores sean complementarios no es más que el criterio bien establecido y conocido de que los dos factores sean «cooperantes». Un aumento en uno debe elevar el producto marginal del otro.[2] En este caso, no necesitamos alterar las definiciones comúnmente aceptadas.[3])

Consideremos ahora lo que sucede en esas condiciones especiales de producción que se dan cuando la aportación de la «oportunidad productiva» fija de la empresa desaparece, de modo que los costes no aumentan con el aumento de la producción, y en el que tampoco existen economías de escala, de modo que los costes no disminuyen con el aumento de la producción, y la situación sólo es compatible con la compe-

[2] Cf. PIGOU, *Economía del Bienestar,* parte iv, cap. 3.
[3] Sin embargo, mi definición coincide exactamente con la de Pigou solo en el caso de un producto y dos factores. Si hay más de dos factores, mi prueba dependería de lo que suceda con el producto marginal de B (B constante) si las ofertas de otros factores (C, etc.) no se mantienen constantes, sino que varían de tal manera que no modifican sus productos marginales.

tencia perfecta. Los costes (tanto medios como marginales) son constantes y no hay excedente. Cuando a cada factor se le paga un precio por unidad igual a su producto marginal, el producto total se consume totalmente.[4] Dado que el coste marginal es constante, el aumento en el producto debido a un aumento proporcional simultáneo en ambos factores (el producto marginal de los dos factores tomados en su conjunto) debe ser constante. Este producto marginal conjunto se compone de cuatro partes:

(i)   el producto marginal de A con B constante;

(ii)   el incremento (o decremento) de este producto marginal debido al incremento simultáneo de B. Será un incremento si A y B son complementarios, un decremento si son sustitutivos;

(iii) el producto marginal de B con A constante;

(iv)   el incremento (o decremento) similar debido al incremento en A. A esto se le aplica la misma regla.

Ahora bien, sabemos que a medida que crecen las cantidades empleadas de los factores, la primera y la tercera parte de estas partes disminuyen. Pero también sabemos que el conjunto no disminuye. Por tanto, el declive de (i) y (iii) debe compensarse por incrementos de tipo (ii) y (iv), de modo que los factores A y B deben ser complementarios.

En consecuencia, si la «oportunidad productiva» fija no consigue limitar la escala de producción, los dos factores deben ser complementarios. Si consigue limitar la expansión, los dos factores de hecho no serán necesariamente complementarios. Pero todavía existe una probabilidad en esa dirección si el producto marginal conjunto de los dos factores agregados disminuye lentamente. Cuando solo se emplean dos factores para fabricar un producto, y la producción de ese producto es variable, los dos factores solo pueden ser sustitutivos si se cumplen dos condiciones: los recursos fijos del empresario deben contribuir de manera apreciable a la producción, y los factores deben ser sustitutivos cercanos en la producción de una mercancía dada.[5]

---

[4] Por tanto, el caso que se considera es aquel en el que la producción de X es una función lineal y homogénea de las cantidades del factor A y B. Este a veces se denomina el caso de «rendimientos constantes a escala».

[5] Así, en el caso de costes constantes y dos factores, los dos factores son necesariamente complementarios en la producción de un producto variable y necesariamente sustitutivos en la producción de un producto constante. Esta es una situación paradójica, que puede conducir fácilmente a malentendidos a menos que tengamos cuidado. Si uno decide tratar el caso de costes constantes como el patrón, es natural definir sustitución y complementariedad entre factores con respecto a un producto dado (porque la consecuencia importante de un cambio en los precios de los factores es el cambio en las proporciones de los factores empleados en relación con la producción –el efecto sobre la producción no puede determinarse sin alguna referencia a las condiciones de la demanda que se incluyen desde el principio en el argumento–). Este es el punto de vista que adopté en el apéndice de mi *Theory of Wages*, y el que fue adoptado por la Sra. Robinson en su discusión sobre la elasticidad de la sustitución (*Economics of Imperfect Competition*, pp. 256 y ss.). Una investigación reciente y más elaborada sobre estas mismas cuestiones se encuentra en R. G. D. ALLEN, *Mathematical Analysis for Economists*, cap. XIX.

Ahora estamos en condiciones de dar una interpretación de nuestro curioso caso –la regresión. Si A y X son regresivos, A y B deben ser sustitutivos–. Por tanto, los recursos fijos del empresario deben jugar un papel importante en la limitación de la producción. Un aumento en el empleo de A debe desviar estos recursos empresariales de la cooperación con B a la cooperación con A, y este proceso debe ir acompañado de una reducción de la producción. Entonces, el factor A debe ser de tal manera que su empleo sea particularmente adecuado para la producción del producto a pequeña escala, y el factor B para la producción a mayor escala. Entonces es posible que una caída en el precio de A, que debe hacer rentable el empleo de A, sólo pueda solucionarse fomentando la producción a pequeña escala, y los recursos de la empresa se desviarán de la producción a gran escala en cooperación con B a la producción a pequeña escala en cooperación con A. Por tanto, la producción puede disminuir. La regresión resulta ser un fenómeno de rendimientos crecientes, que será compatible con la competencia perfecta si los recursos fijos del empresario son lo suficientemente importantes. Sin embargo, no parece ser una posibilidad de la que debamos ocuparnos todavía demasiado.[6]

6. Ahora estamos, por fin, en condiciones de haber terminado con estos casos especiales y podemos pasar al caso general de una empresa que emplea cualquier número de factores y produce cualquier número de productos. Debe suponerse que los factores cooperan con una oportunidad productiva fija de capacidad limitada, de modo que se satisfaga la condición de coste marginal creciente.

Examinemos lo que sucede (1) si el precio de un factor cambia dados otros precios (de factores y productos), (2) si cambia el precio de un producto dados otros precios.

(1)   Si hay una caída en el precio de un factor A, la demanda de ese factor debe aumentar. Este aumento del empleo debe, de alguna manera, equilibrarse. En consecuencia, o la oferta de algunos productos debe expandirse o la demanda de algunos otros factores debe contraerse, o ambas cosas. Hemos visto que cuando solo hay otro factor B, la demanda de B probablemente también se expanda (siendo A y B complementarios). Se puede demostrar que lo mismo sucede cuando hay una serie

---

Después de trabajar durante algún tiempo en esta línea de investigación, estoy convencido de que es mejor no considerar el caso de los costes constantes como el caso típico. Prefiero tratarlo como el caso límite, en el que la contribución a la producción de los recursos del empresario se desvanece. Desde este punto de vista, es mejor definir la complementariedad y la sustitución entre factores con respecto a un producto variable, de modo que un par de factores empleados por una sola empresa normalmente tienden a ser complementarios.

[6] Esta interpretación puede comprobarse observando que la regresión, como la complementariedad, es una relación simétrica. Por tanto, si A y X son regresivos, un aumento en el precio de X conducirá a una expansión en la producción de X y una expansión en el empleo de B, pero una contracción en el empleo de A.

de otros factores presentes.[7] Si los recursos fijos del empresario no tienen un efecto importante en la limitación de la producción, todo el grupo de factores empleados debe formar un solo grupo mutuamente complementario, cada par de los cuales son complementarios. La posibilidad de que algunos pares de factores sean sustitutivos y, en última instancia, también la posibilidad de regresión en algunas de las relaciones factor-producto, surge sólo cuando los recursos fijos se vuelven más importantes.[8]

Así pues, el resultado típico de una caída en el precio de un factor es este: que la oferta de productos se expandirá y la demanda de otros factores también. Pero cada una de estas reglas generales admite una cantidad limitada de excepciones cuando los recursos fijos son lo bastante influyentes. Algunos factores pueden sustituir al primer factor, algunos productos pueden ser regresivos contra él, y disminuirán la demanda de factores sustitutivos y la oferta de productos regresivos.

(2)   Si hay un aumento en el precio de algún producto X (los demás precios permanecen sin cambios), la oferta de X debe aumentar. Este aumento de la oferta solo es posible con un mayor empleo de factores, o una disminución de la producción de otros productos, o ambos. Básicamente, existen las mismas razones para esperar que la complementariedad sea dominante entre los productos que para esperar que sea dominante entre los factores (todos los productos deben ser complementarios cuando la contribución a la producción de los recursos fijos del empresario es insignificante). Por tanto, aunque puede haber excepciones, lo más probable es que la producción de la mayoría de los demás productos tienda a aumentar. Un aumento general de la producción debe ir acompañado de un aumento general del empleo de factores, aunque, repetimos, esto no es cierto para todos los factores.

La situación típica consiste en que un aumento del precio de un producto induzca una mayor oferta de otros productos y una mayor demanda de los factores. Sólo serán posibles en una medida limitada los productos sustitutivos y los factores regresivos.

Estos son los principios que gobiernan la conducta de una empresa en el mercado. Se diferencian en dos aspectos importantes de los que gobiernan la conducta de un particular: primero, no hay efecto renta; en segundo lugar, hay una tendencia a que los productos fabricados y los factores empleados conjuntamente en la misma empresa sean complementarios. Si bien pueden existir productos y factores sustitutivos, es poco probable que sean *dominantes*.

---

[7] Véase posteriormente, pp. 363-4.

[8] La regresión parece ser una posibilidad más inteligible en los casos de producción conjunta que cuando hay un solo producto. El factor A puede jugar un papel particularmente importante en la producción de X. En consecuencia, cuando el empleo de A se expande, la producción de X también debe crecer. Pero si los recursos fijos del empresario se dedican más a la producción de X, estarán menos disponibles para la producción de Y y, por tanto, A e Y pueden ser regresivos.

Capítulo VIII

El equilibrio general de la producción

1. AHORA ESTAMOS en condiciones de intentar hacer una síntesis provisional. Hemos visto (en los capítulos I-III) lo que determina el equilibrio del individuo y cómo se puede esperar que reaccione a los cambios en los precios. En los capítulos IV-V hemos utilizado estos principios para dilucidar el funcionamiento de un sistema económico del que únicamente formaban parte estos individuos, de modo que la única actividad económica posible era el intercambio de bienes y servicios. Finalmente, en los dos últimos capítulos, hemos introducido un nuevo tipo de unidad económica, la empresa, y hemos investigado los principios que determinan su conducta en el mercado. Por tanto, estamos por fin en condiciones de examinar el funcionamiento de un sistema económico que contenga ambos tipos de unidades, individuos y empresas, de modo que el sistema de precios no sólo regule el intercambio, sino que también regule la producción.

El mero hecho de que el Equilibrio General de la producción, como lo trataremos en este capítulo, tiene en cuenta a la producción, lo hace una hipótesis de mucha mayor aplicabilidad que el Equilibrio General del intercambio. Sin duda, es un sistema que está bastante bien desarrollado, y comprende una parte tan grande del problema económico que muchos de los sistemas de pensamiento empleados por los economistas durante el último siglo forman parte de él, y pueden contarse entre sus formas simplificadas. Creo que es una hipótesis bastante adecuada en problemas varios, en especial a largo plazo, en campos como la distribución y el comercio internacional, de modo que su uso resulta bastante seguro. Pero hay otros campos en los que no es tan seguro utilizarlo. De hecho, el mal uso de este sistema es una de las fuentes de error más habituales en la teoría económica, ya que sigue haciéndose abstracción de algunos de los aspectos más importantes de la vida económica y no puede estudiar de manera correcta todo lo que tenga que ver con estas cuestiones.

Se puede decir que sus principales deficiencias son probablemente tres. Primero, no presta atención al monopolio y a la competencia imperfecta, aunque, como he explicado, no creo que deba exagerarse la importancia de este defecto. En segundo lugar, se abstrae de la actividad económica del Estado. Esto es muy importante, pero el Estado es una unidad económica imponderable, de manera que es difícil saber la extensión en que puede introducirse en la teoría económica. (Esto es, por supuesto, una deficiencia de la teoría económica como tal, y en su conjunto.) Por último, se abstrae del capital y los intereses, del ahorro y la inversión, y de todo ese complejo de actividades que, en un capítulo anterior, llamé «Especulación». Este es un defecto vital que debemos intentar remediar en la última parte de este libro. Sin embargo, entonces se entenderá que en este capítulo realmente no nos estamos desviando de nuestro camino.

2.   Ahora tenemos que plantear un sistema con dos tipos de individuos, particulares y empresarios. La división entre las dos clases se realiza de esta forma. Cada individuo posee suministros de uno o dos tipos de recursos: (1) factores de producción que se pueden vender en el mercado, (2) recursos de empresario que no se pueden vender en el mercado, pero que se pueden utilizar en combinación con otros factores para fabricar productos desechables. Dado un conjunto de precios de mercado para los factores y los productos, cualquiera que posea recursos de empresario podrá determinar si la utilización de esos recursos en la producción creará un excedente positivo. Si lo hace, se convertirá en empresario. Como empresario, debe decidir qué organización de la producción maximiza su excedente. A precios dados, la organización más rentable vendrá determinada por el estado de la técnica y por la cantidad de sus recursos de la empresa. En consecuencia, se determinará su demanda de factores y oferta de productos (en sus cuentas comerciales), así como la cantidad de excedente. Este excedente se convierte en parte de sus ingresos para usos privados –aquella parte de su contabilidad en que sus decisiones pueden asimilarse a las del particular–.

El individuo, que solo posee factores del primer tipo, o al que no le merece la pena utilizar sus recursos de empresario, tiene que decidir (1) de qué cantidad de su oferta de factores dispondrá –por ejemplo, cuánto trabajo realizará–; (2) qué parte del ingreso así obtenido gastará en cada tipo de mercancía.[1] Con un sistema de precios y una escala de preferencias dados, estas decisiones deben tomarse en un sentido determinado. Por tanto, la oferta de factores y la demanda de productos del individuo están determinadas.

El empresario, que posee recursos empresariales además de (o quizá en vez de) disponer de factores, tiene que tomar decisiones similares cuando actúa como par-

---

[1] Digo «mercancía» en vez de «producto» para tener en cuenta la posibilidad de demandar factores (servicios) directamente.

ticular. Sus ingresos se derivan de su excedente, así como de su oferta de factores. Ambos están determinados a precios dados. Por tanto, sus ingresos y, por tanto, su demanda de mercancías, están determinados.

Tomando en su conjunto a los empresarios y a los particulares, si el sistema de precios está dado, la demanda y oferta de todo tipo de mercancías quedan determinadas. En sentido estricto, tenemos que distinguir cuatro tipos de mercados: (1) los mercados de productos, donde la demanda proviene de cuentas privadas (de particulares y empresarios), y la oferta de cuentas comerciales de los empresarios (es decir, de las empresas); (2) mercados de factores, donde la demanda proviene de las empresas y la oferta de las cuentas privadas; (3) mercados de servicios directos, donde tanto la oferta como la demanda provienen de cuentas privadas; (4) mercados de productos intermedios, que son productos para una empresa y factores para otra de modo que tanto la oferta como la demanda provienen de las empresas. En todo tipo de mercados, sin embargo, la oferta y la demanda se determinan en el momento en que el sistema de precios está dado.

Cuando se trata de contar las ecuaciones, surge la misma pequeña complicación que en la teoría del intercambio. Se debe tomar un producto como patrón y, por tanto, solo hay $n - 1$ precios por determinar, suponiendo n productos en total. Aparentemente hay n ecuaciones, pero una se deriva del resto. Aunque si los mercados no estuvieran en equilibrio, las cuentas (ya sean privadas o comerciales) deben equilibrarse, lo que significa que si $n - 1$ mercados están en equilibrio, el mercado impar debe estar en equilibrio.

3.   Hasta aquí hemos seguido los pasos de Walras y Pareto adaptando sólo un poco sus argumentos para permitir ideas modernas sobre el equilibrio de la empresa. Pero perdemos su enfoque cuando pasamos a examinar la estabilidad del sistema y su funcionamiento.

Debe examinarse la estabilidad del equilibrio de la producción de la misma manera que la estabilidad del equilibrio del intercambio en el capítulo V. Pero afortunadamente no es necesario meterse de nuevo en esa complicada y tediosa investigación. Cuando aún estamos tratando aquí la estabilidad de los mercados, podemos recoger los resultados formales de nuestra investigación anterior y aplicarlos al problema que nos ocupa.

Descubriremos que se puede aplicar sin problemas, salvo en un punto. En sentido estricto, sólo en el anterior capítulo estudiamos el efecto de un cambio en el precio en las demandas y ofertas de una sola empresa. Aquí necesitamos saber el efecto en un grupo de empresas. En su mayor parte, este efecto puede obtenerse agregando los efectos de empresas individuales, del mismo modo que podíamos agregar los efectos sobre los individuos privados. En tanto que grupo, este debe obedecer a las mismas leyes que la empresa aislada. ¿Qué sucede, sin embargo, si el cambio en los precios afecta al número de empresas que fabrican un producto en particular, de modo que las empresas entran o salen de la «industria»? Este es un asunto bastante complicado y, ciertamente, debemos proceder con cautela. Sin embargo, no parece que para nuestros propósitos actuales las reservas que hagamos ante la posibilidad de entrada de nuevas empresas sean importantes. Un aumento en el precio de un producto X puede estimular la producción de X por parte de una nueva empresa, ya sea porque rentabiliza el uso de recursos de empresario que no se han empleado antes, o porque hace que se transfieran recursos de empresario a la producción de X, recursos que anteriormente se emplearon en la fabricación de otros productos. En cualquier caso, deben aplicarse los mismos principios. Si los nuevos recursos de empresario no se han empleado antes, simplemente agregan una nueva fuente de demanda para los otros factores empleados en la industria, y una nueva fuente de oferta para X. La oferta de productos y la demanda de factores solo pueden reducirse, como consecuencia de la entrada de la nueva empresa, a través de los efectos en el sistema de precios. Si, por otro lado, los nuevos recursos de los empresarios se detraen de algún otro uso, entonces la oferta de otros productos y la demanda de factores adecuados para fabricar esos productos pueden disminuir directamente. Pero esto debe significar que la capacidad limitada de los recursos de empresarios es un límite significativo a la escala de producción, de modo que el efecto es similar en el caso de una empresa que produce ambos productos, pero que se concentra más en uno y menos en los otros debido al cambio en los precios relativos. Por tanto, las complicaciones por la entrada de nuevas empresas son similares a las planteadas en la dirección del cambio, aunque quizá no en la extensión.

Ahora podemos pasar a aplicar nuestro análisis del equilibrio del intercambio al equilibrio de la producción. En este caso, como en aquél, sigue siendo cierto que la única fuente posible de inestabilidad es una fuerte asimetría en los efectos renta.[2] Lo único que tenemos que hacer ahora es considerar la probabilidad de que tal asimetría sea lo suficientemente fuerte como para conducir a una inestabilidad real bajo nuestras nuevas hipótesis.

Cuando la demanda o la oferta de un bien provienen de particulares, el efecto de un cambio en el precio se puede dividir en un efecto renta y un efecto sustitución, como antes. Pero cuando se trata de empresas, entonces, como vimos en el capítulo anterior, no hay nada análogo al efecto renta. Por tanto, cuando pensamos en la posibilidad de inestabilidad por efectos renta asimétricos, es necesario distinguir entre los cuatro tipos de mercados.

---

[2] Como en el capítulo IV, en la primera edición de este libro se complicó en este punto la discusión sobre la estabilidad por la introducción de la «complementariedad extrema». Dado que, por las razones explicadas en la nota anterior de la p. 92, «la complementariedad extrema» ha resultado ser un espejismo, simplemente hemos eliminado las referencias a ella.

(1)   En los mercados de productos, una caída en el precio mejorará la situación de los consumidores y la de los empresarios. Por tanto, existe un efecto renta en ambos lados, que funciona exactamente igual que en la teoría del intercambio, y que solo puede generar inestabilidad si se trata de un bien inferior o si éste es consumido en gran parte por los empresarios que lo producen. Pero debemos recordar que, aun así, no basta con que el efecto renta neto genere inestabilidad. El mercado solo será inestable si el efecto renta neto que genera inestabilidad no está dominado por el efecto sustitución. Ahora bien, aquí tenemos como estabilizadores, no solo los efectos sustitución entre este producto y otros bienes en los presupuestos de los consumidores (como teníamos en la teoría del intercambio), sino también el efecto sobre la producción de un cambio en el precio que, como hemos visto, funciona como un efecto sustitución y, por tanto, siempre tiende a la estabilidad.

(2)   En el caso de los mercados de factores, una caída en el precio empeora a los proveedores del factor y mejora a los empresarios. Dada la especialización de los individuos para la provisión de determinados tipos de factores (de modo que, por ejemplo, los empleados no suelen proporcionar el mismo tipo de trabajo que sus empleadores), es muy probable que esto deje un efecto renta neto peligroso. De nuevo, sin embargo, tenemos como estabilizadores tanto la sustitución (digamos entre ocio y consumo) en los presupuestos de los individuos, como el efecto-producción.

(3)   Los mercados de servicios directos, en los que no interviene la producción, funcionan exactamente como se describe en nuestro análisis del intercambio.

(4)   Los mercados de productos intermedios, cuya demanda y oferta provienen de las empresas, no se ven afectados por ningún efecto renta que se produzca en ninguna de las dos partes y, por tanto, son necesariamente estables.[3]

De todo esto se desprende que, en lo que respecta a la cuestión de la estabilidad, la posición de equilibrio de la producción es muy similar a la que se encontraba en el equilibrio del intercambio. Sin embargo, tenemos una nueva influencia importante (la ausencia de efectos renta en la conducta de la empresa en el mercado) que contribuye a la estabilidad. Por otro lado, es evidente que el peligro de inestabilidad se concentra especialmente en los mercados de factores.

¿En qué medida es probable que la inestabilidad, debida a esta última causa, llegue a ser dominante en el sistema en su conjunto? Parecería que no es nada probable ya que debemos recordar que se considera que la relación predominante en el aspecto técnico entre factores y productos es una relación de sustitución, y suele ser una clara relación. La posibilidad de que se produzcan cambios considerables en la tasa de

---

[3] Por supuesto, los empresarios están, por un lado, mejor y, por el otro, peor. Esto debe tenerse en cuenta a la hora de considerar el efecto general del cambio en el precio, aunque normalmente no afectará directamente a la demanda o la oferta del producto intermedio, que *(ex hypothesi)* no se consume directamente.

conversión de factores en productos como resultado de cambios bastante pequeños en los precios relativos es un fuerte elemento estabilizador. Es esto, más que cualquier otra cosa, lo que nos da pie a suponer que el equilibrio general de la producción será estable en la mayoría de las circunstancias.

4.   Probablemente habría más que decir sobre el tema de la estabilidad, pero creo que hemos llegado bastante lejos para nuestros propósitos. Lo que hemos visto nos inclina a pensar que un sistema perfectamente estable en equilibrio de la producción es una hipótesis razonable. Supongamos entonces que el sistema es de este tipo y veamos cómo funciona.

Aún se aplicarán las reglas formales para el funcionamiento de un sistema en equilibrio general, como las vimos en el capítulo V. Solo tenemos que darles una mayor variedad de interpretación.

Dado que el sistema es estable, sigue siendo cierto que un aumento en la demanda de cualquier mercancía (de modo que algunas personas deseen más de esa mercancía y ofrezcan algo de la mercancía patrón a cambio) debe elevar el precio de esa mercancía en términos del patrón. De manera similar, un aumento en la oferta de una mercancía (de modo que algunas personas ofrezcan más de esa mercancía y busquen recibir algo de la mercancía patrón a cambio) debe reducir el precio de esa mercancía. Estas reglas se aplicarán tanto a los factores como a los productos.

La medida en que el precio del producto se ve afectado por un cambio dado en la demanda (o la oferta) de este tipo depende del grado de sustituibilidad en el sistema.[4] Cuanto mayor sea la sustituibilidad del sistema entre cualesquiera dos productos (o factores) –o menor sea la complementariedad–, menos se verá afectado el precio de cualquier bien por un cambio en la demanda del mismo. Dicha sustitución puede hacerse en el aspecto técnico o en los presupuestos de los particulares. Aquí, nuevamente, la relación normal entre un factor y su producto debe considerarse una relación de sustitución. Por tanto, cuanto más elástica sea la curva de productividad marginal de cualquier factor en términos de su producto, menos se verá afectado el precio de cualquier bien (factor o producto) por un cambio en la demanda (u oferta) del mismo.

Los efectos de tal cambio en la demanda (o la oferta) sobre los precios de otras mercancías dependen principalmente de si estos otros productos son sustitutivos o complementarios del primero. Por supuesto, aquí debe entenderse que la sustitución y la complementariedad se refieren al sistema en su conjunto. (Si dos bienes son sustitutivos en ambos lados, entonces son necesariamente sustitutivos con respecto al sistema en su conjunto; lo mismo ocurre con los complementarios. Si son sustitutivos por un lado y complementarios por el otro, entonces depende de cuál sea el dominante).

[4] Cf. anteriormente, p. 91.

Como primera aproximación, podemos decir que un aumento en el precio de un bien X irá acompañado de un aumento en los precios de todos aquellos bienes que sean directamente sustitutivos de X, y de una caída en los precios de aquellos bienes que sean complementarios. Pero, en segundo lugar, es posible que debamos tener en cuenta los efectos indirectos a través de otros precios (que obedecen a la regla de que los sustitutivos de los sustitutivos y los complementarios de los complementarios tienden a subir de precio; los sustitutivos de los complementarios y los complementarios de los sustitutivos tienden a bajar de precio). Si un bien es tal que es al mismo tiempo un sustitutivo directo de X y el complementario de un sustitutivo, los efectos directos e indirectos afectarán en sentidos opuestos.

En tercer lugar, es posible que debamos tener en cuenta un efecto renta. Algunas personas se harán más ricas, otras más pobres, por el cambio de precios, y es posible que no se contrarresten los efectos en sus demandas y ofertas de mercancías. Es muy difícil generalizar sobre este efecto renta. A veces puede adivinarse su funcionamiento, pero muy a menudo solo puede considerarse como una fuente de error imprevisible.

5.   A continuación, podemos dar algunos ejemplos sencillos del tipo de análisis que se hace posible ahora.

Primero, supongamos que hay un aumento en la demanda de un determinado producto X. El precio de X aumentará, y esto traerá consigo una tendencia a un aumento general de los precios en todo el sistema (aunque, por supuesto, el aumento sólo será de magnitud apreciable en los casos de mercancías muy estrechamente relacionadas, a menos que X sea una mercancía de mucha importancia). Entre las mercancías estrechamente relacionadas se encuentran los factores empleados en la fabricación de X y sus precios tenderán normalmente a subir. Las únicas mercancías que pueden sufrir una caída del precio son las complementarias directa o indirectamente de X. La complementariedad de las mercancías puede clasificarse en los siguientes grupos:

(1)   Mercancías complementarias de X en el consumo. A medida que aumenta el precio de X, la demanda de estos productos se reducirá y sus precios tenderán a bajar.[5] (En la práctica, este efecto puede quedar oculto con frecuencia por un aumento simultáneo de la demanda de estas mercancías complementarias).

(2)   Productos complementarios de X en la producción. Como hemos visto, es muy probable que cualquier mercancía producida conjuntamente con X se incluya en esta categoría. A medida que aumenta la oferta de X, la oferta de estos complementarios también aumentará y sus precios tenderán a bajar. (Este es el típico caso de la lana y el cordero que aparece en los libros de texto).

---

[5] En el resto de este capítulo, obvio los efectos sobre los ingresos.

(3)   Factores regresivos contra X. En la medida en que cualquiera de los productos conjuntos sea técnicamente sustitutivo, su producción disminuirá y las demandas de cualquier factor, especialmente necesario para la producción de estos productos sustitutivos, también pueden disminuir.

Los complementarios indirectos son sustitutivos de los complementarios directos o complementarios de los sustitutivos directos (cuyos precios suben). Bajo la primera rúbrica se encontrarían, por ejemplo, los factores necesarios para producir bienes complementarios de X en el consumo, o productos cuya producción se viera facilitada por la caída de los precios de estos factores. Bajo el segundo epígrafe se pueden encontrar cosas tales como los complementarios en el consumo de otros productos cuyos precios hayan subido porque su producción necesitaba algunos de los mismos factores que para la fabricación de X.

Sin embargo, en los casos de estos complementarios indirectos más remotos, no es muy probable que sus precios bajen en conjunto ya que, a menudo, si son complementarios indirectos en un sentido, serán sustitutivos indirectos en otro. El predominio general de la sustitución en el sistema eliminará gran parte de la complementariedad indirecta.

6.   Consideremos ahora el caso inverso: un aumento en la oferta de un factor A. Está claro que el precio de A debe caer. Los efectos sobre otros precios pueden calcularse como se indicó anteriormente. Sin embargo, hay un tipo de efecto que es particularmente interesante. ¿Cuál será el efecto sobre el precio de otro factor B, empleado en la misma industria o industrias? Si B es un factor complementario (y, como hemos visto, es probable que la complementariedad sea la relación dominante entre factores empleados conjuntamente, de modo que A y B muy probablemente serán complementarios al menos en el lado de la producción), el efecto directo será aumentar el precio de B. Sin embargo, aquí hay al menos un efecto indirecto que sin duda también debe tenerse en cuenta: el efecto indirecto que provoca el precio del producto (o productos). Al menos en el lado de la producción, su producto probablemente deba considerarse como un «sustitutivo» cercano tanto a A como a B. Por tanto, el precio de B (en su papel de sustitutivo del sustitutivo) probablemente tenderá a caer. El efecto neto sobre el precio de B se suma así a dos tendencias contrarias, un efecto directo que tiende a aumentarlo, y un efecto indirecto que tiende a reducirlo; cualquiera puede ser el dominante. Pero si B es un sustitutivo de A en la producción, ambos efectos probablemente tenderán a reducir el precio de B.[6]

[6] Cf. J. Robinson, *Economics of Imperfect Competition*, p. 258. Robinson, que, como nosotros, trata aquí el caso de competencia perfecta, solo tiene en cuenta el lado de la producción. Supone solo dos factores, no incluye ni recursos de empresario ni economías a gran escala y entonces se mueve en situación de costes constantes. Estos supuestos le permiten dividir sus efectos de otra manera. Robinson toma (1)

Cuando aumenta la oferta de un factor, los factores complementarios son quizá las mercancías con más probabilidad de subir de precio. Sin embargo, sólo aumentarán realmente si los precios de sus productos comunes se ven poco afectados, es decir, si las demandas de los productos son bastante elásticas o si los productos son buenos sustitutos de otras mercancías.

7. De acuerdo con nuestro supuesto habitual, el aumento en la oferta de *A* (de que hablábamos en nuestro último párrafo) se daba en términos del producto patrón. La cantidad de *A* ofrecida a precios dados aumentaba, y los proveedores sólo pedían a cambio parte de la mercancía patrón. Si la mercancía patrón es el dinero, esto implica que acaparaban todos los ingresos que obtenían de las nuevas unidades que ofrecían. Igualmente, en el caso anterior se supone implícitamente que la nueva demanda se da en términos de la mercancía patrón, de modo que, si la mercancía patrón es el dinero, la nueva demanda provendrá del des-atesoramiento, no de la economización de otros bienes. Si estos supuestos no están justificados, de modo que el aumento de la oferta del factor *A* va acompañado de un aumento de la demanda de productos, o el aumento de la demanda de *X* va acompañado de una disminución de la demanda de otros productos, también deberán tenerse en cuenta los efectos por estos motivos. Naturalmente, producirán un efecto sobre los precios generales en dirección opuesta al efecto primario, de modo que los precios en general sólo se moverán hacia arriba como resultado de un aumento de la demanda, o hacia abajo como resultado de un aumento de la oferta, si hay un des-atesoramiento neto en un caso o un atesoramiento en el otro.[7]

Analizar el efecto neto sobre los precios de, digamos, un aumento de la oferta de un factor, acompañado de un aumento de la demanda de ciertos productos, es a menudo muy complicado, y es natural que se busque algún otro procedimiento de calcular los resultados. A veces, esto se puede lograr mediante el simple artificio de cambiar el producto patrón. Hasta ahora hemos tenido plena libertad de elegir la mercancía patrón. Si se trata de un aumento en la oferta de un factor, el producto del que disponemos se utilizará predominantemente para la compra de bienes de consumo, y entonces será razonable tomar como nuestra mercancía patrón algún bien de consumo representativo, consumido por los proveedores del factor,[8] y trabajar en términos «reales». Entonces solo tenemos que considerar el efecto del cambio en la oferta del factor, y no hemos de

---

el efecto sobre la demanda de *B* cuando está dado el *output* del (único) producto; (2) el efecto provocado por variaciones en la producción. Nuestras conclusiones parecen ser perfectamente compatibles la una con la otra. Si bien los métodos de Robinson tienen ventajas para la clase de aplicaciones que ella quería hacer, el mío se puede generalizar más fácilmente para tratar los problemas de todo un sistema económico.

[7] De nuestro análisis resultará evidente que no debemos esperar que este movimiento general se refleje en *ningún* índice de precios.

[8] Cf. los «bienes de consumo» de los asalariados de Pigou *(Theory of Unemployment,* passim).

poner nada en el otro lado. Nuestro análisis revela que el precio del factor debe caer en términos de este bien de consumo representativo, mientras que los efectos sobre los precios de otros factores pueden calcularse de manera similar en términos reales.

Sin embargo, hay que advertir un obstáculo para la adopción generalizada de este método. Si en nuestro sistema hay precios que se fijan convencionalmente en términos de dinero, no cambiarán mucho nuestros argumentos, siempre y cuando tomemos el dinero como la mercancía patrón. (Los ajustes necesarios se examinan de forma detallada en una nota en la página siguiente). Pero si tomamos cualquier otra cosa como el producto patrón, se necesitan varias piruetas intelectuales para poder progresar un poco.

Más adelante se verá en toda su amplitud la gran importancia que tiene esta observación.[9]

Nota al capítulo VIII
Precios convencionales o rígidos

El análisis exacto de los precios convencionales (máximo o mínimo) se realiza mejor de la siguiente manera:

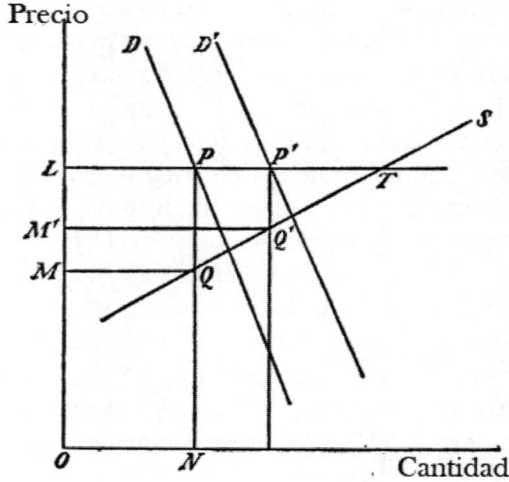

Fig. 22.

Supongamos que todos los demás precios están dados y que la curva de demanda (*D*) y la curva de oferta (*S*) de un bien pueden dibujarse como en la figura 22. Si el precio

[9] Véase más adelante, capítulo XXI.

de esa mercancía pudiera moverse libremente, éste se establecería en la intersección de las curvas. Pero si se fijara en, digamos, un nivel superior a este, entonces solo se venderá una cantidad ON ($= LP$ o MQ), aunque los vendedores estarían dispuestos a ofrecer una cantidad LT. La situación es, por tanto, idéntica a la que habría surgido si se hubiera fijado un precio OL únicamente para los compradores y un precio OM únicamente para los vendedores, entregándose la diferencia entre estos precios como una bonificación a los vendedores que efectivamente realizan ventas. (Alternativamente, podemos suponer que se grava con un impuesto igual a LM por unidad de mercancía, y que la recaudación de ese impuesto se entrega a los vendedores. Este es un método al que nos ha acostumbrado el Ministerio de Agricultura británico). Podemos mantener la condición de equilibrio de que la oferta es igual a la demanda, aunque tenemos que sacrificar la regla de que solo hay un precio en el mercado. Hay un precio real, fijo, y hay un «precio sombra», que viene determinado por las condiciones de equilibrio. Dado que los vendedores no reciben realmente el precio sombra, sino que lo compensan con una bonificación, el precio sombra no es importante para el efecto ingreso, pero de todos modos es importante, ya que gobierna los efectos de sustitución en el lado de la oferta.

Si la demanda de la mercancía aumenta (la curva de demanda se mueve de D a D'), no puede dar lugar a un cambio en el precio fijo. Pero dado que la cantidad comprada aumentará, el precio sombra aumentará de OM a OM'. La bonificación se cambiará de $LPQM$ a $LP'Q'M'$, pero es probable que esto no tenga mucha importancia. Lo importante es que la oferta aumentará de la misma manera (quitando el efecto renta) como lo habría hecho si el precio real hubiera subido de OM a OM'. Por eso es importante el precio sombra. Todas las reacciones en otros mercados que partan del lado de la oferta en este mercado se desarrollarán como si hubiera habido un cambio real en el precio. La fijación de precios sólo elimina las reacciones que tienen lugar por el lado de la demanda.

Tomemos como ejemplo los efectos que tiene la fijación de un precio mínimo para el trigo, combinado con una restricción de la oferta que baste para que el precio mínimo sea efectivo. Si aumentase la demanda procedente de algún sector concreto, puede que esto no tenga ningún efecto sobre el precio y, por lo tanto, puede que no provoque ninguna alteración de la demanda de trigo procedente de otras fuentes. Sin embargo, puede afectar a la oferta, en el sentido de aumentarla, quizá a expensas de otros cultivos. En este caso, los precios de estos pueden aumentar, tal como lo habrían hecho si el precio del trigo mismo hubiera subido.

Es evidente por sí misma la importancia de esta proposición (que es igualmente válida para precios máximos, cuando se invierten todos los términos). El control de precios puede frenar un aumento general de precios, pero, a menos que sea absoluto, no puede evitarlo por completo.

En otro lugar tendremos que volver sobre esta proposición. (Ver más adelante el capítulo XXI).

PARTE III

Los fundamentos de la economía dinámica

«Oh Dios, si fuera posible
deshacer lo hecho, volver a convocar al ayer;
que el tiempo pudiera dejar caer su raudo vidrio de arena,
descontar los días y recuperar estas horas».

(Una mujer asesinada con amabilidad)

Capítulo IX

El método de análisis

1. LA DEFINICIÓN de dinámica económica (ese término tan controvertido) que tengo en mente es la siguiente. Llamo economía estática a aquellas partes de la teoría económica en las que no nos tomamos la molestia de fechar los acontecimientos. Economía dinámica son aquellas partes donde cada cantidad debe estar fechada. Por ejemplo, en economía estática pensamos en un empresario que emplea tal o cual cantidad de factores y produce con su ayuda tal o cual cantidad de productos, pero no nos preguntamos cuándo se emplean los factores y cuándo están listos los productos. En economía dinámica hacemos esas preguntas, e incluso prestamos una atención especial a la forma en que los cambios en estas fechas afectan a las relaciones entre factores y productos.[1]

Por tanto, nos hemos preocupado hasta el momento por la economía estática, y en sentido muy estricto dado que hemos mantenido la regla rígida de abstenernos de sugerir poner fechas. La mayoría de los economistas que se han ocupado de problemas similares no han sido tan estrictos y, de hecho, fue sólo porque estaba preparando una teoría dinámica por lo que pude atreverme a hacer tan estática la parte estática de mi teoría. Intentaré demostrar que, dadas las circunstancias, nuestro procedimiento tenía grandes ventajas. Es cierto que si se sigue el método habitual de los economistas del pasado (al menos de la gran mayoría de los economistas del siglo XIX) y se da a la teoría estática un ligero toque dinámico, puede parecer más directamente aplicable al mundo real. Puede contener el menú básico de la economía tradicional, desde la teoría de la renta y la teoría del coste comparativo hasta la teoría de la explotación monopolística, todo lo cual puede no tener en cuenta el tiempo. Se puede adornar

[1] Por tanto, la distinción entre economía estática y dinámica no tiene mucha relación con la distinción entre estática y dinámica en las ciencias físicas. La justificación para usar los términos radica en el hecho de que ocupan un lugar tradicional en la terminología económica, y si no han adquirido significados precisos, tienen al menos una serie de significados que parecen converger hacia algo útil.

con ejemplos y referencias institucionales, hasta que el esqueleto adopte la forma de una obra modelo. Pero seguirá siendo inadecuada para tratar como es debido el capital, los intereses, las fluctuaciones económicas o incluso el dinero –problemas en los que es muy importante poner fecha a las cantidades económicas–.[2]

Si, por el contrario, la economía estática se presenta en su forma más simple y cruda, como la hemos presentado aquí, entonces el problema dinámico se vuelve un desafío. El sistema económico debe concebirse entonces, no simplemente como una red de mercados interdependientes, sino como un proceso en el tiempo. ¿Es posible utilizar los mismos métodos de análisis en este campo dinámico? ¿O debemos recurrir a métodos completamente diferentes? No es obvio que se puedan utilizar los mismos métodos. Sin embargo, a medida que avancemos, veremos que hay una manera de reducir el problema dinámico a términos en los que se vuelve formalmente idéntico al estático. Por tanto, después de todo se podrán utilizar los resultados de la teoría estática, aunque casi todos necesitan una reinterpretación drástica.

2.   Cuando los economistas se embarcaron por primera vez en el estudio de la dinámica era natural que al principio probaran a hacer un reajuste mucho menos drástico. Esto se consiguió de la siguiente manera. La teoría estática supone un sistema de precios que depende de las preferencias de los agentes económicos, de los recursos productivos (o factores) que están bajo su control y del estado de la técnica (las funciones de producción). Pero para aplicar el análisis estático de la manera más conveniente, deberíamos poder fechar todo en el mismo momento, suponer que el sistema de precios en cualquier momento depende de las preferencias y recursos de ese momento y nada más. Esto claramente no es cierto (al menos, no en el sentido que necesitamos), pero ¿no hay alguna forma de hacer que sea verdad?

La principal razón por la que no es cierto es que los ajustes necesarios para lograr el equilibrio llevan su tiempo. Un aumento en el precio de una mercancía ejerce sólo una pequeña influencia sobre la oferta de esa mercancía, pero hace esperar a los empresarios que persistirá el alza de precios. Si deciden que es probable que continúe, pueden comenzar a producir más para sacar la producción al mercado en una fecha futura. Esta decisión afectará a su demanda presente de factores. De ese modo, la posición actual en los mercados de factores se regirá por la forma en que los empresarios interpreten la subida del precio del producto.

---

[2] Por supuesto, la gente solía contentarse con el aparato estático, porque no era del todo consciente de sus limitaciones. Así, a menudo introducían en su teoría estática un «factor de producción», el capital, y un «precio», el interés, suponiendo que el capital puede tratarse como factor estático. (Cf. El «capital libre», de J. B. CLARK, y «capital disponible», de CASSEL). No se debe negar que este procedimiento no era del todo correcto, pero al no haber una teoría dinámica general, en la que todas las cantidades tuvieran una fecha correcta, se subestimó la magnitud del error.

De manera similar, la oferta actual de una mercancía no depende tanto del precio actual como de lo que los empresarios esperaban que fuera en el pasado. Serán esas expectativas pasadas, correctas o incorrectas, las que principalmente gobiernen la producción actual. El precio corriente real tiene una influencia relativamente pequeña.

Esta es la clave principal de la teoría dinámica, y señala la primera dicotomía. O afrontamos la dificultad y admitimos que la oferta (y, en última instancia, también la demanda) se rige tanto por los precios esperados como por los precios actuales, o evadimos el problema centrándonos en el caso en el que estas dificultades son mínimas. El primero es el método de Marshall; el segundo (en términos generales) es el método de los austriacos.[3] Su sello distintivo es que se centran en el caso de un Estado Estacionario.

Aunque creo firmemente que el estado estacionario no es más que una válvula de escape, ha jugado un papel tan importante en el pensamiento económico moderno que debemos prestarle cierta atención. El estado estacionario es ese caso especial de un sistema dinámico donde los gustos, la técnica y los recursos permanecen constantes a lo largo del tiempo. Podemos suponer razonablemente que la experiencia de estas condiciones constantes llevará a los empresarios a esperar su continuidad, de modo que no será necesario distinguir entre precios esperados y precios corrientes, porque son ambos iguales. También podemos suponer que los empresarios esperaban en el pasado que los precios de hoy fueran lo que son ahora, de modo que la oferta de productos básicos se ajustara completamente a sus precios. Entonces se puede demostrar que el sistema de precios establecido en tal estado estacionario es sustancialmente idéntico al sistema de precios estático cuyas propiedades ya conocemos.

Esto se puede ver de la siguiente manera. Es cierto que los factores realmente se emplean en procesos que solo darán como resultado una producción futura, y que la expectativa de una futura venta es la que proporciona el estímulo para su empleo. Sin embargo, en un estado estacionario, los factores actualmente empleados parecen generar la producción actual, pues permiten producirla siempre que como consecuencia de ella no disminuya el stock de productos intermedios (capital fijo y circulante en general). Como en la famosa ilustración del profesor Pigou,[4] el stock de productos intermedios es un «lago» alimentado por los *inputs* de servicios actuales, y drenado por el *output* de productos actuales. Aunque el agua generalmente permanece en el lago un cierto tiempo, sin embargo, si establecemos la condición de que la cantidad total de agua del lago se mantiene constante, existirá una relación directa entre los movimien-

---

[3] La exposición clásica de la teoría austriaca del capital está, por supuesto, en *Positive Theory of Capital*, de BOHM BAWERK, pero una versión aún más refinada de lo que es fundamentalmente la misma teoría se encuentra en el primer volumen de *Lecciones*, de WICKSELL. (Wicksell era un walrasiano en el tema del valor, pero un austriaco en lo que se refiere al capital).

[4] *Economía del Bienestar,* 4.ª ed., p. 43.

tos del agua hacia fuera y hacia dentro. Mientras hagamos el supuesto «estacionario» de que el capital se mantiene intacto, la función de producción técnica se convierte en una relación entre el *input* y *output* actual –estamos de vuelta al mundo «estático»–.

Sin embargo, cuando miramos esta economía estacionaria una cosa es evidente, algo que no era evidente en la teoría estática en que dejamos el tiempo completamente al margen. Es la dependencia de las relaciones *input-output* (las funciones de producción) de la cantidad de productos intermedios que pasan por el sistema. ¿Cómo se determinará la cantidad de productos intermedios –la cantidad de capital–?

Resulta estar determinada por el tipo de interés. Una caída en el tipo de interés llevaría a la adopción de procesos más largos, lo que requiere el uso (en cualquier momento) de mayores cantidades de productos intermedios. Pero como estamos en un estado estacionario, no puede haber tendencia a que el stock de capital aumente o disminuya. La constancia del stock nos proporciona una relación entre su tamaño y el tipo de interés. Además, si los empresarios no desean aumentar o disminuir su stock, no deben tener endeudamiento neto. Para que la demanda y la oferta de préstamos estén en equilibrio, el ahorro neto también debe ser nulo. Por tanto, el tipo de interés debe fijarse a un nivel que no ofrezca incentivos para el ahorro o desahorro neto. El valor de este nivel depende en parte de las propensiones a ahorrar de los individuos que componen la comunidad, y en parte de sus ingresos reales, y éstos dependen nuevamente del tamaño del stock de productos intermedios. En consecuencia, tenemos dos ecuaciones para determinar el tamaño del stock de bienes de capital y el tipo de interés, y, por tanto, ambos están determinados.

La teoría que acabamos de resumir es a grandes rasgos una teoría plausible del estado estacionario. Pero, desafortunadamente, es solo una teoría de un estado estacionario. Sólo en condiciones muy especiales el ahorro y la inversión serán ambos igual a 0 para cada una de las unidades que componen la economía, y sólo si lo hacen podemos separar las ecuaciones relativas al capital y al interés, dejando que el resto del sistema de precios se determine como en la estática. Una vez que abandonemos ese caso especial, es necesario examinar multitud de nuevas complicaciones que simplemente se eliminan en la economía estacionaria. La preocupación por las condiciones estacionarias ha tenido una influencia nefasta en la mente de los economistas dado que les ha animado a olvidar estas complicaciones (muchas de las cuales son sumamente importantes).

Sólo en un estado estacionario no es necesario distinguir precios corrientes de precios esperados. No es necesario distinguir la renta del producto, ni los tipos de interés monetarios de los tipos de interés reales, así como tampoco los tipos de interés para un período de préstamo de los tipos de interés de otro. El estado estacionario ha impedido positivamente el desarrollo de la teoría del interés, al dejar de lado tantos aspectos vitales. Además, aunque siempre se reconocerá que el estado de cualquier economía real nunca es, de hecho, estacionario, los teóricos del estado estacionario naturalmente consideraban que la realidad «tendía» a la estacionariedad, aunque la existencia de tal tendencia fuera más que cuestionable. Por supuesto, la teoría estacionaria en sí misma no da ninguna indicación de que la realidad tienda a moverse en esa dirección. Nos dice que, si llegamos a un estado estacionario, entonces (en igualdad de condiciones) deberíamos quedarnos ahí, pero no nos da ninguna indicación de que, de hecho, estemos apuntando a tal posición, ya que no puede decirnos nada en absoluto sobre algo real.

3.   Nuestro propio enfoque del problema dinámico debe ser completamente diferente. Tendrá más en común con el método de Marshall, aunque no podemos seguirlo en todos los aspectos, dado que en la parte relevante de su trabajo (el gran quinto libro sobre «Relaciones generales de demanda, oferta y valor») se ocupa de la determinación del valor de una sola mercancía, considerada en lo posible de manera aislada, mientras que nosotros nos interesamos por determinar todo el sistema de valores.[5]

El análisis de Marshall comienza en un día determinado (llamémoslo Día I). No hace el supuesto «estacionario» irreal de que las condiciones de oferta y demanda que realmente existen en el Día 1 fueron previstas por los productores en el pasado. En cambio, llega a considerar que el producto acabado, que sale a la venta el primer día, está totalmente determinado por las expectativas pasadas y, por tanto, es un dato; nada de lo que se haga ahora puede alterarlo. Sin embargo, las demandas de los compradores, y quizá también la demanda de reserva de los vendedores, vendrán determinadas por las preferencias y las condiciones de renta que realmente existan en el Día I. También pueden verse afectadas por las expectativas que existan el primer día, especialmente si el producto es duradero, y si algunas personas esperan que haya un aumento de la demanda (o una disminución de la oferta) *en* el futuro.

¿Hasta qué punto está determinado el precio que se fija en el Dia I? Es evidente que no está determinado el precio al que se inicia la negociación, ya que los comerciantes no saben exactamente qué ofertas llegarán hoy, ni qué demandarán los compradores hoy. Están obligados a comenzar fijando los precios mediante prueba y error (aunque, por supuesto, cuanto menos difieran las condiciones reales del mercado de lo que esperaban, más fácil será el ajuste). Pero Marshall presenta un argumento ingenioso con el que pretende demostrar que el precio al que terminará el mercado está en cualquier caso determinado. Al final, la oferta y la demanda han de igualarse, en el sentido de que los compradores compran lo que desean comprar el Día 1 al precio

---

[5] Aunque MARSHALL plantea al menos parte del problema dinámico general, es curioso observar lo reacio que fue a abandonar las concepciones estáticas, incluso en su análisis dinámico. En su trabajo, se distinguen poco la estática y la dinámica. Su dinámica no resulta más sencilla por estar expuesta en términos de un «equilibrio» muy estático, ni por el hecho de que su parte central conduzca a la introducción de esa «famosa ficción», el estado estacionario.

de mercado del Día I, y los vendedores venden lo que desean vender. Volveremos a este argumento más adelante.[6]

Luego pasa al Día II, o quizá a algunos «días» más tarde. Las ofertas de bienes que se van presentando dejarán después de un tiempo de estar influenciadas sólo por decisiones tomadas antes del comienzo del Día I. El precio que se había alcanzado el Día I empezará a influir sobre la oferta. Pero lo afectará de una manera diferente según avancemos durante un «corto plazo» o un «largo plazo». En un corto plazo, la oferta de habilidades y destrezas especializadas, de una maquinaria adecuada y de otras clases de capital físico, así como de la organización industrial apropiada, no tiene tiempo de adaptarse completamente a la demanda, aunque los productores tienen que ajustar su oferta a la demanda lo mejor que puedan con los mecanismos que tienen a su disposición'[7]. «En el largo plazo, por otro lado, todas las inversiones de capital y el esfuerzo para proveer infraestructuras y la organización de un negocio, y para adquirir conocimientos comerciales y habilidades especializadas, tienen tiempo para ajustarse a los ingresos que se espera que obtengan».[8] Como veremos, el «largo plazo» en su sentido estricto (de una «adaptación completa» de la oferta a la demanda) no es un concepto que encaje muy bien con una teoría dinámica general, pero la esencia de la famosa distinción de Marshall exigirá toda nuestra atención.

Si suponemos que los productores basan sus expectativas de precios futuros en los precios realmente alcanzados en el Día I (Marshall parece normalmente hacer este supuesto), entonces podemos decir que cuando el precio del Día I esté por encima de un cierto nivel («precio de oferta normal de corto plazo»), los productores comenzarán a planificar para fechas futuras cercanas una producción mayor que la producción que realmente produjeron para la venta el Día I. Si el precio del Día I está por encima del «precio de oferta normal de largo plazo», buscarán ampliar su equipo y comenzarán a planificar una mayor producción futura por este procedimiento.

Estrictamente hablando, podemos comenzar desde el Día I y preguntar qué producción planean producir los productores el Día N, si esperan que el precio del Día N sea este o el otro. Luego podemos trazar una curva que represente la producción planificada para cada posible precio esperado. Se podría trazar una curva de este tipo para cada fecha futura concreta. Las curvas de corto y largo plazo de Marshall son ejemplos sacados de esta serie potencialmente grande.[9]

---

[6] Marshall, *Principios*, v. 2; véase la «Nota sobre la Formación de los Precios», al final de este capítulo.
[7] Marshall, p. 376.
[8] *Ibid.*, p. 377.
[9] Debe observarse que estas curvas solo están determinadas si se sabe algo sobre los precios que se espera rijan en días distintos de N. Una teoría completa deberá tener en cuenta esta complicación.

4.   Es famosa la forma en que Marshall elabora su teoría. Basta con el resumen anterior para recordar al lector aquellas partes de su análisis que son más relevantes para nuestros propósitos. Ahora lo que tenemos que hacer es generalizar su esquema, de modo que pueda utilizarse para la discusión de los problemas de todo un sistema económico.

En primer lugar, su modelo contiene partes que no merece la pena conservar. La más importante es la rígida división tripartita (equilibrio temporal en el «día» de mercado, corto plazo y largo plazo). Estas categorías son bastante adecuadas para el mercado aislado de Marshall, pero difícilmente se ajustan al análisis de todo el sistema. Difícilmente puede existir un período de tiempo tan corto que dé lugar a un equilibrio temporal (en el sentido de Marshall) para todas las mercancías. Casi siempre habrá algunos productos cuya oferta pueda incrementarse en ese periodo. Apenas cabe concebir un período de tiempo identificable tan largo que dentro de él pueda «ajustarse totalmente» la oferta de todos las mercancías. Además, la ampliación del período largo de manera que abarque el equilibrio perfecto de toda la economía puede llevarnos fácilmente a hacernos preguntas acerca de una tendencia al equilibrio estacionario. Por tanto, no emplearé la clasificación tripartita de Marshall –aunque procuraré tener bien presente la verdad que le subyace– (el tiempo que toma el ajuste).

Sin embargo, incluso si decidimos admitir alguna pequeña variabilidad en la producción en nuestro periodo más corto, dicho periodo (al que denominaré una Semana, para distinguirlo del día de mercado de Marshall) todavía necesita ser concebido y definido claramente. Definiré una semana como el periodo de tiempo durante el cual se pueden ignorar las variaciones de precios. Para fines teóricos, esto significa que se supone que los precios cambian, no continuamente, sino a intervalos cortos. La duración del calendario de la semana es, por supuesto, bastante arbitraria. Considerándolo muy corto, nuestro esquema teórico puede ajustarse tanto como queramos a esa incesante oscilación que es característica de los precios en ciertos mercados. Sin embargo, creo que veremos que, cuando se supone que la semana es muy corta, nuestra teoría se vuelve bastante poco informativa, y por ello creo que es mejor concebirla como bastante larga, aunque eso signifique que hemos de contentarnos con una aproximación bastante vaga de la realidad.

Una forma conveniente de visualizar este supuesto de precios constantes durante la semana es suponer que solo hay un día de la semana (digamos el lunes) en que los mercados están abiertos, de modo que solo los lunes se pueden hacer contratos. De hecho, los contratos pueden realizarse durante la semana (se pueden entregar mercancías, etc.), pero no se pueden realizar nuevos contratos hasta el lunes. Por tanto, los precios del lunes seguirán vigentes durante la semana y determinarán la disposición de los recursos durante la semana.

Ahora bien, no es difícil ver que los precios se mantendrán constantes durante la semana cuando los mercados no están abiertos y, por tanto, cuando no hay oportunidad de que los precios cambien. Pero también debemos intentar suponer que los cambios de precios son insignificantes durante las horas de mercado del lunes, cuando el mercado está abierto y los comerciantes tienen que fijar los precios de mercado mediante regateos y negociaciones, prueba y error. Esto implica que el mercado (de hecho, todos los mercados) avanza rápida y suavemente hacia una posición de equilibrio temporal, en el sentido de Marshall. Marshall dio motivos para considerar éste un supuesto razonable bajo las condiciones de su modelo. En la nota al final de este capítulo mostraré hasta qué punto estos motivos nos valen a nosotros. Por el momento, debo pedir al lector que acepte el supuesto de que una transición fácil al equilibrio temporal es un tipo de «perfección» que podemos suponer en las condiciones del mercado. Del mismo modo supondremos un perfecto conocimiento contemporáneo –que todo el mundo conoce los precios corrientes en todos los mercados que le preocupan–. No creo que estas simplificaciones alteren mucho el tipo de resultados que podemos esperar obtener mediante nuestro análisis.[10]

5. De la primera propiedad de la semana se desprende una segunda, o más bien se sigue de la forma en que hemos interpretado la primera propiedad. Suponemos que la semana es el intervalo de planificación, es decir, el lunes se toman todas las decisiones sobre la disposición de recursos para el futuro. Dado que casi cualquier decisión nueva implicará la realización de nuevos contratos, y los nuevos contratos solo se pueden hacer los lunes, podemos suponer muy razonablemente que los lunes también son las fechas de planificación.

Es fundamental darse cuenta de que las decisiones de compra-venta de los empresarios (y, en cierta medida, también de los particulares) casi siempre forman parte de un sistema de decisiones que no está restringido al presente, sino que se refiere a eventos futuros. Las actividades presentes de una empresa forman parte de un plan, que incluye no solo la decisión de realizar compras y ventas inmediatas, sino también la intención de realizar ventas (por lo menos, aunque muchas veces también compras) en un futuro más o menos lejano.

Sin duda, una descripción realista del proceso económico nos presentaría a las empresas haciendo planes a intervalos irregulares. Durante el tiempo que debe transcurrir entre las fechas de elaboración del plan, el último plan se llevará a cabo más o menos como se proyectó, aunque generalmente se delegará en los subordinados algún poder para realizar cambios menores. Cuando llega la próxima fecha de elaboración del plan, se podrá reconsiderar la situación a la luz de la nueva información y se elaborará un nuevo plan.

[10] Para más comentarios sobre este punto, ver la Nota Adicional C.

La frecuencia con la que se examina la situación en su conjunto, teniendo en cuenta la posible necesidad de modificar sustancialmente el plan, es quizá una de las cuestiones más importantes de la gestión empresarial. Una de las mejores señales de mercado para una empresa de alto nivel es la voluntad de realizar reformas sustanciales; una empresa ineficiente hará los menos planes importantes posibles, y toda su planificación se limitará a pequeños ajustes de detalle, que tengan en cuenta sólo algunos elementos de la situación y no requieran pensar mucho. Sin embargo, a pesar de la importancia de esta distinción, aquí le prestaremos poca atención. Supondremos que todas las empresas reconsideran más o menos su situación los lunes, aunque esto signifique que estamos suponiendo que el sistema tiene un grado de eficiencia mayor del que probablemente posee. Pero no creo que esto importe mucho, porque será bastante fácil tener en cuenta la inercia en una etapa posterior del razonamiento.

Supongamos entonces que las empresas (y los particulares) elaboran o revisan sus planes los lunes en función de la situación de mercado que se está poniendo de manifiesto, y que se puede ignorar cualquier ajuste menor realizado durante la semana. Esto significa, en combinación con nuestros otros supuestos, que cuando los mercados cierran los lunes por la noche, han alcanzado el equilibrio más completo posible en esa fecha. No sólo se han estabilizado los precios, sino que cada uno ha realizado las compras y ventas que le parecen ventajosas a esos precios. La realización de estas compras y ventas indica que los planes se han ajustado a estos precios o, si preferimos tener en cuenta la ineficiencia, que han ajustado todo lo que es compatible con la eficiencia imperfecta de los planificadores.

6. Los planes que se adoptan en una semana determinada dependen no sólo de los precios actuales, sino también de las expectativas del planificador sobre los precios futuros. En general, interpretaremos estas expectativas de manera estricta y rígida, suponiendo que cada individuo tiene una idea definida de lo que espera que sea en una semana futura cualquier precio que le interese. Desde luego, este supuesto es excesivamente rígido y, de hecho, es falso de dos maneras diferentes. Por un lado, las expectativas de la gente a menudo no son expectativas de los precios que se les impongan desde fuera, sino expectativas de las condiciones del mercado, como por ejemplo las curvas de demanda. Esto siempre ha de ser así en cierta medida en los casos de monopolio, de modo que el supuesto de que existen expectativas de *precios* precisas es en realidad un aspecto del supuesto de competencia perfecta, que hemos mantenido en todo momento y seguiremos manteniendo aquí.

En segundo lugar y, quizá lo más importante, la gente rara vez tiene expectativas *precisas*. No esperan que el precio al que podrán vender una producción en particular en una semana futura en particular sea tal o cual. Habrá una determinada cifra, o rango de cifras, que considerarán más probables, pero considerarán más o menos posibles las desviaciones de este valor más probable hacia ambos lados. Ésta es una complicación que merece un examen más detenido.

Para algunos propósitos, como cuando se hace una estimación del valor capitalizado de los activos de una persona (o, como veremos, de sus ingresos), es suficiente concentrar la atención en el valor más probable y dejar el resto de la distribución de frecuencias al margen. Pero para la mayoría de los propósitos, la dispersión tiene una importancia real.

Cuando consideramos qué es lo que determina el plan finalmente adoptado, tenemos que pensar que el individuo elige entre diversas pautas de comportamiento cuyo resultado no es igualmente seguro. Aún si no se altera el precio más probable que se espera que gobierne en una fecha futura, la disposición de una persona a adoptar un plan que implique comprar o vender en esa fecha puede verse afectada por una menor seguridad respecto a la probabilidad de que se dé ese precio, si se aumenta la dispersión de los precios posibles.[11] Generalmente, se supone que una mayor dispersión le volvería menos dispuesto a hacer planes que impliquen comprar o vender en la fecha afectada. De ser así, una mayor dispersión tendrá el mismo efecto que una reducción del precio esperado, en los casos en los que el individuo planea vender, o un aumento del precio esperado, en los casos en que planea comprar. Si vamos a permitir la incertidumbre de las expectativas, en estos problemas de determinación de planes, no debemos tomar el precio más probable como el precio esperado representativo, sino el precio más probable ± una cierta cantidad en concepto de incertidumbre de la expectativa, es decir, en concepto de riesgo.

Por tanto, un análisis como el que sigue, en el que suponemos que la gente tiene expectativas precisas sobre los precios, no es del todo inadecuado para tratar con un mundo en el que el riesgo es de suma importancia. Cuando nos ocupamos de la determinación de planes, debemos suponer que las expectativas de los planificadores se ajustarán al riesgo. Ésta no es una manera absolutamente satisfactoria de abordar el riesgo (creo que debería existir, además de la economía dinámica que veremos aquí, una economía del riesgo), pero basta para demostrar que las investigaciones que vamos a emprender no carecen de aplicabilidad.

Es importante darse cuenta de que la cantidad calculada en concepto de riesgo, el porcentaje por el cual el precio esperado representativo no alcanza o supera el precio más probable, no se determina únicamente a través de la opinión del planificador sobre el grado de incertidumbre. También está influenciado por su disposición a asumir riesgos, por un elemento que en última instancia depende de su escala de preferencias. Por tanto, una mayor disposición a asumir riesgos estará representada en nuestro análisis por un cambio en los precios esperados a favor del planificador.

Además (y esta es la debilidad más grave de nuestro método), la voluntad de asumir cualquier riesgo en particular (planear comprar o vender en una fecha futura

---

[11] Para ser bastante precisos, debería prestarse cierta atención a la asimetría de la distribución. (Cf. un artículo mío resumido en *Econométrica*, 1934, p. 195.)

en particular para la cual los precios esperados son inciertos, y actuar de acuerdo con ese plan) puede verse afectada apreciablemente por el riesgo que suponga el resto del plan. Con los métodos de que hoy se dispone puedo remediar esto poco, aunque trataremos de vez en cuando algunas consecuencias de las interrelaciones entre riesgos.

Por tanto, asumiremos formalmente que la gente espera determinados precios, esto es, que tiene *ciertas* expectativas de precio. Pero, en ocasiones, estaremos preparados para interpretar estas *ciertas* expectativas en el sentido de que se trata de aquellas cifras particulares que mejor representan las expectativas inciertas de la realidad.[12]

7.   Estas tres nociones –la semana, el plan y las expectativas definidas– son fundamentales para la investigación que tenemos ante nosotros. Al emplearlas, forzamos algo los fenómenos del mundo real, pero no más de lo necesario, si queremos avanzar en la teoría dinámica. He intentado demostrar que la excesiva rigidez de nuestro modelo no tiene por qué tener consecuencias muy graves.

Al usar la semana, podemos tratar un proceso de cambio como si constara de una serie de equilibrios temporales. Esto nos permite utilizar el análisis de equilibrio en el campo dinámico. Al emplear el concepto de plan, somos capaces de resaltar la relación entre las acciones dedicadas a fines presentes y las acciones que se dirigen al futuro. Al suponer planes que se desarrollarán durante la semana, podemos concebir que la situación al final de la semana es diferente a la situación del principio. De este modo, el nuevo equilibrio temporal que se establece en una segunda semana debe ser diferente al que se estableció en la primera. Procediendo de esta manera, tenemos un proceso en marcha.

Mediante el artificio de expectativas definidas, podemos usar el mismo análisis que usamos en estática para establecer el equilibrio del individuo y de la empresa, para determinar la dependencia de los planes de los precios actuales y los precios esperados. Esto, junto con el hecho de que hemos conservado el concepto de equilibrio del mercado, hace que aún se puedan emplear las ideas esenciales del análisis estático.

Así, sin abandonar nuestro modelo a la estacionariedad, hemos conservado lo esencial de la maquinaria estática. Veamos cómo resulta.

Nota al capítulo IX
La formación de precios

1.   En el segundo capítulo de su quinto libro, y en su Apéndice sobre el trueque, Marshall construye un ingenioso argumento para demostrar que el proceso de fija-

---

[12] El plan que una empresa decida adoptar dependerá no solo de sus expectativas de precio, sino también de las expectativas técnicas, como las expectativas del rendimiento de los cultivos. En general, asumiremos que estas expectativas también son definidas, sujetas a las mismas calificaciones que antes.

ción de precios mediante prueba y error, que se produce cuando las condiciones del mercado están en proceso de cambio, no tiene por qué tener ningún efecto sobre los precios finalmente fijados. Dado que el asunto es también de cierta importancia para nuestro análisis, este argumento de Marshall merece ser examinado aquí.

Puesto que, en general, no se puede esperar que los comerciantes sepan exactamente qué ofertas totales están disponibles en cualquier mercado, ni qué demandas totales se producirán a determinados precios, inicialmente cualquier precio que se fije puede ser un enigma. No es probable que la oferta y la demanda se equiparen realmente a un precio estimado. Si no es así, el precio subirá o bajará en el transcurso de la negociación. Ahora bien, si hay un cambio de precio en medio de la negociación, la situación parece eludir el aparato ordinario de análisis de la oferta y la demanda, ya que, estrictamente hablando, las curvas de demanda y de oferta proporcionan las cantidades que los compradores y vendedores demandarán y ofrecerán, respectivamente, a un precio particular, si ese precio se fija al principio y se respeta en todo momento. Por tanto, autores anteriores como Walras y Edgeworth[13] habían supuesto que el análisis de la oferta y la demanda debería limitarse estrictamente a los mercados donde tuviera cabida la «recontratación», es decir, mercados en los que si una transacción se realizó a un precio «falso» (es conveniente tener un término para marcar precios distintos del de equilibrio), éste podría revisarse cuando se alcanzara el precio de equilibrio. Dado que estos mercados son muy excepcionales, su solución del problema (si así se le puede llamar) no resulta muy convincente.

El argumento de Marshall se expresa en términos de «utilidad marginal del dinero constante». Para nuestros propósitos, será conveniente que lo reformulemos en la terminología correspondiente con la que ahora nos hemos familiarizado. Lo esencial es mostrar que un cambio de precio en medio de la negociación tiene el mismo efecto que una redistribución de la riqueza. Supongamos que el precio de equilibrio es de 6 peniques por kilo, pero al comienzo de la negociación se fija un precio falso de 10 peniques, reduciéndose luego el precio a 6 peniques. Supongamos que una persona compra 3 peniques al precio falso. Entonces, su posición es, en última instancia, exactamente la misma que si el precio se hubiera mantenido en 6 peniques en todo momento, pero este comprador se vio obligado a entregar 3 x (10 − 6) peniques a un vendedor. Su demanda total y la oferta total del vendedor serán exactamente las mismas que si hubiera tenido lugar una transferencia directa.

Ahora bien, los efectos de tales transferencias son efectos renta, tal y como lo hemos denominado aquí y, como hemos visto en repetidas ocasiones, con mucha frecuencia los efectos renta pueden pasarse por alto. En el caso particular considerado por Marshall puede suponerse que el comprador individual está gastando sólo una pequeña parte de sus recursos en la mercancía en cuestión. Si es así, un cambio en el

[13] Walras, *Elementos*, p. 44; Edgeworth, *Mathematical Psychics*, p. 17.

precio afectará al valor real de sus recursos sólo en pequeña medida. Evidentemente esta era la base de la propuesta de Marshall. El supuesto «es justificable con respecto a la mayoría de las transacciones de mercado que nos interesan en la práctica. Cuando una persona compra algo para su propio consumo, por lo general sólo gasta en ello una pequeña parte de sus recursos totales».[14] Las operaciones en «falso» que realiza al principio hacen que el comprador mejore (o empeore), pero si su gasto total en la mercancía es pequeño, esta ganancia (o pérdida) debe ser pequeña, y su demanda de la mercancía se verá muy poco afectada. En consecuencia, el mercado terminará en una situación muy cercana al precio de equilibrio.

2.   Así pues, a esto aboca el argumento de Marshall. No cabe duda de que su razonamiento es bastante válido para el «mercado del pescado» que Marshall tenía en mente. En la teoría de Marshall del equilibrio temporal, la oferta es fija, la demanda proviene de una multitud de consumidores finales y se descuidan las interacciones entre los mercados. Para nuestro propósito, es deseable eliminar en la medida de lo posible estas limitaciones. Pero ¿podemos quitarlas sin que toda la estructura se venga abajo?

En el caso general, sigue siendo igual de cierto que en el caso especial de Marshall que las ganancias y pérdidas debidas al comercio engañoso sólo producen efectos renta –en realidad, efectos que sean de la misma especie que los efectos renta, que puede que tengan que considerarse incluso cuando suponemos que los precios de equilibrio se fijan directamente–. Hemos visto una y otra vez que los efectos sobre la renta casi siempre dotan de cierto grado de indeterminación a las leyes de la teoría económica. Todo lo que sucede como resultado del comercio falso es que esta indeterminación se intensifica un poco. El grado en que se intensifique depende, por supuesto, del alcance del comercio engañoso. Si se realizan muchas transacciones a precios muy diferentes de los de equilibrio, la perturbación será grave. Pero creo que podemos suponer, razonablemente, que hay pocas transacciones que tengan lugar a precios «muy falsos». Serán pocas siempre que los precios se hayan fijado con un mínimo de cabeza.

Al igual que en la estática, podemos esperar cierta atenuación de estos efectos perturbadores por el hecho de que las ganancias para los compradores significan pérdidas para los vendedores, y viceversa. Por tanto, siempre que ambas partes sean similares en su distribución de incrementos de gasto entre diferentes bienes, un cambio en la demanda será parcialmente compensado por un cambio correspondiente en la oferta.[15]

El efecto de los precios falsos se limita al efecto renta por nuestro supuesto de que los mercados solo abren los lunes. Por tanto, los precios de equilibrio se toman como indicadores de los planes de producción y consumo que se llevan a cabo para el

[14] MARSHALL, p. 335.
[15] Ver previamente, p. 81.

resto de la semana. Si se supone que la duración de la semana es mayor, este artificio sí implica cierta arbitrariedad en la aplicación práctica de nuestros resultados, pero si estamos muy interesados en reducir esa arbitrariedad, siempre podremos hacerlo acortando la duración de la semana.

Capítulo X

Equilibrio y desequilibrio

1. EL MÉTODO general que tenemos que seguir está claro ahora. Primero debemos centrar la atención en algún lunes en particular y preguntarnos qué determina el sistema de precios que se establece luego. En esta investigación, todo lo que ha pasado antes de ese lunes se tratará como un dato, ninguna decisión que tomemos ahora puede alterarlo. «Ni el mismo cielo tiene poder sobre el pasado». En particular, eso significa que deben considerarse dados todo el equipo material de la comunidad, tal como se da con la apertura del mercado el lunes por la mañana, incluidos los productos terminados listos para la venta, los semielaborados y las materias primas, el instrumental fijo de todo tipo, y los bienes de consumo duradero. A partir de ahí, el problema económico consiste en la asignación de estos recursos, heredados del pasado, entre la satisfacción de los deseos presentes y los futuros.

Sobre la base de estos recursos heredados, se puede suponer que los empresarios (e incluso los particulares) elaborarán planes que determinen su conducta actual y su conducta prevista en las próximas semanas. El plan de un empresario incluye decisiones sobre las cantidades de productos que venderá en esta semana y en las semanas próximas, y sobre las cantidades de *inputs* (servicios, materiales, quizá incluso nuevas adquisiciones de instalaciones), que comprará o contratará en semanas actuales y futuras. El plan de un individuo privado incluye decisiones sobre las cantidades de productos que comprará (y quizá también las cantidades de servicios que proporcionará) en las semanas actuales y futuras. Así, se determinan como parte de sus planes las demandas y ofertas actuales de todos los bienes y servicios, aunque la determinación se hará junto a las intenciones de la gente de demandar y ofrecer en fechas futuras.

Los planes que adoptan las personas dependen de los precios actuales y de sus expectativas de precios futuros, pero los precios actuales determinan por sí mismos las demandas y las ofertas actuales, que forman parte de los planes. De ese modo, si el primer lunes se fija un conjunto de precios que no iguale la oferta y la demanda en todos los mercados, tendrá que haber un ajuste de precios. Los precios caerán en aquellos mercados donde la oferta exceda a la demanda, y subirán en aquellos mercados donde la demanda exceda a la oferta. Este cambio de los precios corrientes inducirá una alteración de los planes y, en consecuencia, de las ofertas y demandas. Mediante la alteración de los planes se equilibrarán las ofertas y demandas.

Supondremos que el lunes continúan los intercambios hasta que la oferta y la demanda se equilibran, lo cual es esencial para que podamos utilizar el método del equilibrio en teoría dinámica. Como no hemos de prestar mucha atención al proceso de obtención del equilibrio que precede a la formación de los precios de equilibrio,[1] nuestro método parece suponer que el sistema económico estuviera siempre en equilibrio. Calculamos la formación de precios de equilibrio de una semana y de la otra, y ahí dejamos el tema.

2.   En lo que respecta a este sentido limitado del equilibrio, es cierto que supondremos que el sistema económico está siempre en equilibrio. Y tampoco es ilógico hacerlo. En cierto sentido, las ofertas y las demandas actuales siempre se equiparan en condiciones competitivas. De hecho, pueden quedar existencias en las tiendas sin vender, pero eso se debe a que la gente prefiere aceptar el riesgo de poder venderlas en una fecha futura en vez de bajar los precios para venderlas ahora. La tendencia a la caída del precio actual traslada la oferta del presente al futuro. Para que un exceso de oferta sobre la demanda implique más que esto, el precio debe caer a cero, si la mercancía está monopolizada o el precio se fija convencionalmente. (En una etapa posterior de nuestra teoría dinámica volveremos de nuevo a los precios convencionales.[2])

Se puede considerar que el sistema económico (o al menos todos los sistemas que nos interesan) siempre está en equilibrio en este sentido (analíticamente importante), pero hay otro sentido más amplio en el que suele estar en mayor o menor medida fuera de equilibrio. La palabra es en un cierto sentido familiar en las discusiones modernas de problemas aplicados y podemos emplear nuestro sistema para darle un significado preciso.

Al determinar el sistema de precios establecido el primer lunes, determinamos con él el sistema de planes que regirá la distribución de recursos durante la semana siguiente. Si suponemos que estos planes se llevarán a cabo, estos determinarán la cantidad de recursos que quedará al final de la semana para las decisiones que deben tomarse el segundo lunes. Ese segundo lunes hay que poner en marcha un nuevo sistema de precios, que puede diferir más o menos del sistema de precios que se estableció primero.

Se sugiere el sentido más amplio de la palabra equilibrio-equilibrio a través del tiempo, como podemos llamarlo, para distinguirlo del equilibrio temporal que debe

[1] Véase nota del capítulo anterior.
[2] Véase posteriormente, p. 297.

regir en cualquier semana presente –cuando comenzamos a comparar las situaciones de precios en dos fechas cualesquiera–. Un estado estacionario está en pleno equilibrio no solo cuando las demandas igualan a la oferta a los precios establecidos, sino también cuando continúan gobernando en todas las fechas los mismos precios –cuando los precios son constantes en el tiempo–. Al principio, podría pensarse que sería aplicable el mismo criterio (constancia de precios) también a una economía cambiante, pero claramente este no es el caso.[3] En efecto, hay una prueba más importante que la mera igualdad o diferencia aritmética, que implica precios constantes en una economía estacionaria pero no necesariamente precios constantes en una economía sujeta a cambios. Se trata de la condición de que los precios establecidos el segundo lunes sean los mismos que se *esperaba* con anterioridad que gobernaran en esa fecha.

Por supuesto, incluso en una economía en evolución la gente puede esperar precios constantes, pero si lo hacen, es muy poco probable que se cumplan sus expectativas. Por lo general, lo que se podrá cumplir serán las expectativas de cambios de precios. En equilibrio, el cambio de precios que se produce es el esperado. Si los gustos y los recursos también siguen siendo los que se esperaba, entonces en equilibrio no ha ocurrido nada que perturbe los planes trazados el primer lunes. Hasta donde se puede ver, nadie ha cometido ningún error y los planes pueden continuar ejecutándose sin ninguna revisión. Una economía en perfecto equilibrio en el tiempo es como el sol en *Fausto*:

> ihre *vorgeschrieb'ne* Reise
> vollendet sie mit Donnergang.[4]

El grado de desequilibrio marca la medida en que se frustran las expectativas y se desvían los planes.

Ningún sistema económico exhibe jamás un equilibrio perfecto a lo largo del tiempo, aunque el ideal se acerca más en algunos momentos que en otros. Sin duda, por lo general se acerca más cuando las condiciones son casi estacionarias: cuando la gente espera que los precios se mantengan estables, y se mantienen de hecho estables. Sin embargo, cuando recordamos que las expectativas de los empresarios no son expectativas precisas de precios particulares, sino que tienen más en cuenta el carácter de las distribuciones de probabilidad, se hace evidente que los precios establecidos pueden apartarse en cierta medida de esos precios esperados como más probables, sin causar ningún desequilibrio importante. A efectos prácticos, la condición ideal de equilibrio a lo largo del tiempo puede interpretarse de manera bastante vaga. Siempre que los precios se mantengan bastante estables, es probable que el sistema esté

---

[3] No es así, aunque relajemos la condición y exijamos solo algún tipo de nivel de precios constante.
[4] Y su viaje prescrito se consuma a pasos atronadores.

suficientemente equilibrado. En épocas de movimientos rápidos de precios es cuando resulta más probable que se produzca un desequilibrio agudo.

A pesar de esta libertad en la aplicación práctica del concepto, es la interpretación estricta –la divergencia entre precios esperados y realizados– lo que tiene una importancia central teóricamente. Siempre que se produzca tal divergencia, eso significa (retrospectivamente) que ha habido una mala inversión, con el consiguiente despilfarro. Se utilizan los recursos de una manera que no se habría hecho si el futuro se hubiera previsto con mayor precisión. Las necesidades, que podrían haberse cubierto si se hubieran previsto, no se satisfarán o lo harán inadecuadamente. Así, el desequilibrio es una señal de desperdicio y de eficiencia imperfecta de la producción. Ahora bien, ¿cómo surge el desequilibrio?

3.   Nuestro análisis sugiere varias causas posibles de desequilibrio. Uno (quizá el menos importante) surge cuando las expectativas de precios de diferentes personas son inconsistentes. Si una persona espera que el precio de un producto en particular caiga entre este lunes y el siguiente, y otra persona espera que suba, entonces ambos no pueden tener razón. Pero, salvo que las expectativas sean muy definidas, es poco probable que el desequilibrio así provocado sea muy grave.

En segundo lugar, aunque las expectativas de precios son consistentes, los planes pueden ser inconsistentes. Aunque todos los compradores y vendedores de una mercancía esperen el mismo precio, puede que la cantidad total que todos los compradores planean comprar juntos en la segunda semana no iguale la cantidad total que todos los vendedores planean vender. Si la oferta planificada es mayor que la demanda planificada, entonces, cuando llegue el segundo lunes el precio será más bajo de lo esperado. Evidentemente, ésta es una potente causa de desequilibrio, y quizá la causa más interesante de todas.

En tercer lugar, incluso si las expectativas de precios son consistentes y los planes también lo son, la gente puede prever sus propios deseos incorrectamente, o hacer estimaciones incorrectas de los resultados de los procesos técnicos de producción. Si esto sucede, entonces, el segundo lunes no estarán dispuestos o no podrán comprar o vender esas cantidades de bienes que habían planeado comprar o vender. Por tanto, una vez más, los precios establecidos serán diferentes de los precios esperados. Y la previsión imperfecta de algunas personas llevará a otras también al desequilibrio.

Éstos son los únicos tipos de desequilibrio que pueden surgir en una economía en la que todas las expectativas estuvieran definidas, pero en el mundo actual, donde la gente sólo espera con cierta «probabilidad», puede surgir un cuarto tipo. Dado que depende de la ambigüedad en la noción de expectativas de precios que discutimos en el último capítulo, es mejor considerar a éste como un tipo de equilibrio imperfecto en vez de como un desequilibrio. Vimos en nuestra primera discusión sobre la naturaleza de las expectativas que cuando hay riesgo, la gente generalmente actuará, no en base al precio que esperan más probable, sino como si ese precio se hubiera desplazado un poco en una dirección desfavorable para ellos. Esto significa que, aun cuando no haya desequilibrio en ninguno de los sentidos anteriores y las expectativas de precios y los planes sean consistentes, y no haya cambios imprevistos en los gustos, ni resultados imprevistos de los procesos técnicos, aún puede que no se alcance el ajuste más perfecto posible de los recursos a los deseos. El sistema puede estar en equilibrio en el sentido de que los precios establecidos son los que se esperaban como más probables. Sin embargo, su percepción del riesgo puede haber impedido a los empresarios producir las cantidades de producción, o tipos de producción, que habrían producido si hubieran tenido más confianza en que sus previsiones fueran correctas. De esta manera, la eficiencia del sistema puede verse seriamente dañada sin que se ponga en duda ninguno de los tipos de desequilibrio mencionados anteriormente.

Ésta es una posible fuente de desperdicio, aunque es evidente que la falta de confianza en la previsión propia no es necesariamente una fuente de desperdicio. La pérdida sólo se produce si las expectativas hubieran sido correctas después de todo. La falta de confianza de la gente en su buen juicio es una fuente de ineficacia, pero el escepticismo sobre los malos juicios puede ser mejor que una confianza injustificada. Sin embargo, conforme avancemos veremos que existen razones para sospechar que el sistema económico pierde más por la desconfianza que por exceso de confianza.

4.   Esta clasificación de las causas del desequilibrio tiene una relación directa con la gran controversia sobre la eficiencia relativa de los diferentes tipos de organización económica. En todo sistema económico se dan la tercera y quinta fuentes de desperdicio, sea capitalista o socialista, liberal o autoritario. Ni siquiera Robinson Crusoe estaría libre de ellas; no podría prever cuándo estaría enfermo o cuándo sus cosechas podrían malograrse, y se preocuparía por buscar el mejor ajuste posible entre los medios y los fines dada la incertidumbre de tales eventos en el futuro. Incluso el sistema económico más perfectamente organizado (cualquiera que sea) se vería afectado por las fluctuaciones de las cosechas, los inventos o las convulsiones políticas. Por otra parte, parecería a primera vista que la primera y segunda causas son propias de un sistema de empresa privada. En un sistema completamente centralizado se eliminarían. Pero un sistema completamente centralizado es una mera invención de la imaginación; todo gobierno hasta cierto punto delega su autoridad. Por tanto, en la práctica, puede haber desajustes en las diferentes partes de la maquinaria de Estado, al igual que los empresarios pueden perder el compás. El hecho de que el capitalismo sea menos o más eficiente que el socialismo depende en gran medida de la eficiencia del socialismo. Esto sigue siendo una cuestión abierta a la discusión.

A menudo se supone que el capitalismo carece por completo de cualquier organización para la coordinación de planes, pero eso no es del todo cierto. Dentro de la órbita de la empresa privada, hay una forma para coordinar las expectativas y los planes (al menos parcialmente). Este es el dispositivo de las operaciones a plazo (incluidas no solo las operaciones en los mercados de futuro, como se les llama normalmente, sino

también todas las órdenes dadas por adelantado y todos los contratos a largo plazo).
Incluso en esta etapa, resulta muy instructivo prestar atención al funcionamiento de
este tipo de coordinación, y examinar por qué no resulta más eficiente y no consigue
un mayor alcance.

Cabe concebir un sistema de empresa privada en el que no hubiera operaciones a
futuro, siendo todas las transacciones a entrega inmediata («Spot»). En una «economía
al contado» de este tipo, nada se determinaría de antemano y se dejaría en gran medida
la coordinación al azar. Solo las demandas y ofertas actuales se igualarían en el mercado,
y las personas tendrían que basar sus expectativas de precios futuros en estos precios actuales, de la mejor manera posible y en cualquier otra información de que se dispusiera.
Por supuesto, aun así, no tiene porqué producirse un gran desequilibrio. Si los planes
son mayoritariamente de tipo estacionario, de modo que la mayoría de las personas
planean comprar y vender prácticamente las mismas cantidades en períodos futuros
que en el período actual, no surgirá un gran desequilibrio debido a la inconsistencia,
siempre y cuando simplemente esperen que los precios corrientes se mantendrán. Aun
cuando los planes no sean estacionarios, pero las cantidades que la gente planee comprar o vender tengan cierta tendencia a aumentar o disminuir en el futuro, esto no conducirá necesariamente a un gran desequilibrio debido a la incompatibilidad, siempre
que las personas puedan calcular con acierto los planes de otras personas que puedan
afectarles. Esto es pedir mucho, pero la observación de la conducta de los hombres de
negocios proporciona hasta cierto punto alguna pista sobre sus planes, por lo que probablemente suceda algo así. Cuando algunas empresas planean una gran ampliación de
sus operaciones, es imposible que lo mantengan en secreto por completo. Pero esto no
es una base muy firme como guía. Cuando las condiciones cambian totalmente, cabe
esperar que una economía al contado se desvíe notablemente del equilibrio.

En el otro extremo, se puede imaginar una economía en la que todo estuviera
fijado de antemano para un periodo muy largo. Si todos los bienes se compraran y
vendieran a futuro, no solo se igualarían las demandas y las ofertas actuales, sino
también las demandas y las ofertas planificadas. En tal «economía de futuros», estarían ausentes los dos primeros tipos de desequilibrio. Los planes se coordinarían y, a
efectos prácticos, también se coordinarían las expectativas. (El precio que regiría la
producción planificada de una empresa para una semana futura en particular sería el
precio de futuros, y no su propia expectativa de precio individual). De esta manera,
se eliminaría el desequilibrio por incompatibilidad, pero no la posibilidad de desequilibrio debida a cambios inesperados en las necesidades o los recursos. La gente
contrataría para comprar o vender ciertos bienes el segundo lunes. Pero cuando llegase ese segundo lunes, es posible que no quisieran o no pudieran comprar o vender
las cantidades de bienes contratadas. Entonces se verían obligados a realizar compras
o ventas adicionales al contado, o compensar sus contratos mediante transacciones
al contado. De esta manera, se crearía un mercado al contado, y probablemente el

precio al contado establecido en ese mercado sería diferente al precio de futuros que se había establecido previamente para ese lunes.

Ahora bien, la gente sabe que mediante el comercio a futuros no puede escapar del tercer tipo de desequilibrio, y esto es, en última instancia, lo que limita la medida en que se puede llevar a cabo la negociación a futuros en la práctica. Saben que las demandas y ofertas que se pueden fijar de antemano para una determinada fecha pueden tener poca relación con las demandas y ofertas que efectivamente se producirán en esa fecha y, en particular, saben que no pueden predecir con exactitud qué cantidades desearán comprar o vender en un periodo futuro. En consecuencia, el hombre de negocios ordinario sólo firmará un contrato a futuros si al hacerlo puede «cubrirse», es decir, si la transacción a plazo reduce el riesgo de su posición. Y esto solo sucederá en aquellos casos en los que, de alguna manera, se comprometa a realizar una compra o venta en la fecha en cuestión, si ya ha planeado dicha compra o venta y si ya ha hecho algo que le dificultaría modificar su plan. Ahora bien, en el proceso de producción hay suficientes rigideces técnicas como para asegurar que varios empresarios querrán cubrir sus ventas por esta razón. En el futuro cercano, las ofertas en gran medida se rigen por decisiones tomadas en el pasado, de modo que, si estas ofertas planificadas pueden cubrirse con ventas a plazo, el riesgo se reduce. Pero, aunque a veces ocurre lo mismo con las compras planificadas, es inevitablemente más raro. Las condiciones técnicas dejan al empresario mucha mayor libertad para la adquisición de *inputs* (que son en gran parte necesarios para iniciar nuevos procesos) que para la finalización de los productos (cuyo proceso de producción –en el sentido de negocios ordinarios–, puede ya haber comenzado). Por tanto, aunque es probable que exista algún deseo de cubrirse para eludir los riesgos de las compras planificadas, este deseo tiende a ser menos vigoroso que el deseo de cubrir las ventas planificadas. Si los mercados a plazo fueran exclusivamente coberturistas, siempre habría una tendencia a una relativa debilidad por el lado de la demanda. Una proporción menor de compras planificadas que de ventas planificadas estaría cubierta por contratos a plazo.[5]

Pero por esta misma razón, rara vez los mercados a futuro están exclusivamente formados por coberturistas. El precio de futuros (digamos, para la entrega a un mes) que se determina por las transacciones de los coberturistas se debe a causas que no tienen nada que ver con las que normalmente determinan el precio de mercado; por tanto, sería muy diferente del precio al contado que cualquier persona sensata esperaría que se estableciera al cabo de un mes y, por lo general, estaría muy por debajo de ese precio esperado. En consecuencia, los especuladores suelen determinar los

---

[5] Por supuesto, esta debilidad congénita del lado de la demanda se aplica solo al mercado a futuro de las mercancías y no se aplicará (por ejemplo) a los mercados a futuro de divisas. Sin embargo, en todos los mercados a futuro es probable que exista una tendencia a que los coberturistas predominen por algún lado durante periodos prolongados. Ningún mercado a futuro puede prescindir del elemento especulativo.

precios a futuros, y buscan una ganancia comprando futuros cuando el precio de futuros está por debajo del precio al contado que esperan que se determine en la fecha correspondiente. Su intervención tiende a elevar el precio a futuros a un nivel más razonable. Pero, en oposición a la cobertura, por esencia el especulador se coloca en una posición más arriesgada como resultado de sus operaciones a futuro –no necesitaba en absoluto haberse aventurado en operaciones a futuro, y hubiera estado más seguro si no lo hubiera hecho–. Por tanto, solo estará dispuesto a seguir comprando futuros si el precio de los futuros se mantiene por debajo del precio al contado esperado, ya que lo que puede esperar recibir como rendimiento por asumir el riesgo es la diferencia entre estos precios, y no le merecerá la pena asumir el riesgo si el rendimiento esperado es demasiado pequeño.

Keynes señaló las consecuencias de esto en un pasaje importante de su *Tratado sobre el dinero*. En condiciones «normales», cuando se espera que las condiciones de oferta y demanda permanezcan inalteradas y, por tanto, se espera que el precio al contado sea aproximadamente el mismo en el plazo de un mes que el de hoy, el precio a futuros para la entrega a un mes debe estar por debajo del precio al contado actual. Keynes denomina a la diferencia entre estos dos precios (el precio al contado actual y el precio a futuros fijado en este momento) «retrocesión normal». Mide la cantidad que los coberturistas tienen que entregar a los especuladores para persuadirlos de que asuman los riesgos de las fluctuaciones de los precios en cuestión. Por tanto, en última instancia, mide el coste de coordinación lograda mediante la negociación a futuros. Si el coste es muy elevado, los coberturistas potenciales preferirán no cubrirse.

Las mismas consideraciones limitan las otras clases de transacciones que hemos clasificado como negociación a futuros, aunque no suelan considerarse como tales. Por ejemplo, a un empleado le suele interesar «cubrir» las ventas futuras de su trabajo, como lo haría si pudiera asegurar la contratación durante un período prolongado. Pero a su empleador no le interesa celebrar tales contratos, a menos que obtenga alguna ventaja particular de hacerlo, como lo haría si este empleado en particular fuera difícil de reemplazar. De esta manera, nuestro análisis puede incluir ese tipo particular de contrato a largo plazo que distingue (más o menos) al asalariado con sueldo fijo a un trabajador por cuenta ajena.[6]

5.   Por lo general, entonces, lo que limita el alcance del comercio a futuros bajo el capitalismo es la incertidumbre del futuro y el deseo de tener libertad de acción para hacer frente a esa incertidumbre. La causa última por la que no se pueden afrontar los dos

---

[6] Tanto en este caso de los contratos laborales, como en el caso de los mercados a futuro ordinarios de materias primas, existe otro tipo de incertidumbre que limita la negociación a futuros. Se trata de una incertidumbre sobre la calidad exacta de los productos que se prevé ofrecer en una fecha futura. Los mercados organizados de productos agrícolas adoptan mecanismos para mitigar esta incertidumbre, pero todos estos dispositivos son costosos y el coste puede volverse prohibitivo.

primeros tipos de desequilibrio con mayor eficacia se reduce a la presencia inevitable del tercer y cuarto tipo. Pero estos son los tipos de desequilibrio que pueden estar presentes en cualquier sociedad; en ella, es probable que la incertidumbre produzca «falta de planificación». Cuando los fines que la sociedad persigue son concretos, la organización socialista tiene un fuerte argumento a favor de la eficiencia al no prestar mucha atención a la necesidad de permitir un margen de error y coordinar los planes de la manera más firme y directa posible. Pero es probable que en la búsqueda ordinaria del bienestar económico en tiempos de paz los fines inmediatos sean mucho menos seguros, ya que la prueba y error es el método natural de política económica. En esta situación, el déspota socialista lúcido, al verse asediado por los mismos tipos de incertidumbre que impiden la coordinación bajo el capitalismo, puede llegar a preferir una organización flexible y descentralizada, expuesta también a la crítica de falta de planificación y que no tiene una superioridad evidente en su capacidad de ajustar los medios a los fines.

Una vez hechas estas observaciones podemos abandonar las polémicas fundamentales pues su examen ulterior nos alejaría de los asuntos que nos preocupan ahora. Creo que habrá sido útil mostrar que existe una relación entre los problemas de planificación bajo el capitalismo y bajo el socialismo. Sin duda, las fases críticas son diferentes en los dos casos, pero ambos se plantean cuestiones paralelas.

Para nuestros propósitos, los asuntos discutidos en el presente capítulo tienen un significado diferente. Descubriremos, a medida que avancemos, que es muy importante tener en cuenta la distinción entre negociación al contado y a futuro, en el sentido general de cada término. Una cierta proporción de transacciones que tienen lugar en la realidad deben considerarse (en su totalidad o en parte) como transacciones a futuros; su lugar en el tipo de análisis que hemos decidido emprender seguramente será diferente del de las transacciones al contado. Siendo así, parece que se nos sugiere como un procedimiento conveniente comenzar por ignorar las transacciones a futuros –para empezar, estudiando la economía de un mundo donde solo deben tenerse en cuenta las transacciones al contado–. Ya hemos descrito un modelo de este tipo: es nuestra «Economía al contado». Debido a las limitaciones de la negociación a futuros, realmente este modelo no es una simplificación excesiva de la realidad. Sin embargo, no tenemos por qué detenernos en este modelo a menos que queramos, pues hemos aprendido lo suficiente sobre los mercados a futuros como para poder tenerlos en cuenta en ocasiones.

En el otro extremo de nuestra «economía al contado» pura teníamos otro modelo: nuestra «economía a futuro» pura. Esta no puede pretender ser una buena aproximación a la realidad, solo lo sería en un mundo donde no hubiera incertidumbre y todas las expectativas estuvieran definidas, de modo que todo podría determinarse por anticipado.[7] Sin embargo, la «economía a futuro» pura puede tener algún inte-

---

[7] Aún con la condición de que los contratos pudieran anularse *de facto* por la compra y venta posterior de futuros.

rés teórico. Al dilucidar qué sistema de precios se fijaría en una economía a futuro, podemos examinar el sistema de precios que mantendría el equilibrio a lo largo del tiempo bajo un conjunto dado de condiciones cambiantes. Los economistas han jugado a menudo con la idea de un sistema en el que todas las personas que comercian tienen una «previsión perfecta». Esto conduce a incómodas dificultades lógicas,[8] pero con nuestra economía a futuro puede cumplirse el propósito para el que se han ideado tales sistemas. Se puede abordar así la pregunta de qué movimiento de precios esperado podría haberse producido en ausencia de desequilibrio.

[8] Cf. KNIGHT, *Risk, Uncertainty and Profit*, caps. 5-6.

Capítulo XI

El interés

1. TRAS LAS DISCUSIONES del capítulo anterior, se nos presenta de un modo natural un método fundamental de abordar el problema del interés. Hemos aprendido a distinguir las transacciones según la fecha en la que deben ejecutarse. Las transacciones al contado deben ejecutarse en el momento actual, es decir, en la semana en la que se elaboran. Las transacciones a futuro deben ejecutarse en su totalidad en una fecha futura –ambas partes que contratan en la misma semana futura–. Pero no hay ninguna razón para la que las dos partes de un trato deban ejecutarse en la misma fecha. Así, obtenemos un tercer tipo, las transacciones de préstamos, que son en las que solo se ejecuta en el presente una parte del trato, y la otra debe ejecutarse en una fecha futura, o tal vez en una serie de fechas futuras. La característica esencial de una operación de préstamo es que su ejecución se divide en el tiempo.

Cualquier intercambio de bienes o servicios presentes por una promesa de entregar bienes o servicios en el futuro tiene el carácter económico de un préstamo. Pero, en la práctica, toda la clase de transacciones de préstamos está dominada por una subespecie particular: aquella en el que ambos lados de la transacción se dan en forma de dinero. No es que este sea el único tipo de préstamo que se practica. Es raro el intercambio directo de bienes reales presentes por bienes reales futuros, por la misma razón que el intercambio de un tipo de bienes reales en el presente por otro tipo de bienes reales en el presente es raro, debido a los inconvenientes del trueque. Pero no es extraño que la gente intercambie mercancías presentes con la promesa de pagar dinero en el futuro (pago diferido) o, viceversa, que intercambien dinero disponible con la promesa de entregar bienes en el futuro (pago por adelantado). No es que estas transacciones no se practiquen, sino que, naturalmente, se las considera reducibles a un préstamo monetario más una transacción al contado (o una transacción a futuro). De hecho, cabe reducir de esta manera cualquier operación de préstamo.

Incluso un trueque puro de productos en el presente por productos futuros (digamos un intercambio de café ahora por café dentro de un año) puede reducirse de manera similar a una transacción al contado, una transacción a futuros y un préstamo monetario. Cuando existen mercados a futuros, los tipos de interés en términos reales siempre se establecen implícitamente. Supongamos que el tipo de interés monetario para un préstamo de un año es del 5 por ciento, y que el precio a futuros del café para la entrega a doce meses es del 3 por ciento por encima del precio al contado. Entonces, es posible prestar café por un año vendiendo café al contado, prestando los ingresos del dinero y cubriendo la venta con una compra en el mercado a futuros. Toda la cadena de transacciones establece un tipo de interés absolutamente definido en términos de café. Ahora se cambia una unidad de café por 105/103 unidades de café que se entregarán en el plazo de un año, de modo que el tipo de interés fijado es de aproximadamente el 2 por ciento en términos de café.[1] (La tasa del café solo será el mismo que el tipo monetario si el precio al contado del café y el precio a futuros son iguales).[2]

Por tanto, los tipos de interés de las mercancías no tienen mucha importancia directa en nuestro análisis; son partes del sistema en que no insistimos, al igual que no insistimos en la tasa de intercambio entre dos mercancías en transacciones al contado cuando ninguna de las dos es el patrón de valor. Sin suponer más propiedades del dinero que las que hemos supuesto hasta ahora (es decir, una mercancía elegida como patrón de valor), tenemos derecho a suponer que todos los préstamos están en términos monetarios, ya que cualquier transacción de préstamo que se lleve a cabo de otro modo siempre puede reducirse a un préstamo monetario, combinado con una transacción al contado y una transacción a futuro.

2.   Podemos, pues, limitarnos al estudio del tipo de interés monetario, pero incluso dentro de ese campo tenemos que afrontar una complejidad algo desconcertante. Los tipos de interés monetarios pagados por diferentes préstamos en la misma fecha difieren entre sí por dos razones principales: (1) debido a las diferencias en el periodo de vigencia de los préstamos y en la forma en que se distribuirá el tiempo de reembolso; (2) debido a diferencias en el riesgo de incumplimiento por parte del

---

[1]   Cf. Keynes, *Teoría General*, pp. 222-3. Merece la pena señalar la fórmula que surge así: que el tipo de interés de una mercancía es aproximadamente igual al tipo de interés monetario *menos* el contango (exceso porcentual del precio de futuros sobre del precio al contado).

[2]   En el caso de las operaciones de cambio de divisas, tenemos un ejemplo de lo que sucede cuando existe un mercado de préstamos para cada una de las dos mercancías (divisas) y también para las operaciones al contado y a futuro entre ellas. Si los cuatro mercados son libres, ni siquiera es posible un equilibrio temporal, a menos que se mantenga la relación anterior –esto es, a menos que, digamos, el descuento sobre los francos a futuro sea igual a la diferencia entre los tipos de interés de París y Londres para el periodo pertinente–. Si esta relación deja de existir por completo, ello es una indicación de que las transacciones se están restringiendo en, al menos, uno de los cuatro mercados. (Debe enfatizarse que los cuatro mercados son mutuamente interdependientes y que, cualquiera, o todos ellos, pueden verse afectados en el proceso de equilibrio).

prestatario. También pueden influir en cierto grado otras diferencias en cuanto a las condiciones del préstamo, pero los anteriores son los aspectos principales que deben considerarse.

Las cuestiones relativas al riesgo entran en el estudio de ambas causas de divergencia, pero la segunda es la responsable del elemento de «prima de riesgo» en los tipos de interés tal y como suele entenderse. Cuando un prestatario tiene poco crédito, la gente no estará dispuesta a pagar el mismo precio por su promesa de pagar ciertas sumas en el futuro que el que pagaría si su crédito fuera bueno. Se pueden distinguir dos razones para esto. Primero, un prestatario completamente digno de confianza da completa seguridad de que se pagarán las sumas prometidas. El prestamista recibe así una promesa prácticamente segura, frente a la promesa incierta que recibe en el otro caso. En segundo lugar, incluso si el prestatario supuestamente indigno de confianza cumple con sus obligaciones, no pagara más de aquello a lo que está obligado, lo que implica que hay un máximo a los ingresos que puede esperar del prestamista. Todas sus posibles variaciones son en una dirección. Esto significa que el valor medio de los resultados probables es menor que en el caso del prestatario solvente, y la otra consideración significa que la dispersión de los resultados probables es mayor. Se puede esperar que ambas cosas disuadan al prestamista, de modo que sólo se verá inducido a prestar al prestatario menos solvente si se le ofrecen mejores condiciones.

Sería muy complicado realizar un análisis completo del funcionamiento de este factor de riesgo en el mercado de préstamos, de modo que no intentaremos aquí llevarlo muy lejos. Debe tenerse en cuenta que la solvencia de un prestatario depende de la estimación individual de los prestamistas, y es probable que estas estimaciones individuales difieran. Por tanto, si una empresa requiere recaudar solo una pequeña cantidad de capital, puede hacerlo apelando solo a ese círculo interno de prestamistas potenciales, frente a los que goza de una buena posición y de los que, por tanto, puede esperar que estén dispuestos a prestarle en términos relativamente favorables. Si desea obtener más, debe dirigirse a un sector del mercado menos confiado (al que tendrá que ofrecer mejores condiciones), o debe conseguir que algunos miembros de su círculo cercano lo avalen (ya sea pidiendo prestado ellos mismos y volver a prestarle el importe del préstamo, o mediante algún método de garantía o aceptación). Pero si se los persuade de ello, se verán envueltos en un riesgo adicional, por el que requerirán una compensación.

La cantidad que un prestatario en particular puede obtener de cualquier prestamista determinado está limitada, en parte, por la limitación de los recursos de ese prestamista, pero quizá de manera más inminente por el riesgo en que incurre un prestamista al invertir demasiados recursos en una dirección, esto es, «poniendo todos sus huevos en la misma cesta». Al ofrecer mejores condiciones (que se puede considerar que equivalen a un tipo interés más alto, pero que no necesita adoptar esa forma abierta), es posible obtener más de los prestamistas individuales y, por las razones que acabamos de ver, por lo general será posible extraer más del mercado en su conjunto, persuadiendo a nuevos prestamistas a que entren. Cada prestatario en particular se enfrenta así a una especie de «curva de oferta de capital de préstamo», análoga a las curvas de oferta de otros factores de producción a las que se enfrenta un productor cuando se encuentra en una posición «monopolista» (o comprador monopolista). No hay razón para suponer que esta curva será perfectamente elástica, al menos para grandes variaciones en la cantidad de capital a recaudar. Esta consideración introduce en la teoría del interés cuestiones análogas a las discutidas por algunos autores sobre la competencia imperfecta y, no hay duda de que una teoría completa del interés debería tenerlas en cuenta formalmente.[3] No puedo emprender esta tarea aquí, pero no debemos permitir que estos asuntos se nos escapen por completo.

3.   Basándose en nuestros métodos actuales, puede decirse bastante más sobre las diferencias entre los tipos de interés que surgen de las diferencias en la duración de los préstamos. Estos también resultan ser, en parte, una cuestión de riesgo, pero también se ven influidos por otras consideraciones.

Existe una clara analogía entre los contratos de préstamo a largo plazo y los contratos a largo plazo para la entrega de bienes o servicios que, como vimos en el capítulo anterior, pueden reducirse a una combinación de negociación al contado y a futuro. Un contrato para entregar mercancías a intervalos mensuales durante un periodo de seis meses equivale a una transacción al contado y una serie de transacciones a futuro. Asimismo, un préstamo a seis meses equivale a un préstamo a un mes, combinado con una serie de operaciones de préstamo a futuro, cada una de las cuales renueva el préstamo (volviendo a prestar el principal, o el principal y los intereses) por un mes más. Si elegimos un periodo mínimo de tiempo, de manera que podamos pasar por alto los préstamos por un periodo inferior, cada préstamo de cualquier duración se podrá reducir a un patrón: un préstamo por un periodo mínimo, combinado con un número determinado de renovaciones para períodos posteriores de la misma duración, concertados a futuro. Claramente, es más acorde con nuestro método general tomar como mínimo un periodo de una «semana».

Visto de este modo, el tipo de interés para préstamos de dos semanas, a partir de nuestro primer lunes, se compone del tipo de interés «al contado» para préstamos de una semana y del tipo de interés «a futuro», también para préstamos a una semana, pero que hayan de realizarse en la segunda semana. Si no se van a pagar intereses

---

[3] Por tanto, las complicaciones de la estructura financiera de las empresas parecen deberse, en gran medida, a los intentos de discriminación en el mercado de capitales.

hasta la conclusión de toda la transacción, entonces se debe llegar a la misma suma de capital acumulando durante dos semanas al tipo de interés de dos semanas o, alternativamente, acumulando durante una semana al tipo de interés de una semana, y luego acumulando durante una segunda semana al tipo «a futuro». Las dos transacciones son idénticas en última instancia. Por tanto, si representamos los tipos de interés corrientes (de «largo plazo») de las dos o tres semanas actuales por R_2, R_3..., los tipos a corto plazo a «futuro» como r_2, r_3, ..., y el tipo corriente a corto plazo (pertenece a ambos sistemas) por r_1 (o R_1), tendremos[4]

$$1+R_1 = 1+r_1,$$
$$(1+R_2)^2 = (1+r_1)(1+r_2),$$
$$(1+R_3)^3 = (1+r_1)(1+r_2)(1+r_3).$$

Si, como primera aproximación, nos permitimos suponer un interés simple, estas relaciones se simplifican mucho y se convierten en

$$R_1 = r_1,$$
$$2R_2 = r_1+r_2,$$
$$3R_3 = r_1+r_2+r_3.$$

El tipo de largo plazo es la media aritmética entre el tipo corriente a corto plazo y los tipos corrientes a corto plazo relevantes.[5]

4. El sistema de tipos de interés para préstamos de varias duraciones puede reducirse así a un modelo de tipo de interés a corto plazo (el tipo de interés para un préstamo de una semana) combinado con una serie de tipos de interés a futuro de corto plazo: tipos de interés para préstamos de una semana, que se efectuarán no en la semana actual, sino en alguna semana futura. Estos últimos tipos de interés son análogos a los precios a futuro que examinamos en el capítulo anterior y se determinan casi exactamente de la misma manera.

No es habitual pensar en el mercado de préstamos a largo plazo en términos de coberturistas y especuladores, pero esa distinción, de hecho, sigue siendo relevante aquí. En igualdad de condiciones, una persona que participa en un contrato de

---

[4] Todos los tipos son por semana y se miden en fracciones en lugar de porcentajes; un tipo del 1/10 por ciento por semana se escribe como 0.001.

[5] Si el préstamo a largo plazo implica la promesa de pagar intereses a intervalos regulares en vez de todos juntos al final de la transacción, las fórmulas generales son más complicadas, pero las fórmulas de interés simple, naturalmente, no se verán afectadas.

préstamo a largo plazo se pone en una posición más arriesgada de la que estaría si se abstuviera de hacerlo. Pero hay algunas personas (y empresas) para quienes esto no será cierto, porque ya están comprometidas en necesitar capital de préstamo durante extensos períodos futuros. Es posible que se estén embarcando en operaciones que tardan bastante tiempo en fructificar, o pueden simplemente marcar planes para la producción continua, en forma de una larga serie de *inputs* y *outputs* planificados que no será fácil interrumpir en ningún momento en particular. Estas personas querrían asegurarse su abastecimiento futuro de capital de préstamos, del mismo modo que querrán cubrir sus ofertas futuras de materias primas. Tendrán una fuerte propensión a pedir prestado por periodos largos.

Al otro lado del mercado no parece haber una propensión que se parezca a esta, aunque hay una circunstancia importante que exige atención. La realización de cualquier transacción en el mundo real implica algo de tiempo y esfuerzo, y las transacciones de préstamo no son una excepción a esa regla. Pero las ganancias que pueden esperarse de hacer un préstamo a muy corto plazo son muy pequeñas, por lo que no compensarán el esfuerzo de tramitar el préstamo, a menos que el prestamista esté bien posicionado para operar en el mercado a corto plazo. Esta dificultad se ha superado en gran medida en los tiempos modernos por el desarrollo de los bancos, cuya oferta de intereses sobre las cuentas de depósito proporciona lo que, en esencia, es un mercado «de corto plazo» para el pequeño inversor. (El hecho de que, realmente, es un mercado a corto plazo lo demuestra el mantenimiento del derecho del banco a modificar el tipo de interés que paga). No obstante, la dificultad de prestar a corto plazo en ocasiones puede tener el efecto de empujar a los prestamistas al mercado a largo plazo.[6]

Considerando todo esto en conjunto, aún parece que el mercado a futuro de los préstamos (como el mercado a futuro de las materias primas) puede tener una debilidad esencial en uno de sus lados, una debilidad que ofrece una oportunidad para la especulación. Si no se ofreciera un rendimiento adicional por préstamos a largo plazo, la mayoría de las personas (e instituciones) preferirían prestar a corto, al menos en el sentido de que preferirían mantener su dinero en depósitos de una forma u otra. Pero esta situación dejaría un gran exceso de demandas de préstamos a largo plazo a las que no se podría hacer frente. Por tanto, los prestatarios tenderían a ofrecer mejores condiciones para persuadir a los prestamistas a desviarse al mercado a largo plazo (es decir, al mercado a futuro). Un prestamista que hiciera esto estaría en una posición exactamente análoga a la de un especulador en un mercado de materias primas. Solo entraría en el mercado a largo porque esperaría ganar al hacerlo, y ganar lo suficiente como para compensar el riesgo corrido.

El tipo de interés a futuro para cualquier semana futura en particular (que hemos visto que es la unidad a partir de la cual se construyen los tipos a largo plazo)

[6] Volveremos extensamente sobre este importante asunto. Ver más adelante, cap. XIII.

se determina de ese modo como el precio a futuros de una mercancía, a un nivel que basta exactamente para tentar a un número suficiente de «especuladores» a llevar a cabo el contrato a futuros. El tipo tendrá que ser superior que el tipo a corto que estos especuladores esperan que gobierne en esa semana, ya que, de lo contrario, no obtendrían compensación por el riesgo en el que están incurriendo. De hecho, tendrá que superarla en una cantidad suficiente como para inducir al especulador marginal a asumir el riesgo. El tipo de interés a futuro a corto plazo superará, por tanto, al tipo de interés a corto esperado en una prima de riesgo que corresponde exactamente a la «retrocesión normal» de los mercados de mercancías. Si no se espera que los tipos a corto cambien en el futuro, el tipo a futuro superará al tipo corriente a corto plazo en la medida de esta prima. Si se espera que aumenten los tipos a corto, la diferencia será mayor que este nivel normal. Sólo si se espera que caigan los tipos a corto plazo, el tipo a futuro puede situarse por debajo del tipo corriente.

Las mismas reglas deben aplicarse a los tipos a largo plazo mismos que, como vimos en la última sección, son efectivamente un promedio de los tipos a futuro. Si no se espera que cambien los tipos a corto, el tipo a largo excederá al tipo a corto en una prima de riesgo normal. Si el tipo corriente a corto se considera anormalmente bajo, el tipo a largo estará decididamente por encima de él; el tipo a corto plazo solo puede superar al tipo a largo si el tipo a corto corriente se considera anormalmente alto.[7]

5. Este análisis de la relación entre los tipos de interés a corto y a largo plazo tiene una clara influencia sobre la decisión de política económica que tomamos al final del capítulo anterior. En ese sentido, resulta, ciertamente, bastante desconcertante. Parecía ser una simplificación conveniente que podría resultar útil para un análisis posterior, si comenzáramos centrando la atención en una «economía al contado» pura, definida como aquella en la que todos los bienes y servicios se venden *al contado* sin que se realicen operaciones a futuro. En lo que respecta al comercio de mercancías, esta simplificación parecía bastante legítima. De hecho, los mercados a futuro de las mercancías no tienen una importancia tan grande como para que se haga mucha violencia a la realidad al dejarlos fuera. Pero ahora los préstamos a largo plazo resultan ser una forma encubierta de operaciones a futuro, por lo que parecería que una economía al contado pura debería excluir también los préstamos a largo plazo. Esa es una abstracción mucho más drástica. Intentemos visualizarlo.

En una economía puramente al contado, en la que solo se permiten préstamos a corto plazo, no se compran ni se venden bienes a futuro, y todos los préstamos se otorgan por un periodo mínimo de una semana. En consecuencia, cuando los mer-

---

[7] Una consecuencia práctica de esto, cuyas implicaciones examinaremos en profundidad más adelante, es que los tipos a corto están sujetos a fluctuaciones mucho mayores que los tipos a largo. Véase más adelante, pp. 293-4.

cados abren el primer lunes, se debe suponer que están canceladas todas las deudas arrastradas de la semana anterior, de modo que no hay ningún contrato pendiente. Por otro lado, dado que ahora no se pueden realizar contratos a futuro, los empresarios (y todos los demás) deben elaborar sus planes sobre la base de sus propias expectativas individuales de precios futuros (incluido el curso futuro del tipo de interés a corto plazo). Este modelo parece muy poco realista con ambas condiciones –que el camino esté totalmente despejado todos los lunes y la ausencia de seguridad que los préstamos a largo plazo otorgan a la empresa–. Aunque, probablemente, podríamos ajustarlo posteriormente para tener en cuenta sus deficiencias, se ganaría mucho si pudiéramos encontrar un modelo igualmente simple que ofreciera una aproximación más cercana a las condiciones reales.

La gran ventaja de este primer modelo que debemos desear mantener es que reduce a un solo tipo de interés el complejo sistema de tipos de interés a varios vencimientos que existe en la práctica. (Si se ignoran los riesgos de incumplimiento, sólo se debe considerar un tipo en total.) Los economistas, en sus discusiones sobre los problemas del interés, a menudo hablan de la determinación *del* tipo de interés. Parece que tuvieran en mente una reducción de este tipo. Sin embargo, *el* tipo de interés del que hablan suele ser el tipo a largo plazo.[8]

Veamos cómo funciona un sistema económico en el que todavía no hay operaciones a futuro de bienes y servicios, y en el que existe un solo tipo de préstamo. Pero ahora supongamos que en vez de que ese tipo de préstamo sea solo por una semana (el tipo que caracterizó nuestra anterior «Economía al contado»), se esté otorgando préstamos por un periodo indefinido. En cada sistema hay un solo tipo de garantía. Pero mientras que, en la economía al contado con préstamos a corto discutida anteriormente, esa garantía era sólo la letra (una promesa de pagar tal o cual suma de capital al final de la semana), en nuestro nuevo modelo –la economía al contado con préstamos a largo plazo– es una obligación sin fecha (una promesa de pagar tal o cual suma a perpetuidad a intervalos regulares, como interés sobre el préstamo).

Si el único tipo de interés establecido en el mercado es el tipo para préstamos de duración indefinida, el tipo que debe pagarse en esta economía para préstamos de cualquier duración finita es siempre una conjetura. Incluso el tipo de interés para préstamos de una semana (el tipo que se determinó en nuestro primer modelo en la economía al contado con préstamos a largo plazo) se convierte en un tema de anticipación personal, ya que, si una persona desea pedir dinero prestado durante una semana, ahora solo puede hacerlo de una manera. Debe emitir un préstamo de duración indefinida al tipo de interés actual R, y luego planea canjear el préstamo al final de la semana, al precio de mercado que prevalezca en ese momento, que dependerá del tipo de interés R' que rige en la segunda semana. Por tanto, el tipo efectivo

---

[8] La tasa de interés en la *General Theory* de KEYNES es la tasa a largo.

para un préstamo de una semana depende de la expectativa del prestatario sobre el tipo de interés futuro R'. El valor de capital del préstamo cambiará en el transcurso de la semana en la proporción R/R'. En consecuencia, el tipo efectivo que tendrá que pagar será

$$R + \frac{R}{R'} - 1$$

que es menor que R si $R' > R$. Por tanto, el tipo al que la gente puede esperar pedir prestado o prestar durante períodos cortos dependerá de sus anticipaciones sobre el curso futuro de los tipos de mercado. Será menor que el tipo de mercado actual si se espera que el tipo de mercado aumente, y mayor que el tipo de mercado si se espera que baje.

En una economía al contado con préstamos a largo plazo, los préstamos no se reembolsan necesariamente al comienzo de la semana, de modo que debemos suponer que un individuo típico se encuentra el primer lunes en posesión de ciertos valores, deudas de otras personas emitidas en ciertas fechas en el pasado, o deudas hacia otras personas que ha adquirido en el pasado. Si decide pedir prestado durante la semana, puede hacerlo vendiendo algunos valores antiguos que posee o emitiendo valores nuevos. Igualmente, la adquisición, tanto de valores antiguos como nuevos, se considerará como préstamo. Los precios de los valores antiguos tendrán que ajustarse al tipo de interés establecido para los nuevos valores (o, si queremos decirlo así, el tipo de interés de los nuevos valores tendrá que ajustarse a los precios de los valores antiguos) ya que, para un grado igual de riesgo de incumplimiento, será indiferente para un individuo comprar o vender valores nuevos o valores antiguos. Dado que existe esta relación puramente aritmética entre los precios de los valores antiguos y el tipo de interés, los precios de los valores antiguos no tienen por qué contarse entre los precios que deben determinarse. Efectivamente, solo hay un tipo de interés de mercado en el sistema.

6.   Por tanto, hay dos maneras posibles de construir una economía con un solo tipo de interés de mercado, y cada una de ellas tiene su utilidad. Según avancemos, descubriremos que resulta muy conveniente poseer estos dos métodos alternativos para abordar el problema. Si usamos un camino u otro, se aclararán distintas cosas. Por tanto, durante un tiempo intentaremos cabalgar con doble arnés.

Hemos visto que todo el sistema de tipos de interés se puede montar utilizando como unidad el tipo a corto plazo. Si la economía al contado con préstamos a largo plazo también ha de ser una herramienta útil, se podrá construir todo el sistema de manera paralela a partir del tipo de interés a largo plazo. ¿Se puede hacer eso? Vimos que un sistema de préstamos a corto plazo fracasaría en la práctica porque muchos prestatarios desearían la seguridad adicional que se obtiene al pedir prestado por períodos más largos, y los prestamistas estarían dispuestos a otorgarles esta garantía a cambio de una concesión de tipos de interés bastante más altos. ¿Cómo les iría con un sistema en el que sólo hubiera préstamos de vencimiento indefinidamente largo?

Un sistema así sería bastante satisfactorio para cierta clase de prestatarios: los que están inmersos en una producción continua; incluso aquellos prestatarios que preferirían no pedir prestado por tiempo indefinido podrían no estar contentos con hacerlo si el periodo de tiempo durante el cual preferirían pedir prestado se extendiera a un futuro lejano. Estas dos clases probablemente cubren una gran proporción de los préstamos industriales (*grosso modo*, el endeudamiento que se destina a la inversión en capital fijo). Por otro lado, puede que una cierta clase se contentara con préstamos indefinidos, aquellos cuyo objetivo sea simplemente obtener un ingreso regular de su capital y nada más. Se puede discutir la magnitud de esta clase (puede haber cambiado de forma drástica como consecuencia de grandes movimientos históricos); sin embargo, en cualquier circunstancia, la restricción –*de que no tengan nada más en mente*– es importante. El inconveniente de los préstamos indefinidamente largos comienza a ser evidente tan pronto como es posible que un prestamista quiera recuperar su capital –y es difícil creer que esté totalmente ausente esta idea–. Como hemos visto, el tipo de interés que se puede ganar en un préstamo de duración determinada invirtiendo en obligaciones sin fecha de vencimiento siempre es hipotético. Si hay un aumento importante en el tipo de interés a largo plazo, el rendimiento efectivo puede desaparecer por completo. Pero es mucho menos probable que esto suceda si el valor adquirido tiene un vencimiento definido, incluso si se hace uso de él en una fecha diferente de la del vencimiento.

Por tanto, los prestamistas siempre tenderán a reducir los riesgos a los que están sujetos si pueden sustituir préstamos a más corto plazo por préstamos a más largo plazo, aunque la medida en que son conscientes de esta ventaja puede diferir en diferentes momentos. En general, podemos suponer que estarán dispuestos a hacer algún sacrificio de interés (que puede ser grande o pequeño) para lograr una mayor seguridad. Ahora bien, hemos visto cómo se determina el tipo de interés más probable que puede obtenerse de un préstamo de duración finita mediante la inversión en obligaciones sin fecha de vencimiento. Puede esperarse que los prestamistas acepten una cantidad inferior a ésta a cambio de la mayor seguridad de prestar a corto plazo. De esta forma se determinarán los tipos de interés a corto (y medio plazo). Estarán por debajo del rendimiento más probable de las obligaciones sin fecha de vencimiento durante el período del préstamo, diferenciándose de él, una vez más, por algún tipo de prima de riesgo «normal», cuya dimensión dependerá de la valoración que hagan del aumento de seguridad.

Como hemos visto, el rendimiento más probable durante un periodo finito de la inversión en obligaciones sin fecha de vencimiento estará por debajo del tipo de interés de mercado actual (a largo plazo) cuando se espera que ese tipo aumente en el futuro, y por encima de él en el caso contrario. Así, en condiciones estables, cuando se espera que el tipo a largo plazo permanezca estable, el tipo a corto estará por debajo de él en la prima de riesgo normal. Cuando se espera que el tipo a largo plazo aumente, el tipo a corto se situará aún más por debajo de él, y sólo cuando se espera que baje el tipo a largo, el tipo a corto plazo podrá situarse por encima del tipo a largo.

Se verá que estas conclusiones son perfectamente consistentes con las alcanzadas con nuestro método anterior. La única diferencia entre ellas es que, si bien explicamos el lapso de los tipos de interés en términos de expectativas sobre la evolución futura del tipo a corto plazo, aquí lo explicamos en términos de expectativas sobre la evolución futura del tipo a largo plazo. En la práctica, las expectativas relevantes son, sin duda, las expectativas sobre el curso de todo el sistema de tipos de interés, pero (siempre que sean bastante compatibles) pueden reducirse a cualquiera de los dos términos. El tipo a corto plazo solo puede estar por encima del tipo a largo plazo si el tipo a corto y el tipo a largo se consideran anormalmente altos. Pero estos fenómenos son, de hecho, mutuamente compatibles y tienden a producirse mutuamente. Sólo puede darse una posición de equilibrio temporal en la que se espera que el tipo a largo plazo caiga apreciablemente en el futuro cercano si se impide a los especuladores comprar valores inmediatamente para aprovecharse del alza esperada de su valor –como sucederá si el tipo a corto plazo es lo bastante alto como para compensar esta ganancia anticipada–. Pero al mismo tiempo (observando el problema desde otro punto de vista) este alto tipo a corto plazo tiende a elevar el tipo a largo plazo bastante por encima de lo normal, ya que el tipo a largo plazo es una media de los tipos a corto plazo corrientes y futuros, y esta media ha subido algo. Desde cualquier punto de vista, existe una tendencia a que los tipos a corto y a largo plazo se muevan en la misma dirección, pero a que el movimiento de los tipos a corto plazo tenga mayor amplitud.

Capítulo XII

La determinación
del tipo de interés

1. ABORDAMOS ahora una de esas cuestiones que ha ocupado el primer plano en los debates de la teoría monetaria moderna. ¿Qué es lo que determina el tipo de interés? Hasta hace muy poco, los economistas habrían respondido unánimemente que viene determinado por la demanda y la oferta de «capital», pero como no estaban muy seguros de qué querían decir exactamente con «capital», su unanimidad era más aparente que real. ¿Significa «capital real», en el sentido de bienes concretos y el poder de disponer de una determinada cantidad de ellos? Si se acepta esta interpretación, las fuerzas que gobiernan el tipo de interés se reducen naturalmente a los factores técnicos y psicológicos que influyen en la urgencia relativa de las necesidades de bienes presentes y futuros –es decir, obtenemos una teoría como la intrincada teoría desarrollada por Bohm-Bawerk–. ¿O estamos hablando de «capital monetario», en el sentido de fondos prestables, el poder de disponer de una determinada cantidad de dinero? Los resultados son muy distintos en función de la interpretación que adoptemos.

Esta primera división de opiniones es importante. Se trata de una controversia auténtica, en la que una debe ser la opción correcta y la otra equivocada, incluso si lo correcto o incorrecto pudiera no ser absoluto, sino sólo relativo a problemas particulares. Pero la controversia auténtica se ha complicado últimamente por una falsa controversia dentro de las filas de quienes se adhieren al enfoque monetario.[1] ¿El tipo de interés viene determinado por la oferta y la demanda de fondos prestables (es decir, por el endeudamiento y el préstamo), o está determinada por la oferta y la demanda del propio dinero? Keynes presenta este último punto en su *Teoría General*. Mostraré

[1] KEYNES, «Alternative Theories of the Rate of Interest» (*E.J.*, June 1937); réplicas de OHLIN, ROBERTSON, HAWTREY (*E.J.*, Sept. 1937); KEYNES, «The "Ex-Ante" Theory of the Rate of Interest» (*E.J.*, Dec. 1937); ROBERTSON y KEYNES en «Finance» (*E.J.*, June 1938).

que no importa si seguimos su formulación o la de aquellos autores que adoptan lo que ahora mismo parece ser una opinión rival. Si los dos métodos se siguen con rigor, llegan exactamente a los mismos resultados.

2.   Nuestro análisis anterior ya ha aclarado dos dificultades que, de otro modo, nos causarían muchos problemas. En primer lugar, es evidente que cualquier tratamiento que pretenda abordar el sistema económico en su conjunto (y la controversia ha venido por usar un análisis tan general) no puede estudiar el tipo de interés de forma aislada. Es un precio, como otros precios, y debe determinarse junto con ellos como parte de un sistema mutuamente interdependiente. El problema no es determinar un tipo de interés *aisladamente,* sino que, realmente, el problema general es la determinación de precios en una economía en la que se hacen préstamos, y en la que el tipo a de interés es, por tanto, una parte del sistema general de precios de la economía. Esta forma de verlo parece complicar el problema, pero en realidad lo hace mucho más fácil de entender.

En segundo lugar, no podemos determinar el tipo de interés salvo en un sistema económico donde solo haya un tipo de interés. En cualquier otro caso, tenemos que tratar con todo un sistema de tipos de interés. Ahora ya nos hemos familiarizado con dos modelos simplificados diferentes en los que sólo hay un tipo de interés: la economía al contado con préstamos a corto plazo y la economía al contado con préstamos a largo plazo, descrita en el capítulo anterior. El problema que tenemos que considerar aquí se reduce a estos casos simplificados, pues ya hemos recorrido gran parte del camino para aprender a determinar el sistema de tipos de interés, una vez que se determina uno u otro de los tipos básicos –esto es, el tipo a corto y el tipo a largo plazo–.

Así, el problema particular que nos queda por discutir aquí es la determinación del sistema de precios al contado establecido en un lunes determinado. Este se divide en dos sub-problemas, según que supongamos que los préstamos a corto plazo o los préstamos a largo plazo son el único tipo de préstamo que se practica. Consideremos estas dos preguntas a la vez.

3.   En una economía al contado con préstamos a corto plazo, en cuanto se abre el mercado se despeja el camino de todos los contratos pasados. Los únicos precios que hay que determinar son los precios al contado de bienes y servicios, y el tipo de interés de los préstamos a una semana, esto es, préstamos de este lunes al próximo lunes. Estos están determinados por las demandas y las ofertas actuales. Sobre la base de cualquier conjunto de precios corrientes (incluido el tipo de interés corriente), tanto los empresarios como los particulares elaborarán planes, aunque estos planes se regirán no solo por los precios corrientes y el tipo de interés corriente, sino también por sus expectativas de los movimientos futuros de precios y del

tipo de interés. Las demandas y ofertas actuales son simplemente facetas de estos planes, ya que los planes incluyen decisiones sobre la política económica actual y también decisiones provisionales sobre la política económica futura. Pero, en una economía al contado, sólo hay decisiones sobre la política económica actual y, por tanto, sólo coinciden las demandas y ofertas corrientes en el mercado. Si el sistema de precios propuesto por primera vez no provoca una serie de planes que igualen la demanda y la oferta actuales, deberá ajustarse hasta que se alcance un equilibrio temporal. El equilibrio temporal implica que la demanda y la oferta actuales se igualarán.

Para convencerse de la solidez interna de este sistema, es necesario verificar el número de precios que hay que determinar y el número de ecuaciones de oferta y demanda de que disponemos para determinarlos, como hicimos al tratar con sistemas estáticos.[2] Supongamos que hay n tipos de bienes y servicios intercambiables. Entonces, en total, hay n precios por determinar,[3] porque entre los «bienes» debe incluirse el bien que se toma como patrón de valor (dinero). Esto nos deja precios $n-1$ de los otros bienes y servicios en términos del patrón, y un tipo de interés (aquí el tipo de interés de los préstamos por una semana). Esto supone n precios en total. Para determinar los n precios, tenemos $n-1$ ecuaciones de oferta y demanda de las $n-1$ mercancías (excluida el dinero), una ecuación de oferta y demanda de préstamos y una de dinero. Esto hace $n+1$ en total. Sin embargo, como en los sistemas walrasianos que conocemos previamente, una de estas $n+1$ ecuaciones se deduce del resto. Esto nos deja n ecuaciones para determinar los n precios. El sistema no está ni sobre-determinado ni sub-determinado.

Valdrá la pena examinar con cuidado la forma en que se puede eliminar la ecuación $(n+1)$. Dado que todo comercio es un intercambio de valores monetarios por valores monetarios equivalentes, un individuo solo puede gastar más de lo que recibe si pide prestado o reduce su saldo de efectivo. Sólo puede gastar menos de lo que recibe si presta o aumenta su saldo de efectivo. Así podemos escribir, para cualquier individuo,

Adquisición de efectivo por actividad comercial = Ingresos – Gastos – Préstamos

(teniendo en cuenta que algunos de estos elementos pueden ser negativos). La misma ecuación se aplicará a los empresarios en sus cuentas privadas. Por tanto, también se mantendrá para las cuentas privadas de todas las personas (incluidos los empresarios) en su conjunto.

---

[2] Cf. capítulos IV y VIII anteriores.

[3] Por supuesto, puede ser que algunos de estos bienes, aunque intercambiables, no cambien de manos durante la semana corriente. A pesar de eso, será conveniente pensar en ellos como si tuvieran un precio de mercado, fijo (o aproximadamente fijo) de tal manera que su demanda – oferta = 0.

El caso de una empresa es más complicado. Inicialmente, agotará su saldo de efectivo reembolsando los préstamos de la semana pasada, pero se puede esperar que cubra esto hasta cierto punto (o tal vez más que cubrirlo) volviendo a tomar prestado. Reducirá su saldo de efectivo por cualquier adquisición que haga de factores de producción, y lo aumentará por cualquier venta de productos. Finalmente, disminuirá su saldo de efectivo por cualquier dividendo que pague a los empresarios.

Por tanto, para una empresa,

Adquisición de efectivo por actividad comercial

= Valor del *output* – Valor del *input*
    – Devolución de préstamos antiguos + Préstamos nuevos
    – Dividendos.

La misma ecuación es válida para todas las empresas tomadas en su conjunto. Además, cuando se utiliza la ecuación para la industria en su conjunto, se pueden excluir todos los bienes semielaborados que se venden a otras empresas. Una vez que se han establecido las ecuaciones de oferta y demanda de estos bienes, puede suponerse que se anulan entre sí. El *input* a contabilizar es simplemente el trabajo y los bienes materiales proporcionados por los individuos. La producción es simplemente la de productos terminados vendidos a particulares.

Del mismo modo, una parte de los ingresos de los particulares se debe a los gastos de otros particulares. Podemos suponer que esto también se compensa cuando se toman juntas todas las cuentas privadas. Los ingresos *netos* de los particulares se derivan entonces de los *inputs* de las empresas, de sus devoluciones de préstamos antiguos y de sus pagos de dividendos. Si las demandas igualan la oferta en los mercados de *inputs*, esos totales tienen igual valor. (El pago de deudas se conoce por anticipado y los dividendos son arbitrarios). De manera similar, si la demanda es igual a la oferta en los mercados de producción, el valor de la producción de la industria es igual al gasto neto de los particulares. Si la demanda es igual a la oferta en el mercado de préstamos, pedir prestado es igual a prestar.

Por tanto, para la comunidad en su conjunto,

Adquisición neta de efectivo por actividad comercial

= (Valor del *output* – Gasto neto de los particulares)
    + (Ingresos netos de personas privadas – Valor del *input* – Dividendos
      – Devolución de préstamos antiguos)
    + (Deudas – Préstamos)
= 0.

Decir que la adquisición neta de dinero mediante el comercio es igual a cero, en la comunidad en su conjunto, es lo mismo que decir que la demanda de dinero es igual a la oferta de dinero. En consecuencia, si hay equilibrio en los mercados de bienes y servicios y en el mercado de préstamos, también debe haber equilibrio en el mercado de dinero. Solo hay n ecuaciones independientes para determinar los precios, por lo que el sistema es perfectamente consistente.

4.   Antes de pasar a considerar las implicaciones de esto, desviémonos para elaborar nuestro otro modelo de manera similar. En una economía al contado con préstamos a largo plazo existen, como antes, n precios (los $n-1$ precios de bienes y servicios, y el tipo de interés corriente único de las obligaciones sin fecha de vencimiento). A esto podríamos agregar, si quisiéramos, los precios de los valores antiguos, pero parece más sencillo suponer que se ajustan directamente al nuevo tipo de interés por la regla habitual. Cualquier valor, antiguo o nuevo, en este mundo es una promesa de pago de unas sumas de dinero determinadas a perpetuidad. Al considerar la promesa de pagar (digamos) 1 libra por año como una unidad de los «títulos», podemos reducirlos todos a una mercancía homogénea, cuyo precio es el recíproco del tipo de interés corriente. (Por supuesto, no importa si tomamos como precio a determinar este tipo de interés recíproco o el tipo de interés corriente).

Como antes, tenemos $n+1$ ecuaciones de oferta y demanda, dadas por los $n-1$ bienes y servicios, por valores y por dinero. Como antes, se puede eliminar una ecuación. Pero la eliminación tiene diferentes implicaciones en este caso, ya que, por un lado, ahora no hay devolución de deudas en el momento de la apertura del mercado y, por otro lado, el endeudamiento puede implicar vender títulos antiguos, así como emitir nuevos. El esquema general de la eliminación es el siguiente:

Para cualquier individuo,

Adquisición de efectivo

= Ingresos (incluidos los intereses sobre los valores poseídos)
– Gasto – Valor de los títulos adquiridos.

Para cualquier empresa,

Adquisición de efectivo = Valor del *output* – Valor del *input*
– Intereses de las deudas – Dividendos
+ Valor de los títulos emitidos (o vendidos),

Para la comunidad en su conjunto,

Gasto neto de los particulares = Valor del *output* neto,

Ingresos netos de los particulares
= Valor del *input* neto + Dividendos + Pagos de intereses,

Valor de los títulos comprados = Valor de los títulos vendidos (o emitidos).

Por tanto, como antes, la adquisición neta de efectivo por actividad comercial = 0. Como antes, el sistema queda determinado con n incógnitas y n ecuaciones independientes.

5.   Es hora de que analicemos qué significa esta eliminación de la ecuación impar. Significa que si se establece un sistema de precios que equipara la demanda y la oferta de cada uno de los $n-1$ bienes y servicios, y equipara la demanda y la oferta de valores (o préstamos), entonces la demanda y la oferta de dinero deben ser iguales, de modo que esa ecuación no tiene nada más que añadir. Pero debe observarse que el argumento simplemente nos permite eliminar una de las $n+1$ ecuaciones; no importa en lo más mínimo qué ecuación elijamos eliminar. Si decidimos eliminar la ecuación del dinero, entonces podemos pensar que los precios y los intereses se determinan en los mercados de bienes y servicios y en el mercado de préstamos; la ecuación del dinero se vuelve completamente innecesaria, sin nada que decirnos. Pero solo tenemos que plantear el argumento de otra manera, y podremos eliminar cualquier otra ecuación que elijamos. Si optamos por eliminar otra ecuación, la ecuación del dinero vuelve por sus fueros. La otra ecuación pierde importancia, mientras que la ecuación del dinero juega un papel efectivo en la determinación del sistema de precios.

Por tanto, siempre que se utilice la ecuación monetaria como parte efectiva del mecanismo de determinación del precio, debe entenderse que se ha seleccionado alguna otra ecuación para su eliminación. En las versiones más desarrolladas de la teoría cuantitativa del dinero, donde la ecuación del dinero se utiliza para determinar el *nivel de precios*, debe suponerse que los valores relativos de otros bienes y servicios se determinan de forma independiente, siendo necesaria la ecuación del dinero para determinar solo sus valores monetarios. Sin embargo, es imposible determinar, incluso, precios relativos, excepto en términos de algún patrón. Por tanto, los precios de los bienes y servicios deben fijarse primero en términos de alguna mercancía patrón auxiliar (trabajo no calificado en los clásicos, un bien de consumo representativo en los autores más modernos), y luego se utiliza la ecuación del dinero para determinar el valor monetario del patrón auxiliar, es decir, el valor del dinero. Todavía hay una ecuación superflua, pero es la ecuación de la oferta y la demanda del patrón auxiliar, no del dinero.

En sí mismo, este es un enfoque perfectamente legítimo, pero tiene un peligro que es, de hecho, la fuente de la mayor parte de los problemas que han surgido en relación al tema. Si la ecuación elegida para la eliminación es la de una mercancía patrón auxiliar, entonces parece que todo el sistema de precios relativos pudiera elaborarse en términos «reales», y la cuestión del valor del dinero solo se presente después. Los valores (relativos) de las mercancías y el valor del dinero se convierten en cuestiones completamente separadas, incluso en materias completamente distintas. Su estudio y enseñanza pueden encomendarse, como se ha hecho, a distintos especialistas. Pero, si se mantiene esta dicotomía, ¿qué pasa con el tipo de interés?

El especialista en temas monetarios, decidido a determinar el nivel de precios por medio de la ecuación monetaria, refina esa ecuación y, al refinarla, no puede evitar tropezar con el interés, por ejemplo, en forma de tasa bancaria. Pero considera este interés como un factor que en cierto sentido controla la cantidad de dinero y puede que no relacione con el problema del interés general. El especialista en economía «real», en cambio, considera que la determinación del tipo de interés cae dentro de su ámbito porque lo único que ha encomendado al especialista en temas monetarios es la ecuación del dinero. Todas las demás ecuaciones *vivas* (de acuerdo con este plan, la ecuación de oferta y demanda de capital crediticio es una ecuación *viva*) son asunto del economista «real». Pero el economista «real», trabajando con su patrón auxiliar, determinando únicamente valores en términos de ese patrón y sin prestar atención al valor del dinero, no puede manejar el tipo de interés. Si no tiene mucho cuidado con el camino que sigue, se encontrará determinando, no el verdadero tipo de interés, que (como hemos visto) es un tipo monetario, sino el único tipo de interés que está contenido dentro de su limitado sistema –un tipo que indica el valor de las entregas futuras de la mercancía patrón auxiliar en términos de las entregas corrientes del mismo patrón auxiliar–.

Ahora bien, no hay ninguna razón por la que este tipo «natural» (como podemos llamarlo, siguiendo a Wicksell[4]) sea el mismo que el auténtico tipo de interés *monetario*. Como hemos visto, serán idénticas sólo si los precios de futuros del producto auxiliar son los mismos que los precios al contado.[5] Esta condición se cumplirá si no se espera que el valor del dinero (o el valor del dinero de la mercancía patrón auxiliar) cambie en absoluto, y si esta expectativa es absolutamente cierta, de modo que no haya el riesgo. (También hay otras condiciones especiales para que se cumpla, pero estas obviamente no son relevantes). El supuesto de valor constante del dinero es una limitación importante al argumento, pero el supuesto de que no hay riesgo es más que una limitación: es una fuente de error real.

Por supuesto, no debemos negar la posibilidad de superar esta dificultad. Una vez que se comprende claramente que un tipo de interés en términos del patrón auxiliar probablemente no es lo mismo que el tipo de interés monetario, todavía se puede utilizar el método general de trabajo en términos reales. Pero hay poco que decir como aproximación al problema del interés. Parece que será mejor eliminar otra ecuación.

6. En su *Teoría General del Empleo*, Keynes tiene mucho que decir contra la dicotomía entre economía real y economía monetaria, en parte por la falsificación

[4] Puede considerarse que la obra *Geldzins und GiJterpreise*, de Wicksell, fue un primer intento de resolver esta dificultad comparando el tipo de interés *monetario* (del que hablan los especialistas en *economía monetaria*) con el tipo *natural* (del que hablan los especialistas en *economía real*). Regresaremos al argumento de Wicksell más tarde; ver más abajo, pp. 282-4.
[5] Ver anteriormente, p. 162.

del tipo de interés, en parte por la dificultad a la que está expuesta cuando se tiene en cuenta la existencia de precios convencionales, fijados en términos monetarios.[6] Debe observarse que estas objeciones son bastante independientes. Cualquiera que sea la opinión que uno tenga sobre la rigidez de los salarios nominales, la objeción de los tipos de interés es válida. Basta por sí misma para justificar que Keynes se niegue a ceder la determinación del tipo de interés a la economía «real».

Pero no basta por sí misma para adoptar una decisión sobre cuál es la mejor manera de considerar la determinación del tipo de interés. Incluso si abandonamos el patrón auxiliar, todavía hay distintas opciones de la ecuación que podemos eliminar. Podemos eliminar la ecuación monetaria, determinando así los precios de las mercancías a través de las demandas y ofertas de las mercancías, y el tipo de interés por la oferta y la demanda de fondos de préstamos. Este es el camino más natural a seguir, y no parece que haya ningún inconveniente en seguirlo. O, alternativamente, podemos seguir a Keynes al eliminar la otra ecuación que destaca del resto por su peculiaridad: la ecuación de la demanda y oferta de préstamos, o compra y venta de valores. Si se hace esto, los $n - 1$ precios ordinarios y el tipo de interés único se determinan mediante las n ecuaciones de oferta y demanda de las mercancías, incluido el dinero. Por supuesto, como siempre, cada ecuación juega su papel en la determinación de todos los precios, pero como es natural «aparejar» el precio de cada mercancía con la ecuación de oferta y demanda para esa misma mercancía, el tipo de interés tiene que «encajar» con la ecuación de la oferta y la demanda de dinero.

Me parece que cualquiera de estos métodos es perfectamente legítimo y que la elección entre ellos una cuestión de pura conveniencia. Tal y como se ha desarrollado la teoría económica, el método de Keynes tiene la ventaja de que conserva las excelencias de los especialistas monetarios, en vez de obligarlos a convertirse en economistas generales como el otro método. Simplemente desvía su atención de la determinación del nivel de precios a la determinación del tipo de interés. Siguiendo el otro método, tenemos que estar preparados para mantener en mente los factores monetarios todo el tiempo. Por otro lado, el método de Keynes deja de ser conveniente cuando abandonamos la economía al contado, con su tipo de interés único, y comenzamos a preocuparnos por el sistema de tipos de interés. Los títulos no son, de hecho, una «mercancía homogénea», de modo que, si se eliminan de las ecuaciones de determinación, es muy probable que no se preste demasiada atención a sus diferencias. (Ésta no es una objeción muy seria en lo que respecta a los títulos de diferente vencimiento. Vimos en el capítulo anterior que la determinación de los tipos de interés relativos sobre préstamos de diferente vencimiento podría reducirse a la especulación sobre el curso futuro del tipo de interés. Las diferencias debidas al riesgo de incumplimiento son más serias, pero probablemente se puedan encontrar formas

---

[6] Ver Nota al capítulo VIII anterior.

de abordarlas de alguna manera.) Sin embargo, todas estas ventajas y desventajas son cuestiones de opinión. No hay ninguna razón que nos obligue a comprometernos con el uso constante de uno u otro método. De hecho, es muy útil tener dos métodos para hacer verificaciones.

La importante ventaja que extrae el propio Keynes de su forma de plantear el problema es que le brinda una excelente oportunidad de subrayar la estrecha conexión entre dinero e interés. Ya es hora de que nos ocupemos del asunto.[7]

[7] Parece que mi primer intento de convencer a KEYNES de que esta es una forma válida de abordar su teoría no tuvo mucho éxito. (KEYNES, «Alternative Theories of Interest», *E.J.*, June 1937, citando mi artículo de revisión, «Mr. Keynes's Theory of Employment», *E.J.*, June 1936.) Creo que la confusión que había en este artículo se debe, principalmente, al hecho de que no veía con claridad las diferentes propiedades de una economía al contado con préstamos a corto plazo frente a una economía al contado con préstamos a largo plazo. KEYNES trabaja habitualmente con este último modelo. Antes de la aparición de su libro, yo ya estaba empezando a descubrir las propiedades del primer tipo de economía. El método de eliminar la ecuación de los préstamos (o valores) se puede utilizar con cualquiera de los modelos. Había descubierto su utilidad para mi modelo antes de que saliera el libro de KEYNES. (Véase mi «Wages and Interest», *E.J.*, Sept. 1935, p. 467.) Espero que el presente capítulo aclare el asunto.

Capítulo XIII

Interés y dinero

1. TODO TÍTULO que devenga un interés fijo (letra, bono u obligación) es una promesa de pago de una suma de dinero en el futuro; pero hay ciertos tipos de promesas de pago, que generalmente no se consideran títulos pero que en sí mismas son tipos de dinero y deben caer bajo la misma clasificación. Los depósitos bancarios, comúnmente considerados dinero hoy en día, son promesas de pagar dinero en el futuro, incluso los billetes de banco son promesas de pago. Este carácter de los billetes de banco es evidente y parece de sentido común si el billete de banco es una promesa de pagar algún otro dinero (oro o los billetes de alguna entidad bancaria superior). La situación se vuelve muy paradójica cuando el dinero superior ha desaparecido. Sin embargo, esa paradoja refleja una parte esencial del problema y no es, en absoluto, un accidente. No está de más que nos lo recuerde siempre en nuestros bolsillos la inscripción del billete de 1 libra del Banco de Inglaterra: «Promesa de pagar al portador a la vista la suma de una libra».

Las clases de títulos que son dinero se diferencian de los que no lo son por el hecho de que no devengan intereses, es decir, su valor presente es igual a su valor nominal, en vez de caer por debajo de su valor nominal, como es el caso de los billetes. Visto de esta manera, el dinero aparece simplemente como la clase más perfecta de valor. Otros valores son menos perfectos y su precio más bajo se debe a su imperfección. El tipo de interés de estos valores es una medida de su imperfección –de su «dinerosidad» imperfecta–. La naturaleza del dinero y la naturaleza de los intereses son, por tanto, casi el mismo problema. Cuando hayamos decidido qué es lo que hace que la gente dé más por los valores que se consideran dinero que por los valores que no, habremos descubierto también por qué se paga un tipo de interés.

En el capítulo anterior sobre el tipo de interés ya hemos visto que una parte de los intereses pagados sobre valores reales debe atribuirse al riesgo de incumplimiento, y una parte de los intereses pagados, al menos sobre valores a largo plazo, debe atribuirse a la incertidumbre sobre la evolución futura de los tipos de interés. Ambos son puramente elementos de riesgo. Si estos fueran los únicos elementos de interés, sería cierto decir que, al final, todo interés no es más que una prima de riesgo. Esa es, lo sé, la opinión de Keynes; su doctrina de la «preferencia por liquidez» parece reducir todo interés a estos dos factores de riesgo.[1] Pero decir que el tipo de interés de valores perfectamente seguros no está determinado por nada más que la incertidumbre de los tipos de interés futuros no resuelve el problema; uno siente que debe haber más que eso, e intentaremos descubrir en qué consiste ese algo más.

2.   La manera de acercarnos más a la verdadera naturaleza del interés es considerar la relación entre el dinero y esa clase de valores que más se acerca al dinero, sin serlo del todo. Esta es la letra a muy corto plazo, una letra pagadera en un futuro muy cercano cuando se considera que se encuentra perfectamente a salvo del riesgo de incumplimiento. Si podemos encontrar una razón por la que un billete de este tipo deba tener un valor menor que su valor nominal, es decir, menor que el dinero del mismo valor nominal, habremos encontrado una razón para la existencia del interés puro.

Comencemos por considerar este problema a la luz del sistema modelo que hemos estado utilizando hasta ahora. (En realidad, no es una de esas cuestiones que se puedan discutir del todo en términos de nuestro sistema modelo. Aun así, es un buen comienzo).

Si los mercados solo abren cada lunes, y la vigencia mínima de una letra es de un lunes a otro, ¿es posible que dicha letra se pague con descuento en relación al dinero? (Hasta ahora hemos supuesto que es posible, pero ahora vemos que este supuesto es cuestionable.) Si las letras se pagan con descuento y, en consecuencia, devengan intereses, ¿hay algo que pueda impedir que un individuo invierta todos sus fondos excedentes en letras y las conserve durante la semana de esa forma? Si no hay nada que lo detenga, entonces el dinero no tiene superioridad sobre las letras y, por lo tanto, no puede pagar una prima en relación con las letras. El tipo de interés debe ser nulo.

El único posible incentivo para mantener dinero es uno que ya mencionamos en un capítulo anterior, pero que ahora debemos explorar más a fondo. Si las personas reciben un pago en forma de dinero por las cosas que venden, convertir este dinero en letras requiere una nueva operación, y la molestia que ocasiona realizarla puede compensar la ganancia en intereses. Si se eliminara este obstáculo y se pudieran adquirir letras seguras sin ningún problema, la gente estaría dispuesta a convertir todo su dinero en letras, siempre que se ofreciera algún interés. En las condiciones de nuestro modelo, lo que explica el tipo de interés a corto plazo debe ser la incomodidad de realizar operaciones.

La magnitud de ese tipo de interés mide la molestia que implica invertir fondos, no en general, sino para el prestamista marginal. No hay razón para suponer que el

---

[1] Keynes, *Teoría General,* Cap. 13.

coste de dicha inversión será el mismo para diferentes prestamistas. Por lo general, se pueden realizar las operaciones relativamente grandes casi tan fácilmente como las transacciones pequeñas, pero el interés total ofrecido para una suma grande es mucho mayor que para una suma pequeña. Por tanto, los grandes capitalistas se verán tentados a comprar billetes con mucha más facilidad que los pequeños capitalistas. Si la demanda de préstamos de una semana fuera lo suficientemente baja como para que los grandes capitalistas pudieran satisfacerla íntegramente, el tipo de interés de estos préstamos sería muy bajo, prácticamente nulo. Pero si fuera necesario recurrir a los fondos de los pequeños capitalistas, se podría esperar que el tipo aumentara bruscamente después de cierto punto.

Esta es una forma de ver la determinación del tipo de interés a corto plazo, pero no es del todo satisfactoria, incluso en términos de nuestro sistema modelo. Para que el coste de invertir fondos sea una barrera efectiva para la adquisición de letras, es necesario que la gente tenga que realizar una operación separada para poder adquirir letras. Pero esto último sólo ocurrirá si se les paga por las cosas que venden en otro bien, a saber, en dinero. Ahora bien, si las letras son perfectamente seguras (y hemos supuesto que estábamos tratando con letras en las que no había riesgo de incumplimiento), ¿por qué no se debería pagar a las personas en forma de letras y no de dinero? Si esto sucediera en general, no habría ningún coste de inversión y, por tanto, parecería que no hay razón para que las letras se paguen con descuento.

Ésta no es, en absoluto, una hipótesis irreal; es lo que sucede realmente con una determinada clase de letras. Como vimos al comienzo de este capítulo, los billetes de banco (e incluso los depósitos bancarios) son letras que no tienen descuento y, por tanto, se contabilizan como una especie de dinero. Si el riesgo de incumplimiento se descarta de manera tan general que todos los comerciantes consideran, y se sabe que reconocen, una letra determinada como perfectamente segura, entonces no hay razón por la que esa letra deba tener un descuento, ya que se puede evitar el inconveniente del coste de inversión. Pero esta aceptabilidad general es algo diferente a la mera ausencia de riesgo de incumplimiento que supusimos anteriormente. Aquellos que la aceptan pueden considerar una clase de letras perfectamente segura y, sin embargo, estas personas pueden ser diferentes de aquellas a quienes el prestatario tiene que hacer los pagos. Estos últimos no aceptarían sus letras, por lo que tiene que pagar en *efectivo*. Los primeros están perfectamente dispuestos a prestar, pero requieren intereses para compensar su coste de inversión.

Así, la «dineridad» imperfecta de esas letras que no son dinero se debe a su falta de aceptabilidad general, y esta falta de aceptabilidad general es lo que causa la molestia de invertir en ellas y lo que hace que tengan un descuento.

3.   En lo que respecta a nuestra economía modelo, realmente eso es todo lo que hay que decir sobre la relación entre el dinero y el interés. Ahora hemos visto cómo surge un tipo de interés a corto plazo. Los tipos a largo plazo se han explicado en el capítulo XI en términos de especulación sobre la evolución futura del tipo a corto plazo. Pero dado que, en realidad, no hay un periodo mínimo de endeudamiento y préstamo, y no hay división de las operaciones en «días de mercado» discontinuos (como hemos supuesto por conveniencia), esas influencias, que hemos explicado que actúan sobre el tipo a corto plazo, se entrelazarán con los elementos especulativos discutidos anteriormente. En la práctica, no existe un tipo de interés tan a corto plazo que no pueda verse afectado por elementos especulativos, y no existe un tipo de interés tan a largo plazo que no se vea afectado por las ventajas del uso alternativo entre fondos y tenencia de efectivo.

Cualquiera que compre una letra que tenga vigencia por un periodo superior al mínimo (esto significa en la práctica cualquier letra) debe tener en cuenta la posibilidad de que quiera volver a utilizar sus fondos antes de que venza la letra. Si esto sucediera, tendría que volver a descontar su letra. El redescuento implicará necesariamente iguales molestias (o incluso mayores) a la que conllevó el acto original de inversión. También puede implicar un riesgo adicional que, si los tipos de interés han aumentado entre la fecha de la inversión original y la del redescuento, es posible que solo pueda redescontar en condiciones desfavorables. Cuanto más tiempo transcurra antes del vencimiento de la letra, es probable que este último riesgo sea más grave. Y así, como vimos en nuestras discusiones anteriores sobre el tipo de interés a largo plazo, el tipo a largo plazo *normalmente* excede al tipo a corto por una prima de riesgo, cuya función es compensar el riesgo de un movimiento adverso de los tipos de interés. Este tipo de prima de riesgo es fundamental para la diferencia entre tipos a largo y a corto, pero cuanto más corto sea el periodo de vigencia de una letra, más probable será que este riesgo sea menos importante. Por lo general, la principal pérdida en que se puede incurrir si se tiene que descontar la letra no será otra que la simple molestia del redescuento. El riesgo de esta molestia es el principal de los que deben tenerse en cuenta.

Para resumir estas conclusiones, los valores que no son generalmente aceptables para el pago de deudas devengan algún interés porque son imperfectamente «dinero». No obstante, incluso si los prestamistas reales descartan la posibilidad de incumplimiento, hay costes y riesgos implicados cuando los fondos se mantienen en forma de valores en vez de dinero, por lo que los prestamistas requieren alguna compensación. (1) Cuando se trata de una letra a tan corto plazo que descarte la posibilidad de redescontarla, la única inferioridad de la letra estriba en el coste de la inversión, por lo que el tipo de interés de la letra corresponde al coste de inversión para el prestamista marginal. (2) En el caso de una letra con un vencimiento bastante superior a este, también debe considerarse la posibilidad de tener que redescontarla. El tipo de interés de dicha letra deberá compensar además el riesgo de que sea necesario dicho redescuento para ofrecer alguna compensación por las molestias que se producirían en esa eventualidad. (3) Para las letras de vencimiento aún mayor, para valores a largo plazo en general y (a veces) incluso para letras a corto, hay que considerar el riesgo adicional de que, en caso de ser necesario el redescuento, solo pueda lograrse en condiciones desfavorables. Pero este riesgo adicional, aunque siempre es importante para los valores a largo plazo, sólo se vuelve importante también para los valores a corto plazo si el primer riesgo (de tener que redescontar) ya es importante. Por tanto, sólo puede esperarse que influya en los tipos de interés a corto plazo en condiciones de gran tensión –podríamos decir, en condiciones de crisis–.

4. Los diversos tipos de valores que hemos estado considerando –incluido el dinero–, se comportan de manera muy parecida a la de una cadena de mercancías sustitutivas, digamos diferentes calidades de trigo o azúcar. El dinero representa naturalmente la calidad superior, y es por eso que otras calidades normalmente tienen un descuento en relación con el dinero.[2] Debido a que el dinero y los títulos son una cadena de sustitutivos, los tipos de interés suelen ser positivos, y por la misma razón (excepto cuando el riesgo de incumplimiento es muy alto) generalmente son bajos – unos pocos puntos porcentuales anualmente–.

En las etapas primitivas de la sociedad, el único «dinero» que ocupaba el grado superior generalmente era algún tipo de mercancía material duradera; y mientras esto fue así, no era fácil distinguir la demanda de la mercancía como dinero de su demanda como bien de consumo duradero –o incluso entender qué significaba la demanda de la mercancía como dinero–. Pero cuando algunos tipos de promesas de pagar dinero empezaron a ser tan generalmente aceptadas que se convirtieron en sustitutivos perfectos del dinero original –y, por tanto, a clasificarse dentro de la categoría superior– quedó claro que la demanda puramente monetaria había adquirido una existencia independiente. El dinero había dejado su etapa de crisálida de bien de consumo duradero y se había convertido en dinero puro –que no es más que el tipo más perfecto de valor–.

Las letras de vencimiento a corto plazo forman el siguiente grado de calidad, al no ser un dinero perfecto, pero sí sustitutivos muy cercanos del mismo. Ese grado de cercanía se puede observar claramente si comparamos el tipo de fluctuaciones que tienen lugar (en un mercado organizado) en el valor monetario de las letras de primera calidad a tres meses, con las variaciones que tienen lugar en los valores relativos de diferentes grados de calidad de la misma mercancía física. 100 libras es un precio increíblemente alto y 98 libras un precio extremadamente bajo para una letra de 100 libras; pero consideraríamos que dos bienes materiales son muy buenos sustitutivos incluso si sus valores relativos están sujetos a fluctuaciones muy superiores a esas.

---

[2] Las únicas excepciones a esta regla se encontrarán en aquellos casos en que la posesión de dinero no se considere perfectamente segura, y las existencias de dinero estén expuestas a depreciación (en términos monetarios) por robo o confiscación. Ésta es la razón por la que la gente está dispuesta a pagar gastos bancarios por el mantenimiento de pequeñas sumas, es decir, a aceptar un tipo de interés negativo.

Los títulos a más largo plazo constituyen una categoría aún inferior, valen menos y –a partir de las fluctuaciones que se producen en sus valores–, obviamente son sustitutivos mucho menos perfectos. (Es posible que sea menos propenso a fluctuar el tipo de interés anual sobre valores a largo plazo, libre de riesgo de incumplimiento, que el tipo de interés anual sobre títulos a corto plazo, pero el valor de capital de los títulos a largo plazo es mucho más susceptible de fluctuar.) Aun así, se produce una sustitución entre dinero y títulos a largo plazo y puede resultar útil trazar algunas de sus diferentes formas.

En primer lugar, tenemos el caso del pequeño inversor normal que compra valores a largo plazo para poder vivir de sus intereses. Antes de poder invertir tendrá que acumular un saldo monetario, ya que el coste y la dificultad de invertir le disuaden de invertir sumas demasiado pequeñas. Desde su punto de vista, lo realmente importante es el coste de la inversión; probablemente sea el principal determinante de la fecha en la que convierte su dinero en valores. Por tanto, aquí no puede haber mucha sustitución directa. Un cambio en el tipo de interés a veces puede afectar a la fecha en la que realiza su compra, pero se puede suponer que se necesitaría un gran cambio en el tipo de interés para provocar un efecto sustancial sobre este tipo de margen.

En segundo lugar, está el inversor más especulativo. Si no se halla en contacto suficientemente estrecho con el mercado monetario como para tener fácil acceso a emisiones a corto plazo, se servirá del mercado de valores a largo plazo como el lugar donde emplear los fondos que sólo estén ociosos temporalmente. Esta clase comprende a todos los inversores privados que necesitan prestar mucha atención al valor de capital de sus títulos, porque quieren venderlos para adquirir propiedades (casas, etc.); aquellas empresas e instituciones que invierten una parte de sus activos en valores (un grupo que en la actualidad es muy importante); y finalmente también inversores especulativos en sentido estricto, que buscan obtener ganancias de capital mediante la especulación y que, como consecuencia, deben estar preparados para hacer frente a las pérdidas de capital. Para todos estos, el margen que hay entre dinero y valores es un margen muy sensible. Cuanto más conscientes sean de la importancia de las pérdidas de capital, más fácilmente modificarán su forma de actuar cuando varía el tipo de interés.

Sin embargo, la mayoría de esta segunda clase dispone al menos de una clase de garantías a corto plazo; pueden depositar sus fondos en un banco, en una cuenta de depósito. Así, la segunda clase se funde imperceptiblemente con la tercera. Los propios bancos, las entidades financieras, instituciones públicas, grandes firmas industriales y comerciales, todos ellos tienen a su disposición toda una gama de valores de diferente vencimiento. Por tanto, probablemente tenga lugar una sustitución entre dinero y valores a largo plazo, principalmente a través de valores y letras a corto plazo. Si el tipo a largo plazo es demasiado bajo como para compensar el riesgo de pérdida de capital, empiezan a desviarse a los valores a corto plazo; si el tipo a corto plazo es demasiado bajo como para compensar los riesgos implicados, mantendrán su dinero en efectivo; un pequeño incentivo basta para inducirles a realizar estos cambios. Los que más lógica dan al sistema de intereses son estos inversores profesionales, que se dedican a toda clase de valores y prestan mucha atención a las pequeñas diferencias en los tipos de interés (así como los profesionales de las operaciones de arbitraje son los que dan sentido al sistema de tipos de cambio de divisas). El pequeño inversor no tiene por qué tener un papel muy importante en este sentido; basta con los especialistas.[3]

Todo el funcionamiento del sistema de tipos de interés es un ejemplo de cómo actúa la regla general de sustitución: si dos mercancías son sustitutivas cercanas de un sector importante de un mercado, se comportarán como sustitutivas cercanas del mercado en su conjunto.

5.   En este capítulo no pretendemos ofrecer una teoría completa de la demanda de dinero, y menos aún plantear una teoría completa del funcionamiento del tipo de interés. Ambos asuntos deben dejarse de lado para un análisis más sistemático en la Parte IV. Pero me parecía que debía dar aquí alguna indicación preliminar del punto de vista desde el cual pretendemos abordar los problemas monetarios, y una revisión preliminar de la relación entre dinero e interés. El hecho de que el dinero y los títulos sean sustitutivos cercanos es absolutamente fundamental para la economía dinámica; perderíamos el tiempo si no nos diéramos cuenta de ello lo antes posible.

Entre las propiedades más importantes del dinero real que necesitaremos tener en cuenta en nuestras futuras investigaciones está esta estrecha sustituibilidad. Por lo demás, no pasa nada si seguimos pensando en el dinero como lo hemos hecho en capítulos anteriores –como una mercancía patrón, una mercancía seleccionada entre el resto para que sirva como patrón de valor–. Dado que una de las propiedades del dinero real es que se usa como patrón de valor, las diversas proposiciones que establecimos en capítulos anteriores sobre la mercancía patrón son aplicables al dinero real. Pero no sólo son aplicables al dinero real, sino que también a cualquier otra mercancía que queramos tomar como patrón de valor para fines de nuestra argumentación. (La verdad de esta afirmación ha quedado de manifiesto por la facilidad con la que pudimos cambiar nuestra mercancía patrón cuando quisiéramos). El dinero real tiene la propiedad de ser un patrón de valor, pero también tiene otras propiedades: las ya conocidas de ser un «medio de intercambio» y una «reserva de valor». En el presente capítulo hemos examinado por primera vez estas propiedades. Su principal consecuencia para el funcionamiento del sistema de precios es, sencillamente, ésta: explican por qué existe una relación de sustitución tan estrecha entre dinero y valores, es decir, explican el fenómeno del tipo de interés –*el interés monetario*–.

---

[3] El importante papel que juegan los bancos y las autoridades públicas en la determinación del sistema de tipos de interés tiene, por supuesto, una gran influencia sobre la posibilidad de controlar ese sistema; posibilidad que se ha explotado mucho en los últimos años.

Capítulo XIV

Ingreso

1. HEMOS CONCLUIDO ya nuestra discusión del tipo de interés y, al hacerlo, también hemos concluido todo lo que es absolutamente necesario decir sobre los fundamentos de la economía dinámica. Si quisiéramos, podríamos proceder de inmediato a analizar el funcionamiento del sistema dinámico, paralelamente a cómo analizamos el funcionamiento de un sistema estático en la Parte II. Eso es lo que haremos, en última instancia, pero mientras tanto, el lector podría formular una objeción. Nada se ha dicho en lo anterior acerca de una serie de conceptos que, generalmente, se han considerado en el pasado como fundamentales para la teoría dinámica. No hemos hablado sobre el ingreso, el ahorro, la depreciación o la Inversión (con I mayúscula). Son éstos los términos en que hemos estado acostumbrados a pensar; ¿cómo encajan aquí?

Desde luego, me he abstenido deliberadamente de emplear estos conceptos en los últimos cinco capítulos. A pesar de lo familiares que nos resultan, no los considero herramientas adecuadas para un análisis que pretenda alcanzar precisión lógica. Su significado es demasiado ambiguo, ambigüedad que no puede eliminarse ni con el mayor de los esfuerzos. En el fondo no son categorías lógicas en absoluto; son aproximaciones groseras, utilizadas por el hombre de negocios para encontrar alguna guía ante los desconcertantes cambios de situación a los que se enfrenta. Para este propósito, lo que se necesita no son categorías lógicas estrictas; en realidad, es mejor algo menos preciso. Pero si intentamos servirnos de términos de este tipo en las investigaciones que aquí nos interesan, les atribuimos un refinamiento que no admiten.

No creo que quien haya seguido las controversias teóricas de los últimos años se sorprenda de que yo exponga este punto de vista. Hemos presenciado como las autoridades competentes se contradecían, incluso con sus propias palabras, adoptando diferentes definiciones de ahorro e ingreso no del todo coherentes, ninguna satisfactoria. Cuando sucede esto, suele haber algún motivo de confusión, y antes de poder avanzar debemos ponerlo de manifiesto.

2.   Aunque nos hemos abstenido de utilizar el término ingreso en nuestra teoría dinámica, el lector recordará que no teníamos tal inhibición cuando nos ocupábamos de la estática. En estática no surge el problema de los ingresos. Puede decirse que los ingresos de una persona son iguales a lo que recibe (en forma de remuneración del trabajo o alquiler de su propiedad). Es mejor dejarlo así. Lo mismo ocurre con la economía del estado estacionario, una rama de la economía dinámica, pero una que (como hemos visto) oscurece algunos de los problemas dinámicos más importantes. Si una persona no espera cambios en las condiciones económicas y espera recibir un flujo constante de entradas –espera recibir cualquier semana futura la misma cantidad que esta semana–, es razonable decir que esa cantidad es su ingreso. Pero supongamos que espera recibir una cantidad menor en las próximas semanas que en esta semana (las entradas de esta semana pueden incluir salarios por varias semanas de trabajo, o quizá una bonificación sobre sus acciones), entonces no deberíamos considerar la totalidad de sus entradas corrientes como ingresos, sino que una parte se contabilizaría en la cuenta de capital. Del mismo modo, si dependiera por completo de un salario pagado cada cuatro semanas, y la semana actual es una en la que no se le paga su salario, no deberíamos considerar que sus ingresos de esta semana fueran cero. ¿Cuánto sería? No podemos dar una respuesta exacta sin tener una idea clara de la naturaleza de los ingresos en general.

En la práctica, el propósito de los cálculos de ingresos es dar a la gente una indicación de la cantidad que pueden consumir sin empobrecerse. Siguiendo esta idea, parecería que deberíamos definir el ingreso de una persona como el valor máximo que puede consumir durante una semana, y encontrarse al final de la semana en la misma situación que al principio. Por tanto, cuando una persona ahorra, planea estar mejor en el futuro; cuando vive por encima de sus ingresos, planea estar en una peor situación. A mi modo de ver, si pensamos que el propósito práctico de los ingresos es servir de guía para una conducta prudente, está claro que este debe ser el significado central del término.

Sin embargo, tanto los hombres de negocios como los economistas suelen contentarse con emplear una aproximación al significado central de entre las varias posibles. Consideremos algunas de ellas a continuación.

3.   El primer enfoque haría que todo dependiera del valor monetario capitalizado de las posibles entradas del individuo. Supongamos que el flujo de entradas que espera tener un individuo al comienzo de la semana es el mismo que se obtendría al invertir en valores una suma de M £. Entonces, si no gasta nada en la semana corriente, reinvirtiendo los ingresos que recibe y dejando que se acumulen los que aún no han vencido, puede esperar que el flujo alcanzado al final de la semana sea M £ más el interés de una semana sobre M £. Pero si gasta algo, el valor esperado de su expectativa al final de la semana será menor. Habrá una cierta cantidad de gasto que reducirá el valor esperado de su expectativa a exactamente M £. Según esta interpretación, esa cantidad es su ingreso.

Obviamente, esta definición es aceptable en el caso de que los ingresos se deriven enteramente de valores de propiedad, terrenos, edificios, etc. Supongamos que, al comienzo de la semana, nuestro individuo posee una propiedad por valor de 10.010 £ y ninguna otra fuente de ingresos. Entonces, si el tipo de interés fuera del 10 por ciento por semana, los ingresos serían de 10 £ por semana, porque si se gastaran 10 £, quedarían 10.000£ para reinvertir, y en una semana esto se habría acumulado a 10.010 £, la suma original.

En el caso de los ingresos por trabajo, la definición es menos evidente, pero sigue siendo compatible con la práctica habitual. No estamos en un mercado de esclavos, no estamos acostumbrados a capitalizar los ingresos del trabajo, pero esto no suele tener importancia en los casos habituales. Las fluctuaciones en las entradas por trabajo no suelen ser fáciles de prever de antemano, y cualquiera que espere un flujo constante de entradas (y no espere ningún cambio en los tipos de interés) considerará esa cantidad constante como su renta, según esta definición. Si se prevén fluctuaciones, éstas son casi siempre tan próximas que el interés en las variaciones será insignificante. Olvidándonos del interés, el cálculo por capitalización se reduce a una mera división aritmética en el tiempo. Puede considerarse que 20 £ por mes de cuatro semanas es equivalente a 5 £ por semana.

Por tanto, el Ingreso N.º 1 es la máxima cantidad que se puede gastar durante un periodo para que pueda haber la esperanza de que se mantenga intacto el valor de capital de los posibles ingresos (en términos monetarios). Esta es probablemente la definición que la mayoría de la gente utiliza implícitamente en sus asuntos privados, pero está lejos de ser, para todas las circunstancias, una buena aproximación al concepto central.

4.   Primero, considérese lo que sucede si se espera que cambien los tipos de interés. Si el tipo de interés para el préstamo de una semana, que se espera que rija en una semana futura, no es el mismo que se espera que rija en otra semana futura, entonces resulta insatisfactoria una definición basada en la constancia del capital dinerario. En efecto (volviendo al ejemplo numérico que usamos anteriormente), supongamos que el tipo de interés por semana para un préstamo de una semana es del *1/10* por ciento, pero que el tipo correspondiente que se espera que gobierne en la segunda semana a partir de ahora es 1/5 por ciento, y se espera que ese tipo más alto continúe indefinidamente después. Entonces, el individuo se ve obligado a gastar no más de 10 £ en la semana actual si espera tener de nuevo 10.010 £ a su disposición al final de la semana. Pero si desea tener la misma suma disponible al final de la segunda semana, podrá gastar casi 20 £ en la segunda semana, no solo 10 £. La misma suma (10.010 £) disponible al comienzo de la primera semana hace posible un flujo de gastos

$$10 \text{ £}, 20 \text{ £}, 20 \text{ £}, 20 \text{ £}, \ldots$$

mientras que, si está disponible al comienzo de la segunda semana, hace posible un flujo

$$20 \text{ £}, 20 \text{ £}, 20 \text{ £}, 20 \text{ £}, \ldots$$

Por lo general, será razonable decir que una persona con la última expectativa está mejor que otra con la primera.

Esto nos lleva a la definición de Ingreso N.º 2. Ahora definimos el ingreso como la cantidad máxima que el individuo puede gastar esta semana, y que espera que podrá gastar cada semana subsiguiente. Mientras no se esperen cambios en el tipo de interés, esta definición es la misma que la primera, pero cuando se espera que cambie el tipo de interés, dejan de ser idénticas. El Ingreso N.º 2 es, entonces, una aproximación más cercana al concepto central que el Ingreso N.º 1.

5.   Ahora, ¿qué sucede si se espera que cambien los precios? La corrección que debe introducirse se sugiere casi de inmediato. El ingreso N.º 3 debe definirse como la cantidad máxima de dinero que el individuo puede gastar esta semana, y que espera que podrá gastar en *términos reales* las siguientes semanas. Si se espera que los precios aumenten, entonces una persona que planea gastar esta semana y cada una de las venideras 10 £, debe esperar estar menos bien al final de la semana que al principio. Tendrá en cada momento la seguridad de poder gastar 10 £ en cada semana futura, pero en la primera fecha una de las 10 £ se gastará en una semana en que los precios sean relativamente bajos. En el primer caso, existe una oportunidad de gastar en condiciones favorables, pero no en el segundo.

Por tanto, si 10 £ va a ser su ingreso para esta semana, de acuerdo con la definición N.º 3 tendrá que esperar poder gastar en cada semana futura, no 10 £, sino una suma mayor o menor que 10 £ en la medida en que los precios hayan subido o bajado por encima o por debajo de su nivel de la primera semana.

Evidentemente, es deseable alguna corrección de este tipo. Pero ¿qué entendemos por «en términos reales»? ¿Cuál es el número índice de precios apropiado? A esta pregunta, creo, no hay una respuesta completamente satisfactoria. Incluso cuando se espera que los precios cambien, existe, de hecho, un criterio muy laborioso que nos permitiría decir, para cualquier conjunto dado de planificación de gastos, si el planificador está viviendo de acuerdo con sus ingresos o no.[1] Si la aplicación de esta

---

[1] Si vive de acuerdo a sus ingresos, debe poder planificar para el segundo lunes el mismo flujo de compras que para el primero, y aún, tener algo de sobra. Supongamos que planea comprar del producto X las cantidades $X_0, X_1, X_2, \ldots$ en semanas sucesivas; de la mercancía Y, las cantidades $Y_0, Y_1, Y_1, \ldots$; etc. La condición para que consuma de acuerdo con sus ingresos durante la primera semana es que el flujo de compras realmente planificado para las semanas posteriores,

$$X_1 Y_1 Z_1 \ldots, \qquad X_2 Y_2 Z_2 \ldots, \qquad X_3 Y_3 Z_3 \ldots,$$

prueba demostrara que los gastos del individuo son iguales a sus ingresos, entonces, es evidente que determinarían estos ingresos. Pero en todos los demás casos no basta con mostrar en qué medida está viviendo de acuerdo con sus ingresos, es decir, exactamente cuánto ingresa.

Por tanto, el Ingreso N.º 3 está sujeto a cierta indeterminación, aunque con ello no acaba la dificultad, porque el Ingreso N.º 3 sigue siendo sólo una aproximación al significado central del concepto de ingreso. No es ese significado central en sí mismo. Aún queda fuera de nuestro examen un punto y la definición de nuestro Ingreso N.º 3 no llega a ser perfecta.

Es el problema de los bienes de consumo duraderos. Estrictamente hablando, el ahorro no es la diferencia entre ingresos y gastos, es la diferencia entre ingresos y consumo. Los ingresos no son la cantidad máxima que el individuo puede gastar para estar tan bien al final de la semana como al principio, sino que es la cantidad máxima que puede *consumir*. Si una parte de sus gastos se destina a bienes de consumo duraderos, sus gastos podrán exceder su consumo; si una parte de su consumo es de bienes de consumo duraderos, ya comprados en el pasado, eso tiende a hacer que el consumo supere al gasto. Solo si estos dos coinciden, si la adquisición de nuevos bienes de consumo es exactamente igual al uso de los antiguos, podremos equiparar el consumo con el gasto y seguir como antes.

Pero ¿qué se puede hacer si no coinciden? Y lo que es peor, ¿cómo podemos saber si coinciden? Si existe un mercado de segunda mano perfecto para los bienes en cuestión, de modo que se pueda establecer con precisión un valor de mercado para ellos correspondiente a cada grado de uso, entonces se puede medir exactamente la pérdida de valor debida al consumo, pero si no, no nos queda más remedio que volver al concepto central. Si el individuo está agotando su stock de bienes de consumo duraderos y no adquiere otros nuevos, estará peor al final de la semana si solamente puede planificar el mismo flujo de compras que al principio. Si va a vivir de acuerdo con sus ingresos, en este caso debe tomar medidas para poder planificar un flujo mayor al final de la semana, pero la medida en que sea mayor sólo puede deducirse del propio criterio central.

6. Por tanto, nos vemos obligados a retroceder al criterio central, esto es, que lo que una persona puede consumir durante la semana es su ingreso, y esperará en-

---

valorado a los precios a los que realmente se espera fabricar cada uno (los de la 2.ª, 3.ª, 4.ª, ... semanas respectivamente) debe tener un valor mayor que el flujo original

$$X_0 \, Y_0 \, Z_0 \, ..., \qquad X_1 \, Y_1 \, Z_1 \, ..., \qquad X_2 \, Y_2 \, Z_2 \, ...,$$

valorado, no el primero, sino el segundo lunes, y a los mismos precios que los del otro flujo (los de la 2.ª, 3.ª, 4.ª semanas, etc.), es decir, a los precios que se espera regirán una semana después, en cada caso, de las fechas en las que se espera que se realicen estas compras.

contrarse tan bien al final de la semana como lo estaba al principio. Al examinar el enfoque de este criterio, hemos visto lo complejo que es, lo poco atractivo que resulta cuando se lo somete a un análisis detallado. Ahora cabe la duda de que resista el análisis o si en realidad hemos estado persiguiendo una sombra.

Al comienzo de la semana, el individuo posee un stock de bienes de consumo y espera un flujo de entradas que le permitirán adquirir en el futuro otros bienes de consumo, perecederos o duraderos. Llamemos a esto Expectativa I. Al final de la semana, sabrá que habrá desaparecido una de las semanas que forman esa expectativa; la nueva expectativa que espera tendrá una nueva primera semana que es la antigua segunda semana, una nueva segunda semana que es la antigua tercera semana, y así sucesivamente. Llamemos a esto Expectativa II. Ahora bien, si la Expectativa II estuviera disponible el primer lunes, podemos suponer que el individuo sabría si prefería I a II en esa fecha; igualmente, si la Expectativa I estuviera disponible el segundo lunes, sabría si prefería I a II en ese momento. Pero no tiene sentido investigar si se prefiere la Expectativa I el primer lunes a la Expectativa II el segundo lunes; la elección entre ellas nunca podría ser real; los términos de comparación no son equiparables.

Sin duda este punto es demasiado académico; sin embargo, tiene el mismo significado que el que planteamos en una etapa mucho más temprana de nuestras investigaciones acerca de la inconmensurabilidad de la utilidad[2]. Para obtener resultados claros de teoría económica, debemos trabajar con conceptos que dependan directamente de la escala de preferencias del individuo, no de ninguna propensión más vaga de su psicología. Al descartar la utilidad, pudimos afinar los límites de nuestras conclusiones en estática económica; por la misma razón, conviene evitar los *ingresos* y *ahorros* en la dinámica económica. Son malas herramientas que se nos deshacen en las manos.

7.   Estas consideraciones se refuerzan notablemente por otra, que surge cuando pasamos de la consideración del ingreso individual (el único que hemos tratado hasta ahora) a la consideración del ingreso o renta social. Incluso si nos contentamos con una de las aproximaciones al concepto de ingreso individual (digamos Ingreso n.º x, que es suficiente para la mayoría de nuestros propósitos), sigue siendo cierto que el ingreso es un concepto subjetivo, que depende de las expectativas particulares del individuo en cuestión. Ahora bien, como hemos visto, no hay razón para que las expectativas de distintos individuos sean compatibles las unas con las otras; una de las principales causas del desequilibrio en el sistema económico es la falta de coherencia en las expectativas y los planes.[3] Si el ingreso de A se basa en las expectativas de A y el ingreso de B en las expectativas de B, y estas expectativas son inconsistentes

[2] Ver arriba, p. 29.
[3] Ver arriba, p. 152.

(porque esperen obtener precios diferentes para la misma mercancía en fechas futuras concretas, o planeen ofertas y demandas que no se igualen en el mercado), entonces, el agregado de los ingresos tiene poco significado. Lo único que puede decirse en su favor es que obedece las leyes de la aritmética.

Esta conclusión parece inevitable, pero es muy decepcionante, quizá incluso más que nuestras dudas sobre la inteligibilidad última del concepto de ingreso individual. La renta social juega un papel tan importante en la economía moderna, no sólo en la teoría dinámica y monetaria por la que estamos aquí interesados, sino también en la economía del bienestar, que resulta difícil imaginarnos sin ella. Es difícil creer que la renta social, que tanto discuten los economistas, no sea otra cosa que un mero agregado de expectativas posiblemente incompatibles la una con la otra. Pero si no es esto, ¿qué es?

Para responder a esta pregunta, debemos comenzar por hacer una distinción adicional dentro del campo del ingreso individual. Todas las definiciones de ingreso que hemos discutido hasta ahora son definiciones *ex ante*[4] –se refieren a lo que una persona puede consumir durante una semana y aun así *esperar* que se encuentre tan bien como antes–. No se dice nada sobre la realización de esta expectativa. Si no se realiza exactamente, el valor de la expectativa al final de la semana será mayor o menor de lo que se esperaba, de modo que obtendrá una ganancia o una pérdida «inesperada».[5] Si sumamos esta ganancia inesperada a cualquiera de nuestras definiciones anteriores de ingreso (o restamos la pérdida), obtenemos un nuevo conjunto de definiciones, definiciones de «ingresos que incluyen ganancias inesperadas» o «ingresos *ex post*». Existe una definición de ingreso *ex post* que corresponde a cada una de nuestras definiciones anteriores de ingreso *ex ante*, pero para la mayoría de los casos corresponden al Ingreso N.º 1, el más importante. El Ingreso N.º 1 *ex post* es igual al valor del consumo del individuo *más* el incremento en el valor monetario de su expectativa acumulada durante la semana; es igual al consumo *más* la acumulación de capital.

Este último tipo muy especial, de «ingreso» tiene una propiedad sumamente importante. Siempre que limitemos nuestra atención a los ingresos de la propiedad y dejemos al margen cualquier incremento o disminución en el valor de las expectativas debidos a cambios en el poder adquisitivo de la gente (acumulación o desacumulación de «Capital humano»), el ingreso N.º 1 *ex post* no es subjetivo, como otros tipos de ingresos; es casi completamente objetivo. El valor de capital de la propiedad del individuo al comienzo de la semana es una cifra tasable, como también lo es el valor de capital de su propiedad al final de la semana. Así, si suponemos que podemos medir su consumo, su ingreso *ex post* se puede calcular directamente. Por tanto, dado que el ingreso *ex post* de cualquier individuo es una magnitud objetiva, los ingresos *ex*

---

[4] Por utilizar un término ideado por el profesor Myrdal y exportado por otros economistas suecos.
[5] Por usar el término empleado por Keynes.

post de todos los individuos que componen la comunidad pueden agregarse sin problemas, y la misma regla de que el Ingreso N.º 1 *ex post* es igual al Consumo *más* la acumulación de Capital, se aplicará a la comunidad en su conjunto.

Esta es una propiedad muy conveniente, pero desafortunadamente no justifica un uso extensivo del concepto en teoría económica. Los cálculos *ex post* de la acumulación de capital tienen su lugar en la *historia* económica y estadística. Son una vara de medir útil para el progreso económico, pero no sirven de nada a los economistas teóricos, que tratan de averiguar cómo funciona el sistema económico, ya que no tienen ningún valor para la conducta. El ingreso *ex post* de una semana en particular no se puede calcular hasta el final de la semana, e implica una comparación entre los valores presentes y los valores que pertenecen totalmente al pasado. Según el principio general de «lo hecho, hecho está», no puede tener relevancia para las decisiones actuales. El ingreso que es relevante para la conducta debe excluir siempre ganancias inesperadas. Si ocurren, hay que pensar en ellas como en un aumento de los ingresos para las semanas futuras (en el monto de los intereses que se devenguen), y no que entren a formar parte de ningún tipo de ingreso efectivo para la semana actual. La confusión teórica entre ingreso *ex post* y *ex ante* se corresponde con la confusión práctica entre ingreso y capital.

8.   De aquí parece deducirse que cualquiera que busque hacer un cálculo estadístico del ingreso social se enfrenta a un dilema. El ingreso que puede calcular no es el verdadero ingreso que busca; los ingresos que busca no se pueden calcular. Solo hay una salida para este callejón y, por supuesto, es el camino que hay que seguir en la práctica. Se ha de tomar su magnitud objetiva, el Ingreso Social *ex post*, y proceder a ajustarla, de manera que parezca plausible o razonable para aquellos cambios en los valores de capital que parecen haber tenido el carácter de ganancias inesperadas. Este tipo de estimación es un procedimiento estadístico normal y está totalmente justificado por sí mismo. Pero solo puede ser fruto de una estimación estadística pues, por su propia naturaleza, no es la medida de una cantidad económica.[6]

Para los propósitos de economía del bienestar, generalmente lo que deseamos medir es el ingreso social real. Esto significa que se debe hacer una estimación que corresponderá al Ingreso N.º 3, de la misma manera que la estimación anterior corresponde al Ingreso N.º 1. Aquí tenemos la dificultad adicional de que es imposible obtener una medición objetiva del Ingreso N.º 3, incluso *ex post*, ya que el Ingreso N.º 3 siempre depende de las expectativas de los precios de los bienes de consumo.

---

[6] Dado que el estadístico necesita seguir este procedimiento, no es sorprendente verle buscar ayuda de otras personas que andan tras el ingreso objetivo: los *Commissioners for Inland Revenue* (inspectores de Hacienda o directores de administración tributaria ingleses). Lo mejor que puede hacer es seguir la práctica adoptada por las autoridades fiscales. Pero el economista teórico tiene que criticar la práctica de tales autoridades; ¡no es bueno que le vean en su compañía!

Pero se puede construir algo que tenga la misma clase de correspondencia. Las variaciones de precios pueden excluirse del cálculo de los valores de capital, de una forma u otra. Una de las mejores formas teóricamente concebibles, sería tomar los bienes de capital reales existentes al final del periodo y valorarlos a los precios que cualquier bien similar habría tenido al principio. Cualquier acumulación de capital que supere esta prueba será una acumulación en términos *reales*. Si sumamos la cantidad de consumo durante el periodo, obtenemos al menos el ingreso real *ex post*; corrigiendo después de manera que se incluyan las ganancias inesperadas, obtenemos una medida útil del ingreso social real.[7] Pero es exactamente la misma clase de cálculo que la medida del ingreso social monetario.

Espero que este capítulo haya dejado claro que es posible que los cálculos de ingresos individuales tengan una influencia importante en la conducta económica individual, que los cálculos del ingreso social desempeñen un papel tan importante en las estadísticas sociales y en la economía del bienestar y, sin embargo, al mismo tiempo, que el concepto de ingreso sea un concepto que el economista teórico positivo sólo emplea en sus argumentos bajo su propia responsabilidad. La palabra ingreso es muy peligrosa para él y debe evitarla; como veremos, se puede elaborar toda una teoría general de la dinámica económica sin emplearla. O más bien, sólo es necesaria en una etapa muy tardía de nuestras investigaciones, cuando queramos examinar el efecto que produce sobre el curso del desarrollo económico el precepto práctico de «vivir de acuerdo con los ingresos propios».[8] Para tal fin, no hace falta tener una definición exacta de ingresos; bastará con algo aproximado, de acuerdo con la tosca norma práctica.

Notas al capítulo XIV

Hay dos asuntos que surgen de la teoría del ingreso que creo que deberían ser discutidos en este libro, aunque, por las razones que acabo de exponer, no quiero entrar demasiado a fondo en ellos. Uno es la cuestión de la relación entre ahorro e inversión. Creo que el lector tiene derecho a exigir que emita alguna opinión sobre este tan controvertido asunto. El otro se refiere al efecto de los cambios en los intereses sobre el cálculo de la depreciación y, por tanto, de los ingresos. Este es un asunto de cierta importancia en sí mismo, y tratarlo aquí nos permitirá lanzar una o dos ideas que pueden ser útiles más adelante.

---

[7] El proceso de corrección por ganancias inesperadas será, generalmente, menos importante en este caso de ingresos reales, ya que ya han sido excluidas todas las ganancias inesperadas debidas a meros cambios en los valores monetarios. Sólo se permiten acontecimientos como las pérdidas inesperadas debidas a catástrofes naturales y guerras.

[8] Véase posteriormente, capítulo XXIII.

A.   AHORRO E INVERSIÓN

Es evidente que la principal dificultad en este asunto del ahorro y la inversión surge de la multiplicidad de formas en que se pueden definir los términos. Sin necesidad de comprometernos en ninguna de las definiciones más intrincadas que se han propuesto, es obvio que existe una definición de ahorro que se corresponde con cada una de las definiciones de ingreso expuestas en el capítulo anterior. El ahorro puede definirse *ex ante* o *ex post*; se puede hacer coincidir con las definiciones de los ingresos números 1, 2 ó 3. A cada una de estas definiciones de ahorro corresponde una definición de inversión. ¡Así podemos lograr que los argumentos sirvan para muchos objetivos!

En cuanto se nos presentan estas diferentes definiciones, queda claro que en general no hay razón para esperar una correspondencia importante entre el ahorro, que se relaciona con una definición de ingreso, y la inversión, que se relaciona con otra. Las diferentes definiciones de ingreso se mueven en planos muy diferentes, y tienen en cuenta cosas diferentes. Sólo podemos esperar encontrar una correspondencia digna de ser estudiada entre los tipos de ahorro e inversión, que surgen de la misma definición de ingreso.

Esta primera observación aclara muchos de los posibles problemas, pero nos deja con una amplia variedad de opciones. Aún hemos de decidir si vamos a ocuparnos del ahorro y la inversión que corresponden a los ingresos números 1, 2 o 3, y si vamos a considerarlos *ex ante* o *ex post*. Ahora bien, no creo que la primera decisión sea muy importante, cualquier enfoque al concepto de ingreso es válido y funciona de manera muy similar. Pero la distinción *ex ante-ex post* es, por supuesto, muy importante.

En aras de la brevedad, me limitaré aquí a las definiciones de ahorro e inversión que corresponden al Ingreso N.° 1. Si comenzáramos con, digamos, el Ingreso N.° 3, todo el argumento se duplicaría, pero es mejor que el lector lo compruebe por sí mismo. Si partimos del Ingreso N.° 1, definimos el ahorro de una persona (*ex ante*) como la diferencia entre su consumo real durante la semana y ese nivel de consumo que dejaría el valor monetario de la expectativa que proyecta tener al final de la semana igual que la del principio. Si consideramos que la semana es lo suficientemente corta como para que sea insignificante la acumulación de intereses durante la semana, podemos decir que su ahorro es el incremento en el valor monetario de la expectativa de acumulación durante la semana. Además, si nos olvidamos de cualquier cambio en su expectativa debido a cambios en su capacidad personal para obtener ingresos, su ahorro también puede describirse como el incremento planificado en el valor de su propiedad. Aquí estamos hablando de ahorro *ex ante*; el ahorro *ex post* será el incremento en el valor de su propiedad que realmente se ha producido.

Los ahorros *ex post* de todos los miembros de la comunidad pueden agregarse. Su suma será igual al incremento total en el valor monetario de la propiedad de todo el mundo a lo largo de la semana. Ahora bien, la propiedad tiene tres formas: puede consistir en bienes físicos (capital real), valores o dinero. Pero como hemos visto el dinero es un bien físico, como el oro, o un valor, como los billetes o los depósitos bancarios. Nuestras tres categorías se reducen así a dos. Además, los valores son simplemente deudas de varios tipos de una persona (o empresa) a otra y, por tanto, cuando se agrega toda la propiedad, se cancelan. En consecuencia, el ahorro total *ex post* se reduce tan solo al incremento del valor del capital físico, que es lo que parece entenderse por inversión, por supuesto, inversión *ex post*.

De este modo se asegura la igualdad entre el ahorro *ex post* y la inversión *ex post* para la comunidad en su conjunto. Pero esta igualdad es una obviedad: sólo expresa el simple hecho de que todos los bienes de capital de la economía pertenecen a alguien. Y esa idea no tiene un significado teórico muy profundo.

Más interesante es la relación entre ahorro *ex ante* e inversión *ex ante*. Por analogía, la inversión *ex ante* debe ser igual al incremento planificado en el valor del capital físico, incluidos los bienes de producción y los bienes de consumo duraderos. Ahora, siguiendo esta definición, una persona (o empresa) en particular puede planear ahorrar más de lo que planea invertir, pero solo si planea adquirir durante la semana propiedades de carácter no material –valores–. De manera similar, solo puede planear una inversión superior al ahorro si tiene la intención de disminuir su tenencia de valores que, como hemos visto, incluye la emisión, es decir, creación de valores contra uno mismo. Por tanto, la diferencia entre el ahorro planificado y la inversión planificada es la diferencia entre la demanda planificada y la oferta planificada de valores en general, incluido el dinero.

Se recordará que, bajo los supuestos especiales del modelo con el que hemos estado trabajando, la «semana» es un periodo de equilibrio temporal, caracterizado por la condición de que todas las demandas y ofertas correspondientes son iguales durante ese periodo. Esta regla se aplica a la demanda y oferta de valores. Se supone que el «lunes» las demandas y ofertas de valores planificados se harán reales de inmediato en el mercado. Por tanto, son necesariamente iguales para la comunidad en su conjunto. Por consiguiente, durante la semana, el ahorro *ex post* no solo equivale a la inversión *ex post*; el ahorro *ex ante* también equivale a la inversión *ex ante*.[9]

Esta igualdad entre las magnitudes *ex ante* no es, sin embargo, una mera obviedad, como la igualdad entre las magnitudes *ex post*. Es una expresión de la ecuación de oferta y demanda de valores y, que, como hemos visto, forma parte del sistema de ecuaciones que determina el sistema de precios. Sin embargo, no creo que debamos admitir ninguna conexión particular entre esta ecuación ahorro-inversión y el tipo de interés. Como hemos visto,[10] el tipo de interés está particularmente determinado

---

[9] Al mismo tiempo, y como es natural, no es necesario que las magnitudes *ex ante* y *ex post* sean iguales.

[10] Cf. capítulo XII, anteriormente.

en un sentido por la ecuación de oferta y demanda de valores, excluyendo el dinero. Pero la ecuación aquí incluye el dinero y no tiene una conexión especial con el tipo de interés. Dado que la ecuación de oferta y demanda de valores, incluido el dinero, es la misma que la ecuación de oferta y demanda de bienes reales en general (bienes de productor *más* bienes de consumo *más* factores de producción)[11], si queremos conectar la ecuación ahorro-inversión con la determinación de cualquier parte o aspecto particular del sistema de precios, deberíamos elegir el nivel general de precios. Pero cuando recordamos cómo está interconectado todo el sistema, resulta ocioso relacionar ecuaciones particulares con precios particulares.

Así, los ahorros *ex ante* equivalen a la inversión *ex ante* durante la semana. Pero esta es una propiedad de la semana y no de un periodo más largo. Las magnitudes *ex post* serán iguales en cualquier periodo que tomemos, pero las magnitudes *ex ante* solo serán necesariamente iguales si los planes son coherentes. La igualdad entre ahorro *ex ante* e inversión *ex ante* es entonces una de las condiciones de equilibrio en el tiempo. En condiciones de desequilibrio, y si miramos hacia adelante por un periodo superior a una semana, resulta perfectamente posible que el ahorro planificado supere a la inversión planificada. Y, es probable que se manifieste el desequilibrio a través del funcionamiento de esta desigualdad. Si se intentan llevar a cabo los planes sin reajustes, la oferta de mercancías comenzará a superar a la demanda y (hasta donde alcanzamos a ver por el momento) los precios tenderán a caer. De manera similar, si la inversión planificada supera al ahorro planificado, habrá una tendencia a que los precios suban.

¡Qué complicado es todo esto! En su *Tratado sobre el dinero*, Keynes le dijo al mundo que el ahorro y la inversión solo son iguales en condiciones de equilibrio, que un exceso de inversión sobre ahorro significa un alza de precios, y viceversa. En su *Teoría General*, nos dijo que el ahorro y la inversión son siempre iguales, y que esto es una mera identidad o una perogrullada, sin trascendencia para la determinación de los precios. Hasta donde alcanzo a ver, en muchos sentidos cada una de estas cuatro afirmaciones puede ser correcta y falsa.

B.   EL INTERÉS Y EL CÁLCULO DEL INGRESO

1.   Independientemente de las tres «aproximaciones» al concepto de ingreso que decidamos utilizar, el cálculo del ingreso consiste en encontrar algún tipo de flujo *estándar* de valores cuyo valor presente capitalizado sea igual al valor presente del flujo de ingresos que en realidad se espere. Es un flujo estándar en el sentido de que mantiene algún tipo de constancia, en comparación con el flujo de ingresos esperado real que puede fluctuar de cualquier manera. Pero en las tres aproximaciones hay diferentes tipos de constancia. El flujo estándar correspondiente al Ingreso N.º 2 es

[11] *Ibid.*

un flujo constante en el sentido aritmético; imputa de forma idéntica la misma cantidad de valor monetario a cada semana sucesiva. El flujo estándar correspondiente al Ingreso N.º 3 es constante en términos reales, de modo que los valores monetarios imputados a las semanas sucesivas variarán a medida que se espere que varíe el nivel de precios. El flujo estándar correspondiente al Ingreso N.º 1 también variará en términos monetarios si no se espera que el tipo de interés sea constante. Se calculará de tal manera que el valor monetario capitalizado de todos los valores futuros (en la corriente estándar) sea constante de una semana a otra.

Pero en todos los casos, en general, estamos haciendo lo mismo. Estamos reemplazando el flujo de ingresos esperado real por una corriente estándar, cuya distribución a lo largo del tiempo tiene una forma estándar definida. No nos preguntamos cuánto recibe realmente una persona en la semana actual, sino cuánto recibiría si obtuviera un flujo estándar del mismo valor presente que sus entradas esperadas reales. Ese es su ingreso.

Si aumenta la expectativa de ingresos futuros, se elevará el valor presente de su expectativa y será mayor que el valor presente de su antiguo flujo estándar. Para restablecer la igualdad, será necesario elevar el flujo estándar a lo largo de toda su extensión, pero manteniendo su carácter estándar. De este modo, se incrementarán los ingresos.

Cuando los tipos de interés varían, las cosas se complican más, porque no solo cambiará el valor actual del flujo de ingresos esperado real, sino que también cambiará el valor actual del flujo estándar antiguo. Para descubrir el efecto sobre el ingreso, tenemos que encontrar cuál de estos dos valores presentes se ve más afectado. Una caída en los tipos de interés aumentará los ingresos si aumenta el valor presente de los ingresos realmente esperados más de lo que aumenta el valor presente del flujo estándar. Un aumento en los tipos de interés aumentará los ingresos si reduce el valor presente del flujo estándar más que el del flujo realmente esperado.

Si limitamos nuestra atención a los casos en los que el tipo de interés es igual para préstamos de cualquier duración (una simplificación que a menudo, incluso generalmente, resulta legítima en los cálculos de ingresos), podemos llevar más adelante el estudio de esta relación de una manera gráfica.

2.   Cualquier flujo de valores tiene un valor capitalizado que ahora puede considerarse como una función del tipo de interés. Esta función puede entonces dibujarse en forma de curva. Resulta que es más conveniente dibujar esta curva de una forma ligeramente diferente de la que parecería más natural a primera vista. Mediremos los valores en mayúscula a lo largo del eje horizontal,[12] pero a lo largo del vertical

---

[12] Adoptando la convención habitual en economía de poner la variable dependiente en el eje horizontal.

mediremos, no el tipo de interés, sino lo que podría llamarse *la tasa de descuento* –la proporción en la que hay que reducir una suma de dinero para descontarla durante una semana–. (Si el tipo de interés por semana es *i*, entonces β, la tasa de descuento, es igual a $1 / [1 + i]$).

Correspondiente al flujo esperado dado de ingresos, tenemos una curva de valor de capital *RR*, que tendrá pendiente positiva porque un aumento en la tasa de descuento (una caída en el tipo de interés) aumenta el valor capitalizado. Correspondiente a cualquier nivel particular de ingresos, tenemos una curva de valor de capital (discontinua en el gráfico) que muestra el valor actual del flujo estándar correspondiente a ese nivel particular de ingresos (de acuerdo con la definición de ingreso que estamos usando) a varias tasas de descuento. Esta curva se puede trazar para cualquier nivel de ingresos. Si la tasa de descuento es *OH*, el valor presente de los posibles ingresos es *HA*, y el nivel de ingresos es el representado por la curva de puntos *SS*, que pasa por *A*.

Si la tasa de descuento aumenta, *A* se moverá hacia la derecha a lo largo de *RR*, y a partir del gráfico es evidente que esto significa pasar a una curva discontinua que representa un ingreso mayor si, como los hemos dibujado, *SS* tiene una inclinación más pronunciada que *RR* o, lo que viene a ser lo mismo, *SS* es menos elástica que *RR*. Por tanto, todo depende de las elasticidades relativas de las curvas *RR* y *SS*.

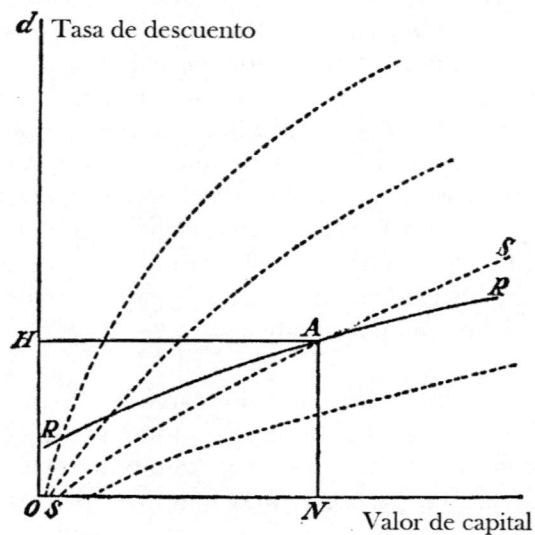

Fig. 23.

El valor de capital de un flujo de pagos $(x_0, x_1, x_2, ..., x_v)$ es $x_0 + \beta x_1 + \beta^2 x_2 + ... + \beta^v x_v$. La elasticidad de este valor de capital con respecto a la tasa de descuento β es

$$\frac{\beta x_1 + 2\beta^2 x_2 + 3\beta^3 x_3 + ... + v\beta^v x_v}{x_0 + \beta x_1 + \beta^2 x_2 + \beta^3 x_3 + ... + \beta^v x_v}$$

(pues la elasticidad de una suma es la *media* de las elasticidades de sus partes). Ahora bien, cuando miramos la forma de esta elasticidad, vemos que puede describirse muy apropiadamente como el *Período medio* del flujo, ya que es el *tiempo medio durante el cual los distintos pagos se aplazan desde el presente, mientras que los tiempos de aplazamiento se ponderan por los valores descontados de los pagos.* (Tal vez al lector le incomode que me apropie de la expresión «Período medio» de esta cantidad, ya que puede tener en mente algo que pareciera un significado muy diferente del término. Sin embargo, espero mostrar luego que el sentido que le estoy dando es una extensión apropiada del significado tradicional.)[13]

De todo esto se deduce de inmediato que, si el período medio del flujo de ingresos es mayor que el período medio del flujo estándar con el que lo estamos comparando, una caída en el tipo de interés elevará el valor de capital del flujo de ingresos más que el del flujo estándar y, por tanto, aumentará los ingresos. Pero si el periodo medio del flujo de ingresos es menor que el del flujo estándar, lo que aumentará los ingresos será un aumento en el tipo de interés.

3. Esta comprobación mediante periodos medios parece bastante válida matemáticamente, pero es curioso cómo difiere de lo que dicta el sentido común, que es el criterio que deberíamos emplear habitualmente. Si los ingresos de una persona se derivan de la explotación de un bien que se desgasta, susceptible de agotarse en una fecha futura, deberíamos decir que sus entradas exceden a sus ingresos, contabilizándose la diferencia entre ellos como una provisión por depreciación. En este caso, para no consumir más allá de su ingreso, esa persona debe prestar una parte de sus entradas y, cuanto más bajo sea el tipo de interés, mayor será la suma que tendrá que volver a prestar para que los intereses sobre ella compensen la futura interrupción esperada de entradas a consecuencia del desgaste del activo. Por tanto, si se espera que las entradas disminuyan en el futuro, los ingresos serán menores cuanto menor sea el tipo de interés, mientras que, en el caso opuesto de una persona cuyas entradas se espera que aumenten en el futuro (que tendrá que pedir prestado o vender valo-

---

[13] Véase posteriormente, capítulo XVII. Al lector también le puede sorprender bastante que una elasticidad, que generalmente se supone que es un número puro independiente de las unidades, resulte ser igual a un periodo de tiempo. Ésta es una consecuencia del interés compuesto. El tipo de interés para dos años no es el doble que para uno, por lo que no se puede eliminar el tiempo considerando cambios proporcionales.

res, para poder vivir de acuerdo con sus ingresos), los ingresos serán mayores cuanto menor sea el tipo de interés.

¿Se puede reinterpretar la comprobación por periodos medios de manera que concuerde con esta prueba del sentido común? Se puede hacer de la siguiente manera.

Centrémonos en el caso en el que no se espera que cambien ni los tipos de interés ni los precios, de modo que los tres «enfoques» del concepto de ingreso coincidan, y el flujo estándar correspondiente a cualquiera de ellos sea constante en términos monetarios de semana a semana.

Si recordamos que el flujo esperado de entradas y el flujo estándar a partir del cual se calcula el ingreso deben tener el mismo valor capitalizado, se deduce que, si el periodo medio de entradas es mayor que el periodo medio estándar, entonces el flujo esperado debe tender a estar *por debajo del estándar* en un futuro cercano, mientras que en algún lugar de un futuro más lejano debe compensarse estando por *encima del estándar*. Considerado como un todo, debe tener una tendencia ascendente, como quien dice una *tendencia positiva*. El periodo medio resulta no ser sino un método exacto de medir la *tendencia positiva* (o *la tendencia negativa*) de un flujo de valores.

¿Cuál es, de hecho, el periodo medio de un flujo de tamaño constante y longitud indefinida, descontado todo él al mismo tipo de interés? Se puede demostrar fácilmente que es igual al recíproco del tipo de interés, es decir, al número de «años de compra».[14] Si el tipo de interés es del 5 por ciento al año, el periodo medio de un flujo estándar es de 20 años. Que el periodo medio de cualquier otro flujo es de más de 20 años sólo significa que el flujo tiene una *tendencia positiva*; si es de menos de 20 años, el flujo tiene una *tendencia negativa*. Eso es todo lo que significa el periodo medio.[15]

Esta forma de medir la tendencia de un flujo de valores es válida para cualquier flujo y parece tener más importancia que cualquier otra desde el punto de vista de la teoría económica. Volveremos a ello cuando consideremos los efectos de los cambios de los tipos de interés en la organización de la producción.

[14] Ya que
$$\frac{\beta + 2\beta^2 + 3\beta^3 + \ldots}{1 + \beta + \beta^2 + \beta^3 + \ldots} = \frac{\dfrac{\beta}{(1-\beta)^2}}{\dfrac{1}{1-\beta}} = \frac{\beta}{1-\beta} = \frac{1}{i}$$

[15] La mejor definición numérica para la *tendencia positiva* de un flujo de valores es la tasa de expansión de un flujo, que se expande continuamente en la misma proporción en cada periodo, y que tiene el mismo periodo medio que el flujo original. Esta tasa de expansión se relaciona con el periodo medio mediante una fórmula simple. Si P_i es el período medio de un flujo, i el tipo de interés y c la *tendencia positiva*, así definida, entonces

$$c = i - \frac{1}{P}$$

PARTE IV

El funcionamiento del sistema dinámico

«La incertidumbre y la expectativa son la alegría de la vida».
(CONGREVE, *Amor por Amor)*

Capítulo XV

La planificación de la producción

1. YA ESTÁ DECIDIDO el programa que tenemos que llevar a cabo en esta cuarta y última parte. Tenemos que tomar el sistema dinámico, cuyas propiedades generales estudiamos en la Parte III, y someterlo al mismo tipo de análisis que aplicamos al sistema estático en la Parte II. Por tanto, la serie de problemas que tenemos que discutir es paralela a la que discutimos en las partes anteriores de este libro. De nuevo hemos de examinar la posición del individuo privado e investigar las leyes de su comportamiento, solo que ahora hemos de tener en cuenta más cosas. Nos plantearemos cómo puede verse afectada su conducta, no sólo por los precios actuales, sino también por los tipos de interés y por las expectativas de precios e intereses; debemos examinar, no sólo sus demandas y ofertas de mercancías, como ya hemos hecho, sino también su demanda u oferta de valores (incluido ese tipo particular de valor que es el dinero). Además, tenemos que hacer una investigación similar para el caso de la empresa. Luego, habiendo establecido las leyes de oferta y demanda de mercancías, valores y dinero, hemos de unir estas leyes para dotarnos de leyes para el funcionamiento de todo el sistema de precios. En primer lugar, las únicas leyes que podemos esperar encontrar son las del funcionamiento del sistema de precios en cualquier «semana» en particular, y eso es sólo el comienzo de lo que nos gustaría que nos dijera una teoría dinámica. (Sin embargo, incluso un análisis del equilibrio temporal de este tipo arroja conclusiones importantes y bastante sorprendentes cuando se hace con cuidado). Es difícil ir más allá, pero haremos un esfuerzo antes de concluir para ver qué se puede decir acerca de las leyes del desarrollo del sistema de precios a través del tiempo.

Lo primero que hay que hacer es estudiar el comportamiento del individuo y de la empresa; ahora bien, vale la pena invertir el orden de análisis que adoptamos en teoría estática, y empezar con la empresa. En la práctica, probablemente las empresas elaboran sus planes de producción mucho más a fondo que los particulares sus planes de gastos. Dado que en ambos casos necesitaremos llevar a cabo un análisis formal y minucioso para la determinación de un plan, es mejor hacerlo tomando como ejemplo a la empresa, pues así será bastante más realista que en el caso del individuo. Una vez que nos familiaricemos con los principios generales de determinación de planes a partir de nuestro análisis de la empresa, podremos, cuando lleguemos al tratamiento de la persona privada, tener en cuenta estos principios generales tanto como nos parezca. Las ventajas de este procedimiento se irán aclarando a medida que avancemos.

2.   Como otras ramas de la dinámica económica, la teoría dinámica de la producción ha sido motivo de gran controversia. De hecho, quizás más que cualesquiera otras, las cuestiones que aquí surgen son las clásicas cuestiones debatibles. Se trata de las grandes cuestiones de la teoría del capital que irritaron a los economistas en el pasado. Hoy en día se han visto eclipsadas por otras preguntas, probablemente más importantes. Pero, aunque eclipsadas, no se han resuelto, de modo que si está en nuestro poder hacerlo no debemos rechazar la tarea.

Böhm-Bawerk sigue siendo, aún hoy, la figura más importante en esta área de la economía. Esto es así, no porque su doctrina sea generalmente aceptada (no fue generalmente aceptada ni siquiera en su época, y todavía tiene menos partidarios en la nuestra), sino porque es un desafío que de alguna manera hay que afrontar. Casi todo el que llega al estudio del capital es víctima de la teoría de Böhm-Bawerk en una etapa u otra.[1] La definición de producción capitalista como producción consumidora de tiempo, de la cantidad de capital empleado como indicador de la cantidad de tiempo empleado, del efecto de una caída en el interés sobre la estructura de la producción como consistente en un aumento de la cantidad de tiempo empleado, proporcionan al sujeto una aparente claridad que, a primera vista, resulta irresistible. La teoría resiste muy bien a las objeciones más obvias que se pueden hacer contra ella; sin embargo, a medida que se avanza, aumentan las dificultades. La definición de «tiempo empleado en la producción» se hace cada vez más difícil y, de ese modo, la mayoría de la gente se ve al final obligada a abandonar la teoría, aunque no tenga con qué reemplazarla.

Las objeciones a esta teoría «austriaca» se han expresado de manera contundente y repetida en una serie reciente de artículos del profesor Knight. Estos artículos han provocado un notable recrudecimiento de la vieja controversia bohm-bawerkiana,[2] pero el tema principal sigue sin resolverse. Tras la lectura de estos documentos, el lector se queda con la sensación: «Claramente, Bohm-Bawerk estaba equivocado,

---

[1] El enunciado clásico de la teoría de BOHM-BAWERK es, por supuesto, su *Positive Theorie des Kapitales* (1889). Fue traducido al inglés por Smart y, mientras escribo, se anuncia que próximamente aparecerá una traducción revisada de H. N. Gaitskell. La sección sobre capital en *Lectures* de WICKSELL (vol. I) lleva la misma argumentación a un grado de refinamiento mucho mayor.

[2] De los artículos del profesor KNIGHT, véase en particular «The Quantity of Capital and the Rate of Interest» (*Journal of Political Economy*, 1936). Se ofrece una bibliografía general de la controversia en KALDOR, «Annual Survey of Economic Theory» (*Econometrica*, 1937). KNIGHT y KALDOR la han continuado en *Econometrica*, 1938.

pero debe haber algo de cierto en lo que dijo; no se puede construir una teoría tan elaborada sin ninguna base». Antes de poder afirmar que tenemos una teoría del capital satisfactoria, es necesario desentrañar lo que hay de cierto en la teoría austriaca.

Espero poder demostrar que la dificultad se encuentra en que cuando vamos más allá de los casos artificialmente simples (con los que la teoría del capital comenzó de manera natural, pero que, incluso con Wicksell, nunca superó del todo), las proposiciones centrales cambian su carácter de manera notable. La teoría austriaca sigue siendo válida como caso límite, aunque no sea un caso muy importante. La teoría general difiere de la de Bohm-Bawerk en algunos aspectos importantes.

3.   Como hemos visto en repetidas ocasiones, la decisión a la que se enfrenta cualquier empresario en cualquier fecha (digamos, en nuestro «primer lunes») puede considerarse como la fijación de un *plan de producción*. Una descripción completa de un plan de producción vendría a ser esto;

$$A_0, A_1, A_2, A_3, ..., A_n$$
$$B_0, B_1, B_2, B_3, ..., B_n$$
$$\cdot \quad \cdot \quad \cdot \quad \cdot \quad \cdot$$
$$X_0, X_1, X_2, X_3, ..., X_n$$
$$Y_0, Y_1, Y_2, Y_3, ..., Y_n$$
$$\cdot \quad \cdot \quad \cdot \quad \cdot \quad \cdot$$

A, B, ... son diferentes tipos de *inputs*, X, Y, ... son diferentes tipos de *outputs*, y se supone que el empresario debe hacer su plan para un periodo de n semanas futuras. Un *input* simplemente es algo que se compra para la empresa, un *output* algo que se vende. Por tanto, si toda la empresa se liquidara y se vendiera todo su equipo, este equipo podría considerarse como un «*output*» de la fecha a la que tuvo lugar la venta –siendo todos los *outputs* posteriores nulos–. Esta idea nos permite pensar en el empresario como alguien que planifica anticipadamente para un período limitado (n semanas), pues consideramos la instalación que proyecta haber conseguido al final de ese tiempo como una clase de *output* (digamos Z_n) que acaba de producirse en la última semana.

Se observará que, aunque sólo haya una clase física de producción (digamos X), el plan de producción incluye, no obstante, una serie de *outputs* diferentes (X en fechas diferentes) que deben diferenciarse. Es posible que el lector empiece ahora a comprender por qué, en nuestra teoría estática de la empresa, decidimos prestar una atención tan inusual al caso de una empresa que produce muchos tipos de mercancías.

Así como el problema estático de la empresa es la selección de un determinado conjunto de cantidades de factores y productos, el problema dinámico es la selección de un determinado plan de producción entre las alternativas abiertas. Como en la estática, la limitación a la elección del empresario es técnica. Existe un cierto número de planes de producción alternativos que son técnicamente posibles. Si todos los *inputs*, y todos los *outputs* menos uno, son de magnitud conocida, esta limitación técnica (o función de producción) nos aclarará la producción máxima posible en la fecha restante; si todos los *outputs*, y todos los *inputs* menos uno, son de magnitud conocida, aclarará el mínimo *input* necesario en la fecha restante.[3] Como el empresario trabaja bajo esta limitación, el empresario solo puede cambiar de un plan de producción a otro, ya sea (1) sustituyendo una cantidad de un *output* por una cantidad de otro, (2) sustituyendo un *input* por otro, (3) aumentando o disminuyendo un *input* y un *output* simultáneamente. Todos los cambios en el plan de producción deben poder reducirse a una u otra de estas «variaciones elementales» o a una combinación de ellas. Exactamente igual pasa en la estática.

4.   Pero ahora, ¿cuál será el plan de producción preferido? En estática, nos contentamos con pensar en el empresario como un maximizador del excedente de sus ingresos sobre los costes; esto no nos causó una dificultad especial. Pero cuando se mira el problema de forma dinámica, queda claro que el empresario puede esperar, no un solo superávit, sino una serie de superávits, que se producen de semana en semana. Si dos flujos fueran tales que todos los excedentes de un flujo fueran mayores que los correspondientes excedentes del otro flujo, entonces no habría duda de cuál sería el mayor flujo. Pero si esta condición no se cumple (y no hay ninguna razón por la que deba cumplirse siempre, ni siquiera a menudo), necesitamos algún criterio que nos permita juzgar si un flujo debe considerarse mayor que otro.

En términos generales, el establecimiento de este criterio parece haber causado algunas dificultades a algunos economistas, aunque en realidad no hay ninguna razón por la que debiera haberlo hecho. El criterio puede expresarse de varias formas, pero bien consideradas, todas se reducen a lo mismo.

La forma más importante de enunciar el criterio es en términos del valor capitalizado del flujo de excedentes, lo que podemos llamar el valor capitalizado del plan de producción. Si suponemos que el empresario puede prestar y pedir prestado libremente a tipos de mercado dados, y que solo se dedica a los negocios para obtener un ingreso de ellos, entonces el plan de producción preferido debe ser aquel cuyo valor actual capitalizado sea mayor.

Definimos el excedente de cualquier semana como la cantidad por la cual el valor del *output* en esa semana excede el valor del *input* en esa semana.[4] Por tanto, si se

---

[3] Una vez más, es necesario que los *inputs* y *outputs* dados sean coherentes. De lo contrario, el *output* impar no será positivo, o incluso cero, y el *input* impar tendría que ser infinito. Hemos discutido todo esto antes; ver con anterioridad, p. 101 nota.

[4] Por supuesto, es perfectamente posible que, en cualquier semana en particular, el valor de los *inputs* supere al del *output,* de modo que el superávit se convierta en un déficit. Esto no tiene por qué significar necesariamente una quiebra; sólo puede significar que se está invirtiendo, de modo que se espera que el déficit se corresponda con posteriores superávits.

dan los precios y las expectativas de precio, este excedente se determina en cuanto se determina el plan de producción, y su valor presente también se determina con los tipos de interés reales y esperados.

Pueden definirse las entradas esperadas netas del empresario en cualquier semana futura como su excedente anticipado menos cualquier carga que tenga que afrontar (como los intereses sobre las obligaciones) como resultado de contratos celebrados en el pasado. Dado que estas obligaciones de pago son independientes de sus decisiones actuales, no pueden modificarse por ningún cambio en el plan. El valor de capital de estas cargas es una magnitud conocida tan pronto como sepamos los tipos de interés. Por tanto, el valor de capital de sus ingresos esperados netos sólo difiere en una constante del valor de capital de sus excedentes previstos, y alcanzará un máximo cuando esta constante sea máxima.

Ahora bien, es fácil demostrar que cualquier aumento en el valor de capital de sus ingresos netos esperados ha de llevar siempre al empresario a una posición preferida. Si es el jefe de una empresa privada, de modo que los ingresos de su empresa van directamente a su bolsillo, esto es evidente. Cualquier aumento en ese valor de capital le permitirá planificar los mismos gastos que antes (en su cuenta privada) y que le quede algo de sobra. Si es el administrador de una empresa, tal vez resulte menos evidente, pero sigue siendo cierto que cualquier aumento en el valor presente de los posibles ingresos netos de la empresa le permitirá planificar el mismo flujo de dividendos que antes, y todavía le quedará algo, de modo que podrá pagar un dividendo mayor en una fecha u otra que parezca conveniente.

Podemos considerar este mismo asunto bajo otro aspecto –que quizá parezca más realista– haciendo uso del concepto de ingreso. Hemos visto[5] que podemos considerar el *ingreso* de una persona como el nivel del flujo estandarizado cuyo valor presente es el mismo que el valor presente de sus entradas esperadas. Lo mismo vale para una empresa. Su ingreso (o beneficio) es el nivel de un flujo estándar cuyo valor presente es el mismo que el valor presente de sus entradas netas esperadas. Así, tenemos las relaciones

Entradas netas = Excedente – Cargos que surgen de contratos pasados

Beneficio (o ingreso) = Entradas netas – Depreciación (o + Apreciación)

Una vez conocidas las expectativas de precios e intereses, y que se decide la clase de flujo estándar (es decir, la definición de ingreso) que se utilizará, todas estas cosas quedan perfectamente determinadas. Y sabemos que cuando se determinan, cualquier aumento en el valor presente de un flujo debe elevar el nivel del flujo estándar

[5] Anteriormente, p. 208.

que le corresponde.[6] Por tanto, cualquier aumento del valor presente del flujo de las entradas netas esperadas debe aumentar los beneficios. Podemos decir que el empresario maximiza sus ganancias, o que maximiza el valor presente de sus posibles entradas netas, o que maximiza el valor presente de sus posibles excedentes. Todos estos indicios vienen a ser lo mismo, pero desde un punto de vista analítico el más descriptivo es el último de ellos (lo que hemos llamado el valor presente del plan).

5. El problema de maximizar el valor presente del plan de producción es formalmente idéntico al de maximizar el excedente de entradas sobre los costes en la teoría estática de la empresa. Los *outputs* de diferentes fechas deben considerarse como productos diferentes, y los *inputs* de diferentes fechas como *inputs* diferentes. Más allá de eso, solo hay una pequeña diferencia. Si, en condiciones estáticas, un empresario empleaba una unidad extra de un factor, eso comenzaba reduciendo su excedente (que es lo que supusimos que intentaba maximizar) en una cantidad igual al precio del factor. Pero si en nuestro nuevo problema suponemos que un empresario decide emplear una unidad extra de un factor en una fecha particular, no reduce el valor capitalizado de sus excedentes (que es lo que de hecho está maximizando) por el precio completo del factor, ni siquiera por el precio total esperado del factor. Los costes futuros solo entran en el valor presente del plan a sus valores *descontados*, y lo mismo ocurre con los ingresos futuros. En consecuencia, cuando adaptamos nuestro análisis estático, debemos reemplazar los «precios» de la estática por precios descontados a fin de resolver el problema dinámico. Con estos ajustes, toda la teoría estática de la empresa se mantiene. Sólo tenemos que hacer la transcripción.

En el caso estático, se mantienen las mismas condiciones de equilibrio. Hay tres casos, correspondientes a las tres formas de variación «elementales». (1) La tasa marginal de sustitución entre productos de dos fechas cualesquiera debe ser igual a la razón de sus precios descontados. (2) La tasa marginal de sustitución entre los *inputs* de dos fechas cualesquiera debe ser igual a la razón de sus precios descontados. (3) La tasa marginal de transformación de cualquier *input* en cualquier producto debe ser igual a la razón de sus precios descontados.

Las diversas condiciones de equilibrio que han expuesto autores anteriores siempre son casos especiales de estas condiciones generales. Por ejemplo, (1) la regla introducida habitualmente de que la tasa de salario actual es igual al valor descontado del producto marginal del trabajo actual, es un caso especial de nuestra tercera condición. Cuando el trabajo en cuestión esté dedicado a procesos productivos que requieran un tiempo definido (técnicamente dado) para dar frutos, esta condición es suficiente por sí misma como para determinar el precio de demanda del trabajo. Pero debe observarse que esto no es cierto en general.

[6] *Ibid.*

(2)   La regla de Wicksell de que el tipo de interés es igual a la productividad marginal *relativa* de la espera[7] se presenta como un caso especial de nuestra primera condición. De esa primera condición se deduce que, si no se espera que el precio de un producto cambie en dos semanas sucesivas, la tasa marginal de sustitución entre los *outputs* de estas fechas debe ser igual a la proporción en la que se espera que se descuente el dinero durante el período que media entre ellos. En consecuencia, el tipo de interés esperado debe ser igual a la *proporción* en la que se espera que aumente una unidad marginal de producto si se aplaza de una de estas semanas a la siguiente.

(3)   La regla de Keynes de que «el precio de oferta a corto plazo es la suma del coste marginal del factor y el coste marginal del uso»[8] es una combinación de nuestra primera y tercera condición. Keynes supone que solo es posible aumentar el *output* actual aumentando el *input* actual (coste del factor) y sustituyendo el *output* actual por el *output* futuro (coste de uso) en ciertas proporciones fijas.

(4)   Nuevamente, cuando se trata de lo que él llama la «eficiencia marginal del capital »,[9] Keynes supone que el aumento de la producción que se hace posible gracias a un aumento de los *inputs* debe distribuirse de alguna manera a lo largo de los periodos futuros. Por tanto, el coste de aumentar el *input* en una unidad tiene que ser igual al valor presente del flujo de incrementos de *output* logrados gracias al aumento de los *inputs*. Esto es lo que quiere decir con igualdad entre el tipo de interés y la eficiencia marginal del capital.

No cabe duda de que los casos en que se dan proporciones fijas, como los de Keynes, son muy frecuentes. Muy a menudo habrá grupos de *outputs* y de *inputs* en los cuales no es posible ninguna sustitución; y habrá pares de *inputs-outputs* que no estarán relacionados en absoluto, en el sentido de que un pequeño aumento en el *input* en la fecha t_1 no llevará a un aumento en el *output* en la fecha t_2, mientras que una pequeña disminución en el *input* en t_1 no podría dejar inmutables a todos los demás *outputs*, incluso si se dejara de producir totalmente la producción en t_2. Como estas parejas no tienen tasas marginales de sustitución o transformación, no originan por sí mismas condiciones de equilibrio, sino solo en combinación.

No obstante, como vimos al ocuparnos de la estática, en esta etapa de nuestra investigación poco se gana enfocando nuestra atención a estos casos de proporciones fijas. Sin embargo, en una etapa posterior encajarán con facilidad, dado que aparecerán simplemente como casos de complementariedad.

6.   Si el plan de producción seleccionado ha de ser el más rentable, deben satisfacerse los tres tipos de condiciones de equilibrio para todas las sustituciones y trans-

[7] *Lectures*, i, pp. 172-84,
[8] *Teoría General*, p. 67
[9] Ibid, p. 135.

formaciones marginales técnicamente posibles. Son condiciones *necesarias*, es decir, para que el valor actual del plan sea un verdadero máximo, también deben cumplirse las condiciones de estabilidad.

Las condiciones de estabilidad son las mismas que las que encontramos para el equilibrio estático de la empresa. Debe haber (1) una *tasa marginal de sustitución creciente* entre *outputs*; (2) una *tasa marginal de sustitución decreciente* entre *inputs*; (3) una *tasa marginal decreciente de transformación* de un *input* en un *output*. Además, correspondiendo con las condiciones estáticas de que el excedente debe ser positivo, tenemos una condición dinámica de que el valor presente del flujo de excedentes debe ser positivo.

Ahora bien, estas condiciones de estabilidad necesariamente producen las mismas dificultades que las condiciones estáticas de las cuales son una ampliación. No creo que causen dificultades adicionales, pero cuando extendemos en el tiempo el plan de producción las antiguas dificultades no desaparecen. Sigue en pie la cuestión de la dimensión de la empresa.

Se recordará que en el análisis estático solo pudimos obtener la clase de rendimientos decrecientes necesarios para un equilibrio estable bajo competencia perfecta suponiendo la existencia de algunos recursos fijos que no pueden incrementarse cuando se incrementan los factores variables, cuya limitación de su capacidad debería permitir generar rendimientos suficientemente decrecientes de otros factores. Ya advertimos que esto no resultaba muy convincente; pero ¿cómo se presenta la situación en términos dinámicos?

En primer lugar, parece necesario distinguir entre los casos: (1) donde el empresario, en la fecha en cuestión, tiene un negocio ya establecido; (2) donde es un empresario potencial que está planteándose establecer un negocio y qué tipo de negocio establecería. En el primer caso, los recursos fijos necesarios parecen estar en nuestra mano. El empresario ya tiene bajo su control un conjunto de bienes, el equipamiento de la empresa. El equipo incluye terrenos, edificios, maquinaria, herramientas, materias primas, mercancías en proceso de fabricación, y bienes acabados, pero aún no vendidos. Ahora bien, parece razonable suponer que este equipo habrá adquirido cierta unidad orgánica, por lo que no puede reduplicarse exactamente en el momento en que se quiera. Es el legado que la empresa ha recibido del pasado y, como tal, parece constituir en gran parte un bloque de «recursos fijos». Será mejor que no lo tengamos en cuenta entre los *inputs* enumerados en el plan de producción. Es mejor considerar los diversos planes de producción alternativos como flujos alternativos de producción (neta) que pueden derivarse de este equipo inicial. Por tanto, la solidez de este puede proporcionar los rendimientos decrecientes necesarios, lo que limitará, si no el tamaño final de la empresa, al menos la velocidad a la que puede expandirse. Sin embargo, eso es suficiente para nuestro propósito inmediato.

Hasta aquí, bien, pero ¿y qué pasa en el caso de la nueva empresa? Aquí no hay ningún legado del pasado que impida la expansión. ¿Hay algo que impida que se planifiquen nuevas empresas a una escala indefinidamente grande, es decir, algo que no sea la imperfección de la competencia y la limitación del mercado? Según el sentido común, debe haber algo; incluso en sectores que parecen aproximarse al tipo perfectamente competitivo, no vemos nuevas empresas que surjan de pronto a una escala gigantesca, sino todo lo contrario. Debe haber algunos obstáculos que están particularmente presentes en el caso de empresas nuevas.

Por supuesto, uno de estos obstáculos es el que ya hemos mencionado al abordar el problema estático: la creciente dificultad de gestión y control a medida que la empresa crece. En una empresa nueva, cuando hay que arreglar todo desde el principio y no hay posibilidad de seguir normas conocidas, esta dificultad es particularmente grande, lo que explica por qué las empresas suelen comenzar a pequeña escala.

Otro obstáculo, que también suele estar presente, aunque particularmente en las nuevas empresas, es el elemento de riesgo. A medida que aumenta el tamaño planificado de la empresa, las posibles pérdidas se hacen cada vez mayores, y la gente estará generalmente cada vez menos dispuesta a exponerse a la posibilidad de tales pérdidas. Ya hemos mostrado[10] que este factor de riesgo creciente puede representarse como un cambio en los precios esperados, en desventaja para el empresario (ya que el tipo real al que puede pedir prestado puede cambiar, de hecho, su desventaja). Evidentemente, podría detener la expansión.

Entonces, en general, no necesitamos tener tantos escrúpulos a la hora de utilizar el supuesto de competencia perfecta en condiciones dinámicas que en estáticas. En la práctica, los elementos que limitan el tamaño de las empresas son en gran medida elementos dinámicos. Por tanto, no es sorprendente que la teoría estática encontrara tantas dificultades en este ámbito.[11]

7.   En conclusión, cabe señalar otra característica del plan de producción –que quizá debiera tenerse en cuenta entre las condiciones de estabilidad–. No solo es necesario que el valor presente del plan sea positivo, sino que el empresario también debe esperar que el resto de su plan tenga un valor capitalizado positivo en todas las fechas futuras dentro del periodo planificado. Evidentemente, no le valdría la pena continuar con el plan después de una fecha en la que su valor capitalizado se ha vuelto negativo, y puede que se suponga que debe prever esto.

La importancia de esta condición se pondrá de manifiesto claramente en una etapa posterior. Si extendemos el flujo auxiliar de valores iguales a los valores capi-

---

[10] Véase arriba, p. 142.

[11] Este no es el lugar para ahondar en la relación entre la restricción de la producción debida a la competencia imperfecta y la debida al riesgo, pero creo que sobre este particular quedan cosas muy importantes que decir (Véase *Kaldor*, «Market Imperfection and Excess Capacity», *Economica*, 1935).

talizados esperados del plan de producción a finales de la 1.ª, 2.ª, 3.ª, ... semana, a partir de la fecha de planificación, y luego calculamos el valor presente de este flujo auxiliar, la relación entre el valor presente de este flujo y el valor presente del plan es lo que hemos llamado período medio del flujo de excedentes.[12] Por tanto, la característica que acabamos de señalar implica que el periodo medio del flujo de excedentes debe ser positivo. Cuando analicemos el efecto de las variaciones en el interés en el plan de producción, se pondrá de manifiesto la importancia de este periodo medio.

[12] Véase anteriormente, p. 210.

Capítulo XVI

Precios y plan de producción

1. POR SUPUESTO, las condiciones de equilibrio y las condiciones de estabilidad que planteamos en el capítulo anterior tienen el mismo papel que paralelas condiciones en la teoría estática. Hemos descubierto ahora cuáles son los principios que determinan el carácter del plan de producción adoptado cuando se dan los precios, las expectativas de precios, los intereses y las expectativas de intereses. El paso siguiente es usar esos principios para mostrar cómo se modifica el plan de producción cuando varían algunos de estos estímulos. Cabe destacar que las variaciones que consideraremos son todavía puramente hipotéticas; todavía estamos en nuestro «primer lunes». Estamos investigando la diferencia entre el plan de producción real de una empresa (incluyendo como parte del plan su comportamiento actual real) y el plan que se habría adoptado si los estímulos hubieran sido diferentes.

Ya hemos dicho lo suficiente sobre el problema dinámico del plan de producción como para demostrar que se trata de una mera traducción del correspondiente problema estático. Este exacto paralelismo nos ahorrará la molestia de trabajar de nuevo con las propiedades puramente formales de la sustitución técnica y la complementariedad técnica. Podemos dar por sentadas estas propiedades formales y, simplemente, contentarnos con mostrar cómo se ven en términos dinámicos. Aun así, hay muchas cosas que discutir. La introducción del interés, en particular, presenta una complicación nueva y bastante formidable, así que creo que será mejor que procedamos con bastante cautela. Dedicaré este capítulo a discutir el efecto sobre el plan de producción de los cambios en los precios y los cambios en las expectativas de precios, dejando el efecto de los cambios de interés para el próximo capítulo.

2. Para convertir la teoría estática de la empresa en una teoría dinámica del plan de producción, hemos visto que sólo son necesarias dos enmiendas. Los *outputs* e *inputs* que deben venderse (o adquirirse) en fechas diferentes deben tratarse como si fueran productos o factores diferentes; los precios reales deben ser reemplazados, no sólo por los precios esperados (cuando sea necesario) sino por los valores descontados de esos precios esperados. Sin embargo, mientras dejemos de lado los problemas de los cambios de interés, esta segunda enmienda no tiene por qué preocuparnos mucho. Si los tipos de interés se pueden tomar como dados, cualquier cambio en un precio esperado cambiará su valor descontado en la misma proporción. Los dos siempre se moverán juntos, de modo que podemos dejar de lado por el momento todo el problema del descuento.

Vimos que la forma más conveniente de presentar las proposiciones estándar que definen el comportamiento de una empresa en condiciones estáticas es suponiendo que el precio de un producto sube un poco y examinando los efectos en su política general. Estas proposiciones estándar se traducirán directamente en términos dinámicos suponiendo que el precio esperado de algún producto en particular en una determinada fecha futura aumentará un poco; por ejemplo, el precio de la mercancía X que se espera para la semana que comienza dentro de t semanas. Podemos considerar esto como un aumento en el precio del producto X_t. En primer lugar, aplicando nuestras reglas estáticas vemos que debe haber un aumento en la producción planificada X_t. Esto puede deberse a un aumento de los *inputs* o a una disminución de otros *outputs*, o a ambos. Los *inputs* pueden ser actuales o planificados; los menores *outputs* pueden ser del mismo tipo, pero con fechas diferentes ($X_{t'}$), o de un tipo físicamente diferente (Y_t o $Y_{t'}$). Además, siempre es posible que haya algunos *outputs* que sean complementarios de X_t, de modo que aumenten su producción con él y es posible (aunque menos probable) que haya algunos *inputs* que sean regresivos contra X_t, de modo que se hagan menores.

Todo esto está muy bien; sin embargo, el problema de lo que sucede cuando hay un cambio en el precio que se espera que gobierne para un producto en particular en una determinada fecha futura no es algo que deba preocuparnos. Surgen casos en los que encaja el análisis anterior, por ejemplo, en ocasiones funciona a gran escala, como cuando se anuncia una coronación, pero estos no son casos típicos. Es preferible poder usar nuestra teoría de otro modo.

Los cambios en los precios cuyos efectos analizamos en estática fueron variaciones en los precios reales de mercado. Ahora también querríamos poder estudiar los efectos de los cambios en los precios reales, en vez de simplemente los efectos de los cambios en las expectativas. Ahora bien, hay un tipo de cambio en los precios de mercado que puede estudiarse aplicando directamente las proposiciones estándar. El *output* actual es una producción particular a una determinada fecha, de modo que el efecto de un cambio en el precio de la producción actual puede calcularse de esta manera. Pero debe observarse que de esta manera podemos realizar un cambio en el precio actual, *ceteris paribus*; es decir, en este contexto, un cambio con expectativas de precio dadas. El cambio en el precio actual no puede perturbar las expectativas de precio, ni siquiera las expectativas de cuál será ese mismo precio en el futuro. Es decir, debe considerarse un cambio puramente temporal.

Así, si nos atenemos a la traducción directa de las principales reglas estáticas, no podemos considerar ninguna clase de cambio en los precios de mercado, excepto los que se espera sean temporales. No podemos tener en cuenta el efecto de la situación actual en las expectativas de la gente y, sin embargo, para que nuestra teoría sirva para algo, necesitamos tener en cuenta ese efecto.

3.   Es posible hacer una clasificación con tres clases de influencias a las que pueden estar sujetas las expectativas de precios. Una clase es completamente no económica: el clima, las noticias políticas, el estado de salud de las personas, su «psicología». Otra es económica, pero no está directamente relacionada con los movimientos reales de precios; esto incluye por un lado las simples supersticiones del mercado, o noticias relacionadas con los movimientos futuros de la oferta o la demanda (por ejemplo, informes sobre cosechas). La tercera clase consiste en la experiencia real de los precios, la experiencia del pasado y la experiencia del presente. Esta última es sobre la que más podremos hablar.

A los efectos de nuestra investigación, deben tratarse como cambios autónomos los cambios en las expectativas de precios que resultan de cualquiera de las dos primeras clases de influencia. Es posible que la situación económica actual vaya por esos cauces en formas misteriosas e indirectas, pero no podemos no hacer nada al respecto. Nunca debemos olvidar que las expectativas de precios pueden verse influidas por causas autónomas; más lejos no debemos ir.

Se puede realizar un análisis más detallado del efecto de los precios reales sobre las expectativas de precios, pero no podemos dar aquí una regla simple. Aunque no se tengan en cuenta las variaciones autónomas, todavía habría dos cosas a considerar: la influencia de los precios actuales y la influencia de los precios pasados. Estos actúan de formas muy diferentes, y por ello es muy importante saber cuál es la influencia más fuerte.

Como los precios pasados pertenecen al pasado, en el presente no son sino datos; si son dominantes, también pueden tratarse como datos las expectativas de precio. Este es el caso que consideramos al principio. El cambio en el precio actual no perturba las expectativas de precio, se le trata de un modo bastante temporal. Pero tan pronto como los precios pasados dejan de ser completamente dominantes, debemos permitir cierta influencia de los precios actuales en las expectativas. Aun así, esa influencia puede tener varios grados de intensidad y funcionar de diferentes maneras.

No parece posible llevar el análisis económico general de este asunto más lejos, de modo que todo lo que podemos hacer aquí es enumerar varios casos posibles; y tal lista resultará más útil si es sistemática. Introduzcamos, por tanto, una medida para la reacción que estamos estudiando. Si dejamos de lado la posibilidad de que un cambio en el precio actual de X pueda afectar en diferente medida a los precios de X que se espera que gobiernen en diferentes fechas futuras, y si también obviamos la posibilidad de que pueda afectar a los precios futuros esperados de otras mercancías o factores (ambos son omisiones graves), entonces podemos clasificar los casos de acuerdo con la *elasticidad de las expectativas*. Defino la elasticidad de las expectativas de una persona en particular sobre el precio de la mercancía X como la relación entre el aumento proporcional de los precios futuros esperados de X y el aumento proporcional de su precio actual. Así, si las expectativas son rígidamente inelásticas (elasticidad 0), obtenemos el caso de expectativas dadas, el caso que hemos estado considerando. Si la elasticidad de las expectativas es la unidad, un cambio en los precios corrientes cambiará los precios esperados en la misma dirección y en la misma proporción. Si antes se esperaba que los precios fueran constantes en el nivel anterior, ahora se espera que sean constantes en el nuevo nivel, esperándose que los cambios en el precio sean permanentes. Obviamente, estos dos son los casos fundamentales. Pero también es útil poder distinguir el caso intermedio de una elasticidad de expectativas menor que 1 y mayor que 0, y los dos casos extremos, de una elasticidad mayor que 1 y una elasticidad negativa. La elasticidad de las expectativas será mayor que la unidad, si un cambio en los precios actuales hace que la gente sienta que puede identificar una tendencia, de modo que la pueda extrapolar; será negativa si hacen el tipo de conjetura opuesto, interpretando el cambio como el punto culminante de una fluctuación.

Si bien es deseable que tengamos en mente todas estas posibilidades, es evidente que será imposible (e innecesario) trabajar en todas ellas para cada uno de los diversos problemas dinámicos a los que nos enfrentaremos. Los principios que pueden utilizarse para resolver cada caso serán, pronto, muy evidentes. Sin embargo, el segundo caso fundamental (aquel en el que la elasticidad de las expectativas es la unidad) es de una importancia tan obvia que deberíamos fijarnos la tarea de resolver ese caso, siempre que resulte relevante. Comencemos resolviéndolo con referencia al problema en cuestión.

4. Si la elasticidad de las expectativas del empresario para el bien X es la unidad (se consideran permanentes los cambios en el precio), un aumento en el precio actual de X elevará todos los precios esperados de X en la misma proporción. Ya vimos en estática que, cuando los precios de un conjunto de mercancías cambian todos en la misma proporción, el conjunto puede tratarse como una sola mercancía, y todas las reglas de comportamiento económico pueden aplicarse a él como si fuera una sola mercancía. Es lo que aquí hacemos. Si la elasticidad de las expectativas es la unidad, un aumento en el precio de X cotizado en el mercado debe elevar la producción planificada de X considerada en su conjunto; no hay oportunidad de sustitución a lo largo del tiempo, por lo que, desde un punto de vista, se puede descuidar el factor tiempo. Las reglas para el funcionamiento del plan de producción son exactamente las mismas que las reglas para el comportamiento de una empresa en condiciones estáticas. Debe haber un aumento en la producción de X, provocado por el aumento de *inputs* de un tipo u otro, en un momento u otro, o por sustitución a expensas de otros productos (pero otros productos en el sentido físico, no *outputs* del mismo producto físico en diferentes fechas).[1]

---

[1] Esta proposición es, por supuesto, la principal justificación para sostener que existen problemas prácticos que pueden tratarse adecuadamente mediante métodos estáticos. A medida que avancemos veremos con más precisión en qué consisten estos problemas.

La producción planificada de X debe aumentar cuando se toma como un todo, pero, por supuesto, no hay ninguna razón por la que este aumento de la producción deba distribuirse de manera uniforme en todos los periodos. De hecho, existen razones especiales para suponer lo contrario. La producción adicional que puede producirse en la semana actual, o planificarse para semanas en el futuro, será por lo general bastante pequeña. El equipo inicial, que posee el empresario en la fecha de planificación, generalmente contendrá en una forma casi terminada la mayor parte de la producción que puede producirse en el presente y el futuro próximo. Dado que solo puede existir una cantidad limitada de estos productos casi terminados, la flexibilidad de dicha producción en respuesta a cualquier cambio de precio será necesariamente pequeña. Pero no existe tal control sobre la expansión de productos futuros distantes, o más bien, el control se vuelve cada vez menor a medida que la producción se espera para una fecha futura más alejada en el tiempo.

Por supuesto, esto no es más que la doctrina de Marshall de los periodos «cortos» y «largos». Puede ser de algún interés intentar explorarla un poco más.

5.   El caso estándar de Marshall se puede expresar en un gráfico de la siguiente manera. Midamos el tiempo futuro a lo largo del eje horizontal y los productos a lo largo del vertical, y supongamos, en primer lugar, que los precios son tales que el empresario planea un flujo constante de producción AA'. Entonces, si el precio de su producto sube y se considera que ha subido permanentemente, (al parecer) planificaría una corriente como BB que aumentaría mientras el equipo se ajustaba a las nuevas condiciones, pero, probablemente, llevaría al establecimiento de un nuevo «equilibrio».

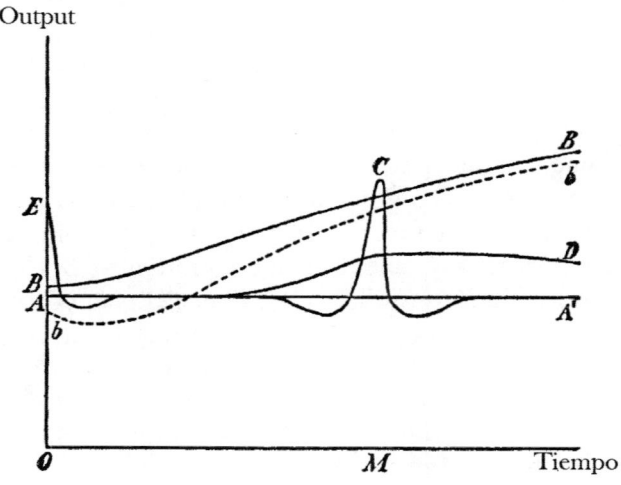

Fig. 24.

Para ver si es necesaria esta distribución en el tiempo de los incrementos de la producción, consideremos cómo se compensa el efecto de un aumento «permanente» del precio. La elasticidad unitaria de las expectativas significa que el precio actual de la mercancía y todos sus precios futuros esperados aumentan en la misma proporción, por lo que el efecto total del aumento en el precio se suma al efecto de un aumento en el precio actual (precios esperados sin cambios) y de los efectos de un aumento en cada precio esperado en particular (el precio actual y otros precios esperados permanecen sin cambios). Consideremos en el mismo gráfico qué efecto tiene cada uno de estos cambios parciales en el plan de producción.

Supongamos, en primer lugar, que hay un aumento en el precio de la mercancía que se espera que se establezca en la fecha M (manteniéndose otros precios constantes). Las consecuencias de esto pueden tomar dos posibles formas:

(1)   Es posible resolver la situación, al menos en parte, mediante sustitución a lo largo del tiempo. Esta sustitución puede tener lugar a expensas de productos anteriores a la fecha crítica (reducir la producción a partir de ahora, para acumular existencias que se puedan vender en la fecha crítica), o a expensas de la producción posterior (acelerar la producción, agotando el stock de mercancías en proceso, para tener la mayor cantidad posible disponible en la fecha crítica), o, quizá, ambas. La disponibilidad de estos métodos depende del carácter técnico del producto y del carácter técnico del equipo inicial: la durabilidad del producto, la durabilidad de los productos semiacabados que van a fabricarlo, la cantidad de dichos productos semiacabados disponibles en el equipo inicial, y así sucesivamente. De todos modos, si se utilizan estos métodos, la forma general del flujo de salida que se planificará como resultado de un aumento en las expectativas de este tipo es la que aparece en el gráfico como ACA'.

(2)   Por otro lado, cuando las oportunidades para dicha sustitución directa a lo largo del tiempo son pequeñas, la tendencia a la sustitución puede quedar anulada por una tendencia contraria. Si el producto no es duradero y los materiales que lo fabrican tampoco, no puede haber mucha sustitución en el tiempo. Sin embargo, todavía es muy posible que se necesite algún equipo duradero como un instrumento en su producción. La producción en una fecha determinada estará entonces limitada por la cantidad de ese equipo duradero que exista en ese momento. Si el aumento esperado en el precio es lo suficientemente grande, puede que valga la pena instalar más de este equipo duradero para aumentar la producción en la fecha crítica, pero la existencia del equipo también facilitará el aumento de la producción en otras fechas. Este es el caso de la complementariedad en el tiempo. Si los productos de diferentes fechas son complementarios, el flujo de productos planificados (inducidos por la expectativa de un precio más alto en la fecha M) tomará la forma AD.

La misma distinción que se aplica a los efectos de un aumento en el precio que se espera que rija en la fecha M (*ceteris paribus*) se aplica también a los efectos de un aumento en el precio actual que no se espera que dure. Pero, cuando procedemos a resolverlo, se pone de manifiesto por qué los efectos de tal aumento son a menudo muy pequeños. En el caso de la complementariedad, los efectos son casi necesariamente nulos. No habrá tiempo para instalar el equipo adicional antes de que el precio haya vuelto a la normalidad y, por tanto, no habrá ningún incentivo para instalarlo. En el caso de la sustitución, el efecto no es tan insignificante. Sin embargo, es importante observar que la sustitución ahora solo puede tener lugar de una manera. Por la naturaleza del caso, no puede haber sustitución a favor de la producción actual a expensas de la producción con fecha anterior; es decir, si no se da aviso de dicha demanda por adelantado, no puede haber una acumulación de existencias en previsión de esa demanda. Nos queda la posibilidad de acelerar la producción, de sustituir la producción actual por la futura (por supuesto, para permitir que se acelere la producción puede ser necesario algún *input* adicional). En consecuencia, o bien el efecto sobre el flujo de *output* es nulo, o el nuevo flujo toma la forma EA'.

6.   El efecto total sobre el flujo de productos planificados, que se produce cuando se espera que el aumento del precio sea permanente, puede calcularse sumando estos efectos parciales. En el caso de la complementariedad, cuando el efecto del aumento del precio actual (*ceteris paribus*) es prácticamente nulo, y el aumento de los precios futuros esperados induce un conjunto de flujos de incrementos de la producción como AD, es fácil ver que el efecto total debe ser de la forma BB –la curva que dibujamos para el caso de Marshall–. Cada uno de los componentes es más o menos de esta forma y, en consecuencia, la resultante también debe ser de esta forma. En este caso no puede haber excepciones.[2]

En el caso de la sustitución, por otra parte, los efectos constituyentes son de carácter mucho menos simple, y el resultado de agregarlos dista de ser tan seguro. El efecto total sobre la producción en una fecha determinada está compuesto de las cosas que tienden a aumentar esa producción y de las que tienden a disminuirla. No hay razón por la que el resultante deba seguir un patrón simple, o, incluso, para que las influencias que provocan un aumento en la producción deban ser dominantes en todas las fechas. Todavía es probable, en general, que el principal aumento de la producción se produzca en fechas futuras, de modo que una resultante como BB sigue siendo la más probable. Pero las variaciones del patrón estándar son mucho

---

[2] De hecho, es cierto que se espera que se produzca un aumento de precios en alguna «semana» futura concreta y, por sí solo, puede ser insuficiente como para inducir la instalación del equipo necesario, en tanto que un aumento que se espera dure un tiempo considerable puede resultar suficiente. Si esto ocurre (sin duda sucederá a menudo), el efecto total puede ser mayor que la suma de los efectos constituyentes. Pero, aunque mayor, seguirá siendo del mismo tipo, como se puede ver de inmediato cuando recordamos que la duración de nuestra «semana» es arbitraria. Al aumentar su extensión podemos disminuir la importancia de esta discrepancia, sin perjudicar en lo esencial a nuestro argumento.

más posibles y, por tanto, no se descarta la adopción de un plan de producción como *bb*, con algunos *outputs* realmente menores que los *outputs* correspondientes en el flujo original.

Sin embargo, hay una propiedad adicional que descubrimos en nuestra teoría estática de la producción y que aquí resulta relevante. Si los recursos fijos de la empresa no son muy importantes, hay una tendencia a que los *outputs* que produce y los factores que emplea se dividan en dos grupos separados, dentro de cada uno de los cuales la complementariedad es la relación dominante, aunque equilibrada por un alto grado de transformabilidad (que se considera una especie de sustitución) de uno en otro.[3] Como ocurre con otras proposiciones estáticas, el significado de esta propiedad trasciende los supuestos estáticos. Si el «equipamiento inicial» de la empresa no juega un papel muy importante en la limitación de sus posibles planes de producción, la complementariedad entre los productos (incluso la complementariedad en el tiempo) es una relación más probable que la alta sustituibilidad. Por tanto, es probable que los efectos anormales que se representan en la curva *bb* solo ocurran en aquellos casos en los que el carácter del equipo inicial domina toda la situación.

Un ejemplo que parecería encajar con estos requisitos es la historia de la extracción de oro en Sudáfrica en 1934-5. «Con precios más altos, la producción en el Rand cayó levemente, porque resultó mejor usar la planta existente para triturar minerales con un contenido de oro más bajo en vez de extraer los minerales más bajos, pero más ricos. Mientras tanto, la nueva planta construida empezará a producir en breve».[4] No entraré en la cuestión controvertida de si esta es una explicación real de lo que sucedió. Solo señalo que no hay ninguna razón teórica por la que no debería haber sucedido así.

7.   Los principios generales que gobiernan los efectos de los cambios en los precios de los *inputs* son, por supuesto, las perfectas contrapartidas de aquellos que gobiernan los efectos de los cambios en los precios de los productos. Si el precio de un factor *A* en particular aumenta y se espera que permanezca constante en el nivel más alto, el *input* total planificado de ese factor debe reducirse. De nuevo, no es necesario que la reducción de los *inputs* se distribuya de manera uniforme entre los diferentes períodos futuros y, una vez más, hay razones (razones menos poderosas que en el lado de la producción, pero aún razones a las que vale la pena prestar atención) para suponer que el efecto sobre los *inputs* planificados para un futuro más remoto será mayor que el efecto sobre el *input* actual y el *input* del futuro cercano.

La razón principal sigue siendo, como antes, el carácter específico del equipo inicial. El equipo inicial consistirá en gran medida en bienes de la etapa intermedia

---

[3] Ver, anteriormente, p. 114.
[4] *World Economic Survey*, 1935-6, p. 246.

de producción; ya se les ha aplicado algún trabajo con el objetivo de convertirlos finalmente en una determinada clase de producto. Si este proceso está muy avanzado, el grado en que se puede cambiar su objeto último será limitado. Hemos visto cómo esta característica limita la naturaleza y, quizá también, el tiempo de las partes más cercanas del flujo de *output* que pueden obtenerse del equipo de que se trate. Dado que, generalmente, se necesitarán más *inputs* para completar estos *outputs* particulares, también supone una limitación en las partes más cercanas del flujo de *input* esperado. Incluso si los precios de los *inputs* suben inesperadamente, resultará útil finalizar los procesos que se han iniciado, pero no terminado, siempre que el aumento de los precios de los *inputs* no sea muy grande. Aunque a veces sea posible encontrar un camino intermedio entre la mera continuidad del plan anterior y el cese completo de los procesos, pasará algún tiempo antes de que el empresario tenga realmente las manos libres para hacer frente a la nueva situación.

Cuando el cambio planteado sea una caída en el precio de un factor, ocurrirá en general lo mismo, aunque ahora hay una nueva posibilidad. Puede iniciarse un proceso de producción completamente nuevo (ya sea mediante la creación de una nueva empresa, o, quizá, mediante un nuevo proceso iniciado por una empresa antigua –podemos considerarlo como un nuevo proceso si no está muy íntimamente conectado con el anterior–). Pero incluso un proceso completamente nuevo de este tipo puede verse afectado por rigideces técnicas, que en realidad no son más que una expresión de esa complementariedad a lo largo del tiempo, la tendencia hacia la que señalamos anteriormente. No es que la forma temporal del nuevo flujo de *inputs* sea un dato técnico puro, pero es probable que sean muy importantes los factores técnicos en su composición. Ahora, por supuesto es muy posible que los factores técnicos induzcan corrientes de *input* de diversas maneras posibles; las cantidades de *inputs* que se necesitan al principio pueden ser muy grandes y luego caer, o pueden ser muy pequeñas al principio y luego aumentar. Pero, por experiencia, generalmente hay un pico de *input* en una etapa u otra, y esa tasa máxima suele ocurrir tras haber dado los primeros pasos del proceso. (En lenguaje común decimos que la mayoría de los procesos requieren una etapa de «preparación» antes de que puedan ponerse en marcha.) La cuestión es realmente de carácter tecnológico, más que económico, pero sus consecuencias económicas son tan importantes que una buena teoría económica necesita encontrarle un lugar.

La doctrina de Marshall del corto y largo plazo nos ha familiarizado con la noción de retrasos en el *output*. Es una lástima que no se les haya prestado mayor atención a los retrasos por el lado de los *inputs*. Están estrechamente ligados a algunos de los principales problemas sociales que conciernen al economista –el desempleo y la dificultad de solucionarlo–. En este sentido, sobre todo, una teoría que omita la probabilidad de estas demoras en los *inputs* probablemente resulte muy engañosa.

Capítulo XVII

El interés
y el plan de producción

1. ABORDAMOS ahora la cuestión realmente controvertida. En lo que respecta a los efectos de los cambios de precios en el plan de producción, no teníamos nuevos principios importantes que enunciar. Las cosas importantes en ese campo ya eran conocidas al menos desde la época de Marshall. Por otra parte, en la teoría de las variaciones de los tipos de interés no existe un cuerpo de doctrina que se haya establecido y se acepte fácilmente. Existe una teoría «clásica» (la de Bohm-Bawerk), pero su validez es ampliamente cuestionada. Existe un esbozo de una teoría opuesta (presentada por el profesor Knight y sus seguidores), pero la controversia está en gran parte sin resolver. Por tanto, el campo está abierto para que intentemos descubrir una teoría nueva que coloque en su debido lugar estos elementos discordantes.

Creo haber descubierto tal teoría, y me propongo exponerla en este capítulo. Puede que el lector ya haya percibido atisbos de ella, ya que las investigaciones que hemos realizado se han planteado de manera que conduzcan a su culminación. Por ejemplo, los efectos de los cambios de precios en el plan no se expusieron con tanto detalle porque fueran importantes por sí mismos (los resultados realmente importantes en ese campo son ya conocidos), sino para llevar al análisis de las variaciones en el tipo de interés. Solo tenemos que aplicar el mismo método a estas variaciones, y la solución estará en nuestras manos.

La razón por la que la teoría de los cambios de interés es mucho más difícil que la teoría de los cambios de precios es la siguiente. Cuando se trata de precios, es posible pasar directamente al caso más interesante: el caso de un cambio en los precios que se espera que sea permanente. (Vimos por qué esto es así: un cambio permanente en los precios es equivalente a un cambio proporcional en los precios actuales y en las expectativas de precios, de modo que tenemos derecho a utilizar la convención estática de tratar las mercancías, que deben comprarse o venderse en fechas diferentes, como la misma mercancía). Sin embargo, cuando se trata de tipos de interés, no podemos emplear la misma simplificación, que tan conveniente es.

Un cambio en los tipos de interés, que se espera sea permanente, implica un cambio proporcional en la tasa de descuento *por semana* para préstamos de todas las duraciones, y esto no conduce a un cambio proporcional en los precios con descuento –los precios que son relevantes para la determinación del plan–. Es cierto que hay un cambio sistemático en los precios descontados, pero no es un cambio proporcional. Los precios descontados de los productos e *inputs* más alejados en el tiempo se ven regularmente afectados *más* que los precios descontados de los productos e *inputs* más cercanos. Como consecuencia de esta propiedad, no podemos pasar directamente a las proposiciones importantes en la teoría del interés mediante la aplicación de cualquier principio estático que conozcamos. La única forma posible de abordar el problema es dividir el cambio general en los tipos de interés en una serie de cambios particulares en los tipos particulares (tal como dividimos el cambio general en los precios y las expectativas de precios en una serie de cambios particulares en las expectativas). Cuando nos ocupamos de los precios, esta división arrojó algo de luz, aunque no fuera estrictamente necesaria; ahora es la única forma que tenemos de abordar el problema.

2.   Comencemos por suponer que se fija un tipo de interés diferente en el mercado para préstamos de cada duración relevante e indaguemos, en primer lugar, sobre lo que sucede cuando se varía uno de estos tipos. Todos los demás tipos de interés deben suponerse sin cambios y (por supuesto) ninguno de los precios y expectativas de precios cambiarán.

Si lo que varía es el tipo de interés para préstamos a t semanas, esto afectará a los precios descontados de todos los productos que deban venderse en la semana $(t + 1)$ a partir de la fecha de planificación, y a los precios descontados de todos los *inputs*, ya que son adquiridos en esa semana. Todos los demás precios con descuento no se verán afectados.

Una caída en el tipo de interés para préstamos a t semanas elevará los precios descontados de $X_t, Y_t, \dots A_t, B_t, \dots$ (los *outputs* e *inputs* planificados para la semana que comienza t semanas más adelante). El efecto más natural de esto sería aumentar los *outputs* planificados $X_t, Y_t, \dots$, y disminuir los *inputs* planificados $A_t, B_t, \dots$ Esto implicaría, como contrapartida, bien sea un aumento en los *inputs* previstos para otras semanas, o una disminución en los *outputs*, o ambos.

Sin embargo, dado que el aumento del *output* de X_t (debido al aumento de su precio descontado) puede tener lugar a expensas de Y_t, o puede estimular una mayor demanda de los *inputs* contemporáneos $A_t, B_t, \dots$ (y de manera similar para otros *outputs* e *inputs*), no es seguro que el efecto directo a favor del *output* particular (o en contra de un *input* en particular) no pueda ser compensado por un efecto indirecto en dirección opuesta. Como consecuencia, no es del todo seguro que se incremente una producción en particular de la fecha en cuestión, ni que disminuya ningún *input* en particular. Puede haber casos en los que la reacción sobre determinados *outputs* o *inputs* pueda ir en sentido contrario. Pero como todos los *outputs* e *inputs* del grupo que estamos considerando son contemporáneos, un cambio en el tipo de interés cambiará todos sus precios descontados en la misma proporción, y se mantendrá la conocida regla sobre el tratamiento de las mercancías cuyos precios cambian en la misma proporción que una sola mercancía. Es cierto que cuando tratamos de agrupar un conjunto de *inputs* y *outputs* para tratarlos como una sola mercancía, debemos recordar que los *inputs* y *outputs* tienen lo que equivale a un signo diferente (las reglas que se aplican a los *inputs* son el inverso de las reglas que se aplican a los *outputs*). Esto no impide que se aplique de la misma manera la regla de tratarlas como un solo producto; sólo se aplica la regla a la *diferencia* entre el valor de los *outputs* e *inputs*. La regla absolutamente precisa, cuyo efecto es sin excepción el de una caída en el tipo de interés para préstamos a t semanas, es simplemente esta: debe incrementarse el excedente planeado para la semana $(t + 1)$.

Este principio se mantiene de manera bastante general y nos proporciona una fórmula conveniente que será de utilidad en nuestras futuras investigaciones. Siempre que se den las expectativas de precios, cualquier cambio en los tipos de interés cambiarán los precios descontados de los *outputs* e *inputs contemporáneos* en la misma proporción. En consecuencia, a lo largo de toda nuestra discusión sobre las variaciones de tipos de interés, podemos agrupar los *outputs* e *inputs* contemporáneos, siempre que decidamos hacerlo. Podemos simplificar el problema del plan de producción y considerarlo simplemente como el problema de elegir el flujo más rentable de un conjunto de posibles flujos de excedentes; estando dada la lista de posibles flujos por condiciones técnicas, y convertida en términos de valor por el supuesto de precios dados y expectativas de precio dadas. Entonces, se puede considerar que el efecto de los cambios del tipo de interés consiste en la sustitución entre excedentes, utilizando esto como una expresión abreviada para la sustitución y transformación entre los *outputs* e *inputs*, a partir de los cuales se acumulan los excedentes. La tasa de descuento para t semanas (la proporción en la que es preciso reducir el dinero a fin de descontarlo durante t semanas) debe considerarse entonces como el «precio» del excedente acumulado en la $(t + 1)$ semana. Si esta tasa de descuento aumenta, debe tratarse como un aumento en el «precio» del excedente correspondiente. Así, se puede resumir el caso que hemos estado discutiendo diciendo que debe haber un aumento en el excedente planeado para la $(t + 1)$ semana; que esto debe realizarse por sustitución a expensas de otros excedentes (sólo es posible ampliar un excedente si se contraen otros);[1] aunque es posible que un número limitado de otros excedentes sea complementario del excedente $(t + 1)$, en cuyo caso también se expandirán.

---

[1] La expansión de un déficit debe considerarse como una contracción de un superávit.

3.   Cuando la teoría del efecto de un cambio particular en el interés se establece de esta manera, es bastante fácil generalizarla de modo que nos dé el efecto de un cambio general en los tipos de interés. Si los tipos de interés por semana bajan para los préstamos de todos los períodos, se elevarán las tasas de descuento (es decir, los «precios») correspondientes a todos los excedentes futuros, y esto, en sí mismo, induce una tendencia directa a la sustitución en favor de los excedentes futuros, y en contra del excedente actual. No obstante, el cambio en cuestión no es un mero desplazamiento proporcional en todos los «precios» de los excedentes futuros; cada «precio» se ve más afectado que cualquiera de los «precios» anteriores de la serie en que se encuentra, y menos que cualquier «precio» posterior. Cada excedente experimenta un doble impulso; el aumento de su propio «precio» provoca una sustitución a su favor, y el aumento de otros «precios» suele provocar una sustitución en contra. Sin embargo, cuanto más avanzado sea el lugar en que se encuentra en la serie, más fuerte será el impulso a favor de la expansión, y menor el arrastre hacia la contracción. Por tanto, deberíamos esperar que la mayor expansión se encuentre en los excedentes más lejanos en el tiempo y la mayor contracción en los excedentes más cercanos. El efecto sobre el flujo de excedentes puede expresarse diciendo que se le da una inclinación; se baja en un extremo y se eleva en el otro; se hace girar, como si dijéramos, sobre un punto medio.

Dado que un excedente se puede ampliar, ya sea por una expansión de los *outputs* o por una contracción de los *inputs* correspondientes, el efecto de esta inclinación en los flujos de *input* y *output* que componen el plan sería el siguiente. Los flujos de *output* se inclinarán hacia arriba a la derecha, así

$$\uparrow \\ X_0,\ X_1,\ X_2,\ X_3,\ ...,\ X_n \\ \downarrow$$

(de la misma manera que se inclinaría el propio flujo de excedentes). Pero los flujos de *inputs* se inclinarían en la dirección opuesta

$$\uparrow \\ A_0,\ A_1,\ A_2,\ A_3,\ ...,\ A_n. \\ \downarrow$$

La forma en que la inclinación de los excedentes se dividiría entre los flujos de *output* y de *input* dependería de las condiciones técnicas.

Ahora bien, se recordará que ya antes nos habíamos encontrado con este fenómeno de la inclinación, en particular en los flujos de *output*. El efecto de un aumento en el precio de un *output* en particular cuando se esperaba que ese aumento fuera permanente, también era inclinar el flujo de *output* hacia arriba (compárese la curva

BB en el gráfico de la p. 233). Pero esa inclinación se debió a una causa muy diferente a esta. Por sí mismo, un aumento permanente esperado en el precio del *output* proporciona un estímulo igual al *output* en todos los periodos. Debido a las rigideces técnicas y a la especificidad del equipamiento inicial, solo es probable que la respuesta al estímulo sea mayor en un futuro más alejado que en el más próximo. Aquí, la caída del tipo de interés proporciona un mayor estímulo al aumento del *output* en fechas futuras más alejadas. No son las rigideces técnicas las que provocan la inclinación, sino la naturaleza misma del interés.

Sin embargo, las complementariedades y las rigideces técnicas también tienen su papel. Aunque existe un estímulo para la reducción del *output* corriente, no es muy probable que ese estímulo sea eficaz, ya que el *output* corriente está, en gran medida, predeterminado. Incluso el estímulo para aumentar el *input* corriente puede resultar bastante ineficaz, por razones similares a las que expusimos en el capítulo anterior. El peso principal del aumento de los *inputs* previstos puede llegar en un futuro *intermedio*. La distribución precisa a lo largo del tiempo del nuevo plan de producción depende de las condiciones técnicas, ya que ellas deciden cuándo será posible aumentar el futuro de la producción y disminuir el futuro de los *inputs*. No es posible establecer una regla estricta y rápida sobre el *output* e *input* de cualquier fecha determinada (o incluso el excedente en una fecha determinada); todo lo que podemos decir es que debe haber una inclinación positiva en el flujo de excedentes, en un sentido amplio o en otro.

¿Podemos darle a ese amplio sentido una definición exacta?

4. Lo que queremos encontrar es un índice numérico para el carácter del plan, y que podamos confiar que cambie en una dirección determinada con las variaciones del tipo de interés; aunque quizá podamos contentarnos con un índice cuya dirección de cambio sea de confianza (en la mayoría de estos asuntos no podemos esperar excluir raras excepciones, como en el caso de la curva de demanda con pendiente hacia atrás).

Fue la búsqueda de dicho índice lo que llevó a Bohm-Bawerk y sus seguidores a proponer su «periodo medio de producción» o «periodo medio de inversión». En los casos simples que trataron parecía natural pensar en una unidad particular de *input* corriente que diera lugar a un flujo finito de *outputs* futuros en fechas determinadas en el futuro. Después de cierto tiempo, los «productos intermedios» (o, como podríamos decir, el equipo) que resultan directamente del *input* inicial, se desgastarán, o se convertirán finalmente en *output* final. Al promediar los periodos de tiempo que hay que esperar para obtener los productos terminados debidos al *input* inicial, obtenemos el «periodo medio de producción» de la economía austríaca.

Pero ¿de qué clase de media se trata? ¿Cómo se pondera? Podríamos pensar que se ha prestado cierta atención a este asunto, pero, sorprendentemente, ha

recibido muy poca. Hasta donde es posible juzgar, las ponderaciones parecen tomarse como cantidades de producción o, en el caso más lejano, como valores de
producción.

Cuando el «periodo medio» se entiende en cualquiera de estos sentidos, tiene que hacer frente a objeciones aplastantes. El profesor Knight ha demostrado
lo imposible que resulta identificar una serie finita de *outputs* de este tipo, que
pueden imputarse a cualquier *input* corriente en particular. Por lo general, se pretende que el *input* actual venga sucedido por un flujo indefinido de flujos futuros,
dando lugar a un flujo indefinido de *outputs* futuros. No es posible distinguir
outputs particulares de este flujo como «debidas» al *input* actual. Si se retiraran
los *inputs* actuales, tendría que haber alguna reducción del futuro *output* (siempre
que no aumenten los *inputs* futuros), pero esta reducción puede tener lugar en un
momento u otro, o extenderse de diferentes formas a lo largo de distintas fechas
futuras.

Tampoco es posible eludir esta dificultad abandonando el intento de aislar un
flujo de *outputs* que pueden imputarse a cualquier *input* en particular, y centrando
la atención en el plan de producción de la empresa en su conjunto. No hay razón
para que ese plan de producción tenga algún fin significativo para este propósito. Los
inputs se planifican para que sucedan a otros *inputs*, los *outputs* para que suceden a
otros *outputs*, en la medida que quiera preverlos el empresario.

Por tanto, el «periodo» austriaco no sirve; pero esto no quiere decir que Bohm-Bawerk estuviera diciendo bobadas. Su teoría era satisfactoria para los casos que
estaba considerando; debería poderse encontrar un concepto generalizado que res-
ponda a las objeciones del profesor Knight y, sin embargo, incluya el argumento de
Bohm-Bawerk como un caso especial.

Por lo que a nosotros atañe, no necesitamos ir demasiado lejos para encontrar
tal concepto; ya lo tenemos entre manos. En el curso de nuestro argumento, hemos
tropezado con un periodo medio que prueba estas objeciones. Ahora demostraremos
que esto era lo que buscaban los austriacos.

Si consideramos el flujo esperado de excedentes y déficits (las diferencias entre el
valor de la producción y el valor de los *inputs* en períodos sucesivos) y calculamos su
periodo medio según *nuestra* regla para calcular el periodo medio de un flujo –ponderado por valores descontados– tenemos algo que, enseguida, resulta más prome-
tedor que el «periodo» austríaco. Según esta definición, incluso un flujo de longitud
indefinida tendrá un periodo medio finito. Por tanto, no necesitamos molestarnos
intentando descubrir los *outputs* futuros imputables al *input* actual. Podemos centrarnos en el periodo medio del flujo de excedentes –es decir, el periodo medio del plan
en su conjunto–.

Además, a lo largo de las investigaciones llevadas a cabo en este capítulo se ha
hecho evidente que siempre son los valores descontados, y nunca los no descontados,

los que resultan relevantes para las decisiones de los empresarios. El empresario a la hora de tomar sus decisiones nunca compara los valores no descontados de los *outputs* o *inputs* en diferentes fechas; por tanto, no se puede esperar que cualquier medida en la que entren estas cantidades se comporte de una manera determinada, o que nos conduzcan a algún lado.

Pero parecerá que nuestra medida tiene que hacer frente a una objeción aparentemente fatal. Cuando cambie el tipo de interés, incluso cuando el plan de producción no cambie en absoluto, nuestro periodo medio cambiará. Una caída en el tipo de interés elevará los valores descontados de los superávits futuros más distantes. Por tanto, casi necesariamente deberá aumentar el periodo medio, aun cuando no cambien los *outputs* o *inputs*. Dado que queremos usar el periodo medio como una medida de los cambios en el plan, este tipo de cambio en el periodo es completamente irrelevante para nuestros propósitos.

El periodo medio de un flujo (que, como recordaremos, definimos en una etapa anterior de nuestro trabajo)[2] es un índice satisfactorio de la forma temporal del flujo solo cuando se calcula a un tipo de interés *determinado*. El mismo flujo tendrá toda una serie de periodos medios diferentes, a los que se llega utilizando diferentes tipos de interés en el cálculo. Si el periodo medio cambia sin que haya cambiado el tipo de interés, eso indicará un cambio en el flujo; pero si cambia, cuando cambia el tipo de interés, no es necesario que indique ningún cambio en el flujo.

En consecuencia, aun cuando estamos considerando el efecto de cambios en el tipo de interés sobre el plan de producción, no debemos permitir que se modifique el tipo de interés que usamos en el *cálculo* del periodo medio.[3] Lo que debemos hacer es comenzar con un determinado tipo de interés, un determinado plan de producción elaborado en función de ese tipo, y un periodo medio calculado a partir de este plan de producción a este tipo de interés. Entonces debemos suponer que el tipo de interés cae y, en consecuencia, varía el plan de producción. Finalmente, debemos calcular el periodo medio del nuevo plan, utilizando para su cálculo el mismo tipo de interés que antes —es decir, el tipo previo—. Entonces nuestra propuesta es que el nuevo periodo medio, calculado de esta manera, debe ser más largo que el anterior. Una caída en el tipo de interés alarga el periodo medio.

[2] Ver anteriormente, p. 210.
[3] Este procedimiento, bastante curioso, puede aclararse valiéndose de una analogía. Si queremos medir el efecto de un aumento de precios en la producción de una industria, en la práctica (dado que la producción de la industria no es homogénea) tenemos que ponderar los distintos tipos de *outputs* por sus precios. Pero si hacemos esto, entonces, aunque los precios cambien en la segunda situación, deberemos seguir usando los mismos precios ponderados. De lo contrario, nuestro cálculo registrará simplemente el cambio en las entradas (que habrían aumentado incluso si no hubiera habido ningún cambio en la producción) y, no registrará, en absoluto, el cambio en la producción.

5.   No conozco una forma sencilla de demostrar esta proposición. La más fácil que he descubierto es la siguiente. Si tomamos el flujo de excedentes que se planificaría al tipo de interés anterior (S_0, S_1, S_2, ..., S_n,), y lo comparamos con el flujo que se planificaría al nuevo tipo (S'_0, S'_1, S'_2, ..., S'_n,), podemos identificar un *flujo marginal*

$$S'_0 - S_0, S'_1 - S_1, S'_2 - S_2, ..., S'_n - S_n$$

compatible con las diferencias entre los excedentes correspondientes, prestando la debida atención al signo. Entonces se puede pensar que el nuevo flujo se forma al agregar la corriente marginal a la antigua. Se puede demostrar fácilmente a partir de la fórmula para un periodo medio[4] que, siempre que se calculen al mismo tipo de interés, el periodo medio del nuevo flujo es la media del período medio del flujo anterior y el periodo medio del flujo marginal. Más concretamente, si P es el período medio del antiguo flujo, C su valor de capital en la fecha de planificación; y p y c son el periodo medio y el valor de capital del flujo marginal, entonces, el periodo medio del nuevo flujo será $\frac{CP+cp}{C+c}$. Este método de componer periodos medio puede mantenerse de manera bastante general.

Ahora consideremos la naturaleza del flujo marginal particular que se planifica cuando hay una pequeña caída en el tipo de interés. Aquella es tal que, al antiguo tipo de interés, simplemente no habría compensado realizarla. Sin embargo, cuando el tipo de interés cae un poco, entonces sí merece la pena.[5] Por tanto, su valor de capital debe ser negativo al tipo más alto y positivo al más bajo. Pero dado que la caída en el tipo de interés puede ser tan pequeña como queramos, estos dos valores se pueden acercar tanto como queramos. También c, el valor de capital del flujo marginal, se puede acercar a cero tanto como queramos.

Por otro lado, la cantidad cp sin ninguna duda es positiva y finita. En un capítulo anterior, vimos que el producto del periodo medio de un flujo por su valor de capital es igual al valor de capital de un flujo auxiliar formado al capitalizar, en cada semana sucesiva, los elementos del flujo de excedentes que quedan después de esa semana.[6] También vimos que todos los elementos de este flujo auxiliar deben ser positivos (de lo contrario, nunca merecería la pena seguir adelante con el plan de producción implícito en el flujo). En consecuencia, el valor de capital del flujo auxiliar debe ser positivo.

[4] Ver anteriormente, p. 210.

[5] Nuestro *flujo marginal* tiene algo en común con la «unidad marginal de inversión» de otros autores. Pero debe observarse que no existe una necesidad teórica de que el ajuste marginal implique una disminución o incremento en el *excedente actual;* el ajuste del plan puede referirse totalmente al futuro.

[6] Ver anteriormente, p. 225-6.

Por tanto, cuando aplicamos la fórmula anterior al cálculo del periodo medio del nuevo flujo, podemos ignorar el término c, pero el término cp no. Por tanto, el nuevo período medio se convierte en

$$\frac{CP+cp}{C} = P+\frac{cp}{C}$$

y esto es necesariamente mayor que P.

Creo que esta es una prueba satisfactoria de la proposición. Sin embargo, en el Apéndice se ofrece una prueba matemática alternativa, en la que tengo bastante más confianza.[7]

6.   Ahora podemos ver exactamente dónde falló Bohm-Bawerk. Tenía toda razón al concebir el proceso de producción capitalista como esencialmente un proceso en el tiempo, un proceso en el que los *outputs* se producen en fechas posteriores a aquellas en las que se utilizan los *inputs* que los originan. Partiendo de esta concepción, y deseando resaltar lo mejor posible la naturaleza fundamental de esta producción, el centró naturalmente su atención en lo que parecía ser el caso más simple: el caso donde todos los *inputs* se utilizan en una fecha dada, y todos los *outputs* llegan a buen término en otra fecha determinada. No hay ninguna objeción a esto. Con el propósito de dilucidar la naturaleza de la producción capitalista, los casos típicos que presentaban los austríacos (almacenamiento de vino y plantación de árboles) resultan muy esclarecedores. Pero cuando procedió a elaborar la teoría de este caso simple, llegó a un resultado que es válido en ese caso, pero que no es susceptible de ser generalizado en la forma en que se podría haber esperado. Si un empresario posee una cantidad de vino ya almacenada, o una cantidad de árboles ya plantados, es muy cierto que una caída en el tipo de interés puede inducirlo a posponer la finalización del proceso para una fecha posterior a la que, de lo contrario, habría planeado. Aquí no hay objeción a la teoría austriaca. Sin embargo, este caso llevó de manera natural a conclusiones que parecen verdaderas en general, pero que, de hecho, no lo son. En este simple caso, sólo hay un término en el flujo anticipado de excedentes –el valor del producto en el momento de terminarse–. Por tanto, no importa qué ponderaciones se utilicen para calcular el «periodo medio». En cualquier sistema de cálculo, el «periodo medio» de este «flujo» rudimentario debe ser igual al periodo real de producción, el período de tiempo real que debe transcurrir antes de que se complete el proceso. Llegados a este punto (y por ahora no hay ningún error en el argumento),

---

[7] En la primera edición de este libro, me obsesionaba una ligera discrepancia entre el argumento anterior y la prueba matemática correspondiente. Posteriormente, descubrí la razón de la discrepancia, que fue otra consecuencia de mi error sobre la «complementariedad extrema». En consecuencia, se ha eliminado en la versión dada en la p. 369.

era casi inevitable cometer un error. Resultaba demasiado tentador llegar a la conclusión de que, debido a que, en el primer caso el efecto de un cambio en el interés era
cambiar el periodo de tiempo real que transcurre entre la entrada del *input* y la salida
del *output*, por lo que algo semejante debe ser cierto en general. De esta manera, los
austriacos construyeron por analogía su «periodo medio» –un periodo de tiempo real,
una característica técnica del sistema productivo formado por el año agrícola, los cinco años de vida de una máquina, los veinte años de vida útil de un barco, etc.– Pero
el argumento de la analogía era traicionero; no argumentaban desde un caso representativo, sino desde un caso excepcional. Salvo en este caso excepcional, el periodo
medio real (debe haber un periodo medio real, o el argumento austriaco original no
podría haber sido válido, como lo es) es un simple índice de la inclinación del plan;
en absoluto es un período de tiempo real.

La duración absoluta del periodo medio real no tiene importancia alguna.
Depende sólo del carácter del plan de producción. Se alargará y acortará de forma
totalmente arbitraria según calculemos el periodo medio del mismo plan a distintos tipos de interés. El cambio en el periodo medio es importante, pero no la duración del periodo en sí. El periodo medio no mide más que la *tendencia creciente*
del plan, y eso no tiene nada que ver con los métodos técnicos de producción
empleados.

Esta completa falta de conexión entre el periodo medio del plan (cuando se define como es debido) y los métodos técnicos de producción, se deriva directamente de
la forma en que hemos establecido nuestra proposición fundamental. Sin embargo,
aún puede ser útil rematar el asunto con un ejemplo concreto.[8] Supongamos que la
producción emprendida por una empresa determinada consiste, simplemente, en la
realización simultánea de un número de procesos completamente separados, cada
uno de los cuales requiere de n semanas, del primero al último. Supongamos (inicialmente) que la empresa se encuentra en equilibrio estacionario, llevándose a cabo
juntos mn de estos procesos y que, para reemplazar los m procesos que se terminan
al comienzo de la semana, m nuevos procesos se inician cada semana. Por tanto, los
flujos de *inputs* y *outputs* totales son constantes en el tiempo. La empresa se contenta con no más de mn procesos por razones de riesgo; los coeficientes de riesgo
aumentan a medida que se expande la escala de producción. El empresario se niega
a emprender procesos adicionales, porque su valor capitalizado (deducido el riesgo)
sería negativo. Ahora supongamos que el tipo de interés cae. Entonces el valor capitalizado de un nuevo proceso aumentará, y puede resultar rentable realizar algunos

[8] Tomo prestado este ejemplo de Kalecki, «The Principle of Increasing Risk» (*Economica*, 1937).
Kalecki parece considerar la situación en cuestión como más típica de la naturaleza del proceso productivo general que yo. Sin embargo, no es necesario discutir eso, ya que mi teoría cubre perfectamente
el caso que él plantea.

de estos procesos adicionales que, anteriormente, no eran rentables. Ahora bien, no hay absolutamente ninguna razón para que los nuevos procesos no tengan el mismo carácter técnico que los antiguos. Pero a pesar de eso, al ser procesos nuevos emprendidos solo por haber bajado el tipo de interés, su inicio debe elevar el periodo medio del plan. Antes de la caída del tipo de interés se esperaba que el flujo planificado de excedentes se mantuviera constante a lo largo del tiempo. Cuando cae el tipo de interés, el superávit corriente disminuye, y algunos superávits posteriores aumentan. El flujo tendrá una *tendencia creciente*.

7.   En este capítulo hemos tratado propiedades puramente formales; al revisar lo que he escrito, no puedo evitar sentir cierta desazón, pues temo estar expuesto al cargo de sólo haber dicho cosas simples de una manera complicada. Sin embargo, la justificación de lo que he estado haciendo (aunque no sirva para mucho) está en el estado actual de la teoría del capital; no podemos esperar desterrar el espectro de Böhm-Bawerk (como debería desterrarse) hasta que hayamos explicado dónde se equivocó. No creo que sea posible con una explicación menos elaborada hacer justicia a los buenos elementos de su teoría, ¡al tiempo que desvelamos la terrible trampa en que el pobre hombre cayó!

Sin embargo, una vez que dejamos atrás la teoría austriaca, sólo queda la conclusión general (que puede establecerse con suficiente claridad para casi todos los propósitos, sin preocuparse de todo ese galimatías de los periodos medios) de que los cambios en el tipo de interés afectan a la «inclinación» o *tendencia creciente* del plan de producción. Se pueden resumir así todos los posibles efectos del tipo de interés sobre el plan de producción y en lo que concierne a la teoría formal, eso es todo lo que hay que decir.

Pero queda aún otro punto que deberíamos incluir en la conclusión: un punto de mucha mayor importancia práctica que aquellos con los que hemos lidiado. Si estamos interesados en los movimientos de los tipos de interés que caen dentro del rango ordinario (digamos entre el 2 y el 7 por ciento al año), habrá pocos efectos de tales cambios en los precios descontados de los *outputs* o *inputs* previstos para fechas próximas. Con frecuencia, serán lo suficientemente insignificantes como para que el hombre de negocios pueda ignorarlos por completo y, sólo en casos especiales, es probable que tengan un efecto apreciable en la actividad empresarial. Pero este mismo principio se mantiene en *el* otro extremo. Cuando se planifica un *output* o *input* para una fecha muy lejana en el futuro, su precio con descuento se vuelve extremadamente sensible a los cambios en el tipo de interés. En consecuencia, cuanto más de estos *outputs* o *inputs* distantes contenga el plan, más sensible al tipo de interés será. Si los planes de los empresarios solo se extienden a un futuro próximo («viven al día»), el tipo de interés tendrá poco efecto sobre ellos; si miran hacia el futuro, el interés se vuelve muy importante.

El periodo de tiempo para el cual un empresario estará dispuesto a planificar con anticipación depende en parte de las condiciones técnicas (en algunos tipos de negocios es más necesario planificar con anticipación que en otros), pero también depende, de manera muy importante, del riesgo. Como hemos visto a menudo, el «precio esperado» efectivo de un producto futuro –el precio al que debe estimarse para los propósitos del plan– no es el precio más probable, sino el precio más probable *menos* una provisión para el riesgo. Ahora bien, cuanto más alejada se encuentra la producción futura, es probable que sea mayor la provisión de riesgo simplemente porque aumenta la incertidumbre del precio futuro. Llegados a cierto punto, por tanto, la asignación de riesgo será tan grande como para eliminar cualquier posible ganancia, y el «precio esperado» efectivo será nulo. Esto es lo que pone fin al plan y evita que se extienda a un futuro indefinido; sin embargo, el plan no se interrumpe sólo después de un cierto período de tiempo. Incluso aquellos productos relativamente distantes cuyos «precios esperados» no son completamente suprimidos por el riesgo, se ven sin embargo gravemente debilitados en su influencia sobre el plan por esta depreciación debida al riesgo (obsolescencia anticipada del equipo que podría instalarse para producirlos). Pero si quiere provocar grandes ajustes en el plan, el interés debe apoyarse precisamente en el *tirón* de estos *outputs*; ahora vemos que es probable que ese *tirón* sea mucho menor de lo que podríamos haber esperado.

El tipo de interés es demasiado débil para tener mucha influencia en el futuro cercano. El riesgo es demasiado fuerte como para permitir que el interés tenga mucha influencia en el futuro lejano. ¿Qué lugar le queda al interés entre estas tendencias opuestas? Que pueda encontrar un lugar depende de la fuerza del factor riesgo y, eso, como hemos visto, es en gran parte una cuestión psicológica. En un estado de grave desconfianza, la gente «vivirá al día»; si lo hacen, los cambios en el tipo de interés (cambios moderados como los que estamos hablando) pueden tener poca influencia en su conducta. Por otro lado, en un estado de confianza los márgenes de riesgo son mucho menores y, probablemente, quedará un espacio entre ambos extremos entre que el interés carezca de eficacia, y que pueda tener una influencia significativa como la que hemos analizado en este capítulo.

Es evidente la relación que tiene esto con la política del tipo de interés durante las fluctuaciones económicas, pero más adelante estaremos más capacitados para discutir esto.

Capítulo XVIII

Gastos y préstamos

1. PASAMOS AHORA al problema dinámico del individuo. Si nos contentamos con seguir nuestro método habitual de abordar los problemas, resulta obvio el método a seguir. El problema estático de la empresa consistía en maximizar el excedente de los ingresos sobre los costes que se podría obtener aprovechando una oportunidad productiva dada en condiciones técnicas dadas; el problema dinámico correspondiente consiste en maximizar el valor de capital del flujo de excedentes que se puede esperar que se acumule en el presente y en el futuro a partir de la explotación de tal oportunidad. El problema estático del individuo consistía en elegir la colección de mercancías preferida que se puede comprar con una determinada suma de dinero. Estableciendo el paralelo de la misma forma, parece que el problema dinámico del individuo debería verse como la elección de una colección de flujos de mercancías preferidas entre las diversas colecciones de flujos que el individuo podría esperar ser capaz de comprar de un determinado flujo esperado de entradas. La empresa debe elegir el plan de producción más rentable y el individuo tiene que elegir el plan de gastos preferente. La transición de estática a dinámica es exactamente similar en los dos casos.

Parece que estemos comprometidos con este tipo de enfoque, pero, de todos modos, uno no puede evitar sentir enormes reparos. Cuando estamos considerando el caso de una empresa, que sólo se preocupa por sacar el máximo beneficio de una situación dada, es bastante razonable suponer que la empresa tendrá que elaborar un «plan» bastante definido para lograr ese fin. Por supuesto, hay varias incertidumbres en torno a la situación –incertidumbres sobre las condiciones técnicas futuras, incertidumbres sobre las condiciones futuras del mercado–, pero estas no bastan como para privar a la idea de «plan» de todo significado y utilidad. Pueden permitirse bastantes incertidumbres, sin sacrificar por completo la idea de planificación. Pero cuando pasamos al caso del individuo, cuyo «plan» (si lo tiene) debe encaminarse sólo a la satisfacción de sus deseos en el presente y en el futuro, entonces el hecho de que normalmente no sepa cuál va a ser su futuro (y sabrá que no lo sabe) resulta muy perturbador. Cuando el plan se encamina hacia un fin determinado (como el beneficio), es posible planificar anticipadamente, pero no podemos planificar con anticipación cuando se desconoce el objeto de la planificación. Por esta razón, todo el método de análisis amenaza con derrumbarse.

Sin embargo, sería un error tomarse demasiado en serio esta objeción. Aunque las personas son muy conscientes de que ignoran los detalles de sus propios deseos futuros, no se comportan como si los ignoraran por completo. Como mucho, consideran bastante probable que tendrán *algún* deseo en el futuro y, por lo general, van mucho más allá. Cuando compran bienes de consumo duraderos, por lo general lo hacen, no solo porque tienen un deseo de estos bienes en el presente, sino también porque esperan que ese deseo se repita en el futuro. Esto significa que están actuando con una expectativa de deseos futuros y, de hecho, con una expectativa bastante definida. Además, una persona siempre es consciente, en general, de que cuanto más gaste ahora, menos tendrá disponible para gastar en el futuro. Esta consideración no influiría en su conducta si no tuviera la intención de disponer de determinadas sumas para gastos en el futuro, considerándose como un sacrificio cualquier merma de tales sumas. Ahora bien, si se piensa, lo que esto significa es que, aunque no se lleve a cabo una planificación definida del gasto futuro en su conjunto, siempre que cualquier parte del gasto corriente tenga una relación determinada con las satisfacciones que se podrán alcanzar en el futuro, la parte relevante de la política futura se hará, más o menos, de forma explícita. La gente no planifica sus gastos futuros como un todo, pero planifica, de una manera más o menos consciente, y más o menos concreta, aquellas partes del gasto futuro que son relevantes para el gasto corriente. Estos incluyen, por un lado, algunas partidas particulares de gastos futuros que están estrechamente relacionadas con partidas particulares de gastos corrientes y, por otro lado, esa noción general sobre el volumen de los recursos futuros en su conjunto, que es relevante para la determinación del volumen total del gasto corriente.[1]

2.   Si esta opinión es correcta (como parece), hemos eliminado la mayor parte de nuestros problemas. Si suponemos que el individuo tiene un plan de gastos completo que se extiende a lo largo de un periodo futuro considerable, y que es completo en cada detalle, estamos falsificando su comportamiento real de manera bastante absurda. Pero si simplemente utilizamos este supuesto, no para determinar los detalles de las compras que puedan (o no) planearse para el futuro, sino para determinar los detalles de los gastos corrientes por sí solos, no estamos haciendo nada absurdo.

---

[1] Gracias al uso del concepto de ingreso, en la práctica se facilita considerablemente la formación de esta noción general sobre el tamaño de los recursos futuros en su conjunto. El sacrificio de recursos futuros implicado en un aumento del gasto corriente se considera un sacrificio de ingresos futuros; pero esto es solo hablar en clave, y no proporciona un modelo útil con el que trabajar.

La determinación del gasto corriente procederá como si existiera un plan completo; si suponemos la existencia de un plan completo, podemos proceder a determinar el gasto corriente sin problemas.

Supongamos entonces que se trata de un individuo que posee, en la fecha de planificación, un determinado stock de bienes de consumo duraderos, que recibe una suma de dinero R_0 en la semana actual (como remuneración por su trabajo, o como intereses o dividendos sobre valores que posee), y que espera recibir una serie de sumas R_1, R_2, R_3, ... de la misma forma en las próximas semanas. Dados los precios de los bienes de consumo y sus expectativas de precios futuros, planea hacer ciertas compras de los productos X, Y, Z, ... en las semanas actuales y siguientes; estas compras le obligarán a hacer una serie de gastos (en términos monetarios) E_0, E_1, E_2, E_3, ... La diferencia entre estos ingresos y gastos debe compensarse con cambios en su tenencia de dinero o por cambios en su tenencia de valores. Por el momento, supondré que todos adoptan la última forma (emplazándose para el próximo capítulo todo el problema de la demanda de dinero). El flujo

$$R_0 - E_0, R_1 - E_1, R_2 - E_2, ...,$$

por tanto, puede considerarse como un flujo de *préstamos*.

Supongamos que nuestro individuo lleva adelante su plan de gastos durante un período de tiempo limitado –digamos n semanas–. Por tanto, se considera que el flujo de ingresos, el flujo de gastos y el flujo de préstamos terminarán después de n semanas. Si, durante estas n semanas, planea tener un saldo de préstamos, entonces al final de ese tiempo puede esperar haber logrado, como resultado de su préstamo, una suma de capital C_n en valores que estará disponible como un añadido a sus recursos en un futuro más remoto.[2] Cuanto más gaste durante la vigencia de su plan, menor será esta suma de capital. Por tanto, existe una verdadera elección entre los gastos durante las n semanas y la posesión final de dicha suma de capital. La elección es exactamente similar a la que existe entre gastos en una fecha y gastos en otra. En consecuencia, para propósitos de análisis, es conveniente asimilar esta suma de capital al gasto de la última semana. Si consideramos la obtención de tal suma de capital como una de las cosas a las que se pueden dedicar los gastos en la última semana del plan, dispondremos de un artificio contable que nos permitirá reducir todo el problema a uno de distribución de gastos entre n semanas.

El flujo de préstamos, ajustado de esta manera, se convierte en

$$R_0 - E_0, R_1 - E_1, R_2 - E_2, ..., R_n - E_n - C_n$$

---

[2] C_m es el valor de los títulos que se espera adquirir como resultado del préstamo que se realizará durante el periodo del plan. Solo igualará el incremento en el valor de todos los títulos poseídos si se espera que los títulos inicialmente poseídos mantengan al final el mismo valor que al principio.

En este flujo se anulan las deudas y préstamos, ya que, si realmente se gastara la cantidad anterior en la última semana, no quedaría nada como resultado de todas estas operaciones. En consecuencia, el valor de capital de este flujo, considerado en cualquier momento, debe ser nulo. En particular, su *valor presente* (su valor de capital en la fecha de planificación) debe ser cero. Por tanto, el valor actual del flujo ajustado de gastos

$$E_0, E_1, E_2, E_3, ..., E_n + C_n$$

debe ser igual al valor actual del flujo de ingresos

$$R_0, R_1, R_2, R_3, ..., R_n$$

Ésta es la clave que nos permite reducir la planificación del gasto (como redujimos la planificación de la producción) a términos de un problema que ya hemos resuelto en la teoría estática.

3.   Al igual que en el caso de la producción, sólo tenemos que distinguir entre las transacciones que deben realizarse en diferentes fechas y reemplazar los precios reales por precios descontados. Cuando hayamos realizado estos cambios, se podrá aplicar directamente toda la teoría estática del valor. Ni las condiciones de equilibrio ni las condiciones de estabilidad deberían causarnos problemas. La tasa marginal de sustitución entre dos productos que se planea comprar en fechas futuras dadas debe ser igual a la razón de sus precios descontados.

Esta tasa marginal de sustitución debe ser decreciente, en el mismo sentido que en la estática. Eso es todo lo que hay que decir.

Al igual que en la teoría estática del valor, los efectos de los cambios en los precios (incluidos, aquí los cambios en los tipos de interés) deben dividirse en dos partes. Se trata de un efecto sustitución, debido al cambio en los precios de descuento relativos de diferentes compras planificadas. Existe un efecto, correspondiente al «efecto renta» de la estática, que se debe a la medida en que el cambio en cuestión mejora o empeora al individuo. La comprobación de que ha mejorado o empeorado debe tomarse ahora con referencia a todo el plan de gastos. Un individuo empeorará si no puede esperar, bajo las nuevas condiciones, poder comprar las mismas cantidades de todos los bienes que antes en todas las fechas, de modo que debe economizar en algo. Estará mejor si, después de planificar las mismas compras que antes, le sobra algo. Por tanto, el efecto en cuestión depende de los movimientos relativos en los valores de capital de su flujo de gastos previamente planificado, y de su flujo de ingresos esperado. Viéndolo de esta manera, parece que sería más lógico llamarlo un «efecto capital», o algo por el estilo, en vez de un «efecto renta». Sin embargo, tal coherencia sería problemática y no creo que sea necesaria. No me parece que haya problemas por seguir hablando de un «efecto renta», como estamos ya acostumbrados a hacer. Pero debemos recordar el significado preciso que se le debe dar a partir de ahora.

4.   Si hay un aumento en el precio de algún bien X, y se espera que ese aumento sea permanente, entonces (como hemos visto) el precio actual y todos los precios futuros esperados de X aumentarán en la misma proporción. Si el tipo de interés no cambia, todos los precios descontados también aumentarán en misma proporción. Por tanto, en ese caso no es necesario distinguir entre las compras de X realizadas en distintas fechas; las leyes de la demanda se cumplen, exactamente igual, en la estática. Habrá un efecto sustitución adverso a X a favor de otros bienes, y habrá un efecto renta que también debe ser adverso a X, salvo en el caso excepcional de que X sea un bien inferior. Como hemos visto al tratar con la producción, la justificación práctica del modelo estático es que sus normas se cumplen, de manera exacta, en estos casos de cambios permanentes en el precio. Pero, como también vimos allí, no existe una regla definida sobre la forma en que la reducción de la demanda se distribuirá a lo largo del tiempo. Puede haber una reducción en la demanda *actual* de X, pero puede que no.

Si el precio de X aumenta y no se espera que el aumento sea permanente, el efecto renta será generalmente muy leve o, de hecho, bastante insignificante. Sin embargo, el efecto sustitución puede ser mucho mayor que en el caso anterior, ya que ahora la sustitución puede repercutir, no solo a favor de otras mercancías, sino también a favor de futuras compras del propio X. El principal efecto de tal alza temporal bien puede consistir en el aplazamiento del gasto.

Si aumenta el precio de X, y este aumento se interpreta en el sentido de que el precio aumentará aún más en el futuro (la elasticidad de las expectativas es mayor que la unidad), entonces tendremos que lidiar con un aumento en los precios esperados más que proporcional a la subida del precio actual. Ahora bien, la sustitución contra la compra de X que se deriva del aumento en el precio actual se puede entonces superar por la sustitución a favor de la compra actual inducida por el mayor aumento en los precios esperados. Si la elasticidad de las expectativas es lo suficientemente grande, el efecto renta también puede compensarse, y el resultado final puede ser un aumento de la demanda actual, como en el conocido caso de la demanda especulativa.

5.   Los cambios en los tipos de interés se pueden abordar ahora de una manera sustancialmente similar. Sus efectos también se dividen en efectos renta y efectos sustitución (ya que, por un lado, ponen al individuo en una posición mejor o peor y, por otro, modifican los precios descontados relativos). Por ejemplo, un aumento general del tipo de interés reduce los precios descontados de las compras futuras en relación con las compras presentes, y de las compras futuras más distantes en relación con las compras futuras menos distantes; esto provocará una sustitución general en toda la línea, exactamente igual a la que ya hemos encontrado en la teoría de la producción. El efecto neto de este desplazamiento sistemático de los precios descontados indudablemente va en la dirección de un aplazamiento general del gasto. Por tanto, tenderá a reducir el gasto actual, pero hay muchas oportunidades para todo tipo de efectos cruzados y para que las cosas se embarullen con todo tipo de complementariedades.

La dirección del efecto renta depende de la forma en que el valor capitalizado del flujo de gastos originalmente planificado (incluida la suma de capital C que quedará al final) se ve afectado en relación con el valor capitalizado del flujo de entradas. Si se eleva el tipo de interés, ambos valores capitalizados se reducirán, pero ¿cuál de ellos se reducirá más? Este problema es formalmente idéntico al que hemos discutido anteriormente cuando estábamos tratando con el cálculo del ingreso.[3] Vimos entonces que el movimiento relativo de los valores capitalizados de dos flujos (que antes tenían el mismo valor capitalizado), cuando varía el tipo de interés, depende de sus periodos medios relativos. El individuo mejorará cuando haya un aumento general en el tipo de interés si el periodo medio de su flujo de entradas es menor que el periodo medio de su flujo de gastos.

Si el periodo medio de gastos de un individuo es mayor que su periodo medio de entradas, esto significa que planea gastar menos de lo que recibe en el presente y futuro próximo para «gastar» más de lo que recibe en un futuro más remoto. (Debe recordarse que «gastar» en un futuro más remoto incluye la acumulación de una suma de capital C al final del periodo de planificación). Por tanto, se le puede describir como «alguien que planifica ser prestamista». Estas personas se benefician con un aumento del tipo de interés y, en consecuencia, el efecto renta tiende a incrementar sus gastos, incluyendo (probablemente) sus gastos actuales. Así, para esas personas, el efecto renta y el efecto sustitución van en direcciones opuestas, y cualquiera de los dos puede ser dominante. No podemos decir si su gasto actual aumentará o disminuirá por un aumento en el tipo de interés.

Por supuesto, esta proposición es la que se expone en los libros de texto elementales, donde se nos indica que un aumento en el tipo de interés hará que algunas personas «ahorren» más (aquellas que ven atraídas por una tasa de rendimiento más alta, y de este modo sustituyen el consumo futuro por presente), y que algunas personas «ahorren» menos (las que les basta con tener un ingreso fijo por su ahorro y, por tanto, aprovechan la mejora de su situación aumentando su consumo presente). Como resultado de nuestras investigaciones hemos podido definir estas preferencias con un poco más de rigor. Podemos ver que su indecisión tiene la misma causa que en el caso de los cambios en los salarios sobre la oferta de trabajo, o de los cambios en el precio de una mercancía por la demanda de otra. Pero lo más importante es la

[3] Ver anteriormente, p. 209.

forma en la que esta indecisión depende del supuesto de que el individuo «planee ser prestamista». ¿Qué sucede en caso contrario?

Si el periodo medio de gastos de un individuo es menor que su periodo medio de ingresos, éste se verá perjudicado por un aumento en el tipo de interés. Por tanto, el efecto renta y el efecto sustitución actuarán en la misma dirección, tendiendo ambos a reducir el gasto corriente. Cuando el tipo de interés aumenta, el gasto de esa persona debe reducirse casi infaliblemente.

¿Quiénes son estas personas que «planean ser prestatarios»? Aparte de los meros derrochadores, a los que podemos dejar de lado, simplemente se trata de aquellos empresarios que están realizando inversiones reales. Los ingresos derivados de los préstamos no deben contabilizarse como ingresos para el propósito actual, de modo que las entradas del empresario consisten simplemente en el excedente que obtiene de la producción *menos* los cargos resultantes de antiguos contratos.[4] Estos ingresos a menudo serán negativos en el periodo presente. Pero el gasto corriente del empresario (su cuenta privada) no será negativo; esperará compensar el exceso de gastos sobre los ingresos con un exceso en la otra dirección en periodos posteriores. Su periodo medio de gastos será, por tanto, menor que su periodo medio de entradas.

En nuestra investigación sobre teoría estática, hemos visto que los efectos renta, incluso cuando son importantes en el sector de un mercado, siempre tienen algo que los compensa (más o menos) en el otro lado. Cuando nos ocupamos de las cosas que generan diferencias entre la oferta y la demanda del mercado (y estas diferencias son las relevantes para los cambios de precios), siempre hay un efecto renta en cada lado, y estos efectos renta normalmente van en direcciones opuestas. Igual sucede aquí.

Mientras que aquellas personas que planean ser prestamistas tienen un efecto renta que aumenta su gasto actual cuando sube el tipo de interés, aquellas que planean ser prestatarias tienen un efecto renta reduciéndolo. Si estos efectos sobre la renta se cancelan, no queda más que los dos efectos sustitución, cada uno de los cuales tiende a *reducir* el consumo presente.

¿Es probable que los efectos renta se cancelen mutuamente? Hay una razón general para que la tendencia sea en ese sentido, pero está sujeta a dos tipos de excepciones. La razón general por la que deberían tender a anularse es que, para lograr el equilibrio en el mercado de títulos, es necesario que la oferta y demanda de préstamos actuales sean iguales. Pero eso no es suficiente para demostrar que los prestatarios y los prestamistas empeorarán y mejorarán, en una medida equivalente, por un aumento en el tipo de interés, ya que el efecto sobre sus perspectivas generales depende de la relación entre sus períodos medios, es decir, de la relación entre las deudas y préstamos planificados, así como entre deudas y préstamos corrientes. Además, las deudas y préstamos planificados, que están en la cabeza de las personas (y ni siquiera

---

[4] Ver anteriormente, p. 220.

ahí están muy definidos), no coinciden en el mercado. Puede haber un exceso de un lado o del otro; pero el que lo haya indica una inconsistencia entre los planes y el consiguiente desequilibrio potencial.[5]

Sin duda, esto es menos importante que el otro tipo de excepción –debida a la posibilidad de que prestatarios y prestamistas ajusten de formas apreciablemente diferentes sus gastos actuales a los cambios en su riqueza–. Se trata esencialmente de una cuestión de la velocidad con la que ajustan sus gastos a las nuevas condiciones. Si los prestatarios se adaptan más rápidamente que los prestamistas (creo que en la práctica probablemente este es el caso), es posible que el efecto renta por el lado de los prestatarios sea más fuerte que el efecto renta por el lado de los prestamistas. El efecto renta neto funciona en la misma dirección que el efecto sustitución total, y refuerza la conclusión de que, para el mercado en su conjunto, *un aumento en el tipo de interés reducirá el gasto corriente, y que una caída en el tipo de interés lo aumentará.*

6.   Aunque esta conclusión pueda parecer bastante diferente a aquello a lo que el lector está acostumbrado a encontrar en la mayoría de los escritos modernos, en realidad no estamos introduciendo ningún principio nuevo (faltaba más); simplemente estamos suponiendo reacciones conocidas de una forma no acostumbrada. Eso es en sí mismo algo bastante tedioso de hacer, pero en este caso resulta necesario. Nos hemos pasado el tiempo preparando el terreno para aplicar al problema dinámico general el mismo tipo de razonamiento que usamos en estática. Para ello, tenemos que agrupar las fuerzas relevantes de determinada forma, y no podemos esperar que sea siempre de la misma manera en que nos hemos acostumbrado a agruparlas.

La forma tradicional de responder a la pregunta «¿Cómo afecta un cambio en el tipo de interés al gasto actual?» sería (i) preguntar cómo se vería afectada la cantidad gastada de un ingreso dado, y (ii) (si no se olvidara el problema complementario) preguntar cómo se vería afectado el nivel de ingresos. Ahora bien, el efecto sobre el nivel de ingresos no es, en absoluto, un efecto sencillo de saber, sino que en realidad se compone de dos etapas diferentes. Tenemos (ii a) el efecto sobre los ingresos de los empresarios que acumulan aun cuando mantienen sus planes de producción sin cambios, y (ii b) el efecto en sus ingresos y también en los de otras personas que resulta de los cambios que pueden hacer en sus planes de producción. La respuesta tradicional en el caso (i) sería que el gasto podría reducirse por un aumento en el tipo de interés, aunque hay fuerzas que actúan en la otra dirección. La respuesta en el caso (ii) sería, sin distinguir mucho entre (a) y (b), que la renta ciertamente se reduciría, y esto, ciertamente, reduciría los gastos.

Nosotros mismos hemos aprendido a desconfiar del concepto de ingreso y, en cualquier caso, la distinción entre (i) y (ii), ingreso constante y variable, no es rele-

---

[5] Ver anteriormente, p. 152.

vante para nuestro análisis. La distinción entre (ii a) y (ii b) es, sin embargo, de gran importancia para nosotros. Queremos distinguir entre los cambios en los gastos que surgirían aun cuando los planes de producción no se modificaran, y los que dependen del cambio en los planes de producción. Por tanto, tomamos (i) y (ii a) juntos, como hemos hecho en la sección anterior. Haciendo eso, dejamos de depender del concepto de ingresos. Obtenemos el resultado de que, con planes de producción y precios dados, un cambio en el tipo de interés afectará al volumen de gasto corriente en la dirección opuesta.

Desde luego, cosa distinta es saber la magnitud de este efecto; las razones para desconfiar de la eficacia de los cambios del tipo de interés son muy parecidas al caso de la producción. Sin embargo, la dirección del efecto parece bastante clara.

Capítulo XIX

La demanda de dinero

1. COMO, SIN DUDA, ya habrá reparado el lector, nuestra discusión sobre el plan de gastos del individuo tenía una importante deficiencia. Hemos supuesto que la diferencia entre el valor de sus entradas en una semana y sus gastos en esa misma semana se compensa con un cambio en su tenencia de valores (es decir, prestando o pidiendo prestado) y debe compensarse de ese modo. Aunque este supuesto ha resultado útil hasta el momento, no nos valdría para las aplicaciones que queremos plantear más adelante. Sólo es justificable para fines muy particulares.

Un exceso de las entradas sobre los gastos puede compensarse mediante la adquisición de valores o la adquisición de dinero. Un exceso de gasto sobre las entradas puede compensarse vendiendo valores (incluida la creación de títulos contra uno mismo) o desprendiéndose de dinero. La forma en que se consiga el equilibrio es una cuestión de considerable importancia. Necesitamos encontrar alguna forma, dentro de la estructura formal de nuestra teoría, de distinguir entre los dos métodos.

Si pudiéramos considerar el dinero como un tipo particular de bien de consumo duradero, entonces el dinero podría incluirse en nuestro análisis anterior sin ningún problema. Una condición de equilibrio para el individuo es que la tasa marginal de sustitución entre compras de cualquier mercancía en fechas dadas debe ser igual a la razón de sus precios descontados; esta regla también podría aplicarse al dinero. La tasa marginal de sustitución entre el dinero ahora y cualquier otra mercancía ahora sería igual al precio actual de esa mercancía (es la misma regla que la de la mercancía estándar en estática). La tasa marginal de sustitución entre la adquisición de dinero ahora y la adquisición de dinero en una fecha posterior sería igual a la tasa de descuento durante el período de aplazamiento. Esto implica que el cargo por intereses durante un periodo mediría el sacrificio que implica posponer la adquisición de una unidad marginal de dinero hasta el final del periodo; lo mismo que (aparte del riesgo de cambios de precio) mide el sacrificio que implica posponer la compra de cualquier otro bien duradero hasta el final del periodo. En otras palabras, el tipo de interés mediría la impaciencia de poseer dinero ahora en lugar de poseerlo en el futuro.

Como hemos visto, un aumento en el tipo de interés (los precios se suponen constantes) tiende a disminuir la demanda de mercancías presentes en general. Esto mismo se aplica a cualquier mercancía presente siempre que no haya razón para suponer que es complementaria de las mercancías futuras, cuyas compras planificadas aumentarán. Aquí, lo aplicaríamos a la demanda de dinero en el presente. Se puede esperar que un aumento en el tipo de interés disminuya la demanda de dinero. Una vez más, un aumento general de los precios de las mercancías (se espere o no que continúe permanentemente) es equivalente a una caída en el valor del dinero en términos de esas mercancías, y pudiera parecer que esto debería aumentar la demanda de dinero.

Éstas son las reglas para el comportamiento del dinero que cabría esperar que se aplicaran si fuera posible tratar el dinero como si no fuera más que un tipo particular de bien de consumo duradero. Son reglas muy razonables: resultaría sorprendente que hubiera que modificarlas de manera sustancial si se prestara mayor atención a la verdadera naturaleza del dinero.

2.   El dinero (o, al menos, el dinero moderno), como vimos en nuestra exposición anterior sobre el tema,[1] no es un bien de consumo duradero, sino una especie de garantía. Se desea, no como un fin en sí mismo, sino como se desea un activo, a fin de que esté disponible como un medio para cubrir los gastos futuros. La demanda de dinero no debe asimilarse al resto de gastos (como acabamos de hacer), sino a la demanda de activos. Las personas pueden dedicar los ingresos actuales a la satisfacción de necesidades futuras, ya sea adquiriendo valores o adquiriendo dinero. Cuando se observa la cuestión de esta manera, inmediatamente nos vemos llevados a preguntarnos cómo es posible que la gente prefiera tener dinero en vez de valores, ya que los valores rinden intereses y el dinero no. Hemos visto cómo debería responderse a esta pregunta. Incluso los valores más seguros y negociables, que no son dinero, implican riesgos para sus tenedores y algunos costes de adquisición y disposición, y el dinero no. Solo cuando hay una expectativa (y una expectativa segura) de que no se necesitarán los fondos durante al menos un periodo mínimo de tiempo en el futuro, el rendimiento esperado cubrirá con creces estos costes y riesgos, de modo que valdrá la pena mantener los fondos en una forma que devengue intereses. De lo contrario, será mejor mantenerlos en forma de dinero.

Ya hemos examinado una de las consecuencias más importantes de esto: la estrecha dependencia de la demanda de dinero del tipo de interés (o más bien, del sistema de tipos de interés). No es necesario suponer que el dinero y los valores se comportan como sustitutos particularmente cercanos desde el punto de vista de cada persona

[1] Capítulo XIII, anteriormente.

que comercia. No obstante, debemos esperar encontrar un considerable número de personas o empresas para quienes el dinero y los diferentes tipos de valores forman una cadena de sustitutivos muy cercanos. Esto basta para que el dinero y los valores se comporten como sustitutivos muy cercanos desde el punto de vista de la economía en su conjunto. Como hemos visto, aun cuando el dinero pudiera considerarse como un bien de consumo duradero, un aumento en el tipo de interés probablemente disminuiría la demanda de dinero. Una mejor apreciación de la naturaleza del dinero sólo modifica nuestra teoría anterior en este caso hasta el punto de prepararnos para poner más énfasis en esta reacción de lo que probablemente hubiéramos hecho.[2]

Si los tipos de interés están dados, ¿qué determina la forma en que un individuo distribuirá sus fondos entre dinero y valores? Ésta es la cuestión fundamental que queda por debatir. Podemos abordarla más fácilmente si consideramos una serie de casos especiales.

3.   En primer lugar, como patrón de referencia, intentemos construir un caso en el que la demanda de dinero del individuo sea nula –en el que se contente con mantener todos sus fondos en forma de valores–. Supongamos que se espera que el interés sobre los valores que posee en la fecha de planificación, junto con cualquier otro tipo de ingresos que pueda deberse a él, produce un flujo constante de ingresos, la misma cantidad en todas las semanas futuras. Supongamos, además, que planea gastar en cada semana futura la misma cantidad que recibe, ni más ni menos. Entonces, si tiene confianza absoluta en poder llevar a cabo su plan, su demanda de dinero será nula. Todo el dinero que reciba se le será devolverá enseguida; para financiar sus transacciones, no necesitará conservar de una semana a otra ningún saldo de dinero.

Una situación como esta prácticamente nunca ocurre –por dos razones diferentes–. Una es que este equilibrio exacto entre ingresos y gastos prácticamente nunca tiene lugar. Los ingresos no se producen exactamente en los mismos momentos en que se requiere realizar los gastos. Los ingresos tienen lugar de manera bastante irregular y los gastos también se realizan de manera muy irregular. Se podría hacer una representación más próxima a la realidad en términos de nuestro modelo si su-

[2] Al tratar el dinero como una especie de valor, tenemos que modificar el argumento del capítulo anterior. Allí supusimos que todos los fondos transferidos de los gastos presentes a los gastos futuros devengan intereses, pero ahora vemos que esto puede no ser cierto. Algunos fondos se mantendrán en forma de dinero y no devengarán intereses y, (para terminar de generalizar, ya que estamos en ello) algunos fondos podrán mantenerse en formas que devenguen tipos de interés bajos, y algunos en formas que devenguen tipos más altos. Pero todo esto parece hacer suponer diferencia. Ya hemos visto que tan sólo son los gastos planificados más distantes cuyos valores descontados se verán muy afectados por un cambio en los tipos de interés. Por tanto, el hecho de que algunos de los gastos (más cercanos) no deban descontarse apenas supone ninguna diferencia. Sencillamente, no vale la pena examinar en detalle esa corrección.

pusiéramos que los ingresos tienen lugar, no cada semana, sino, digamos, cada cuatro semanas. Entonces, aun cuando los ingresos y gastos se equilibraran durante las cuatro semanas en conjunto, el saldo monetario solo podría caer a cero en la semana anterior a la fecha de vencimiento de los ingresos del mes. Otras veces, se mantendría un saldo monetario apreciable ya que, probablemente, no compensaría invertir en valores si se esperara necesitarlo al cabo de una o dos semanas.

Por tanto, la mera periodicidad de los ingresos y gastos es responsable de la tenencia de una cierta cantidad de dinero –probablemente, para la comunidad en su conjunto, una cantidad de dinero bastante constante solo sujeta a algunas fluctuaciones bastante regulares a finales del trimestre, en Navidad, etc.– Aparte de estas fluctuaciones regulares, solo puede verse afectado por un cambio en los hábitos de las personas en relación a la fecha de los pagos, o por un cambio general en el volumen de gasto en términos monetarios. (Debe observarse que la demanda de dinero procedente de esta fuente no puede estar muy influida por cambios en los intereses).

Sin embargo, existe otra razón por la que se retiene el dinero, incluso en el caso de que, en general, se espere que los ingresos y los gastos se equilibren. El plan de gastos de un individuo nunca es definitivo; siempre existe la posibilidad de que desee, en cualquier momento, realizar algún gasto imprevisto. Como los costes de hacer efectivos los valores para hacer frente a este gasto imprevisto serían considerables, el mero riesgo de tener que hacerlo es suficiente para compensar una moderada ganancia de intereses. Por tanto, es probable que una parte de los gastos posibles (no meramente probables) se cubra mediante la tenencia de dinero; cuán grande sea esa porción dependerá de la actitud del individuo hacia el riesgo y del volumen de la ganancia que ofrece por la inversión en valores. En consecuencia, esta parte de la demanda de dinero puede verse afectada por los tipos de interés, pero también es muy sensible a los cambios en el factor de riesgo. También tendrá probablemente una relación bastante constante con el volumen agregado de gasto.

Un tipo posible de gasto, que es muy importante a este respecto, es el que se deriva de obligaciones contraídas en el pasado. Toda empresa tiene, en cualquier momento, un cierto número de obligaciones pendientes y cuya liquidación puede exigírsele en fechas que no se pueden predecir con certeza. El caso más claro de esto es, por supuesto, el de los bancos, que viven de contraer esas obligaciones y, por tanto, tienen una cantidad excepcional de ellas. No obstante, la reserva en efectivo que un banco mantiene para hacer frente a su pasivo no es más que un caso especial de tenencia de dinero para hacer frente a gastos futuros inciertos, algo que hasta cierto punto practican todas las empresas y también muchos particulares.

4.   Éstas son las principales razones para conservar dinero que persistiría incluso en condiciones estacionarias, donde la regla era un equilibrio general de ingresos y gastos. Cuando las condiciones no son estacionarias hay que añadir dos razones más.

En cierto sentido, son ampliaciones de las razones ya señaladas, pero parece preferible clasificarlas por separado.

Si una persona está planeando un aumento considerable de sus gastos en un futuro próximo, es muy probable que aumente su saldo en dinero para prepararse para ello. Por lo general, no sabrá exactamente en qué fecha deberá efectuar el desembolso, y aunque lo sepa, ese desembolso puede tomar su tiempo, por lo que será más fácil prepararse para ello transfiriendo en una sola operación todos los fondos necesarios en forma de dinero. En consecuencia, podemos establecer como regla bastante general que un aumento en el gasto planeado para el futuro cercano generalmente aumenta la demanda de dinero en el presente.[3]

Evidentemente, lo mismo ocurre si gasta menos que sus entradas actuales para poder gastar más que sus entradas en el futuro cercano. (De hecho, este es el mismo que el primer caso que discutimos en la sección anterior). Pero también puede ser válido –y este es el otro punto nuevo que debemos tener en cuenta en condiciones no estacionarias– si está gastando menos de lo que recibe en el presente para aumentar su stock de valores (y así poder gastar más de lo que recibe en una fecha futura distante y quizá irreal). Esto puede deberse a los costes de invertir en valores, que se vuelven menos onerosos si pueden repartirse entre sumas mayores. En este caso, el objetivo final de tener efectivo no es gastarlo en un futuro próximo, sino invertirlo en valores en un futuro próximo; no se invierte de una vez porque será más barato convertir los «ahorros» de una serie de «semanas» en valores con una sola operación, en vez de invertirlos semana a semana a medida que se hacen.

Estas son las principales razones para tener dinero. Son bastante heterogéneas y no muy fáciles de encajar en una fórmula conveniente. Sin embargo, necesitamos esa fórmula para nuestras futuras investigaciones, ya que no podemos repetir todo el análisis de este capítulo cada vez que queramos utilizarlo. Aparte de este último punto (acumulación de dinero en el proceso de ahorro), no estaremos muy desencaminados si dijéramos que la demanda de dinero depende del tipo de interés y del volumen de gasto planificado en el futuro próximo (en términos monetarios), prestando cierta atención a la confianza con la que se espera que tenga lugar sólo este gasto. Eso cubre todos los motivos expuestos para conservar dinero, excepto el último. La única forma de tener en cuenta este último punto consiste en añadir que la demanda de dinero a veces puede aumentar, no por un incremento en el gasto planificado en un futuro próximo, sino por un aumento en la cantidad de valores que el individuo planea comprar en el futuro cercano. Esta es una excepción incómoda, pero no veo forma de evitarla reformulando la regla de otra manera.

[3] Cf. KEYNES, «The "Ex-ante" Theory of Interest», *E.J.*, 1937.

5.   Los ejemplos que hemos dado hacen evidente que, en la fórmula anterior, el *gasto* debe incluir gasto en *inputs*, necesarios para la continuación o expansión de un proceso productivo, así como el gasto en bienes de consumo. De hecho, hemos pasado insensiblemente de un modo que era fácil de evitar, de considerar la disposición de los recursos por parte solo del individuo privado, al estudio de asuntos que son relevantes, tanto para el problema del individuo como para el de la empresa. Será útil concluir dedicando un momento a ver cómo ha sucedido esto.

Cuando analizamos las operaciones de la empresa en los capítulos XV-XVII, la consideramos una unidad puramente técnica; empleaba ciertos *inputs* y vendía ciertos *outputs*. Se suponía que sus ingresos netos (la diferencia entre el valor de la producción y el valor de los *inputs* en una semana en particular, después de deducir las cargas fijas) se transferían a la cuenta privada del empresario. Si estos ingresos netos fueran positivos, el empresario podría destinarlos a sus gastos a título personal, a la provisión de su saldo de efectivo, a la adquisición de valores. Si fueran negativos, se vería obligado a pedir prestado (o a vender valores) o a permitir que se redujera su saldo de efectivo, con objeto de disponer de algo para sus gastos privados.

Esto equivale a decir que todo el aspecto financiero de las operaciones de la empresa se suponía transferido a la cuenta privada del empresario: si bien ese supuesto puede ser conveniente para la teoría, obviamente es un enfoque de lo más irreal. Incluso en una empresa privada, cuando el empresario es una persona física, no una ficción jurídica, suele hacer dos contabilidades. (Es cierto que en la empresa privada la separación es muy artificial y arbitraria, por lo que, probablemente, resulte justificable despreciarla a efectos teóricos). Pero cuando la empresa típica se convierte en una sociedad anónima, la separación deja de ser artificial. Hay una verdadera línea divisoria: el aspecto financiero de las operaciones de la empresa tiene una existencia propia bastante separada de las contabilidades privadas de los accionistas –una separación mantenida por el principio legal de responsabilidad limitada–.

Pero, aunque la división deje de ser artificial, no deja de ser bastante arbitraria. La forma natural de abordar la situación sería tratar la contabilidad financiera de la empresa como un tipo especial de contabilidad privada (no hay ninguna razón que nos obligue a considerar como «particulares» sólo a los seres humanos singulares); las «entradas» de esta cuenta son las entradas netas de la empresa, y sus «gastos» consisten en el pago de dividendos. En este sentido, el análisis del presente capítulo es perfectamente aplicable (aunque deberíamos tener claro que lo que ahora llamaríamos entradas negativas son una especie de gasto desde el punto de vista de la demanda de dinero –es el volumen total de los desembolsos planificados de la empresa, no meramente de su distribución planificada de dividendos, que es relevante para el tamaño de su saldo de efectivo–). Todo esto puede resolverse perfectamente mediante el artificio de considerar la contabilidad financiera de la empresa como una contabilidad «privada» independiente. Pero hay una dificultad más.

No nos queda ningún principio claro que determine a qué escala se deben pagar los dividendos –es decir, cuánto debe pagarse en forma de dividendos en el periodo actual y cuánto debería «reinvertirse en el negocio»–. Tampoco parece existir ningún artificio teórico que nos permita eliminar esta arbitrariedad. Se trata de una arbitrariedad auténtica, una peculiaridad real de la sociedad anónima. Sus consecuencias son considerables, pero no podemos profundizar en ellas aquí. La única consecuencia de la teoría dinámica general que ahora debemos abordar es que, en ocasiones, debemos estar preparados para tratar la política de dividendos como una variable independiente.

Capítulo XX

El equilibrio temporal de todo el sistema

I. Su estabilidad imperfecta

1. UNA de las características más interesantes del método de análisis que seguimos en este libro es que nos permite pasar, sin solución de continuidad, de los pequeños problemas que implica el estudio detallado del comportamiento de una sola empresa o individuo, a los grandes problemas de la prosperidad o la adversidad, incluso la vida o la muerte, de todo un sistema económico. La transición se realiza utilizando el principio simple con el que ya nos hemos familiarizado en la estática, de que el comportamiento de un grupo de individuos o de empresas obedece a las mismas leyes que el comportamiento de una sola unidad. Si se puede demostrar que un determinado cambio del precio (siendo los demás precios constantes) aumenta la demanda de un producto determinado por parte de un individuo representativo, entonces debe aumentar la demanda de esa mercancía por parte de todos los individuos que se encuentren en situación similar. (Hemos aprendido a identificar mediante nuestros «efectos renta» las diferencias en las situaciones de aquellas personas que aparecen como compradoras y las que aparecen como vendedoras en los mercados relevantes.) Las leyes del comportamiento del mercado, que laboriosamente hemos elaborado para esos seres indefinidos, el individuo representativo y la empresa representativa, se presentan así «como ellas mismas en sus propias dimensiones», como leyes del comportamiento de grandes grupos de unidades económicas a partir de las cuales podemos desarrollar fácilmente las leyes de sus interconexiones, las leyes del comportamiento de los precios, las leyes del funcionamiento de todo el sistema.

En una etapa anterior de nuestra investigación se establecieron las condiciones generales para el equilibrio (equilibrio temporal) de todo un sistema económico durante una «semana» en particular.[1] Estas no son más que ecuaciones de oferta y demanda de bienes y servicios de todo tipo, de valores y de dinero. Dado que antes de

[1] Capítulo XII, anteriormente.

llevar a cabo cualquier investigación sobre el comportamiento de las unidades económicas representativas pudieron encontrarse estas ecuaciones de equilibrio, pareció mejor aprovechar la oportunidad de hacerlo (y de demostrar cómo puede considerarse superflua *una* de las ecuaciones) lo antes posible a fin de disponer de las ecuaciones como punto de referencia cuando lo necesitáramos. Pero solo ahora podemos comenzar realmente a poner en funcionamiento las ecuaciones. Las ecuaciones de equilibrio determinan los precios que se establecerán en *determinadas* condiciones (es decir, en el contexto actual, con determinados gustos, recursos y expectativas). Ahora tenemos que ver qué sucede cuando se cambian algunos de estos datos.

Al hacerlo, debemos ajustarnos a un programa exactamente paralelo al que seguimos antes cuando nos ocupábamos de un sistema de precios estático. Pero hay una diferencia importante que debe apuntarse entre nuestra situación actual y la situación correspondiente en estática. En estática, el objetivo final de todos nuestros esfuerzos es el descubrimiento de las leyes del funcionamiento de un sistema de precios estático, pero, en dinámica, las leyes paralelas –las leyes del funcionamiento de un sistema en equilibrio temporal– no pueden pretender alcanzar un lugar tan definitivo. Debe hacerse hincapié en que los cambios en los datos que tenemos que considerar son puramente hipotéticos. Buscamos comparar el sistema de precios realmente establecido en una semana en particular con ese sistema que se habría establecido en la misma semana si los datos (gustos, recursos o expectativas) hubieran sido bastante diferentes. Este es un problema importante, pero no es el problema dinámico fundamental. Aun cuando hayamos dominado el «funcionamiento» del sistema en equilibrio temporal, no estaremos en condiciones de explicar el proceso de cambio de precios, ni de examinar las consecuencias ulteriores de los cambios en los datos. Estas son las cosas que en definitiva queremos saber, aunque es posible que tengamos que enfrentarnos a la decepcionante conclusión de que no hay mucho que pueda decirse sobre ellas. Aun así, no podemos hacer nada respecto a estos problemas adicionales hasta que hayamos investigado el funcionamiento de la economía en una semana en particular.

La teoría del equilibrio temporal no incluye los problemas dinámicos principales, pero por tanto tampoco carece de aplicabilidad práctica directa. Para muchos propósitos, lo que queremos saber es exactamente lo que nos dice la teoría del equilibrio temporal –qué alteración inmediata se producirá en el curso de los acontecimientos como consecuencia de un cambio particular en los datos–. Además, cuando recordamos la arbitrariedad de la duración de nuestra «semana» (que puede acortarse o alargarse según queramos extraer conclusiones más o menos exactas), se hace evidente que la palabra «inmediata» se puede interpretar de manera más o menos estricta, según nos convenga. Puede ser a menudo legítimo interpretarla como algo así como un «período corto» marshalliano –el tiempo durante el cual el equipo existente (en un sentido amplio o reducido) puede suponerse dado–. Los principales problemas en los que es necesario considerar más de una «semana» son aquellos en los que estamos especialmente interesados en las consecuencias de la acumulación o la desacumulación de capital. Pero habremos de dejarlos para más tarde; pertenecen a una parte de la dinámica que queda fuera de la teoría del equilibrio temporal.

Según nuestro procedimiento habitual, continuaremos suponiendo que se puede ignorar el tiempo necesario para que los empresarios (y otros) tomen conciencia y cambien sus planes como consecuencia de los cambios de precios. Dado que, de hecho, muchas personas son bastante lentas en tales reacciones, este supuesto necesariamente amplía el periodo de tiempo al que nuestra «semana» se corresponde en la práctica, considerando que todas las repercusiones debidas a que la gente se ha dado cuenta (quizá tardíamente) del cambio original ocurrieron dentro de la «semana». Por supuesto, en la práctica, los efectos importantes sobre la acumulación de capital pueden ser visibles antes de que muchas personas se hayan «dado cuenta». Debemos ser conscientes de este defecto en nuestro método. Trataremos como sucesivos dos tipos de efectos que, de hecho, pueden ocurrir al mismo tiempo. Pero, aunque se trata de un defecto, no deja de tener ventajas que lo compensan. Es bastante útil poder distinguir, por un lado, las consecuencias del cambio inicial que simplemente resultan de la conciencia de las personas de los efectos iniciales (que, por tanto, pueden producirse a mayor o menor velocidad según estén más o menos alerta); por otro, aquellos efectos que dependen de la acumulación de capital y cuya datación venga determinada, por tanto, de manera más o menos estricta por la duración técnicamente dada de los procesos necesarios para producir cambios en los equipos productivos. Nuestro método consiste en suponer que el primer tipo de efecto tiene lugar con la máxima celeridad; aun cuando en tiempos ordinarios en realidad ocurra tan lentamente como los demás, siempre es posible que se acelere considerablemente, y es deseable poder tenerlo en cuenta. El hecho de que ocurra más lentamente si se deja a sí mismo no provoca en realidad grandes dificultades.

2.   Los problemas particulares que deben considerarse bajo el título de análisis del equilibrio temporal son nuevamente, en gran medida, problemas con un interés en áreas específicas. Incluyen cuestiones tan controvertidas como los efectos del ahorro y la inversión en el tipo de interés y los efectos de los cambios generales en los salarios nominales. Espero que estas cuestiones se aclaren considerablemente en las investigaciones que tenemos que llevar a cabo ahora, ya que espero demostrar no solo cuáles son las respuestas correctas a estas preguntas, sino también la razón por la que es tan difícil dar las respuestas correctas. Si esa razón tuviera que expresarse en una frase, sería la frase que he puesto al comienzo de este capítulo: el sistema de equilibrio temporal puede ser *imperfectamente estable*.

Para comprender el significado de esto, es necesario volver a nuestro estudio original sobre la estabilidad del intercambio.[2] Para que un sistema de intercambio múlti-

---

[2] Capítulo V, anteriormente.

ple sea perfectamente estable (y el sistema de equilibrio temporal es simplemente un sistema ampliado de intercambio múltiple), se deben cumplir las siguientes condiciones. Un aumento en el precio de cualquier mercancía debe hacer que la oferta de esa mercancía supere a la demanda (a) si se dan todos los demás precios, (b) si algunos otros precios se ajustan para preservar la igualdad entre la demanda y la oferta en sus respectivos mercados, (c) si todos los demás precios se ajustan de esa manera. Si no se cumple la última de estas condiciones, el sistema no será estable en absoluto, sino que se derrumbará ante la menor perturbación. Si no se cumplen algunas de las condiciones de estabilidad, aunque se satisfagan otras (incluida la última e indispensable), el sistema será imperfectamente estable. Pero a fin de cuentas es estable, de modo que no se descompondrá, pero deberíamos estar preparados para que su funcionamiento nos descubra anomalías extrañas.

Cuando aplicamos estas pruebas a los sistemas que teníamos que considerar en estática –el sistema de intercambio múltiple y el sistema de intercambio con producción– no encontramos ninguna razón de importancia para suponer que presentarán dificultades sustanciales. Por tanto, pasamos con confianza a estudiar estos sistemas estáticos como perfectamente estables, y a partir de su perfecta estabilidad dedujimos las leyes económicas que se podía esperar que obedecieran. ¿Qué sucede cuando aplicamos las mismas pruebas al sistema dinámico, o más bien, al sistema de equilibrio temporal?

La forma más sencilla de responder a esta pregunta es comenzar por ver si es posible construir un caso particular del sistema en equilibrio temporal que tenga las mismas propiedades formales que los sistemas estáticos que ya se sabe que son estables. Si es posible hacer esto, entonces, en este caso particular, el sistema de equilibrio temporal será perfectamente estable. Si después comparamos el caso particular con el caso general, podemos ver si hay algo en el caso general que pueda alterar su estabilidad –y, en caso afirmativo, cuál es el elemento perturbador–.

3. La diferencia más obvia entre cualquier sistema estático de intercambio y producción y cualquier sistema dinámico consiste en la ausencia de oferta y demanda de préstamos en un caso, y su presencia en el otro. En estática, las entradas y salidas de un individuo sólo pueden diferir en la medida del cambio en su saldo monetario. En dinámica, la diferencia también puede compensarse mediante un cambio en su tenencia (neta) de valores. Hemos visto con detenimiento lo importante que puede ser esta introducción de las deudas y préstamos. Sin embargo, no es significativa *necesariamente* en el sentido que aquí nos interesa. Los valores son algo que se compra y se vende. Por tanto, son una especie de mercancía y, en consecuencia, su introducción sólo cambia las propiedades formales del sistema en la medida en que este tipo especial de mercancía no se ajusta a las reglas estáticas de comportamiento.

Como ya advertimos en una ocasión anterior, estas reglas estáticas se mantienen mientras la escala de preferencias del individuo sea independiente de los precios fijados en el mercado.[3] Esta condición se mantendrá incluso en un sistema dinámico, siempre que las elasticidades de las expectativas sean cero, es decir, siempre que estén dadas todas las expectativas de precios y de intereses. Si estas expectativas están dadas, la demanda de valores puede considerarse formalmente equivalente a una demanda de determinadas cantidades de productos físicos que se suministrarán en el futuro. El precio de estas mercancías (la única parte de su precio que puede variar) es el tipo de interés.[4] El hecho de que solo se puedan disfrutar las mercancías en cuestión en una fecha futura es irrelevante para la determinación de los precios en la semana actual; el individuo se comporta exactamente como si estuviera comprando las mercancías ahora. De manera similar, cuando una empresa toma prestado, se comporta exactamente como si estuviera vendiendo mercancías para entregarlas en el futuro, vendiéndolas a un precio también determinado por el tipo de interés. Por tanto, los valores se comportan exactamente como las mercancías ordinarias. El reemplazo de una de las mercancías de la teoría estática por este tipo peculiar de mercancía no cambia el carácter básico del sistema.

La cuestión se puede plantear con mayor precisión de esta manera. Supongamos que se trata de una economía al contado con préstamos a corto plazo,[5] en la que todos los préstamos se conceden por el periodo mínimo –una semana–. Entonces, el único tipo de interés determinado en el mercado es un tipo de interés por una semana, aunque, por supuesto, los planes de gasto y producción de las personas dependan de los tipos de interés que esperan que rijan en las próximas semanas. Si se dan estos tipos de interés esperados y también los precios esperados de todas las mercancías en todas las semanas futuras, entonces los precios descontados de todos los productos futuros estarán dados con un descuento, no para la semana actual, sino para la semana siguiente a aquella que comienza cuando vencen todos los préstamos vigentes. Para descontar estos precios en la semana actual solo tenemos que multiplicar cada uno de ellos por el índice de descuento para esta semana (que no está dado, ya que depende del tipo de interés corriente). Sin embargo, esto no puede alterar sus proporciones. Pero cuando las proporciones de los precios descontados de una serie de mercancías están dadas, sabemos que pueden tratarse como un producto homogéneo. Todo lo que estamos haciendo es llamar a esa mercancía «valores». Estamos legitimados a encajarla en el sistema estático en pie de igualdad con cualquier mercancía ordinaria. No es más que una mercancía cuyo precio es la tasa de descuento para una semana.

Es evidente que este mismo principio se mantendrá fuera de las condiciones especiales de la economía al contado con préstamos a corto. Si también se practican

---

[3] Ver anteriormente, p. 55.
[4] De un modo más preciso, el coeficiente de descuento, que guarda una relación aritmética definida y constante con el tipo de interés.
[5] Ver anteriormente, p. 148.

préstamos a largo plazo, los tipos de interés para préstamos de diferente duración deberán ajustarse para que se adapten al cambio en la tasa de los préstamos para una semana, y también habrá un nuevo conjunto de efectos renta a tener en cuenta que surgen de contratos pasados. Pero no hay razón para suponer que estos tengan un efecto desestabilizador importante.

Por tanto, podemos resumir el primer paso de nuestro argumento. Mientras las elasticidades de las expectativas sean cero, el sistema en equilibrio temporal funcionará exactamente como un sistema estático y será tan estable como este. Ésta es una conclusión de todo punto sensata, como se ve enseguida cuando se somete a prueba desde otro punto de vista. Mientras todos los cambios en los precios corrientes se consideren temporales, cualquier cambio en los precios corrientes generará efectos sustitución muy importantes en un gran número de mercados. Un aumento en el precio hará que la gente posponga el gasto y los empresarios pospongan los *inputs* y aceleren la producción. Una caída en el precio funcionará al revés. Esta sustitución a través del tiempo tendrá un efecto muy estabilizador; pequeñas subidas del precio producirán grandes excesos de oferta sobre la demanda. De hecho, es probable que las fuerzas que contribuyen a la estabilidad sean tan potentes que sea precisa una perturbación muy violenta de los datos para que el sistema de precios se altere en grado considerable.

4.   Una vez que hemos visto que, en este caso perfectamente estable, la estabilidad se mantiene principalmente gracias a la sustitución a través del tiempo, resulta natural preguntarse si el sistema seguirá siendo estable si no se puede hacer esa sustitución. Esta sustitución es posible mientras un cambio en los precios corrientes produzca un cambio en los precios esperados menor que la misma proporción –es decir, mientras las elasticidades de las expectativas sean menores que 1–. Cuando las elasticidades de las expectativas sean igual a 1, ya no quedará opción de sustitución en el tiempo. Este es por tanto el caso crítico.

Cuando se aborda el asunto desde nuestra posición presente, no parece en absoluto sorprendente el caso de las elasticidades unitarias de las expectativas. Sin embargo, no cabe duda de que este hecho representa un gran trastorno. Parece lógico tomar como supuesto estándar que las elasticidades de las expectativas son la unidad, que se espere que cualquier cambio en los precios corrientes sea permanente. Es tan lógico que la mayoría de los economistas simplemente lo ha dado por supuesto, y se ha supuesto implícitamente con mucha más frecuencia de lo que se dice explícitamente.[6] Solo por esta razón, ha sido causa de muchos problemas. El supuesto más natural que se puede hacer para tratar con problemas dinámicos es uno de los supuestos más peligrosos, ya que implica caminar por la frontera misma de la estabilidad e inesta-

---

[6] Sin duda, el hábito de usar los términos reales fomentó esto.

bilidad. El hecho de que las primeras exploraciones de los economistas en el campo de la dinámica se llevaran a cabo sobre estas arenas movedizas explica gran parte del desconcierto de la «teoría monetaria» durante el presente siglo.

De hecho, fue justo antes del comienzo de este siglo cuando Wicksell mostró el primer indicio de que algo andaba mal.[7] Su comparación del tipo de interés monetario con una «tasa natural» concebida en términos reales (independientemente de lo que uno pueda pensar acerca del misterioso proceso de prestar «capital real *por naturaleza*») revela que estaba pensando en el caso en el que las elasticidades de las expectativas son la unidad. A grandes rasgos, su argumento central equivale a esto. En equilibrio, corresponde a un determinado tipo de interés, esto es, una relación particular entre los precios corrientes en general y los precios esperados en general. Si se reduce el tipo de interés, los precios actuales subirán. Si los precios esperados no hubieran cambiado, este proceso restablecería el equilibrio con los precios corrientes guardaran una proporción mayor que los precios esperados. Pero si los precios esperados suben *pari passu*, la tendencia al equilibrio desaparece, y los precios actuales no pueden nunca alcanzar el mismo nivel. El sistema está inmerso en el famoso «proceso acumulativo».

Sin embargo, analicemos el asunto más de cerca. Una característica central del análisis de Wicksell es que supone un sistema de crédito puro en vez de un sistema monetario.[8] Supone que todas las transacciones están financiadas con crédito, es decir, con activos que devengan intereses. No tiene cabida un dinero que no devengue intereses; ni se demanda ni se ofrece. En consecuencia, en comparación con nuestro sistema en equilibrio temporal, Wicksell tiene una ecuación menos. Suponiendo que hay $n - 1$ tipos de mercancías (bienes y servicios reales que no incluyen valores ni dinero), entonces cada uno tenemos n precios a determinar (los precios monetarios de las $n - 1$ mercancías y un tipo de interés). En nuestro sistema en equilibrio temporal, teníamos $n + 1$ ecuaciones para determinarlos (ecuaciones de oferta y demanda para las $n - 1$ mercancías, valores y dinero). De estas ecuaciones, una se deducía de las demás, de modo que al final había n ecuaciones y n incógnitas, que es lo que debe ser.

Por otro lado, Wicksell abandonó la ecuación del dinero. En su sistema, no circula dinero genuino y, por tanto, no puede haber oferta ni demanda del mismo. Se queda con n ecuaciones, de las cuales una se deriva del resto como antes (puesto que las cuentas tienen que cuadrar a pesar de todo); por tanto, hay $n - 1$ ecuaciones netas. Pero $n - 1$ ecuaciones son insuficientes para determinar n incógnitas.

Con la condición de que las elasticidades de la expectativa sean iguales a la unidad, las $n - 1$ ecuaciones de Wicksell determinan los precios relativos de las $n - 1$ mercancías ($n - 2$ en número, si se miden en términos de una de las mercancías que

---

[7] *Geldzins und Guterpreise* (1898); la traducción al inglés de KAHN se titula *Interest and Prices*.
[8] *Interest and Prices*, pp. 62-75.

se adopte provisionalmente como patrón) y el tipo de interés único. El nivel general de precios monetarios (el valor del dinero) queda indeterminado. Esto se puede ver si reflejamos que un aumento general del 5 por ciento en *todos* los precios (hay que enfatizar lo de *todos*[9]), que implica un incremento general del 5 por ciento en *todos* los precios esperados, dejará la posición de cada uno sin cambios, siempre que el tipo de interés no varíe. Los precios de las cosas que una persona compra han subido un 5 por ciento, pero sus ingresos también han subido un 5 por ciento. Los precios de los factores que emplea un empresario han subido un 5 por ciento, pero sus precios de venta esperados también han subido un 5 por ciento. No hay ningún incentivo para sustituir entre presente y futuro. Por tanto, no cambiarán las demandas y ofertas de todos los productos; si antes eran iguales, lo seguirán siendo. El sistema puede llegar al equilibrio a cualquier nivel de precios monetarios.

El sistema de precios de Wicksell consiste en un núcleo perfectamente determinado –los precios relativos de las mercancías y el tipo de interés– que flota en un éter perfectamente indeterminado de valores monetarios. Dado que el nivel de precios monetarios es tan absolutamente arbitrario, cualquier alteración leve y temporal de los datos puede cambiarlo mucho. *El* tipo de interés está determinado como parte del núcleo por causas «reales»; pero en periodos de tiempo tan cortos que no son significativos para el establecimiento del equilibrio (es decir, en nuestra terminología, períodos menores a una semana), puede haber una ligera diferencia entre este *tipo natural* determinado y el *tipo monetario* momentáneo. Estas ligeras divergencias son suficientes como para generar grandes cambios en el nivel de precios.

Es bastante desafortunado que Wicksell y sus seguidores inmediatos permanecieran durante tanto tiempo bajo la ilusión de que la posibilidad de discrepancia entre el *tipo monetario* y el *tipo natural* era la piedra angular de su teoría. Si la teoría se interpreta estrictamente, la posible discrepancia es solo una discrepancia *virtual*, y tan pronto como se vuelve real, la teoría se derrumba. Por esta razón, la teoría tiene muy poca utilidad como guía para la gestión bancaria, campo en el que se pensaba que tenía aplicabilidad directa. Además, el verdadero significado de la construcción de Wicksell sólo se vio oscurecido por su preocupación por la discrepancia. Es más evidente la relevancia de todo esto si consideramos el problema de otra manera, lo que, dicho sea de paso, nos permite prescindir del supuesto de Wicksell de una Economía Crediticia Pura.

5.   Volvamos, por tanto, a nuestros supuestos anteriores. Supongamos que circula dinero auténtico, que no devenga intereses. Hemos visto que, en este caso, todo

---

[9] No debe haber contratos fijados de antemano que deban ejecutarse bajo las nuevas condiciones, y no debe haber precios convencionales, como los salarios monetarios fijados convencionalmente. En el próximo capítulo volveré sobre estos puntos.

el sistema de precios y tipos de interés es determinado, el número de ecuaciones es igual al número de incógnitas.

Supongamos ahora que todas las elasticidades de las expectativas son la unidad, y sometamos el sistema a prueba viendo si se satisface una de las varias condiciones de estabilidad que debieran satisfacerse. Supongamos que el tipo de interés (o, mejor dicho, todo el sistema de tipos de interés) se toma como dado, mientras que el precio de un producto básico (X) aumenta un 5 por ciento. Si el sistema va a ser perfectamente estable, este aumento debería inducir un exceso de oferta de X, por muchas (o pocas) influencias a través de otros mercados que permitamos. Ahora bien, ¿cuáles son los cambios en los precios que restablecerán la igualdad entre la oferta y la demanda en los mercados de mercancías? Si consideramos sólo *algunos* otros mercados, obtenemos resultados que no difieren mucho de aquellos a los que estamos acostumbrados. La estabilidad del sistema sobrevive a estas pruebas sin dificultad. Pero cuando consideramos las repercusiones en *todos* los demás mercados (excepto en el mercado de valores, ya que el tipo de interés se supone dado, y en el mercado de dinero, ya que no es independiente del resto), entonces la cosa es muy diferente. El equilibrio sólo puede restablecerse en los demás mercados de mercancías si los precios de los demás productos aumentan en un 5 por ciento también. En efecto, si las relaciones de precios entre todos las mercancías no cambian y las relaciones de precios entre todos los precios corrientes y todos los precios esperados no cambian (dado que las elasticidades de la expectativa son la unidad) y (*ex hypothesi*) los tipos de interés no cambian –entonces no hay oportunidad de sustitución por ningún lado–. Las demandas y ofertas de todos los bienes y servicios se mantendrán inalteradas. Si eran iguales antes, seguirán siéndolo ahora. Es un aumento proporcional general de los precios que restablece el equilibrio en los demás mercados de mercancías, pero *no produce un exceso de oferta sobre la demanda en el mercado del primer producto X*. En lo que respecta a los mercados de bienes considerados por sí solos, el sistema se comporta como el de Wicksell. Está en «equilibrio neutro»; es decir, puede estar en equilibrio a cualquier nivel de precios monetarios.[10]

Si las elasticidades de las expectativas son generalmente mayores que la unidad, de modo que la gente interpreta un cambio en los precios, no simplemente como una indicación de que los nuevos precios persistirán, sino como señal de que continuarán cambiando en la misma dirección, entonces un aumento de todos los precios en un tanto *por ciento* (con tipo de interés constante) hará que las demandas sean generalmente mayores que las ofertas, por lo que persistirá el aumento de precios. Un sistema con elasticidades de expectativas superiores a la unidad y un tipo de interés constante es a todas luces inestable.

[10] El lector se habrá percatado de que este argumento depende del supuesto de que el sistema de precios relativos esté determinado de forma única. Yo mismo no siento muchos escrúpulos sobre este supuesto; pero si no está justificado, cualquier cosa puede pasar.

Técnicamente, entonces, el caso en el que las elasticidades de las expectativas son iguales a la unidad marca la línea divisoria entre estabilidad e inestabilidad. Pero su propia estabilidad es de un tipo muy cuestionable. Una leve perturbación bastará para que pase a la inestabilidad. Supongamos que la demanda de X aumenta en términos de dinero, mientras que los tipos de interés se mantienen constantes como antes. Entonces, el precio de X aumentará y otros precios subirán con él, pero eso no inducirá un exceso de oferta de X que se necesita para satisfacer el aumento de la demanda.[11] Por tanto, el precio de X volverá a subir, y los precios en general subirán con él, no habiendo nada que lo detenga indefinidamente. Incluso cuando las elasticidades de las expectativas son iguales a la unidad, el sistema puede derrumbarse ante la menor perturbación.

6.   La proposición que hemos establecido así es, quizá, la más importante en la dinámica económica. Es importante, por supuesto, no porque el tipo de ruptura que describe ocurra normalmente. Los supuestos necesarios para que se produzca la ruptura no son, en todos los aspectos, realistas. Pero no son tan poco realistas como para ser irrelevantes en condiciones reales, sino que son una simplificación bastante plausible de la realidad, siendo, de hecho, el tipo de simplificación que los economistas suelen utilizar cuando desean construir un modelo conveniente con el que trabajar. Nuestra propuesta muestra que este modelo es un muy inconveniente, pues una vez que comienzas a dar forma a tus supuestos de esa manera, te estás acercando a un remolino. Esto tiene una gran influencia en el tipo de métodos analíticos que conviene utilizar en la teoría dinámica, y tiene una fuerte influencia en la concepción total del sistema económico considerado como un proceso en el tiempo.

Mientras los economistas se contentaban con considerar el sistema económico de manera estática, era razonable tratarlo como un mecanismo de autocorrección. Una economía estática es inherentemente estable; pequeñas causas producen pequeños efectos. Por tanto, el sistema no está expuesto a grandes perturbaciones, salvo las que se originen definitivamente fuera de él mismo. Pero esta apariencia de estabilidad solo se logra dejando fuera parte del problema. Tan pronto como tenemos en cuenta las expectativas (o más bien, tan pronto como tenemos en cuenta la elasticidad de las expectativas), la estabilidad del sistema se debilita seriamente. Sin duda, hay razones especiales que pueden darle una estabilidad suficiente para permitirle continuar (examinaremos estas razones en el próximo capítulo), pero no es inherentemente y necesariamente estable. Por lo tanto, no debemos sorprendernos de que el sistema

---

[11] Para conocer este método de deducir las leyes de cambio a partir de las condiciones de estabilidad, consúltese la p. 73. Se puede objetar que el aumento de la demanda será controlado en sí mismo por el precio más alto, pero esta no es una objeción válida. Los nuevos compradores verán incrementados sus ingresos, por lo que todavía estarán deseosos de comprar la misma cantidad aumentada de X que a precios más bajos.

económico de la realidad esté sujeto a grandes fluctuaciones, ni que estas fluctuaciones sean muy peligrosas.

Como es evidente por el enfoque que hemos elegido, nuestra propuesta es una extensión de la famosa propuesta de Wicksell sobre el «proceso acumulativo». Sin embargo, es natural que se asocie con el nombre de Keynes, así como con el de Wicksell. En *La Teoría General del Empleo*, la propuesta se invierte en el sentido correcto, pero la prueba de ello, que da Keynes, es más limitada que la nuestra. Supone una elasticidad unitaria de las expectativas solo para los precios que se espera que gobiernen en el futuro cercano. Para los precios esperados en el futuro, supone que se mueven con los salarios nominales. (En su terminología, la eficiencia marginal del capital se da en términos de *unidades de salario*.) En consecuencia, se considera que la inestabilidad del sistema está como en suspenso mientras los salarios monetarios se mantienen constantes (pues entonces los precios más distantes tienen una elasticidad de las expectativas igual a cero, y esto actúa como estabilizador). Sólo cuando se mueven los salarios monetarios, se manifiesta la inestabilidad (o la estabilidad imperfecta). Creo que mi prueba es más general. Es cierto que el enunciado formal de mi demostración depende del supuesto de que los precios esperados del bien X sólo se ven afectados por el precio actual de ese mismo bien, no por otros precios corrientes.[12] Si esto tuviera que tomarse estrictamente, mi demostración sería tan limitada como la de Keynes. Pero no hay necesidad de tomarlo estrictamente. Los precios esperados pueden depender de los precios corrientes de cualquier forma que se desee –siempre que un aumento proporcional de *todos* los precios corrientes eleve *todos* los precios esperados en la misma proporción– y mi demostración seguirá siendo válida.

Cuando se enuncia el argumento como hizo Keynes, parece posible sostener que la inestabilidad (que se dice que ocurre cuando los salarios nominales son flexibles) se debe, simplemente, al supuesto especial que hizo sobre la naturaleza de las expectativas. Mi demostración pone en evidencia que esto es equivocado. En sí misma, la inestabilidad no tiene nada que ver con los salarios, aunque, como veremos, hay razones para suponer que hay que atribuir una especial importancia a la política salarial cuando se trata de resolver las consecuencias prácticas de la inestabilidad. La inestabilidad no es una característica de los salarios, es una característica del dinero y de los valores, esas cosas raras que no se demandan por sí mismas, sino como un medio para la compra de mercancías en fechas futuras.[13]

---

[12] Cf. la definición de «elasticidad de las expectativas», p. 205, anteriormente.

[13] Algún tiempo después de la publicación original de este libro, el argumento del capítulo anterior fue sometido a un detenido examen por el profesor LANGE en su *Price Flexibility and Employment* (Cowles Commission, 1944) y también por el Dr. MOSAK en su *General Equilibrium Theory in International Trade* (también Comisión Cowles, 1944). Como resultado de su trabajo, creo que mi método debería modificarse algo, aunque no de una manera que afecte sustancialmente al argumento. No es un caso en el que las enmiendas necesarias puedan incorporarse fácilmente al texto, como he hecho con al-

gunas de las enmiendas que he introducido en esta edición revisada. En consecuencia, he dejado el texto de este capítulo sin alterar y he pasado las salvedades que ahora desearía hacer a una nota adicional al final del volumen (nota adicional B, p. 333).

Otra línea de investigación que ha arrojado nueva luz sobre estos asuntos es el «análisis de procesos» del profesor Samuelson. Cuando estaba escribiendo mi texto original, el tipo de análisis de proceso que tenía principalmente en mente era el del profesor D. H. Robertson e hice aquí alguna referencia a su trabajo (en una nota a pie de página ahora suprimida). El trabajo posterior ha demostrado que el análisis de procesos tiene más relevancia para los temas que estaba discutiendo de lo que suponía. Todavía no estoy convencido de que la relevancia sea significativa, pero merece una mayor discusión de la que presenté en 1938. Por tanto, he incluido una nota adicional sobre este tema (nota adicional C, p. 335).

Capítulo XXI

El equilibrio temporal de todo el sistema

II. *Posibles estabilizadores*

1. AHORA ESTAMOS en posición de construir una economía modelo, que hemos descubierto que está al borde de la inestabilidad. No es un modelo realista; es un modelo muy simplificado. Sin embargo, parece tener cierta relevancia para situaciones reales. El tipo de inestabilidad que exhibe es similar a la que parecemos detectar en los sistemas económicos de la realidad –la inestabilidad que los hace susceptibles de fluctuaciones–. Sin embargo, aunque muestren esta inestabilidad, no parecen ser tan inestables. En consecuencia, para que nuestro modelo sea más realista, entre las modificaciones que sería preciso introducir deberíamos encontrar posibles estabilizadores –elementos que limitasen las fluctuaciones de la economía, aunque no impidiesen que ésta fluctuase por completo–.

Procedamos a relajar algunos de los supuestos especiales bajo los cuales se construyó nuestro modelo, y veamos cuáles pueden ser las consecuencias de tal relajación. Esto nos conducirá a una serie de investigaciones separadas, que será mejor realizar bajo encabezados separados.

2. *El tipo de interés.* El primer estabilizador posible es el tipo de interés. Se habrá observado que el sistema sobre el que hemos estado discutiendo no es del todo inestable (al menos, no hemos demostrado que sea del todo inestable); es imperfectamente estable, siendo inestable si se tienen en cuenta todas las reacciones secundarias de precio, *salvo una*, pero no necesariamente inestable si se tienen en cuenta *todas* las reacciones, incluida la relativa al tipo de interés. Cuando los precios generales suben y bajan de esta manera descontrolada, ¿qué habrá sucedido con el tipo de interés?

Como suele suceder, lo más conveniente es pensar que el tipo de interés se determina, no en el mercado de préstamos, sino en el mercado de dinero. Si el tipo de interés debe permanecer sin cambios, la demanda de dinero debe seguir siendo igual a la oferta. Ahora bien, hemos visto que podemos considerar que los principales factores que gobiernan la demanda de dinero son (1) el tipo de interés, (2) la tasa de gasto planificada por las personas para el futuro cercano (en términos monetarios). Se supone que el primero no se ve afectado, pero el segundo debe verse afectado por un cambio general en los precios. Si los precios suben un determinado tanto *por ciento* (se espera, *ex hypothesi*, que sigan en el nivel más alto), y no se modifica la cantidad de bienes y servicios que la gente planea comprar, entonces la demanda de dinero deberá aumentar. En consecuencia, el tipo de interés solo puede permanecer constante –es decir, nuestro supuesto provisional es un supuesto válido– si la oferta de dinero aumenta para igualar el aumento de la demanda. De lo contrario, el tipo de interés aumentará y esto frenará la subida de precios.

Todo esto está muy bien, pero cuando pasamos al caso contrario de una caída en los precios, se presenta una nueva dificultad. Ahora es necesario que baje el tipo de interés para que se restablezca el equilibrio. Si el tipo de interés era razonablemente alto al principio, parece posible que esta reacción pudiera tener lugar sin dificultad. Pero si el tipo de interés es muy bajo al principio, quizá sería imposible que cayera más, ya que, como hemos visto, los valores son sustitutivos inferiores del dinero y nunca pueden tener un precio más alto que el dinero. En este caso, el sistema no sólo adolece de una estabilidad imperfecta, sino que es absolutamente inestable. Un control adecuado de la oferta de dinero siempre puede evitar que los precios suban indefinidamente, pero no necesariamente evita que caigan indefinidamente. Las depresiones económicas son más peligrosas (no solo más antipáticas) que los auges.

El descubrimiento de esta peligrosa posibilidad se debe a Keynes. Desde algunos puntos de vista es lo más importante de su *Teoría General* ya que por fin echa por tierra la cómoda creencia (aún mantenida por Wicksell, y heredada por muchos economistas contemporáneos) de que, en última instancia, el control monetario (es decir, el control del interés) sirve para todo. Pero, aunque ahí es donde conduce la doctrina de Keynes, él mismo expresa más fe en el tipo de interés de la que se derivaría de sus propios principios. En consecuencia, creo que la cuestión requerirá de algo más de investigación aquí.

3.   Hasta ahora hemos hablado de reacciones a través *del* tipo de interés sin especificar qué tipo de interés –algo que solo es legítimo si se trata de un modelo simplificado en el que solo hay un tipo de interés o, alternativamente, si se supone que el sistema de tipos de interés está ligado de alguna manera–. Como descubrimos en el capítulo XI anterior, las relaciones mutuas de los diferentes tipos de interés dependen en parte de los factores de riesgo y en parte del curso esperado de los tipos de interés en el futuro. Estas expectativas de interés se pueden considerar como expectativas de tipos futuros a corto plazo o como expectativas de tipos futuros a largo plazo. La misma teoría puede expresarse en cualquier conjunto de términos. Si tomamos las expectativas de interés como expectativas de tipos a corto, entonces deberíamos decir que el tipo a largo actual se compone del tipo a corto actual y el tipo a corto futuro que se espera que rijan durante la vigencia del préstamo. Si las tomamos como expectativas de tipos a largo plazo, entonces el tipo de interés actual a corto se determina a ese nivel, lo que hace que sea preferible pedir prestado o prestar a corto, en vez de pedir prestado o prestar a largo plazo y cancelar después, al final de un periodo breve, el préstamo mediante otra transacción de la misma clase y en dirección opuesta.

Comencemos elaborando nuestro argumento bajo el supuesto de que las expectativas de tipos de interés significan expectativas de tipos a corto. Entonces, el efecto de una caída general de los precios sobre el sistema de tipos de interés depende de si estas expectativas son elásticas o inelásticas. (En toda nuestra discusión sobre la elasticidad de las expectativas de precios, hasta ahora no hemos tenido ningún motivo para prestar atención a la elasticidad de las expectativas de tipos de interés; pero tarde o temprano había que llegar a ellas). Si las expectativas de tipos de interés son rígidamente inelásticas, un cambio en el tipo a corto puede tener muy poca influencia sobre los tipos de interés a largo. Por tanto, los tipos a largo pueden tomarse como dados (o casi). El tipo de interés cuyos cambios hemos estado discutiendo debe ser casi exclusivamente un tipo de interés a corto. En este caso, en el que toda la carga del ajuste recae sobre el tipo a corto, cualquier alteración importante en el nivel de precios debe conducir a cambios considerables en este tipo de interés (a corto) si no se ajusta la oferta de dinero. Es fácil suponer que para que los cambios del tipo de interés restablezcan el equilibrio, se hagan necesarios ajustes hacia abajo en una escala que supondría un tipo de interés negativo. En consecuencia, el sistema puede resultar absolutamente inestable con mucha facilidad.

Sin embargo, si las expectativas de tipos de interés son elásticas, una reducción de los tipos a corto irá acompañada de una reducción significativa de los tipos a largo. Dado que es posible que las reducciones en los tipos a largo tengan alguna tendencia adicional a aumentar la demanda de mercancías corrientes y, por tanto, a detener la caída de los precios, entonces, para restablecer el equilibrio, será necesario un movimiento menor del tipo a corto cuando las expectativas de interés son elásticas que cuando son inelásticas. Será menos probable que el tipo de interés a corto tenga que reducirse en una medida imposible para conservar el equilibrio.

Básicamente, el mismo argumento puede expresarse en términos de expectativas de tipos a largo plazo. Si estas expectativas son inelásticas, el tipo a largo actual sólo puede caer un poco. Por ejemplo, si el tipo a largo actual es del 4 por ciento, y se espera que sea del 4 por ciento en un año, entonces el 4 por ciento será el rendimiento que se puede obtener invirtiendo dinero ahora, en vez de mantenerlo en forma de dinero y solo invertirlo en valores al final del año. Pero si el tipo esperado permanece en el 4 por ciento y el tipo actual cae al $3\frac{7}{8}$ por ciento, la cantidad neta que se puede ganar con el préstamo de un año (teniendo en cuenta la pérdida de capital esperada) es sólo el $\frac{3}{4}$ por ciento. Si el tipo actual cae solo un poco más, el rendimiento neto del préstamo a un año se vuelve negativo. Cuando se tiene en cuenta el riesgo de invertir en valores a largo plazo,[1] queda claro que una caída muy leve en el tipo de interés a largo plazo será suficiente como para que las personas pospongan la compra de valores, siempre que tengan la impresión de que la caída es solo temporal y que el tipo pronto volverá a su nivel anterior.[2]

Así, ya se considere el asunto en términos de expectativas de tipos a largo o en términos de expectativas de tipos a corto, el resultado viene a ser el mismo. Ni siquiera una gran caída de la demanda de dinero basta por sí misma para provocar una caída generalizada de los tipos de interés. Ciertamente, será eficaz para reducir los tipos a corto en la medida de lo posible, pero solo ejercerá una influencia apreciable sobre los tipos a largo si las expectativas de interés son bastante elásticas. El tipo de interés a largo plazo no es algo que se pueda reducir temporalmente (o por un lapso que parezca temporal). Si la gente no cree que la disminución sea suficientemente permanente, el tipo no bajará de manera apreciable.

4.   Si bien una alta elasticidad de las expectativas de precios es un desestabilizador, una alta elasticidad de las expectativas de intereses parece ser una influencia estabilizadora. Si hubiera las mismas perspectivas de que las expectativas de intereses sean elásticas como de que las expectativas de precios sean elásticas (y, en particular, si fuera probable que las dos cosas ocurrieran juntas), habría esperanzas fundadas de que todo el sistema efectivamente se estabilizaría por los cambios de intereses. Desafortunadamente, no parece probable que las expectativas de interés muy elásticas sean tan comunes como las expectativas de precios muy elásticas. Los niveles de precios pueden subir y bajar en cualquier medida, y se pueden disfrutar momentos de tranquilidad a cualquier nivel de precios. Por mucho que suba o baje el nivel de precios, el mero hecho de que haya subido o bajado no supone una presunción de que volverá a su nivel anterior, o a cualquier punto cercano a él.[3] Pero la clase de variaciones en los tipos de interés que son compatibles con los tiempos tranquilos y con el mantenimiento de mercados organizados es bastante reducida, porque, como hemos visto, el nivel de los tipos de interés mide, en última instancia, la intensidad de un cierto conjunto de factores de riesgo y, es poco probable que esta intensidad se

---

[1] Cf. capítulo XI anterior.

[2] Dado que (anteriormente, p. 149) el rendimiento neto que se podía obtener invirtiendo en valores a largo plazo durante un período dado es $R + (R / R') - 1$ (donde R es el tipo actual a largo plazo y R' es el tipo que se espera que rija al final del período), la caída máxima posible en el tipo se calcula fácilmente. Dado que $R + (R / R') - 1$ debe ser > 0, R debe ser $> R' / (1 + R')$; aproximadamente, $R > R' (1 - R')$. Si se espera que el tipo al final de un año sea del 4%, el tipo actual no puede caer por debajo de él en más del 4% de 4%, y así sucesivamente. Ésta es la caída máxima posible bajo cualquier situación concebible; en la práctica, la posible caída resulta exagerada dado que se ignora el riesgo. Cf. KEYNES, *Teoría General*, p. 202.

[3] Pero ver más adelante, pp. 270-1.

mantenga por mucho tiempo más allá de ciertos límites generales. En consecuencia, cuando el tipo de interés (cualquier tipo de interés) sube o baja mucho, existe una presunción real de que volverá a un nivel «normal». Esta consideración parecería evitar que las expectativas de interés fueran muy elásticas.[4]

La eficacia del tipo de interés como estabilizador depende no solo de la medida en que los cambios en los tipos a corto se transmiten a los tipos a largo (un punto sobre el que no podemos ser muy optimistas), sino también de la medida en que podamos depender de cambios de los tipos de interés que afecten a los precios. Aquí también la situación no parece muy favorable. Como vimos en un capítulo anterior, el tipo a largo debería, teóricamente, ser más efectivo que el tipo a corto, porque los precios descontados de producciones distantes están más influidos por el interés que los precios descontados de producciones pagaderas en el futuro cercano.[5] Pero el tipo a largo, en sí mismo, sólo puede ser eficaz si la gente está planificando con mucha anticipación. De lo contrario, no hay resultados distantes que puedan verse afectados. Ahora bien, cuando los precios están cayendo, parece que hubiera una condición psicológica de depresión, que es muy poco propicia para planificar para un futuro lejano.[6] Así que, de nuevo por esta razón, es probable que los cambios en los tipos de interés sean efectivos para detener un movimiento alcista de los precios, pero mucho menos para detener un movimiento descendente.

Todas las consideraciones del caso apuntan en esta misma dirección. Si los precios se mueven hacia arriba y la oferta de dinero no aumenta proporcionalmente (al menos después de un determinado punto), el tipo de interés a corto, ciertamente, aumentará. No hay límite para su posible aumento, y esto en sí mismo puede ser suficiente como para detener cualquier aumento de precios. Pero cuánto tendrá que subir el tipo a corto dependerá del efecto sobre los tipos a largo (que depende de la elasticidad de las expectativas del tipo de interés). Si el tipo a largo plazo también aumenta, esto también puede ser un freno efectivo; por lo que disminuirá la magnitud necesaria del alza del tipo a corto plazo. Sin embargo, incluso si el tipo a largo plazo no aumenta, el tipo a corto plazo puede ser eficaz por sí mismo, aunque, por supuesto, en ese caso será necesario un aumento mayor en el tipo a corto plazo.

---

[4] El tipo a largo plazo existente descuenta la clase de cambios en los tipos a corto plazo que se espera que ocurran, no solo en un futuro cercano, sino también en un futuro más remoto. Por tanto, si el tipo a corto se mantiene en el nuevo nivel se puede esperar que una fuerte caída en el tipo a corto empuje a la baja al tipo a largo a lo largo del tiempo, y esto crea una expectativa de que los tipos a corto plazo altos serán, probablemente, menores en el futuro de lo que lo eran en el pasado. Sin embargo, sólo reaccionará rápidamente al tipo a largo si hay una razón importante inmediata por la que esto debería ser así. Así sucedió, en una rara ocasión, en Inglaterra en 1932, cuando se cerró definitivamente un período de tipos a corto altos debido a un extraño apego al patrón oro.

[5] Ver anteriormente, p. 225.

[6] Ver más adelante, p. 264.

Por otro lado, si el movimiento de los precios es a la baja, la magnitud de la caída de los tipos a corto plazo posiblemente sea muy limitada, y una caída tan limitada puede resultar insuficiente para evitar la caída de los precios, a menos que los tipos a largo también caigan. Pero en este caso, aun cuando los tipos a largo plazo caigan, la situación todavía no se aclara, pues es el caso en que puede ser mínimo el efecto sobre los precios de una caída en los tipos de interés a largo plazo. Tomando en consideración todas estas cuestiones, podemos decir que la política de tipos de interés –que es la política monetaria– es muy eficaz como medio para impedir los auges, pero muy poco como medio para impedir las recesiones. Puede poner un límite al alza de precios, pero no puede garantizar que se llegue a ese límite.

Hemos dedicado nuestra atención al tipo de interés durante un tiempo; parecía un estabilizador tan esperanzador, y ha resultado ser como hacer castillos en el aire. Pasemos ahora a algunas de las otras modificaciones necesarias para hacer que nuestro modelo sea más realista. Comencemos con las menos esperanzadoras.

5. *Contratos pasados*. Hasta ahora no hemos tenido en cuenta el hecho de que, en cualquier economía real, las transacciones de un período a un corto plazo determinado tienen lugar en un contexto de contratos heredados del pasado. Por lo general, estos contratos se realizaron en términos monetarios. Así, si todos los precios cambian en la misma proporción y el tipo de interés no cambia, no todos quedan en la misma situación de facto, como hemos estado suponiendo hasta ahora. Aquellas personas que deben recibir pagos monetarios por contratos pasados empeoran cuando los precios suben, mientras que los deudores se benefician. Este cambio en la distribución de la riqueza tendrá algún efecto sobre las demandas de diferentes bienes, y puede tener algún efecto sobre la demanda total de bienes en general en términos de dinero.

Este efecto es evidentemente un *efecto renta*, en el sentido en que hemos estado usando ese término. Como es habitual, nada se puede decir *a priori* sobre su dirección. En la práctica, se puede suponer que la clase deudora quizá gastará una proporción mayor de un incremento de renta que la clase acreedora. Si esto es así, la demanda agregada de bienes de consumo tenderá a aumentar cuando los precios suban, y la existencia de contratos firmados en el pasado resultará ser una influencia desestabilizadora, más que estabilizadora. Pero siempre puede funcionar al revés.

Sin embargo, hay otro punto más importante que debemos examinar. Cuando se produce una caída generalizada de los precios (o al menos una caída, cualquiera que sea su magnitud), surge una nueva influencia que hará que estos contratos fijos sean desestabilizadores. A medida que aumenta el valor real de las deudas, a los deudores les resulta cada vez más difícil cumplir con sus obligaciones. El primer resultado es que el *miedo* a la quiebra se extiende cada vez más por la clase deudora. Con este riesgo que se cierne sobre ellos, cada vez se sienten menos dispuestos a exponerse a otros riesgos, mostrándose reacios a iniciar nuevos procesos de producción y tratando de convertir sus activos a la forma más líquida posible.[7] Luego, cuando realmente tiene lugar la quiebra o el incumplimiento, generalmente hay un período adicional durante el cual se hacen los arreglos para enmendar la situación; durante este periodo, cuando la propiedad de los activos es incierta, la iniciativa se paraliza. Considerando todo esto en conjunto, la caída de los precios tiende a reducir los *inputs* y, por tanto, reduce la demanda de bienes, de modo que baja los precios aún más. La carga de las deudas es un potente agente de deflación.[8]

6. *Rigidez de precios*. El siguiente punto que tenemos que considerar ofrece una perspectiva que, en cierto sentido, resulta más esperanzadora. Hasta ahora hemos supuesto que los precios son perfectamente flexibles, de modo que es posible que todos los precios se muevan juntos bajo el libre juego de la oferta y la demanda en el transcurso de una semana. También debe abandonarse este supuesto ahora ya que sin duda es muy poco realista. En la mayoría de las comunidades existe una gran cantidad de precios que, por una razón u otra, son bastante insensibles a las fuerzas económicas, al menos durante períodos cortos. Esta rigidez puede deberse al control legislativo, o a la acción monopolística (del tipo perezoso, que no corre tras cualquier posibilidad de ganancia, sino que prefiere una vida tranquila).[9] Puede deberse a obstinadas nociones de un «precio justo». La clase más importante de precio sujeto a tales rigideces son los salarios; se ven afectados por la rigidez por esas tres causas. Es muy probable que se vean afectados por las nociones éticas, ya que el contrato salarial es, en gran medida, un contrato personal, y solo se realizará sin contratiempos si ambas partes lo consideran «justo». Pero la rigidez, cualquiera que sea la causa que la produzca,

---

[7] Esto suele llamarse «psicología de la depresión», que disminuye la efectividad del tipo de interés.

[8] El aumento de la demanda de dinero que acompaña a la deflación de la deuda no elevará necesariamente el tipo de interés. Si el tipo de interés ya ha caído al mínimo, de modo que hay mucho «dinero ocioso», se puede hacer frente a la situación sin forzar la oferta de dinero. Por tanto, una serie de quiebras es bastante compatible con tipos de interés bajos en las últimas etapas de la depresión. Por otro lado, los elevados tipos de interés que a menudo prevalecen durante una crisis se explican en gran medida de esta manera.

[9] Este tipo particular de acción monopolística es, simplemente, un tipo de rigidez de precios y tiene las mismas posibilidades de ser un estabilizador que cualquier otro tipo de rigidez de precios. Por lo demás, no hay ninguna razón particular para suponer que la acción monopolística sea estabilizadora. Si se pudiera suponer que el sistema de equilibrio general bajo condiciones de monopolio está determinado, la proposición de Wicksell-Keynes (discutida en el capítulo anterior) sería válida, aparentemente incluso bajo monopolio. Un cambio proporcional general en los precios reproduciría la misma situación real que antes y, por tanto, no alteraría el equilibrio. Pero debo admitir que tengo serias dudas sobre si el sistema de monopolio general está determinado en un sentido relevante. Si no está determinado, puede pasar cualquier cosa, pero no veo ninguna razón para suponer que este «cualquier cosa» implique una tendencia a la estabilización.

significa que algunos precios no se mueven hacia arriba o hacia abajo en armonía con el resto –y, en consecuencia, pueden ejercer una influencia estabilizadora–.

Aún aparte de su función como estabilizadores, es evidente que estas rigideces son fenómenos de gran importancia económica, pues su existencia explica por qué las perturbaciones del tipo que estamos considerando producen no sólo grandes cambios en los precios, sino también grandes cambios en la producción y el empleo. Keynes llega incluso a hacer de la rigidez de los salarios la piedra angular de su sistema. Aunque su forma de expresarlo tiene muchas ventajas para la aplicación práctica, me parece que las implicaciones sociológicas más fundamentales se resaltan mejor si tratamos los salarios rígidos como, simplemente, un tipo de precios rígidos. Es difícil exagerar la importancia práctica inmediata del desempleo laboral, pero su relación con la naturaleza del capitalismo se entiende mejor si la analizamos al mismo tiempo que el desempleo (e incluso mal empleo) de otras cosas.[10]

En una etapa anterior de este libro ya se ha elaborado un método mediante el cual se puede admitir la existencia de un precio rígido para un determinado producto básico en el marco de nuestro análisis.[11] Suponiendo que dibujamos una curva de demanda (*DD*) y una curva de oferta (*SS*) para el producto en cuestión, si el precio de esa mercancía pudiera moverse libremente se determinaría en la intersección de estas curvas. Pero si se fija en (digamos) un nivel superior, solo se vendería una cantidad *ON* (= *LP* o *MQ*), aunque los vendedores estuvieran dispuestos a ofrecer una cantidad *LT*. La situación es, por tanto, idéntica a la que habría surgido si se hubiera fijado únicamente un precio *OL* para los compradores y un precio *OM* para los vendedores, entregándose la diferencia entre estos precios en calidad de prima a los vendedores que realmente venden. Ya hemos encontrado la conveniencia de emplear esos métodos en otros asuntos, y también puede emplearse para el problema que ahora nos interesa.

Supongamos que todos los precios suben en la misma proporción, excepto el precio rígido y el precio «sombra» de los vendedores. Si las elasticidades de las expectativas son la unidad, las curvas de oferta y demanda conservan su forma original, pero moviéndose hacia arriba. La mejor forma de representar la posición resultante es cambiar simplemente la escala en la que se miden los precios en el eje vertical, de modo que las nuevas curvas de oferta y demanda ocupen las mismas posiciones que las antiguas, y nos encontremos en el gráfico anterior. Solo que, dado que se cambia la escala de precios, el precio rígido de los compradores ahora estará representado, no por *OL*, sino por *OL'*, que es menor que *OL*. La cantidad comprada será *ON'*, y el

---

[10] La Sra. ROBINSON ha hecho algo para ampliar la doctrina de KEYNES en su teoría expuesta en «Disguised Unemployment» (*Essays in the Theory of Employment*). Pero no ha demostrado cuáles son los límites exactos a los que puede llegar esa ampliación.

[11] Véase la nota al capítulo VIII, anteriormente.

precio de los vendedores que haría que la oferta fuera igual a la demanda sería *OM'*, normalmente mayor que *OM*.[12] La prima que se entregue a los vendedores cambia de *LPQM* a *L'P'Q'M'*; no se sabe cuál de estas áreas es la más grande. El efecto neto del aumento general de precios es, por tanto: (1) aumentar las ventas del producto, (2) dejar constante el precio de los compradores, reduciéndolo en relación con otros precios, (3) aumentar el precio de los vendedores en relación con otros precios, y (4) cambiar el tamaño de la prima, si bien no hay seguridad en que esa modificación sea un alza o una baja en términos reales.

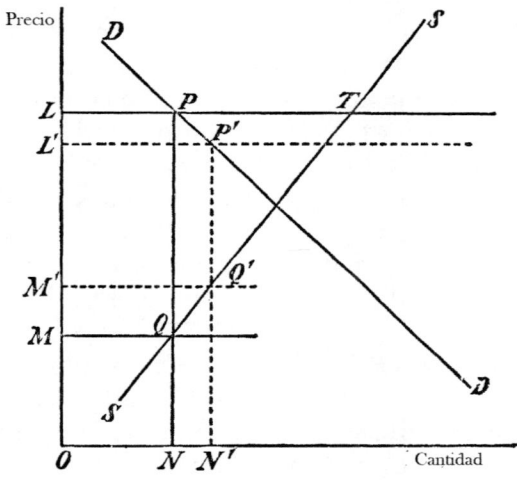

Fig. 25.

El cambio en la cuantía de la prima produce un efecto renta, indeterminado como de costumbre. Los cambios en los precios de los compradores y vendedores tendrán cierta influencia en las demandas y ofertas de otras mercancías. Que esta influencia sea o no en el sentido de la estabilidad depende de si el efecto ordinario sobre los otros precios es un aumento o una disminución de estos. Dado que el supuesto inicial fue un alza general de precios, la existencia de un precio rígido contribuirá a la estabilidad si estos cambios en el precio de los compradores y vendedores, en relación con el nivel general de precios, tienden a reducir este último.

7. Los efectos sobre otros precios pueden calcularse de la manera habitual, considerando las relaciones de sustitución y complementariedad. Dado que suponemos elasticidades unitarias de las expectativas, no debemos preocuparnos por la sus-

[12] Puede ser menor que *OM* si la curva de oferta se inclina hacia atrás.

titución a lo largo del tiempo, pero podemos limitar nuestra atención a la sustitución y la complementariedad entre clases de mercancías, como si nos ocupásemos de un problema estático.

La caída relativa en el precio de los compradores tenderá a bajar los precios de todos aquellos bienes tales que los compradores pueden sustituir la mercancía, o pueden transformarla, con un precio rígido. También bajarán los precios de los bienes que sean sustitutivos de estos bienes, etc., pero subirán los precios de los complementarios. Dado que, como hemos visto repetidamente, es probable que la sustitución sea siempre la relación dominante en el sistema en su conjunto, es probable que la caída relativa en el precio de los compradores sea una influencia estabilizadora. Por supuesto, esto es lo que cabría esperar.

Por otro lado, es probable que el aumento relativo en el precio «sombra» de los vendedores eleve los precios de los bienes que son sustitutivos de la mercancía original a través del comportamiento de los vendedores, y baje los precios de los que son complementarios. Debido al predominio general de la sustitución, es muy probable que ésta sea una influencia desestabilizadora. El efecto directo del precio rígido es estabilizador, pero el precio rígido tiene un precio «sombra» opuesto a él en el otro lado del mercado, que no es rígido, y cuya influencia es probable que sea desestabilizadora.[13]

De ello se deduce que la existencia de precios rígidos solo contribuye a la estabilidad si la influencia directa del precio rígido supera la influencia indirecta a través del precio sombra, y esto solo ocurrirá si el movimiento del precio sombra (en relación con el nivel general de precios) es pequeño. Esto siempre *puede* suceder, pero sólo hay un caso en el que es seguro que sucederá. Ese es el caso en que el precio rígido es el precio de un factor de producción, y las unidades que están excluidas de la venta por la rigidez del precio están totalmente desocupadas.

Cuando el precio rígido es el precio de un producto, el hecho de que este precio no suba cuando suben otros frena el alza de precio de aquellos bienes que sustituyen al producto por el lado de la demanda. Sin embargo, estimula la subida de precios de aquellos bienes que son sustitutivos por el lado de la oferta (y de los factores que pueden transformarse en él). Cuando el precio rígido es el precio de un factor, el hecho de que no suba puede estimular un alza en los precios de los productos que el factor se vio obligado a fabricar por no haber tenido acceso a este sector. Pero si las unidades excluidas estaban totalmente desempleadas, entonces el precio sombra será

---

[13] En el caso contrario, pero menos importante, en el que el precio rígido se fija a un nivel en el que la oferta es mayor que la demanda, sigue siendo cierto que el precio rígido tiende a la estabilidad y el precio sombra a la no-estabilidad. Pero ahora el precio de los vendedores es el que es rígido, y el precio de los compradores el que es sombra. Un movimiento ascendente general en los precios de otros bienes disminuirá las ventas de la mercancía de precio fijo, producirá una caída relativa en el precio de los vendedores y un aumento relativo en el precio de los compradores.

cero y seguirá siendo cero. La existencia de desempleo contribuye casi necesariamente a la estabilidad.

La existencia de mano de obra desempleada, especialmente cuando el desempleo abarca muchos tipos de mano de obra, es particularmente importante como estabilizador. Por un lado, no hay reacción a través del precio sombra y, por otro, ese trabajo generalizado tiene fuertes relaciones de sustitución (o transformación) con la mayoría de clases de bienes. Indirectamente, es probable que tenga tales relaciones con casi todos los bienes, ya que puede usarse para la producción de sustitutivos para casi cualquier bien. El desempleo es el mejor estabilizador que hemos encontrado hasta ahora.

8. Ésta es una conclusión profundamente descorazonadora, pero no parece que haya modo de evitarla siempre que supongamos elasticidades de las expectativas unitarias. Desde luego, es la conclusión de Keynes, que la enfatiza tanto que hace de su *Teoría General* una *Teoría General del Empleo*. La inestabilidad al alza del sistema de precios puede controlarse mediante movimientos del tipo de interés, pero la inestabilidad hacia abajo no puede combatirse siempre de esa manera. El único control confiable dentro del sistema es la rigidez de los salarios, aunque la operación de este freno a la inestabilidad a la baja viene acompañada necesariamente por una contracción de la producción total por debajo del máximo técnicamente posible, y por la existencia de mano de obra desocupada. Si los tipos salariales rígidos ceden, en general el efecto será la caída de los precios sin ninguna rigidez que la contrarreste, de modo que una reducción general de los salarios solo supone una nueva baja de precios y no logra expandir el empleo.[14]

Estas conclusiones se siguen inevitablemente siempre que nos aferremos al supuesto de que las elasticidades de las expectativas son la unidad. Sin embargo, aunque hemos seguido ese supuesto contra viento y marea, no estamos, después de todo, obligados a conservarlo; y ya ha llegado el momento de ponerlo en tela de juicio. Si la gente cree que los precios actuales se mantendrán indefinidamente y si, cuando cambian los precios, se limitan a creer que los nuevos precios persistirán, la influencia de los precios pasados en la formación de expectativas será mínima. Esto no es el caso general; se trata de un caso muy especial, y nuestra investigación de sus propiedades no nos lleva a pensar que sea un caso especial que se presente con frecuencia.

Si todas las elasticidades de las expectativas son unitarias, la estabilidad del sistema sólo puede mantenerse con tasas de salario rígidas, pero si todas las elasticidades

---

[14] En la práctica, hay que tener en cuenta otra repercusión que se produce a través de las finanzas públicas. En absoluto es inevitable que esto funcione en una dirección estabilizadora, aunque existe alguna probabilidad de que al final así sea, al menos en países donde existe una fuerte presión por aliviar el desempleo y no tanta presión por equilibrar el presupuesto.

de las expectativas son unitarias, ¿por qué deberían ser rígidas las tasas salariales? No se puede sostener que las tasas salariales sean fijas a un nivel particular en términos monetarios porque los asalariados quieran una determinada cantidad de dinero por el dinero mismo; la razón por la que los salarios monetarios son rígidos debe ser que las personas que fijan los salarios tienen cierto grado de confianza en un valor estable del dinero –es decir, tienen expectativas de precios bastante *inelásticas*–. Mientras persistan en la opinión de que un determinado nivel de precios es el «normal», es perfectamente racional que fijen las tasas salariales en términos monetarios a un nivel que les parezca «justo» en relación con este nivel de precio «normal». Pero eso no nos proporciona ninguna justificación para suponer que los salarios nominales permanecerían rígidos si se perdiera el sentido de la normalidad.

Para explicar la rigidez de los salarios, hemos de suponer que quienes participan en la negociación salarial tienen un cierto sentido de lo que son precios normales, que (tal vez) sean difícilmente distinguibles de los precios «justos». La rigidez de los salarios se extiende precisamente durante ese tiempo (un tiempo que puede ser bastante largo) durante el cual las partes interesadas se persuaden de que los cambios en los precios relacionados (ya sean los precios de los productos del trabajo o de las cosas que compra el trabajo) son cambios temporales. Una vez que se convencen de que estos cambios son permanentes, hay una tendencia a que los salarios cambien. En situaciones de inestabilidad extrema, cuando han perdido su sentido de lo que son precios normales, los negociadores recurren a escalas móviles automáticas y la rigidez de los salarios monetarios cesa por completo.

9. *Precios normales.* Cuando tenemos en cuenta esta última consideración, se empiezan a definir los supuestos que deben hacerse para obtener un modelo razonablemente realista del sistema económico. Debemos darle al sistema suficientes factores de estabilidad para que pueda funcionar, pero no debemos suponer que estas fuerzas sean tan poderosas como para evitar que el sistema quede expuesto a fluctuaciones. Debe haber una tendencia a la rigidez de ciertos precios, en particular los salarios, pero también debe haber una tendencia a la rigidez de ciertas expectativas de precios, a fin de proporcionar una explicación a la rigidez de estos precios. No hay razón para suponer que todas las expectativas de precios sean inelásticas. De hecho, sería mejor suponer una gran variación en las elasticidades de las expectativas de las distintas personas. Las expectativas de algunas personas suelen parecer bastante estables. No pierden fácilmente la confianza en el mantenimiento de un nivel estable de los precios que les interesan, de modo que, cuando estos precios varían, su interpretación natural de la situación es que el precio actual se ha vuelto anormalmente bajo, o anormalmente alto. Pero hay otras personas cuyas expectativas son mucho más sensibles, que se convencen fácilmente de que cualquier cambio de precios que experimenten es un cambio permanente, o incluso que los precios seguirán cambiando en la misma dirección. (Esta diferencia de sensibilidad entre las expectativas de precios de diferentes personas se revela en una diferencia en el comportamiento de aquellos precios en que estas personas tienen un interés especial. Los comerciantes sensibles crean precios sensibles, y los comerciantes insensibles precios rígidos. Los precios más sensibles se dan en aquellos mercados que se denominan vulgarmente «mercados especulativos»).[15]

Por supuesto, en diferentes circunstancias variará mucho la forma en que se divide una población con respecto a este tipo de sensibilidad. Es probable que las personas que se han acostumbrado a precios estables, o a movimientos de precios muy graduales, sean insensibles a sus expectativas, y que las personas que se han acostumbrado a los cambios violentos sean sensibles. Tenemos que estar preparados para enfrentarnos a una variedad de casos posibles, que van desde el de una comunidad asentada que ha estado acostumbrada a condiciones estables en el pasado (y que, por esa misma razón, no se altera fácilmente en el presente), al de una comunidad que ha estado expuesta a violentas perturbaciones de precios (y que, en consecuencia, puede considerarse neurótica desde el punto de vista económico).

Pero la distinción de los diferentes casos según la sensibilidad no sólo depende de la condición psicológica de los individuos que comercian, sino también del tiempo que abarca nuestro análisis. No debemos olvidar nunca que nuestra «semana» tiene una duración arbitraria, lo que es de gran importancia en la formación de expectativas. La elasticidad de las expectativas depende del peso relativo que se le dé a la experiencia del pasado y a la del presente. Ahora bien, si se considera que el «presente» abarca un período de tiempo más largo, la «experiencia presente» tendrá necesariamente más peso e (incluso con la misma condición psicológica) las expectativas tenderán a volverse más elásticas. De hecho, para que una comunidad muestre mucha sensibilidad durante un lapso de tiempo muy breve se precisa de una comunidad muy neurótica. La gente no espera poder prever los precios reales que rijan en un día en particular con total precisión, de modo que puede que una variación apreciable de lo que habían pensado que era el precio más probable no perturbe en absoluto sus expectativas. Pero si el precio medio obtenido durante un período más largo no coincide con lo que se esperaba, es probable que perturbe las expectativas futuras de los más impertérritos. Por tanto, es razonable suponer que la sensibilidad aumentará junto con el lapso que dure la «semana».

[15] De un modo más estricto, debemos tener en cuenta el hecho de que un cambio en los precios actuales puede no afectar en la misma medida a las expectativas de la gente sobre todos los precios futuros. Aun cuando una persona espere que los precios vuelvan a la normalidad después de algún intervalo de tiempo, seguirá comportándose de una manera sensible si su conducta está muy influida por los precios que espera en el futuro cercano, mientras que la misma perspectiva hará que una persona cuya conducta actual solo está influida por las expectativas del futuro lejano se comporte *de manera insensible*.

¿Quiere esto decir que si bien cualquier sistema (excepto el más neurótico) es estable en el corto plazo, no tiene más remedio que volverse inestable en el largo plazo? No creo que debamos tener miedo de caer en esa conclusión. Cuanto más largo sea el periodo que dure nuestra «semana», tanto menos satisfactoria sabemos que será nuestra aproximación a la realidad. Hay cosas que quedan fuera del análisis del equilibrio temporal, y hay que tener en cuenta alguna de ellas antes de poder hacer ninguna generalización sobre periodos largos.

Capítulo XXII

El equilibrio temporal de todo el sistema

III. Las leyes de su funcionamiento

1. ANTES de abandonar el sistema de equilibrio temporal, deberíamos hacer un intento de resumir las reglas formales de su comportamiento. Este fue el último paso que dimos en nuestro análisis del problema paralelo de la estática, pero aquí resulta ser bastante más complicado que en la estática, ya que tenemos que considerar no sólo las mismas cuestiones que consideramos allí, sino también cuestiones de tipos de interés, así como los diferentes casos de expectativas más o menos elásticas. Estas complicaciones no son meramente aditivas, sino multiplicativas, de modo que cuando se intenta exponer los resultados de forma esquemática, se hace evidente que existe un perfecto galimatías de posibles preguntas y respuestas. En estas circunstancias, he decidido dejar de intentar proporcionar un sistema completo de reglas y contentarme con algo más modesto. Haré una proposición fundamental, en la que deberán basarse las reglas para todos los casos particulares y, luego, simplemente, proporcionaré algunas ilustraciones sobre las formas en que se puede aplicar esta proposición.

Lo que más nos interesa saber son los efectos de esos cambios generales que normalmente se conocen como acaparamiento, ahorro e inversión sobre los precios, la producción y los tipos de interés. Estos cambios generales pueden expresarse en términos más adecuados para nuestro análisis actual si se describen como desplazamientos de la demanda desde mercancías a dinero, o dinero a valores, o mercancías a valores. Nuestra teoría estática nos ha proporcionado una técnica para estudiar los efectos de los desplazamientos en la demanda, por lo que parecería que lo que tenemos que hacer es traducir las reglas estáticas en términos de la tríada –Mercancías, Valores y Dinero–.

Por desgracia, las cosas no son tan sencillas. Sólo en un caso especial existe una correspondencia exacta entre el sistema estático (cuyas reglas conocemos) y el sistema de equilibrio temporal (cuyas reglas queremos descubrir). Este es el caso en el que todas las expectativas son rígidamente inelásticas. En todos los demás casos, no existe, en absoluto, ninguna razón para suponer que las reglas corresponderán exactamente a la estática. Sin embargo, desde muchos puntos de vista, los más importantes son los casos de expectativas elásticas (al menos, expectativas bastante elásticas).

La mejor forma de superar esta dificultad es dividir en varias etapas el efecto de un cambio con expectativas elásticas. En primer lugar, consideremos lo que sucedería si las expectativas fueran inelásticas. Esto implicará un cierto cambio (primario) en los precios y los tipos de interés. A continuación, supongamos que las expectativas de precios, o las expectativas de intereses, o ambas, se desplazan en la misma dirección en la que se desplazan inicialmente los precios actuales o los tipos de interés. Este cambio en las expectativas dará lugar a un desplazamiento adicional en de demanda, similar en carácter al primer cambio. Entonces, se pueden examinar los efectos de este desplazamiento secundario de la misma forma que los del cambio primario.

Una ventaja de este método de análisis es que nos proporciona una secuencia lógica que no es improbable que se corresponda bastante bien con la secuencia temporal real de causa y efecto. Hemos visto que las expectativas suelen volverse más elásticas cuanto más tiempo se permite para el ajuste.[1] Por tanto, los efectos primarios de los cambios, tal como los desarrollaremos, guardan al menos alguna relación con los efectos del impacto, y los efectos secundarios de nuestra secuencia pueden ser iguales que los efectos que se aplazan.

2.   Entonces, lo primero que hay que hacer es elaborar las reglas de un sistema con expectativas inelásticas. Para elaborar reglas formales, bastará con reducir el sistema a un triángulo que consta de tres «bienes» –mercancías, valores, dinero–. Tres «bienes» nos proporcionan dos «precios» –el nivel de precios de las mercancías y el precio de los valores, que es una expresión del tipo de interés–. ¿Cómo se verán afectados estos «precios» cuando haya un cambio en la demanda?

En el capítulo V anterior se desarrolló con detalle el comportamiento de un triángulo como éste. En un sistema que puede reducirse al intercambio de tres bienes X, Y, Z, un aumento en la demanda de X en términos de Z debe elevar el precio de X en términos de Z. El efecto sobre el precio de Y se dividió en efecto renta y efecto sustitución. El efecto sustitución tiende a subir el precio de Y en términos de Z si X e Y son sustitutivos, y a bajarlo si son complementarios. Bajará el precio de Y en términos de X si Y y Z son sustitutivos, y lo subirá si son complementarios. En lo que respecta al efecto renta, es mejor abordarlo considerando el cambio de precio inicial debido al efecto sustitución y teniendo en cuenta si el cambio en la distribución de la riqueza provocado por este cambio de precio inicial tendrá algún efecto importante sobre la demanda relativa de los diferentes «bienes» (el mismo procedimiento que estamos usando para hacer frente a las expectativas). Si hay un cambio importante en la demanda relativa, habrá que tenerlo en cuenta al calcular el resultado final.

[1] P. 272, anteriormente.

Cuando aplicamos este razonamiento a la tríada mercancías, valores, dinero es evidente que poco puede decirse *en general* sobre el efecto renta, si bien ha de tenerse cuidado de tenerlo en cuenta cuando se quiera aplicar a casos concretos. Pero se puede decir bastante sobre el efecto sustitución, y vamos a centrarnos en él.

En primer lugar, ¿es probable que exista alguna complementariedad entre cualquier pareja que pueda formarse con la tríada? Este es un asunto que no hemos resuelto debidamente. Sin embargo, hemos visto razones para suponer que es probable que el dinero y los valores sean sustitutivos *cercanos*.[2] Si es así, es poco probable que las relaciones entre dinero y mercancías, por un lado, y valores y mercancías por otro, puedan ser muy diferentes. Esto significaría que los tres pares que pueden formarse con la tríada deben ser sustitutivos, ya que, como máximo, sólo un par de los tres puede ser complementario (según la regla habitual), de modo que, dinero-mercancías deben ser complementarios, mientras que valores-mercancías no, o viceversa. Si se descartan estas posibilidades, la única alternativa que queda es que los tres pares sean sustitutivos.

Sabemos cómo funciona el sistema en ese caso, por lo que solo necesitamos presentar las antiguas reglas en los nuevos términos.

i. Un aumento en la demanda de mercancías en términos de dinero elevará el nivel de precios de las mercancías en términos de dinero. Dado que los valores son sustitutivos de las mercancías, su precio también aumentará, es decir, el tipo de interés bajará.

ii. Un aumento en la demanda de valores en términos de dinero elevará el precio de los valores, es decir, bajará el tipo de interés. Dado que los valores y las mercancías son sustitutivos, también elevarán los precios de las mercancías.

iii. Un aumento en la demanda de valores en términos de mercancías elevará el precio de los valores en relación con el nivel de precios de las mercancías. Dado que no existe complementariedad, el valor del dinero debe subir en términos de mercancías y caer en términos de valores. En términos monetarios, el nivel de precios de las mercancías debe caer y el tipo de interés debe bajar.

3. Estas parecen ser las reglas formales para el funcionamiento de una economía con expectativas inelásticas. La segunda y la tercera de estas reglas parecen bastante aceptables a primera vista. La primera resulta bastante más sorprendente. Sin embargo, también parece aceptable cuando se elabora en detalle, prestando total atención a los supuestos precisos bajo los cuales se afirma que es válida.

Supongamos que existe un aumento en la demanda de algún producto en particular. Las expectativas son inelásticas, por lo que el aumento de la demanda debe entenderse como temporal, y todos los cambios consiguientes en los precios deben

[2] Cf. capítulo XIII, anteriormente.

entenderse también como temporales. El aumento de la demanda se satisfará entonces, en la medida de lo posible, sacando mercancías de las existencias o acelerando la
producción. Esto amortiguará las repercusiones sobre otros precios, de modo que es
fácil comprender que un gran aumento temporal de la demanda pueda afectar muy
poco al precio de la primera mercancía y que puede afectar a otros precios en una
medida casi insignificante. Sin embargo, todo este panorama del futuro puede verse
de otra manera. Los vendedores que prefieren vender ahora en vez de en el futuro
deberán acumular saldos monetarios o pedir prestado menos (el reembolso más rápi-
do de los préstamos se considera como una forma de reducción del endeudamiento),
y los compradores que posponen las compras deberán acumular saldos monetarios o
conceder más préstamos. Si la reacción se basa enteramente en la demanda de dinero
(como puede ser si son breves los tiempos para los que se posponen las compras y se
adelantan las ventas), entonces el tipo de interés no se verá afectado en absoluto. Pero
en la medida en que haya alguna repercusión sobre el tipo de interés, tendrá que ser
en un sentido descendente.

Por supuesto, debe entenderse que probablemente todas estas repercusiones de
los cambios temporales en la demanda sean pequeñas, y especialmente las del tipo de
interés, a la vista de la estrecha sustituibilidad entre dinero y valores. Esta sustituibilidad es más evidente cuando el tipo de interés es menor que cuando es mayor (como
prueba el hecho de que esta sustituibilidad es la que evita que el tipo de interés baje
a cero). En consecuencia, si el tipo de interés es muy bajo desde el principio, ningún
pequeño cambio en los datos podrá cambiarlo; si es alto desde el principio, es más
fácil que se vea afectado.

4.   Procedamos ahora a considerar la elasticidad de las expectativas, comenzando por la elasticidad de las expectativas de precios. Para poder tenerla en cuenta,
necesitamos saber cuáles serán los efectos probables de un cambio en las expectativas
de precios, es decir, qué desplazamientos en la demanda (de la clase que hemos estado
discutiendo) es probable que se produzcan. Esto puede funcionar de dos o tres formas
diferentes. Por un lado, dado que los bienes futuros y los bienes presentes son, normalmente, sustitutivos, existe la presunción de que un aumento en las expectativas
de precios aumentará la demanda de mercancías corrientes. Si una empresa llega a
esperar precios más altos en el futuro para los bienes que produce, probablemente
aumentará su *input* de factores en el presente y, quizá, disminuya su *output* de productos. Este aumento del *input* (o disminución del *output*) debe compensarse con
un movimiento correspondiente o bien en la demanda de valores o de dinero. Por
tanto, puede pensarse que la empresa está desplazando su demanda de dinero, o de
los valores, a las mercancías; y sabemos las consecuencias de un cambio como ese.
Si el aumento de la «inversión» se financia mediante endeudamiento, el cambio neto
es un aumento de la demanda de mercancías en términos de valores, lo que elevará

el nivel de precios de las mercancías y aumentará el tipo de interés. Si se financia en parte por una menor demanda de dinero, entonces el aumento del tipo de interés quedará obstruido, o incluso se detendrá; pero se estimulará el alza de los precios de las mercancías.

¿Se puede decir algo sobre la probabilidad relativa de estos dos tipos de financiación? La razón más probable por la que la «inversión» se financia con desatesoramiento es que los empresarios esperarían que se presentara una oportunidad de este tipo en un momento u otro, y se estarían anticipando a la oportunidad mantenido saldos monetarios. Por tanto, si se tratara de una oportunidad completamente nueva, probablemente tendría que financiarse con endeudamiento; si no es inesperada en sí misma, si no sólo su fecha, se puede financiar mediante desatesoramiento. (En las primeras etapas de la recuperación económica puede suceder algo así a gran escala. Es una de las razones por las que en estas primeras etapas puede no existir mucha presión sobre los tipos de interés).

Por otro lado, si una empresa espera que suban los precios de los factores que proyecta emplear, no es forzoso que aumente su *input* corriente de factores, dado que con frecuencia hay una complementariedad entre factores a lo largo del tiempo. Pero si se espera que suban los precios en un futuro cercano, entonces aumentará su tasa de gasto planeado de los factores (en términos monetarios); por lo que puede haber un aumento en su demanda de dinero. Esto deberá considerarse como un desplazamiento de la demanda de valores a dinero.

También hay otras razones por las que puede aumentar la demanda de dinero. Un aumento en los precios esperados de los productos implica un aumento en los ingresos del empresario, y esto puede resultar en un aumento de su gasto en bienes de consumo (tanto de su gasto real en el presente como de su gasto planeado para un futuro cercano). Esto debe considerarse como un desplazamiento de la demanda desde los valores hacia las mercancías, y probablemente también hacia el dinero.

Podría emprenderse el mismo tipo de análisis para las expectativas de precios del individuo, aunque no merece la pena hacerlo en detalle. Habría cierta tendencia a la sustitución a través del tiempo, lo que implicaría un aumento de la demanda de mercancías en el presente y, en la medida en que el aumento de las expectativas de precios implicara una expectativa de mayores ingresos, también podría haber una mayor demanda de dinero.

Cuando observamos todas estas diferentes tendencias en conjunto, se pone de manifiesto que un aumento en las expectativas de precios puede funcionar de varias maneras diferentes. El efecto más probable es un cambio en la demanda a favor de las mercancías, principalmente a expensas de la demanda de valores. Esto implicaría un aumento en el nivel de precios de las mercancías y también una cierta tendencia al alza del tipo de interés. Pero esta no es la única posibilidad. Hay poderosas razones para desplazar la demanda desde los valores al dinero, lo que intensificaría el efecto sobre el tipo de interés y frenaría la subida de precios. Por lo general, conviene tener esto en cuenta y así, podría haber casos en los que el desplazamiento en favor de la demanda de mercancías esté contrarrestado con una reducción en la demanda de dinero, de modo que el tipo de interés podría dejar de subir. Incluso sería posible que, un aumento en algunas expectativas de precios (como los precios esperados de los factores) no indujera un aumento en la demanda de mercancías en general (incluidos los factores correspondientes). Sin embargo, quizás estemos justificados en considerar que estos últimos casos son excepcionales. Cuando nos ocupemos de un aumento de las expectativas de precios que sea general, esas expectativas normalmente se verán contrarrestadas por fuerzas que actúan en la dirección opuesta.

5.   Así pues, podemos sacar la conclusión provisional de que el efecto habitual de un aumento en las expectativas de precios será aumentar los precios y el tipo de interés, y que el efecto habitual de una caída en las expectativas de precios será bajar los precios y el tipo de interés. En un sistema donde las expectativas de precios son elásticas, un cambio en los precios corrientes cambia las expectativas de precios en la misma dirección. En consecuencia, las reglas que anteriormente eran válidas para el caso de expectativas inelásticas ahora pueden ampliarse para cubrir el caso de expectativas de precio elásticas. Esta ampliación está sujeta a todas las salvedades planteadas anteriormente; sin embargo, sus líneas principales están bastante claras.

Cuando las expectativas de precios son elásticas, es probable que se intensifiquen todos los efectos sobre los precios que calculamos para el caso de las expectativas inelásticas. Pero siempre es posible que el tipo de interés se mueva en la *misma* dirección que el nivel de precios. Por tanto, si (i) comenzamos con un desplazamiento de la demanda de dinero a las mercancías, el efecto principal será elevar un poco los precios y (si acaso) reducir el tipo de interés; el efecto secundario será aumentar aún más los precios, pero *elevar* el tipo de interés. (ii) Si comenzamos con un cambio en la demanda de dinero a valores, el proceso es similar. El efecto principal es bajar el tipo de interés y subir los precios; el efecto secundario es aumentar los precios aún más y aumentar el tipo de interés.[3] (Pero aquí debe observarse que el efecto secundario solo tiene lugar si los precios, realmente aumentan por el efecto primario. Si el tipo de interés es todo lo bajo que puede ser, o si una caída en el tipo de interés no logra estimular la demanda de bienes, es posible que no haya ningún efecto secundario.) (iii) Si comenzamos con un desplazamiento de la demanda de valores a mercancías, el efecto principal será subir los precios y el tipo de interés; aquí el efecto secundario sólo intensifica el efecto primario.

[3] Cf. MARSHALL, *Money, Credit and Commerce*, p. 257: «La nueva moneda... aumenta la disposición de los prestamistas a prestar en primera instancia y reduce la tasa de descuento. Pero luego sube los precios y, por tanto, tiende a incrementar el descuento».

No es extraño encontrar que algunas de estas repercusiones en un sistema con expectativas de precios elásticas parezcan muy traicioneras, ya que, como sabemos, cuando la elasticidad de las expectativas de precios rebasa un cierto punto, el sistema se vuelve dudosamente estable. El hecho de que una mayor demanda de valores en términos de dinero pueda (incluso al final) elevar el tipo de interés, supone de por sí una inestabilidad inherente al sistema.

Como vimos en el último capítulo, es de esperar que la inestabilidad del sistema sólo se ponga de manifiesto poco a poco, y que las expectativas se vuelvan más elásticas con el paso del tiempo. Ésta es la justificación de considerar los efectos primarios que acabamos de analizar como efectos del impacto, y los efectos secundarios como etapas posteriores en el proceso causal. Pero no debemos suponer que la creciente elasticidad de las expectativas tenga probabilidades de seguir un ritmo uniforme. Es mucho más probable que la velocidad a la que las expectativas se vuelven más elásticas sea muy diferente en los distintos mercados. Si la primera etapa del proceso está representada, aproximadamente, por nuestros efectos primarios, la siguiente etapa será una en la que la elasticidad de algunas expectativas haya aumentado considerablemente, mientras que otras no se hayan alterado mucho. Por tanto, en esta segunda etapa debemos superponer a los efectos primarios los efectos de un cambio en las expectativas de precios de algunas personas por algunos bienes, y eso afectará particularmente a los precios de esos y de otros bienes estrechamente relacionados con ellos. Este es un punto de gran importancia para la elaboración detallada de un proceso de cambio de precios. Los efectos de una perturbación inicial sobre el sistema general de precios no se agotan por la clase de efectos sobre los bienes relacionados que identificamos en nuestro análisis estático. Si hay un aumento en la demanda del bien X, los bienes que son los sustitutivos más cercanos de X no serán, necesariamente, aquellos cuyos precios se verán más afectados en una etapa determinada del proceso causal. Es muy posible que haya un cambio mayor en los precios de algunos bienes que están menos relacionados con X, pero cuyo tráfico está en manos de personas que tengan expectativas más elásticas.[4]

Otra consecuencia de la relativa insensibilidad de ciertas expectativas de precios es la rigidez de los salarios. La rigidez salarial supone una cierta cantidad de desempleo; hasta cierto punto, los cambios en la demanda de trabajo se reflejan en cambios en el empleo más que en cambios en las tasas salariales. Mientras las capacidades que poseen los desempleados sean lo suficientemente diversas, resultará razonable suponer que el trabajo en general es un fuerte «sustitutivo» de otros bienes en general. De esto se deduce que el empleo de mano de obra (y, en consecuencia, también el volumen agregado de producción) estará directamente correlacionado con el nivel

[4] Por tanto, ¿parece más fácil estimular un auge aumentando la demanda de bienes de capital que aumentando la demanda de bienes de consumo?

de precios que hemos estado discutiendo, y obedecerá a las mismas leyes. Sin embargo, conforme disminuye el desempleo y la variedad de capacidades de la población desempleada, las tasas salariales deben volverse menos rígidas. Un aumento de precios determinado producirá, entonces, una caída más pequeña en el desempleo o –dicho de otra manera–, se requerirá una mayor perturbación de los precios para producir una caída determinada en el desempleo, a menos que el aumento en la demanda actúe directamente sobre las clases concretas de mano de obra que todavía está desempleada.

6.   Hasta ahora no hemos dicho nada sobre las expectativas del tipo de interés. Hay poco que decir sobre la elasticidad de esas expectativas, si bien ese poco tiene gran importancia. Mientras las expectativas de interés sean inelásticas, el tipo de interés a largo plazo (que depende principalmente de las expectativas de interés) debe tomarse aproximadamente como dado. Es, en gran medida, independiente de los cambios en las demandas u ofertas corrientes. Por tanto, el tipo de interés que hemos estado discutiendo debe ser casi exclusivamente un tipo a corto plazo. El tipo de interés a largo plazo no puede verse muy afectado por la especie de cambios que nos han preocupado, a menos que se espere que el cambio de condiciones en el mercado de valores sea bastante duradero.[5]

Ahora bien, sin duda es razonable suponer cierta elasticidad de expectativas del interés, al menos en las etapas secundarias de cualquier proceso económico, aunque (como vimos en el capítulo anterior)[6] las expectativas de tipos de interés muy elásticas son menos probables que las expectativas de precios muy elásticas. Por tanto, debe aceptarse algún efecto sobre el tipo de interés a largo plazo, a pesar de su tendencia general hacia la rigidez.

Para resolver este efecto, comencemos por examinar qué sucedería si hubiera un cambio general en las expectativas de interés que no se viera inducido por ninguno de los cambios en la demanda que hemos estado analizando. Supongamos por el momento que el tipo de interés a corto plazo estuviera dado. Si las expectativas de tipos de interés aumentan, sin ningún cambio en el tipo a corto plazo, disminuirán los valores descontados de las ventas y compras futuras (ventas y compras a realizar después de un corto período de tiempo). Esto, normalmente, llevará a un efecto sustitución que reducirá la demanda de mercancías corrientes. Esto tendrá iguales efectos

---

[5] Sólo hay un modo en que puede verse afectado. El tipo a largo plazo es una media, no de los tipos a corto plazo esperados, sino de los tipos a corto plazo a futuro, que son iguales a los tipos esperados *más* una prima de riesgo (Cf. p. 147, anteriormente.) Si un aumento en la demanda corriente aumenta esta prima de riesgo, entonces puede forzar al alza el tipo a largo plazo, incluso cuando las expectativas de interés sean inelásticas. El análisis detallado del último trabajo de Hawtrey, *A Century of Bank Rate*, me hace pensar que, probablemente, he subestimado la importancia de esta consideración.
[6] P. 262, anteriormente.

que una baja de las expectativas de precios. Son posibles varias excepciones, pero el resultado probable será que los precios monetarios de las mercancías tenderán a caer, y el tipo de interés *a corto* tenderá a bajar.

Por tanto, un cambio autónomo en las expectativas de interés conducirá a un movimiento del tipo a corto y el tipo a largo en diferentes direcciones. El pesimismo de la gente sobre el curso futuro del tipo de interés conduce a una caída de los valores, lo que frena la demanda de bienes y provoca la caída de los precios, relajando la presión sobre el mercado a corto plazo.

Los mismos principios son válidos si el cambio en las expectativas de interés está provocado por un cambio en la situación actual del mercado de valores (es decir, si las expectativas de interés son elásticas). Pero ahora el cambio en el tipo a corto provoca un cambio en el tipo a largo en la misma dirección, y esto repercute de nuevo sobre el mercado a corto plazo de tal forma que frena el movimiento del tipo a corto. Si las expectativas de interés son inelásticas, se aplica al tipo a corto todo el peso de los ajustes del tipo de interés que hemos estado discutiendo. En consecuencia, una gran caída en la demanda de valores (o un aumento en la oferta) provocaría efectos muy importantes sobre el tipo a corto, mientras que, por otro lado (dado que ningún tipo de interés puede volverse negativo), es fácil que un gran aumento en la demanda de valores no tenga en absoluto repercusiones sobre (o a través de) los tipos de interés. Si las expectativas de interés son elásticas, se aligera la presión del mercado a corto plazo y ésta se traslada al mercado a largo plazo. Se reduce el peligro de que los tipos a corto suban mucho, y (en vista del efecto adicional sobre los precios de los cambios en el tipo a largo) también el peligro de que las repercusiones a través del interés dejen de actuar debido al mínimo, por debajo del cual, tales tipos de interés no pueden caer.

Sin embargo, como he dicho, no creo que podamos contar con nada más que una pequeña elasticidad de las expectativas de interés. Es mucho más probable que el tipo de interés a largo plazo esté principalmente gobernado por perspectivas a largo plazo; por el peligro de restricciones crediticias en el futuro, más que por la política crediticia actual; por la forma en que se espera que se comporte el sistema bancario en situaciones de emergencia, y por la medida en que se considera probable que surjan esas situaciones de emergencia.

Capítulo XXIII

La acumulación de capital

1. PARA PODER DECIR que hemos completado nuestra tarea –sentar los principios de una teoría pura de la dinámica económica–, queda por considerar una cuestión más. Hasta ahora, basados en nuestro modelo, sólo nos hemos preocupado por lo que sucede en una determinada «semana», es decir, de aquellas repercusiones del cambio económico que podrían tener lugar inmediatamente si la gente estuviera lo suficientemente alerta, y si la comunicación entre los mercados fuera suficientemente buena. Por supuesto, en la práctica, incluso estas influencias toman algún tiempo; hemos intentado tener en cuenta este hecho. Pero aún tenemos que investigar el funcionamiento de esas influencias que *necesitan* de un tiempo para manifestarse –que se retrasan, no por la lentitud de la comunicación o por un conocimiento imperfecto, sino por la duración técnica de los procesos productivos–. En términos de nuestro modelo, tenemos que investigar qué sucederá en las «semanas» posteriores, ya que se llevan a la práctica los planes elaborados el «primer lunes». Es probable que haya mucho que decir a este respecto; sin embargo, creo que lo importante se puede exponer de forma bastante breve.

Los precios reales que se establezcan el segundo lunes vienen determinados en parte, como los del primer lunes, por los deseos y expectativas de los individuos que componen la economía a esa fecha particular; a todo esto, se aplica cuanto se ha dicho en capítulos anteriores, y no surge ningún problema nuevo. Pero los precios establecidos en cualquier fecha también se ven afectados por los bienes de capital (en el sentido más amplio) existentes en esa fecha. Ahora, el equipo de capital que hay el segundo lunes viene determinado por las actividades de las semanas anteriores, incluida la que acaba de transcurrir. Si, como es teóricamente posible, pero imposible en la práctica, las actividades de esa semana llevan a la producción de bienes exactamente similares a los que se consumieron o agotaron en la semana (ni más ni menos), entonces el equipo de capital existente en el segundo lunes puede ser exactamente el mismo tanto en cantidad como en composición que el del primero. En tales condiciones *estacionarias*, no hay ningún problema nuevo que plantearnos, aunque en el resto de condiciones existe un nuevo problema: el del efecto de la acumulación de capital (o desacumulación) sobre los precios.

Supongamos que los planes de producción adoptados por algunos empresarios el primer lunes implicaron acumulación de capital durante la primera semana. Es decir, se han utilizado algunos de los *inputs* de la primera semana, no solo para mantener en el futuro el ritmo de salidas y entradas de *outputs* e *inputs* de la primera semana, sino para hacer posible producir mayores *outputs* (o emplear menores *inputs*) en semanas posteriores.[1] Supongamos que algunos de estos esfuerzos se concretan en la segunda semana. Entonces, simplemente como resultado de la ejecución de los planes originales, el equipo existente del segundo lunes es tal que la oferta de ciertos bienes es mayor que en la primera semana (las «curvas de oferta» se mueven hacia la derecha) o la demanda de ciertos bienes (o servicios) es menor. Incluso si los gustos y expectativas son los mismos el segundo lunes que el primero, debe tenerse en cuenta esta alteración en el equipo. Dado que un aumento de la oferta y una caída de la demanda actúan sustancialmente de la misma manera, parecería que esa alteración debería producir una caída de los precios, una tendencia a que los precios, en general, fueran más bajos (*ceteris paribus*) el segundo lunes que el primero.

Sin embargo, solo se mantendrá la regla de que un aumento en la oferta conduce necesariamente a una caída general de los precios si el aumento en la oferta es un aumento *en términos de dinero*. Lo que hay que mover hacia la derecha es la curva de oferta *en términos de dinero*. ¿Es este el caso? Para ver si los precios del segundo lunes serán más altos o más bajos que los del primer lunes, debemos suponer que se establecerán los mismos precios del primer lunes el segundo, y luego ver qué excesos de oferta sobre demanda (o viceversa) habrá a esos precios. Aquí lo que ocurre es que tenemos un exceso de oferta sobre la demanda en los mercados de aquellos bienes para los que el *output* ha aumentado (o el *input* ha disminuido) como resultado de la ejecución de los planes. Pero suponiendo que no cambian los gustos y expectativas ¿es ese el único cambio en la oferta o la demanda? Seguramente no. Como resultado de la acumulación de capital, los empresarios cuyos planes de producción se están desarrollando estarán en mejor situación que el primer lunes –habrá aumentado su flujo de ingresos netos esperado–. Es probable que esto aumente su demanda de bienes y, por lo tanto, que contribuya algo a compensar la caída de precios.

2.   Para comprender mejor el funcionamiento detallado de estas fuerzas veamos algunos casos concretos que es fácil distinguir.

En primer lugar, consideremos el caso en el que la acumulación de capital durante la primera semana consiste en la construcción de una mejora permanente, que

[1] Para los propósitos de este capítulo, no necesitamos una definición más precisa de acumulación de capital que ésta.

se espera que produzca un flujo constante de adiciones netas a la producción que comienza en la segunda semana y continúa durante un futuro indefinido. (De hecho, este no es un caso probable, pero es suficientemente sencillo para que nos sirva de punto de partida). Aquí, aun cuando durante la segunda semana se siga construyendo como la primera (por supuesto, si se deja de construir ello supondría un cambio drástico en las condiciones), la situación en la segunda semana deberá diferir de la primera de dos maneras: (1) habrá un mayor *output* de ciertos bienes, (2) los empresarios que han llevado a cabo la nueva construcción estarán mejor. Suponiendo que estos empresarios esperen que no cambien los precios ni el tipo de interés, entonces sus ingresos habrán aumentado en una cantidad exactamente igual al valor de la producción adicional.[2] Si gastan todos estos ingresos adicionales, entonces habrá un aumento en la demanda de algunos bienes exactamente equivalente al aumento de la oferta de otros. Por tanto, como consecuencia, algunos precios subirán y otros bajarán, pero habrá algún tipo de nivel general de precios que puede decirse que no se verá afectado.

Sin embargo, puede que en la práctica la gente tienda a basar sus planes de gasto en el principio de que se debe vivir de acuerdo con los ingresos. Esto, probablemente (aunque no necesariamente) también implica ahorrar una parte de un incremento de la renta. Si hacen esto, si gastan menos que el incremento total de sus ingresos, entonces la presión sobre los precios será en promedio descendente. Cuando la acumulación de capital ha adoptado la forma supuesta, debemos esperar una presión sobre los precios a la baja en el momento en que los bienes de capital estén listos para comenzar la actividad.

Esta tendencia a consumir menos de la totalidad de un incremento de la renta es una de las razones por las que la acumulación de capital puede ejercer una presión a la baja sobre los precios. Pero no es la única.[3]

Supongamos que la acumulación toma otra forma distinta a la que acabamos de suponer —esta vez, una forma más realista–. Supongamos que se trata de la construcción de nuevos bienes de capital que tardan un gran número de semanas en producirse y que sólo entran en actividad como instrumentos productivos una vez finalizado ese periodo. En este caso, si la producción de los bienes de capital se iniciara el primer lunes, no estarían listos para el segundo, por lo que no habría un aumento de la oferta de productos ese segundo lunes. Pero todavía se produciría un aumento en los ingresos de los empresarios durante la segunda semana, al menos de la misma cuantía

---

[2] Ver anteriormente, capítulo XIV.
[3] La peculiar definición de ingresos dada por Keynes (*Teoría General*, cap. 6) parece estar diseñada para permitirle afirmar que la acumulación de capital sólo puede deprimir los precios a través de la tendencia a ahorrar parte de un incremento de los ingresos. No veo la ventaja de hacer esto. Sin duda es mejor usar conceptos en aquellos sentidos en los que es natural emplearlos, y estar dispuesto a admitir que la acumulación de capital puede influir en los precios de diversas maneras.

que el interés sobre el valor de la construcción que ya se ha realizado. El valor de sus activos aumenta con la nueva construcción, y (siempre que sus expectativas de precio no cambien) pueden esperar poder consumir al menos una parte de los intereses de este incremento de valor sin empobrecerse.[4] Por tanto, no es improbable que aumenten sus gastos. Aquí no hay un aumento de la producción que se corresponda con el aumento del gasto, de modo que la única influencia que se ejerce sobre los precios es la de hacerlos subir.

Pero sigamos adelante. Supongamos que, en vez de que la producción de los nuevos bienes de capital se inicie el primer lunes, estuviera casi terminada en esa fecha, por lo que tales bienes estarían activos como instrumentos productivos en la segunda semana. En este caso, hay un gran incremento en la producción en la segunda semana y un alza en los ingresos de los empresarios, aunque pequeña en relación al aumento de la producción, ya que ésta se ha descontado en parte de antemano. Aun cuando gasten la totalidad del incremento de sus ingresos, la presión sobre los precios seguirá siendo descendente, y se mantendrá incluso si se inicia de inmediato la construcción de un nuevo conjunto de bienes de capital de carácter similar.

Este es, nuevamente, solo un caso especial, pero sirve para mostrar que los incrementos en el *output* y los incrementos en los ingresos no tienen por qué tener una estrecha correspondencia. En un proceso de acumulación de capital donde el período de construcción es largo, en que el *output* comienza a ampliarse en una fecha mucho más tardía de la que se ampliaron los *inputs*, el ingreso aumentará perceptiblemente antes de que aumente el *output*. Por supuesto, la forma en que esto afecte al gasto dependerá de los hábitos de la gente a la hora de elaborar sus planes de gasto (y en la práctica también de las políticas de dividendos de las empresas). Puede que la gente se muestre reacia a incrementar su gasto antes de ver que los resultados de sus ahorros se materializan en un aumento de la producción. Pero, aunque las prácticas contables tiendan a buscar este objetivo en la práctica (es sin duda muy deseable que así sea, por razón sociales), desde un punto de vista privado no hay razón suficiente para ello. Lo natural sería esperar que un periodo de inversión activa fuera acompañado de un aumento en el gasto mientras se construyen los bienes de capital, de modo que las fuerzas que contrarresten los efectos deprimentes del aumento de la producción sean débiles cuando se materialice.

En la medida en que las ganancias procedentes del aumento de la producción no se utilicen para aumentar los gastos, deben utilizarse para comprar valores (incluido el reembolso de préstamos) o para aumentar los saldos monetarios. Hay alguna razón para suponer que un proceso de ahorro (que es lo que es) se manifestará en parte en cada una de estas formas.[5] Cualquiera que sea la forma que adopte, se aplicarán las

---

[4] En la nota al final de este capítulo se elabora un ejemplo sencillo que muestra en detalle el efecto sobre los ingresos de un proceso de acumulación de capital.
[5] Ver anteriormente, p. 242.

reglas dadas en el capítulo anterior. Un cambio en la demanda de bienes a valores (el aumento de la oferta de bienes funciona como una demanda disminuida) debe conducir a una caída de los precios y de los tipos de interés; un cambio de bienes a dinero debe conducir a una caída de los precios, mientras que probablemente producirá (al menos en primer lugar) una subida del tipo de interés.

Por supuesto, debe recordarse que esta no es más que una de las influencias que actúan; es fácil que se vea compensada por las fuerzas que actúan en dirección opuesta. Como siempre, nos basamos en la regla *ceteris paribus*. En sí mismo, el aumento del *output* resultante de la finalización de los procesos productivos tiene un efecto depresivo sobre los precios, pero este puede compensarse si alguna de las fuerzas que, normalmente, eleva los precios actúa simultáneamente.

Por otro lado, no debe suponerse que la caída de precios así analizada sea inocua, esto es, que sólo caerá el precio del producto cuya producción se ha expandido sin que otros precios se vean afectados. Existe una probabilidad considerable de que también bajen otros precios. A la vista del predominio de las relaciones de sustitución en todo el sistema (un fenómeno con el que en este momento estamos familiarizados), un cambio en la demanda de una determinada mercancía a dinero generalmente reducirá otros precios. Es más probable que baje cualquier otro precio particular tomado al azar que suba. Sólo es probable que un cambio en la demanda hacia valores reduzca otros precios en relación con el precio de los valores; por tanto, si hay una caída suficiente en el tipo de interés, es posible que no haya tendencia a la caída de otros precios. Pero si el tipo de interés no cae de manera apreciable, o si la caída que se produce es insuficiente como para estimular la demanda de mercancías de manera apreciable, todavía es probable que haya una caída en los precios monetarios de otras mercancías, así como en el precio de esa mercancía cuya producción ha aumentado. Si se toman todas estas consideraciones en conjunto, deberíamos decir que esto es lo más probable.

Si los salarios monetarios fueran flexibles, sería bastante probable que cayeran, pero en vista de la rigidez de los salarios nominales, el primer efecto en el mercado laboral probablemente será un aumento del desempleo.

3.   En casos como los que hemos estudiado en los últimos capítulos, donde las expectativas de precios son muy elásticas, el efecto de tal caída de precios puede ser muy grave si no se ve compensada. Incluso en casos menos extremos, en que la gente tarda más en ajustar sus expectativas puede tener efectos graves en el empleo, debidos a la rigidez de los salarios nominales. Sin embargo, todo esto no significa que la acumulación de capital sea indeseable, aunque algunos de sus efectos sean desagradables.

Pues cuando observamos los cambios en los precios relativos de bienes y servicios provocados por la acumulación de capital (estos precios relativos son los que determinan los ingresos reales, y los ingresos reales son importantes desde el punto de vista del bienestar económico), estos presentan, con toda probabilidad, una imagen decididamente diferente. Tratemos de seguir el efecto sobre los salarios reales de un proceso de acumulación suponiendo un grado suficiente de rigidez en las expectativas para mantener la estabilidad del sistema. Será conveniente partir de condiciones estacionarias y utilizar tales condiciones como patrón de comparación. En la primera fase del proceso de acumulación, cuando se están produciendo nuevos bienes de capital, pero aún no se han completado, existe una mayor demanda de aquellos recursos necesarios para fabricar los bienes de capital. Es probable que estos recursos consistan, en gran parte, en mano de obra. La demanda de trabajo es, por tanto, mayor de lo que habría sido si hubieran continuado las condiciones estacionarias. Pero el efecto de esta mayor demanda sobre los salarios reales depende, en cierta medida, de la naturaleza de la alternativa que se ha desechado, a expensas de la cual se ha ampliado la demanda de trabajo. Si la demanda se financia mediante una contracción del gasto en bienes de consumo (ahorro), es casi seguro que se beneficiará la mano de obra, dado que el cambio se reduce a una mayor demanda de trabajo en términos de bienes de consumo –y esto debe elevar los salarios reales, el precio del trabajo en términos de bienes de consumo–. Sin embargo, se debe prestar cierta atención a la medida en que la clase de bienes de consumo liberados por los ahorradores sean buenos sustitutivos de la clase de bienes de consumo deseados por los asalariados.[6] Cuanto mejores sustitutivos sean, mayor será el aumento de los salarios reales en términos de la clase de bienes de consumo de los propios asalariados.

Si la demanda de trabajo se financia de otra manera –por ejemplo, si el cambio inicial consiste en un aumento de la demanda de trabajo en términos de valores– lo más probable sigue siendo que los precios de los bienes de consumo suban menos que el precio del trabajo, de modo que los salarios reales seguirán aumentando. (Esta consecuencia puede modificarse si los salarios nominales son rígidos. En ese caso, los salarios reales deben reducirse a través de un aumento en los precios de los bienes de consumo, pero el trabajo se beneficiará de todas formas de un aumento en el empleo).

En la fase intermedia del proceso que hemos señalado, cuando el gasto de los empresarios (y en general de los perceptores de ganancias) es anterior a la producción adicional de mercancías, entonces puede invertirse esta tendencia a mejorar la posición de los trabajadores, ya que ahora hay una mayor demanda de bienes de consumo en términos de valores, y es probable que esto eleve los precios de los bienes de consumo en relación con otros precios también. La tendencia sigue siendo hacia el aumento de precios y, por tanto, el empleo puede continuar ampliándose (si los salarios nominales son rígidos), pero, en comparación con la primera fase, la tendencia de los salarios reales es, definitivamente, a la baja.

---

[6] Servirá la sustitución ya sea por el lado de la producción o por el del consumo.

En la última fase, cuando la producción de bienes de consumo supera el gasto de los empresarios (etapa en la que los precios comienzan a caer y el empleo puede disminuir), el efecto sobre los salarios reales es, a primera vista, necesariamente favorable. El cambio equivale ahora a una mayor oferta de bienes de consumo en términos de valores. Esto reducirá los precios de estos bienes de consumo en relación con otros precios y, por tanto, en relación con los salarios. En consecuencia, parece que los salarios reales aumentarán, aun cuando los salarios nominales sean flexibles. Si los salarios nominales son rígidos, los salarios reales aumentarán aún más, pero, por supuesto, a expensas del aumento del desempleo.

Sin embargo, esta conclusión está sujeta a una salvedad importante. Vimos en el capítulo XVII que, cuando los empresarios se embarcan en un proceso de acumulación, cuando dotan de una *tendencia creciente* a sus planes de producción, es probable que el aumento de los *inputs* en las primeras etapas del plan se corresponda, no solo con un aumento de la producción en las etapas posteriores, sino también con una caída de los *inputs* en las etapas posteriores. Esto, probablemente, debe interpretarse en el sentido de que no solo es probable que el *input* en las etapas posteriores sea menor que el mayor *output* de las etapas iniciales, sino también que es probable que sea menor que el *input* que se habría asignado en fecha posterior si las condiciones hubieran permanecido estacionarias. Al menos, ese es el caso si las relaciones de sustitución ordinarias se mantienen en todo momento. Si los primeros y últimos *inputs* son complementarios (no es imposible que lo sean), entonces el nuevo equipo puede seguir provocando una mayor demanda de trabajo para hacerlo funcionar, y la demanda de mano de obra puede continuar indefinidamente a un nivel más alto del que se habría mantenido en las condiciones estacionarias originales. Pero, en cualquier caso, es muy improbable que los primeros y últimos *inputs* sean tan complementarios para que aumenten en las mismas proporciones, y eso es lo que se necesita para que no disminuya la demanda de trabajo en las últimas etapas del plan en comparación con las primeras.

Ahora bien, un aumento del *output* combinado con una caída de los *inputs* (por ejemplo, de la demanda de trabajo) tiene un efecto muy diferente sobre los salarios reales del que tendría un aumento de la producción por sí sólo. Por supuesto, el efecto depresivo sobre los precios solo se intensifica (no se afecta nuestro análisis anterior de este asunto), pero el efecto sobre los salarios reales es mucho menos favorable. El cambio en los precios que es probable que se produzca en la última fase del proceso de acumulación es ahora el mismo que el que se produciría por un cambio a valores de ciertos tipos de bienes y servicios (entre los cuales, deben incluirse tanto el trabajo como las mercancías cuya producción se ha visto facilitada). Si los salarios monetarios son flexibles, los salarios reales caerán en términos de las cosas cuya producción no ha sido facilitada por la acumulación de capital, y no necesariamente aumentarán, incluso en términos de aquellas cosas cuya producción se ha facilitado. Si los salarios monetarios son rígidos, los salarios reales aumentarán, pero habrá un fuerte aumento del desempleo.

Esta es la clase de cambio que debe esperarse al pasar de la segunda a la tercera fase; pero veremos todo el proceso con mejor perspectiva si comparamos la última fase de acumulación, no con la que la precedió inmediatamente, sino con las condiciones estacionarias de las que partíamos. En comparación con esa posición original, no hay necesariamente una caída en la demanda de trabajo. La habrá si los *inputs* primeros y últimos de trabajo son sustitutivos, pero no si son complementarios. El caso en el que los primeros y últimos *inputs* son sustitutivos puede describirse como aquél en el que el nuevo equipo producido «ahorra mano de obra».[7] En este caso, hay una caída en la demanda de trabajo como resultado de todo el proceso, en relación con la situación que se habría producido si no se hubiera acumulado capital en absoluto. El caso en el que los *inputs* de trabajo primeros y últimos son complementarios es aquel en el que el nuevo equipo requiere de mano de obra adicional para su funcionamiento, y en el que esto contrarresta, con creces, cualquier desplazamiento de mano de obra provocado por su empleo.

En este caso complementario, el resultado final del proceso de acumulación considerado en su conjunto es un aumento de la oferta de determinadas mercancías y de la demanda de mano de obra. Suponiendo la misma cantidad de empleo al final que al principio, esto implicará un aumento de los salarios reales en términos de todos los bienes, pero, particularmente, en términos de aquellos bienes cuya producción se ha facilitado. En el caso de sustitución («ahorro de mano de obra»), la demanda de mano de obra disminuye, pero la oferta de ciertos bienes sigue aumentando. Caerán los salarios reales en términos de otros bienes, pero pueden aumentar a pesar de todo en términos de los nuevos (a menos que el nuevo equipo ahorre mucho trabajo).

Incluso a largo plazo, la acumulación de capital no es necesariamente favorable a los intereses de los trabajadores; sin embargo, en la práctica hay dos razones por las que deberíamos esperar que generalmente fuera favorable. Una es la cuestión que surgió en nuestra discusión original sobre la teoría de la producción –la tendencia a que la complementariedad sea la relación dominante entre los factores empleados en la misma empresa–;[8] no hay razón para no poder aplicar aquí este argumento. Por tanto, tampoco hay razón para esperar que el nuevo capital sea en general ahorrador de mano de obra. Pero la segunda cuestión es, probablemente, más importante. Aun cuando el nuevo capital ahorre trabajo, es probable que aumente los salarios reales en términos de aquellos bienes cuya producción se haya facilitado. Si se produce simultáneamente la acumulación de muchos tipos de nuevos bienes de capital, se facilitará la producción de muchos tipos de bienes de consumo, de modo que los

---

[7] Se trata de un «Paro tecnológico».
[8] Ver anteriormente, capítulo VII.

bienes en términos de los cuales pueden caer los salarios reales serán probablemente poco importantes en relación con los bienes en los que es probable que aumenten los salarios reales. En la práctica, sin duda, esta ha sido la principal razón por la que la acumulación de capital parece haber tenido consecuencias tan favorables para el nivel de vida de los trabajadores durante el último siglo. En la misma dirección ha actuado el hecho de que las cosas cuya producción se ha facilitado hayan sido artículos de consumo masivo. Si ha habido bienes en términos de los cuales los salarios han bajado como resultado de la acumulación de capital, no se trata de bienes de mucha importancia para el asalariado.[9]

Nota al capítulo XXIII

Ingresos durante un proceso de acumulación de capital

Supongamos que un empresario se encuentra en una posición tal que, si no construyera ningún nuevo bien de capital, podría esperar un flujo constante de entradas netas $A, A, A, \ldots$ indefinidamente. Entonces (suponiendo que espera unos precios y un tipo de interés constante) esa cantidad A sería su ingreso, en cualquier definición. Ahora, supongamos que utiliza una cantidad B de estos ingresos durante las primeras r semanas para construir un nuevo instrumento de capital, del que se espera que produzca un flujo constante de adiciones a la producción igual a C desde la $(r + 1)$ semana en adelante. Su nuevo flujo anticipado de ingresos netos será entonces

$$A - B, A - B, \ldots, A - B, A - B, A + C, A + C, \ldots$$

El ingreso derivado de todo ello es equivalente al que se deriva de un flujo constante cuyos elementos sean $(A - B)$, junto con un flujo constante de elementos $(B + C)$, empezando después de las r semanas. Así, su nuevo ingreso será

$$I_0 = (A - B) + (B + C)\frac{1}{(1 + i)^r}$$

Sus ingresos en la segunda semana serán los derivados de un flujo constante de elementos $(A - B)$, junto con un flujo constante de elementos $(B + C)$, comenzando ahora tras $(r - 1)$ semanas. Por tanto

$$I_1 = (A - B) + (B + C)\frac{1}{(1 + i)^{r-1}}$$

[9] Por supuesto, esto no quiere decir que los salarios no puedan haber caído en términos de algún bien importante por otras razones –como, por ejemplo, un aumento de la población–.

Ahora bien, no habría merecido la pena construir el nuevo bien de capital a menos que el ingreso logrado al construirlo fuera al menos igual al que se habría obtenido sin él. Por tanto, I_0 no puede ser menor que A. Supongamos, por simplicidad (el argumento no cambia), que $I_0 = A$.

Entonces

$$A = A - B + \frac{B+C}{(1+i)^r} \qquad\qquad B + C = B(1+i)^r$$

$$I_1 = (A - B) + B(1 + i) = A + iB.$$

De manera similar,

$$I_2 = (A - B) + B(1 + i)^2 = A + 2iB \text{ (suponiendo un interés simple).}$$

En la semana anterior en que el bien capital empieza a producir,

$$I_{r-1} = (A - B) + B(1 + i)^{r-1} = A + (r - 1)iB \text{ (suponiendo un interés simple).}$$

En la semana siguiente,

$$I_r = (A - B) + B(1 + i)^r = A + riB \text{ (suponiendo un interés simple).}$$

El aumento de los ingresos entre estas dos últimas semanas es, por tanto, aproximadamente iB, pero el aumento en la producción es C, que es igual a $B(1+i)^r - B$. Suponiendo nuevamente un interés simple, esto es aproximadamente riB.

Así, cuanto más largo sea el período de construcción, más importante será el aumento de la producción en relación a cualquier aumento del gasto debido a un aumento de los ingresos, que se puede esperar que contrarreste esos ingresos en la fecha en que se realice.

Capítulo XXIV

Conclusión.
El ciclo económico

1. AL LLEGAR AL FINAL de una tarea como ésta, uno siente la tentación de volver sobre sus pasos y hacer muchas reflexiones generales sobre las cosas. Una voz en nuestra cabeza nos dice que deberíamos hacerlo; el concepto de economía en el que la mayoría nos hemos educado es el de la teoría estática, de modo que ahora, cuando nos encontramos con las líneas generales de una teoría dinámica, y resulta ser muy diferente de la teoría estática, no tenemos más remedio que admitir que nuestra visión general de las cosas cambia. Más tarde o más temprano, necesitamos hacer un esfuerzo para evaluar esa diferencia y entender las consecuencias prácticas de la nueva perspectiva. Keynes y sus seguidores han hecho algún intento, pero no está claro que debamos seguir todos sus pasos, porque su visión del capitalismo contiene otros elementos, aparte de los que se suponen necesarios en la transición hacia una base teórica dinámica. Lo que se necesita es plantear el cambio mínimo necesario en nuestra visión general, y aunque he tratado de proporcionar las herramientas con las que construir ese planteamiento, no me parece prudente aventurarme a plantearlo ahora.

Hay varias razones para ello. Una es el mero hecho de que este libro ya tiene una extensión considerable. Me ha costado mucho tiempo escribirlo y (me temo) debe llevar mucho tiempo leerlo, de modo que no quiero acabar con la paciencia del lector. Otra se debe a la peculiaridad de los métodos analíticos empleados, tan diferentes de los que suelen utilizar los economistas contemporáneos, y particularmente diferentes de los que se utilizan habitualmente en la ciudad de Cambridge, donde se ha escrito este libro. Por esta razón, no he tenido la oportunidad de exponer mi trabajo de forma continuada, poco a poco, al juicio de los demás, a pesar de la admirable capacidad crítica que podría parecer que he tenido al alcance de la mano. La crítica habrá de venir tras la publicación, no antes, y me gustaría disfrutar del privilegio de esa crítica antes de expresar mis opiniones sobre temas más amplios.

Por último, no creo posible construir solo a partir de la teoría el necesario *Weltanschauung* (forma de concebir el mundo). Resulta particularmente necesario confrontar nuestra teoría del proceso dinámico con nuestro conocimiento histórico del desarrollo del capitalismo, antes de que podamos alcanzar una filosofía económica de la que esperemos estar satisfechos. Evidentemente, esto no se puede hacer en poco espacio, o sin introducir toda una serie de consideraciones nuevas que estarían fuera de lugar en una obra como la que he intentado escribir.

Así que me contentaré con algunas reflexiones provisionales.

2.   El lector probablemente habrá quedado impresionado (como ciertamente me ha impresionado a mí mientras escribía) con la estrecha concordancia entre los fenómenos de un proceso de acumulación de capital (como los hemos elaborado en los últimos capítulos) y los fenómenos que realmente observamos durante un periodo de auge comercial. No es necesario, según nuestra teoría, que un proceso de acumulación de capital deba pasar siempre por exactamente las mismas fases, ni vemos que un auge económico pase siempre por exactamente las mismas fases. Pero la correspondencia general es tan estrecha que parece justificado decir que un auge económico no *es* más que un periodo de intensa acumulación.

Si ocurre algo que aumente el estímulo a invertir de los empresarios (dejamos de lado por el momento qué puede ser ese «algo»), ya hemos visto cuál debe ser la dirección probable de los acontecimientos. Habrá, en primer lugar, un periodo de «preparación», cuyos únicos efectos visibles son (quizá) un pequeño aumento en la demanda de factores y (quizá) un pequeño aumento en la demanda de dinero. Si (como habitualmente es el caso al comienzo de un auge) ya existe una plétora de mano de obra desempleada y una plétora de dinero ocioso, estas demandas crecientes no tendrán prácticamente ningún efecto sobre los precios en general, ni sobre los tipos de interés. Los únicos precios que probablemente se verán afectados son aquellos que sean una expresión directa de un cambio en las expectativas de los agentes económicos más sensibles –como los precios de las acciones ordinarias–.

En la segunda fase, cuando se inicia la construcción física de los nuevos bienes de capital, el aumento de la demanda de factores se vuelve mucho mayor. Esto produce una caída primaria del desempleo. Al mismo tiempo, existe una tendencia a un aumento generalizado de los precios de las mercancías más sensibles y, en poco tiempo, podemos suponer que algunos industriales pueden haber tenido tiempo para desarrollar expectativas elásticas (al menos para ese periodo de tiempo en el futuro que es relevante para las clases de procesos de producción a los que están dedicados). Esto induciría una considerable caída secundaria del desempleo debido al aumento de las expectativas de precios.

Así, hay un auge; pero a partir de este punto los caminos se separan. En primer lugar, podemos pasar a una tercera fase que no se caracteriza más que por una elasticidad de las expectativas cada vez mayor. El optimismo se extiende por toda la comunidad y, a medida que pasa el tiempo, más y más expectativas de precios se vuelven elásticas; con ello, se inician y se ponen en marcha nuevos conjuntos de procesos. El desempleo cae aún más, pero después de un momento las expectativas de los asalariados (o al menos de sus representantes sindicales) también se vuelven elásticas y los salarios comienzan a subir. El auge avanza con ímpetu creciente. Pero puede tropezar con dificultades por varias razones.

Por un lado, una creciente actividad de este tipo implica una mayor demanda de dinero. Hasta cierto punto, normalmente será posible hacerle frente sin ningún esfuerzo, pero si el auge no tropieza con dificultades, necesariamente se superará ese punto tarde o temprano. Entonces, las autoridades monetarias deberán plantearse si pueden ampliar el crédito indefinidamente. Si ponen el freno a la expansión de la oferta de dinero, los tipos de interés subirán, e incluso es probable que el tipo de interés a largo plazo suba antes de que la autoridad monetaria adopte medidas. Dado que el tipo de interés a largo plazo refleja las expectativas de interés, la simple idea de que las autoridades monetarias intervengan restringiendo la oferta de dinero inducirá un alza en el tipo de interés a largo plazo.[1] Sin embargo, no parece probable que un aumento en el tipo a largo plazo debido a tal preocupación frene mucho la expansión, a menos que el auge ya estuviera decayendo por otras causas.

Entre esas otras causas, es posible que tengamos que incluir la simple sensación por parte de los hombres de negocios de que el auge ha durado todo lo que suele durar, de modo que el lapso de tiempo desplaza sus expectativas a la baja. Incluso en un mundo muy preocupado por los altibajos de los ciclos, es difícil atribuir a eso mucha importancia. Más importante es la posibilidad de que las expectativas de algunos sectores importantes de la comunidad resulten obstinadamente inelásticas, de modo que la demanda de bienes en general no se expanda tan rápidamente como las personas más sensibles esperaban que lo hiciera. Esto puede obligarlos, después de un tiempo, a revisar sus expectativas a la baja: pero si (como solía suceder con los auges localizados o especializados de los siglos XVIII y XIX) la división entre personas sensibles e insensibles corresponde, más o menos, a una división entre personas que utilizan diferentes sistemas bancarios (es decir, diferentes tipos de dinero), el freno originado por esta causa puede convertirse en un freno por restricción de crédito, provocado con la finalidad de mantener a la par las diferentes clases de dinero.

Lo más importante de todo, por su radical diferencia con los demás factores obstaculizadores que hemos enumerado, es el freno que representará la mera culminación de los procesos productivos, el logro de la acumulación de capital planificada en la primera etapa y ahora realizada. En el último capítulo vimos que esto es casi seguro que tenga una influencia depresiva –aunque, por supuesto, en cualquier etapa

---

[1] Puede haber otras razones para el aumento. Véase, anteriormente, p. 281, nota.

concreta ha de luchar contra otras influencias que contribuyen a la expansión–. Lo poderosa que sea depende del carácter de la acumulación de capital que ha tenido lugar y, particularmente, de la sensibilidad de los mercados sobre los que ejerce presión el aumento de la oferta (o la disminución de la demanda).

3.   Por tanto, un auge general puede terminar al menos en dos formas bastante diferentes que marcan su fin. Puede ser asesinado a través de una restricción al crédito o puede dejársele morir, resolviéndose por sí mismo. Se debe poder hacer una clasificación aproximada de los auges registrados según su causa de desaparición, pero, por supuesto, debemos estar preparados para descubrir que la tarea de clasificación no resulta, en absoluto, simple –que quizá, en la mayoría de los casos, ha entrado en juego más de una causa–. Sin embargo, tiene gran interés saber qué causa es la más dominante, y sobre todo por qué de ello depende el curso de la recesión subsiguiente.

La característica principal de una recesión no es la desacumulación del capital físico (aunque suele haber cierta desacumulación, principalmente en forma de liquidación de existencias), sino el mero cese de la acumulación. Eso basta, por sí mismo, para producir el típico fenómeno de recesión –una revisión a la baja de las expectativas–, lo que lleva a una baja inmediata de la cotización de las acciones ordinarias; un desplazamiento de la demanda de bienes y factores a la de dinero y valores con tipo de interés fijo, lo que lleva a una caída de los precios, a un aumento del desempleo y (tras un periodo inicial de austeridad, debido a la necesidad de pedir prestado) a una caída en los tipos de interés. Si todos los precios y todas las expectativas de precios fueran igualmente flexibles, el mero cese de la acumulación bastaría para producir una recesión sin fin –declarándose el capitalismo en bancarrota total debido a la inestabilidad–.

El hecho de que esto no suceda se debe a las rigideces de los precios y, en última instancia, aparte de las rigideces de los precios, a la sensación que tiene la gente de cuáles son los precios normales. Si las tasas salariales hubieran aumentado considerablemente en las últimas etapas del auge, es posible que volvieran a caer con bastante rapidez. Sin embargo, esto no necesariamente significa que las expectativas de los asalariados se hayan vuelto permanentemente elásticas –puede que no signifique más que una recaída en la vieja idea de los precios normales–. Una vez se restablezcan estas normas, impondrán un límite a la caída de los salarios, un punto al cuál estos se aferrarán. Del mismo modo, cuando los precios hayan bajado en cierta medida, habrá algunos empresarios (aquellos cuyas expectativas sean menos elásticas) que comenzarán a pensar que los precios que se han alcanzado son anormalmente bajos y, por tanto, comenzarán a desarrollar planes de producción sobre la base de una probabilidad de aumento de precios en el futuro. Son estas cosas las que detienen la depresión, las que evitan que la depresión se convierta directamente en un colapso.

Es difícil sobrestimar la importancia de este servicio, pero a pesar de eso, no se debe confiar demasiado en estos factores de estabilidad y suponer que pueden salvar la situación permanentemente. Sólo pueden proporcionar un respiro; si sucede algo nuevo, que convierte ese respiro en recuperación, perfecto, pero si no ocurre nada que induzca a una reanudación real del proceso de acumulación, los factores estabilizadores se debilitarán con el paso del tiempo. La experiencia prolongada de precios bajos alterará las normas y provocará una nueva revisión a la baja de las expectativas. Se producirá una depresión secundaria, mucho más peligrosa que la primera, ya que hay menos resistencia a evitar el colapso.

Ésta es la razón por la que la causa de muerte del auge anterior es tan importante. Si lo mató la restricción crediticia, es probable que no haya agotado las oportunidades de inversión de las que se estaba alimentando. Existían oportunidades que se habrían aprovechado si se hubiera permitido que continuara el auge, que tuvo que posponerse durante el periodo de crisis, pero que pueden volver a estar disponibles en el lapso relativamente tranquilo del respiro. Entonces, su utilización convertirá ese lapso en recuperación y ya habremos completado el ciclo.

Si el auge anterior murió por causas naturales, la situación es mucho más peligrosa. Entonces se necesita algún factor completamente nuevo para convertir la depresión en recuperación y, por tanto, para evitar los peligros de la depresión secundaria. Ahora bien, ¿qué factor nuevo puede estar disponible?

4.   Sólo es posible dar sentido a la teoría del ciclo económico a la que parece que nos hemos visto llevados, es decir, reconciliarla con los hechos más obvios de la historia, si hacemos gran hincapié en la oferta de las oportunidades de inversión que brindan la invención y la innovación. Utilizo estos términos en un sentido muy amplio para incluir, no solo la invención de nuevos métodos de producción de mercancías ya conocidas y la invención de mercancías nuevas, sino también aquellos cambios en los gustos que deben considerarse como cambios autónomos, aunque a menudo será bastante fácil rastrear su origen fuera del campo económico, en la política, la educación o los movimientos de población. Cualquiera de estas causas es capaz de proporcionar el tipo de estímulo que buscamos. Un cambio en la demanda, por ejemplo, aunque sea un mero cambio de un bien de consumo X a otro bien de consumo Y, será suficiente como para proporcionar un estímulo temporal a la demanda de *inputs*, a condición de que se espere que persista de forma más o menos permanente. Por supuesto, hay una caída en la demanda directa de mano de obra y materias primas de la industria X que puede igualar (o más que igualar) la mayor demanda de la industria Y; en este caso no hay estímulo. Pero también existe una demanda de instrumentos productivos de la industria Y, y es probable que esto no vaya acompañado de una reducción apreciable en la deman-da de instrumentos productivos de la industria X. La industria X ya tiene su equipo duradero. Suponiendo que no se haya expandido con anterioridad, la única demanda que puede reducirse es una demanda de reposición, e incluso si se reduce a cero, la reducción no compensará el aumento de la demanda de la industria Y. Se produce así un estímulo temporal a la demanda de *inputs* en general, precisamente de la clase que buscamos.

Quizá se puede concebir una economía capitalista en la que las innovaciones avanzaran a un ritmo tan regular que todo el sistema estuviera libre de fluctuaciones reconocibles. Quizá fuera posible, pero la ausencia de fluctuaciones sería muy precaria. De hecho, no hay razón para suponer que la tasa de innovación sea muy regular y, si no es regular, en sí mismo eso es una razón suficiente para que se desarrolle un ciclo –aunque sea un ciclo bastante regular–. Efectivamente, como hemos visto, la expansión primaria causada por una tasa de innovación superior al promedio induce una expansión secundaria y, en esta condición de auge, la tasa de innovación autónoma deja de ser por un tiempo el principal determinante de la actividad empresarial. O, más bien, una vez que el auge se ha hecho cargo de la situación, resulta difícil distinguir, incluso teóricamente, entre aquellos cambios que en otras circunstancias deberían considerarse como innovaciones y aquellos cambios provocados por el auge. El auge por sí mismo puede afectar a la tasa de innovación; en la atmósfera caldeada de optimismo que provoca el auge, pueden tener lugar innovaciones que, de otro modo, nunca se habrían producido, y las innovaciones pueden introducirse en una fecha anterior a la que, de otro modo, se habrían implementado. Por esta última razón en particular, la recesión, incluso cuando ha alcanzado la etapa de periodo de respiro, puede encontrarse anormalmente escasa de oportunidades de inversión, y ya hemos visto lo peligrosa que puede resultar la escasez de oportunidades de inversión en esa etapa.

Así, aunque no exista una tendencia secular en la oferta de innovaciones, un grado moderado de irregularidad en la oferta será suficiente como para generar un ciclo. Y, ciertamente, tal irregularidad no es nada sorprendente. Sería mucho más sorprendente si no ocurriera. Ahora bien, si la única fuente de problemas fuera esa irregularidad, parecería claro que el objetivo de una política económica sensata debería ser simplemente disminuir, de todas las formas posibles, la fuerza de las fluctuaciones así provocadas. Esto podría hacerse de dos formas. Por un lado, ya hemos alcanzado un punto en la historia en el que la oferta de oportunidades de inversión se encuentra de un modo natural sometida a un cierto control público (o puede fácilmente ser sometido a tal control); eso ha de ser así por fuerza a medida que aumentan las funciones económicas del Estado. Las fluctuaciones pueden entonces amortiguarse ajustando el momento de la inversión pública.[2] Por otro lado, la política monetaria puede ejercer cierto control. Este es un medio mucho menos

---

[2] Cf., por ejemplo, U. K. Hicks, *The Finance of British Government*, caps. VII y XIII.

efectivo de controlar el ciclo, porque su eficiencia es mucho mayor para controlar el auge que para controlar la depresión. Por tanto, es menos eficiente donde más se necesita. De todos modos, no creo que debiéramos abogar por que se descartara del todo el arma de la política monetaria. Hay dos motivos por los que puede ser conveniente utilizarla para controlar un auge. Una, es evitar que el auge afecte demasiado profundamente a la oferta de oportunidades de inversión, y la otra es evitar una alteración excesiva de los niveles de precios, que puede modificar las ideas de la gente sobre los precios normales y debilitar de esta manera un factor de estabilización, que desempeñará un papel vital más adelante.[3]

5.   Sin embargo, todo esto implica que no hay razón para estar insatisfecho con la tasa promedio de innovación durante un largo período, de modo que todo el problema se reduce a suavizar las fluctuaciones en la tasa de innovación, o más bien a las grandes fluctuaciones en la actividad económica causadas por estos movimientos primarios. Estaría bien que todo el problema consistiera en eso, pero no está claro que así sea. Puede que también tengamos que considerar la posibilidad de cambios seculares en la tasa de innovación. Las perspectivas de estos cambios pueden no ser muy buenas, pero no podemos ignorarlos del todo.

Si la tasa media de innovación durante un periodo prolongado sufriera un giro a la baja, el primer signo que deberíamos esperar es una tendencia a que los auges desaparecieran espontáneamente con mayor frecuencia, y a que las depresiones se expandieran con mayor frecuencia hasta un nivel peligroso. También deberíamos esperar que los auges no fueran muy intensos y que las depresiones sí lo fueran, de modo que el nivel medio de empleo durante todo el ciclo sería bajo. Si fuera evidente que el desempleo causado iba a ser de tipo secular, habría varias formas de abordarlo. Se podrían reducir las horas o aumentar la demanda de bienes de consumo transfiriendo ingresos de aquellas clases menos inclinadas a gastar a aquellas más inclinadas a hacerlo a través de los impuestos y el gasto público. Pero el desempleo secular es algo difícil de reconocer; aun cuando la tendencia de la innovación fuera a la baja, no disminuiría regularmente, de modo que en estas circunstancias sería bastante probable que se produjeran recesiones completamente desastrosas. No creo que se pueda contar con que sobreviviera durante mucho tiempo algo parecido a un sistema capita-

---

[3] Soy muy consciente de que, si la autoridad monetaria se abstuviera por completo de utilizar el tipo de interés como freno, podría, al final, hacer que el tipo de interés a largo plazo cayera a niveles apreciablemente más bajos de lo que lo habría hecho de otro modo. Posiblemente, esto le ayude a recuperarse de futuras recesiones. Pero dudo mucho de que, incluso en los periodos de respiro, se pueda contar con una gran confianza como para hacer que la diferencia entre tipos bajos y muy bajos a largo plazo estimule mucho la recuperación. De ser así, la política de abstinencia total en cualquier circunstancia significaría poner en peligro el sentido de cuáles son los precios normales a cambio de una ventaja muy lejana y dudosa.

lista, utilizando ese término para referirse a un sistema de libre empresa con libertad de hacer y tomar préstamos.[4]

Hemos comenzado nuestro estudio de la economía dinámica rechazando el concepto de estado estacionario como herramienta analítica. Lo rechazamos entonces porque parecía no ser más que un caso especial, que no ofrecía ninguna posibilidad de generalización. Al final hemos llegado a dudar de si es siquiera concebible como un caso especial, y a sospechar que el sistema de relaciones económicas que hemos estado estudiando no sea más que la forma de una economía progresiva.

[4] Las razones que han llevado a mucha gente a suponer que esta clase de peligro tiene visos de ser una realidad en el siglo XX son, por supuesto, la ausencia práctica de descubrimientos geográficos y la caída de la población que se avecina. Éstas son razones de peso. Sin embargo, la tendencia a la innovación en el futuro es, por su propia naturaleza, tan difícil de predecir que no podemos deducir de estas razones un peligro inminente. No obstante, no se puede evitar pensar que, quizá, toda la Revolución Industrial de los últimos doscientos años no haya sido más que un gran auge secular, inducido en gran parte por el aumento sin precedentes de la población. Si esto es así, nos ayudaría a explicar por qué, como afirman los entendidos, ha sido un episodio tan decepcionante para la historia de la humanidad.

Apéndice matemático

1. EL propósito de este Apéndice no es sólo dar una versión en símbolos matemáticos de los argumentos presentados en el texto, pues veo poca ventaja en hacer eso. Cuando el argumento verbal (o geométrico) es concluyente, no se gana nada poniéndolo de otra manera. Sin embargo, lo que se puede ganar es la seguridad de que nuestra argumentación será completamente general, esto es, que lo que se ha probado en el texto para dos, tres o cuatro productos, es cierto para n productos. En este Apéndice me centraré en probar esa generalidad.

Seguiré el mismo orden de temas que en el texto, y marcaré las secciones del Apéndice de acuerdo con los capítulos del libro al que se refieren. Sin embargo, debo comenzar exponiendo una proposición puramente matemática, que resultará fundamental en lo sucesivo. Su relevancia se verá casi de inmediato.

2. *Una proposición matemática fundamental*. (1) La función homogénea general del segundo grado en tres variables

$$ax^2+by^2+cz^2+2fyz+2gzx+2hxy$$

también se puede escribir en la forma

$$a\left(x+\frac{h}{a}y+\frac{g}{a}z\right)^2+\frac{ab-h^2}{a}\left(y-\frac{gh-af}{ab-h^2}z\right)^2+$$

$$+\frac{abc+2fgh-af^2-bg^2-ch^2}{ab-h^2}(z)^2.$$

Dado que las variables aparecen solo entre paréntesis, y cada paréntesis está al cuadrado, se deduce de inmediato que la expresión original será positiva para todos los valores reales de las variables cuando los coeficientes de todos los paréntesis sean positivos, y negativa cuando todos los coeficientes sean negativos. Estos coeficientes son ratios de los determinantes

$$a, \quad \begin{vmatrix} a & h \\ h & b \end{vmatrix}, \quad \begin{vmatrix} a & h & g \\ h & b & f \\ g & f & c \end{vmatrix}.$$

Así, la expresión original es siempre positiva si los tres determinantes son positivos, y siempre negativa si el primero y el tercero son negativos y el segundo positivo.

(2)   Se puede establecer una proposición similar para cualquier número de variables.[1] La forma cuadrática general

$$a_{11}\,x_1{}^2 + a_{22}\,x_2{}^2 + \ldots + a_{nn}\,x_n{}^2 + 2a_{12}\,x_1\,x_2 + 2a_{13}\,x_1\,x_3 + \ldots + 2a_{23}\,x_2\,x_3 + \ldots$$

será positiva para todos los valores reales de las x's si todos los determinantes

$$a_{11}, \quad \begin{vmatrix} a_{11} & a_{12} \\ a_{12} & a_{22} \end{vmatrix}, \quad \begin{vmatrix} a_{11} & a_{12} & a_{13} \\ a_{12} & a_{22} & a_{23} \\ a_{13} & a_{23} & a_{33} \end{vmatrix}, \ldots, \quad \begin{vmatrix} a_{11} & a_{12} & \cdot & \cdot & a_{1n} \\ a_{12} & a_{22} & \cdot & \cdot & a_{2n} \\ \cdot & \cdot & \cdot & \cdot & \cdot \\ \cdot & \cdot & \cdot & \cdot & \cdot \\ a_{1n} & a_{2n} & \cdot & \cdot & a_{nn} \end{vmatrix}$$

son positivos, y negativa si son alternativamente negativos y positivos.

(3)   Si hay que encontrar las condiciones para que la forma cuadrática anterior sea claramente positiva o negativa, no para todos los valores de las variables, sino solo para aquellos valores que satisfagan la relación lineal

$$b_1\,x_1 + b_2\,x_2 + \ldots + b_n\,x_n = 0,$$

podemos proceder eliminando una de las variables, digamos x_1. La forma cuadrática se convierte entonces en

$$c_{22}\,x_2{}^2 + c_{33}\,x_3{}^2 + \ldots + c_{nn}\,x_n{}^2 + 2c_{23}\,x_2\,x_3 + \ldots,$$

donde

$$c_{rs} = a_{rs} - \frac{1}{b_1}(a_{1r}\,b_s + a_{1s}\,b_r) + \frac{1}{b_1{}^2}\,b_r\,b_s\,a_{11}.$$

---

[1] Cf. BURNSIDE y PANTON, *The Theory of Equations*, vol. II, pp. 181-2.

Las condiciones requeridas pueden entonces escribirse en la misma forma que la dada en (2) con anterioridad, con c en lugar de las a. Pero pueden simplificarse si multiplicamos cada determinante por la cantidad necesariamente negativa $-b_1^2$. Por ejemplo,

$$-b_1{}^2 \begin{vmatrix} c_{22} & c_{23} \\ c_{23} & c_{33} \end{vmatrix} = \begin{vmatrix} 0 & b_1 & 0 & 0 \\ b_1 & a_{11} & 0 & 0 \\ b_2 & a_{12} & c_{22} & c_{23} \\ b_3 & a_{13} & c_{23} & c_{33} \end{vmatrix} = \begin{vmatrix} 0 & b_1 & b_2 & b_3 \\ b_1 & a_{11} & a_{12} & a_{13} \\ b_2 & a_{12} & a_{22} & a_{23} \\ b_3 & a_{13} & a_{23} & a_{33} \end{vmatrix},$$

agregando los múltiplos apropiados de las dos primeras columnas a cada una de las columnas restantes.

Por tanto, las condiciones para que la forma cuadrática sea claramente positiva sujeta a una condición lineal son que los determinantes

$$\begin{vmatrix} 0 & b_1 & b_2 \\ b_1 & a_{11} & a_{12} \\ b_2 & a_{12} & a_{22} \end{vmatrix}, \quad \begin{vmatrix} 0 & b_1 & b_2 & b_3 \\ b_1 & a_{11} & a_{12} & a_{13} \\ b_2 & a_{12} & a_{22} & a_{23} \\ b_3 & a_{13} & a_{23} & a_{33} \end{vmatrix}, \dots, \quad \begin{vmatrix} 0 & b_1 & b_2 & \cdot & \cdot & b_n \\ b_1 & a_{11} & a_{12} & \cdot & \cdot & a_{1n} \\ b_2 & a_{12} & a_{22} & \cdot & \cdot & a_{2n} \\ \cdot & \cdot & \cdot & \cdot & \cdot & \cdot \\ \cdot & \cdot & \cdot & \cdot & \cdot & \cdot \\ b_n & a_{1n} & a_{2n} & \cdot & \cdot & a_{nn} \end{vmatrix}$$

sean todos *negativos* (ya que el factor negativo $-b_1{}^2$ cambiará todos los signos). Las condiciones para que sea claramente negativa son que los determinantes sean alternativamente positivos y negativos.

Esto es todo lo que necesitamos como base puramente matemática. Pasemos ahora a la económica.

Apéndice del capítulo I

3. *Equilibrio del consumidor.* Comencemos considerando a un individuo que posee una determinada suma de dinero M disponible para gastar (llamémosla provisionalmente su «ingreso») y tiene oportunidades de gastarla en n productos diferentes. Los precios de estos n productos le vienen determinados por el mercado. Llamémoslos $p_1, p_2, p_3, \dots p_n$. Llamemos $x_1, x_2, x_3, \dots, x_n$ a las cantidades de las respectivas mercancías que compra.

Entonces, siempre que gaste todos sus ingresos, tendremos

$$M = \sum_{r=1}^{r=n} p_r x_r. \tag{3.1}$$

Supongamos, por el momento, que sus deseos se expresan mediante una función de utilidad dada $u(x_1, x_2, x_3, \ldots, x_n)$. Las cantidades compradas vendrán determinadas por la condición de que u sea un máximo, sujeta a la condición (3.1). Se pueden resolver introduciendo un multiplicador de Lagrange μ y maximizando:

$$u + \mu\left(M - \sum_{r=1}^{r=n} p_r x_r\right).$$

Las condiciones para el equilibrio del consumidor son, por tanto, que

$$u_r = \mu p_r \quad (r = 1, 2, 3, \ldots, n), \tag{3.2}$$

donde u_r se escribe para $\delta u/\delta x_r$, la *utilidad marginal* de x_r. Por tanto, la ecuación expresa la igualdad entre la utilidad marginal de x_r y el precio de x_r multiplicado por μ (que, en consecuencia, se identifica con la *utilidad marginal del dinero* de Marshall).

Cuando eliminamos a μ entre las ecuaciones (3.2), se reducen a

$$\frac{u_1}{p_1} = \frac{u_2}{p_2} = \ldots = \frac{u_{n-1}}{p_{n-1}} = \frac{u_n}{p_n}. \tag{3.3}$$

Estas $n - 1$ ecuaciones, junto con la ecuación (3.1), proporcionan n ecuaciones para determinar las n cantidades $x_1, x_2, \ldots, x_n$.

4. *Condiciones de estabilidad.* Para que u sea un verdadero máximo, es necesario que se cumpla no solo $du = 0$ (como se indicó anteriormente) sino también $d^2u < 0$. Ampliando estas expresiones, y escribiendo u_{rs} para la segunda derivada parcial, como u_r para la primera, tenemos

$$du = \sum_{r=1}^{r=n} u_r dx_r,$$

$$d^2u = \sum_{r=1}^{r=n} \sum_{s=1}^{s=n} u_{rs} dx_r dx_s.$$

Esta última expresión es una forma cuadrática del mismo carácter que la discutida en el § 2 anterior (ya que $u_{sr} = u_{rs}$). En consecuencia, las condiciones para que

$d^2u < 0$ para todos los valores de dx_1, dx_2, ..., dx_n tales que $du. = 0$, son que los determinantes

$$\begin{vmatrix} \circ & u_1 & u_2 \\ u_1 & u_{11} & u_{12} \\ u_2 & u_{12} & u_{22} \end{vmatrix}, \quad \begin{vmatrix} \circ & u_1 & u_2 & u_3 \\ u_1 & u_{11} & u_{12} & u_{13} \\ u_2 & u_{12} & u_{22} & u_{23} \\ u_3 & u_{13} & u_{23} & u_{33} \end{vmatrix},..., \quad \begin{vmatrix} \circ & u_1 & u_2 & . & . & u_n \\ u_1 & u_{11} & u_{12} & . & . & u_{1n} \\ u_2 & u_{12} & u_{22} & . & . & u_{2n} \\ . & . & . & . & . & . \\ u_n & u_{1n} & u_{2n} & . & . & u_{nn} \end{vmatrix} \quad (4.1)$$

sean alternativamente positivos y negativos.

Estos determinantes jugarán un papel sumamente importante en nuestro análisis posterior. Llamaré al último de ellos U, y a los cofactores de u_r, u_s, u_{rr}, u_{rs} en U, los denotaré por U_r, U_s, U_{rr}, U_{rs}. Dado que las n mercancías pueden tomarse en cualquier orden, de (4.1) se deduce directamente que U_{rr}/U es necesariamente negativo.

5. *El carácter ordinal de la utilidad.* Se han presentado las condiciones de equilibrio y las condiciones de estabilidad para un consumidor individual suponiendo la existencia de una función de utilidad u en particular. Ésta es, de hecho, la forma más conveniente de escribirlas, pero es importante observar que no dependen de la existencia de ninguna función de utilidad única. Supongamos que se reemplaza la función de utilidad u por cualquier función arbitraria de sí misma $\phi(u)$. Entonces se puede demostrar que, siempre que la función $\phi(u)$ aumente solo cuando u aumente –es decir, siempre que $\phi'(u)$ sea positivo– las condiciones de equilibrio y las condiciones de estabilidad no se verán afectadas en absoluto por el cambio en la función de utilidad.

Dado que $\frac{\partial}{\partial x_r}\phi(u) = \phi'(u).x_r$, se mantendrán las condiciones de equilibrio (3.3). Las proporciones iguales simplemente se multiplican por un factor común $\phi'(u)$, que se cancela. (Aun cuando estén escritas en la forma (3.2), seguirán sin cambiar, siempre que μ se reemplace por $\phi'(u).\mu$. Dado que μ, es arbitrario, este cambio resulta legítimo).

Dado que $\frac{\partial^2}{\partial x_r \partial x_s}\phi(u) = \phi'(u).u_{rs}+\phi''(u)u_r u_s$, los determinantes de estabilidad se reducen en una forma similar. El primer determinante se convierte en

$$\begin{vmatrix} \circ & \phi'(u)u_1 & \phi'(u)u_2 \\ \phi'(u)u_1 & \phi'(u)u_{11}+\phi''(u)u_1{}^2 & \phi'(u)u_{12}+\phi''(u)u_1 u_2 \\ \phi'(u)u_2 & \phi'(u)u_{12}+\phi''(u)u_1 u_2 & \phi'(u)u_{22}+\phi''(u)u_2{}^2 \end{vmatrix}$$

$$= \{\phi'(u)\}^3 \begin{vmatrix} \circ & u_1 & u_2 \\ u_1 & u_{11} & u_{12} \\ u_2 & u_{12} & u_{22} \end{vmatrix}$$

y se puede realizar la misma reducción para todos los determinantes de la serie. El *r*-ésimo determinante de la serie tiene $(r + 2)$ filas y columnas y, por tanto, tendrá que multiplicarse por el factor $\{\phi'(u)\}^{r+2}$. Dado que $\phi'(u)$ se supone positivo, ninguno de los determinantes tiene sus signos cambiados por la introducción de tal factor y, dado que los signos de los determinantes gobiernan la estabilidad, las condiciones pueden considerarse inalteradas por la sustitución de $\phi(u)$ por *u*.

Por tanto, si decidimos (como creo que deberíamos hacer) comenzar, no a partir de una función de utilidad dada, sino a partir de una escala de preferencias dada, todo lo que tenemos que hacer es limitar nuestra atención a aquellas propiedades de la función de utilidad que son invariantes frente a la sustitución de $\phi(u)$ por *u*. Se ha demostrado que las condiciones de equilibrio originales y las condiciones de estabilidad originales son invariantes de esta manera. El resto de nuestra teoría del valor se elaborará utilizando únicamente propiedades invariantes, aunque generalmente dejaré que el lector compruebe por sí mismo la invariancia.

Apéndice de los capítulos II y III

6. *El efecto sobre la demanda de un aumento de los ingresos*. Volvamos a las ecuaciones de equilibrio (3.1) y (3.2), escribiéndolas en la forma

$$\left.\begin{array}{l} p_1x_1 + p_2x_2 + \dots \quad + p_nx_n = M \\ -\mu p_1 + u_1 = 0 \\ -\mu p_2 + u_2 = 0 \\ \quad \cdot \quad \cdot \quad \cdot \quad \cdot \\ -\mu p_n + u_n = 0 \end{array}\right\}. \tag{6.1}$$

Diferenciando parcialmente con respecto a *M*.

$$\left.\begin{array}{l} p_1 \dfrac{\partial x_1}{\partial M} + p_2 \dfrac{\partial x_2}{\partial M} + \dots \quad + p_n \dfrac{\partial x_n}{\partial M} = 1 \\[2mm] -p_1 \dfrac{\partial \mu}{\partial M} + u_{11} \dfrac{\partial x_1}{\partial M} + u_{12} \dfrac{\partial x_2}{\partial M} + \dots \quad + u_{1n} \dfrac{\partial x_n}{\partial M} = 0 \\[2mm] -p_2 \dfrac{\partial \mu}{\partial M} + u_{21} \dfrac{\partial x_1}{\partial M} + u_{22} \dfrac{\partial x_2}{\partial M} + \dots \quad + u_{2n} \dfrac{\partial x_n}{\partial M} = 0 \\[2mm] \cdot \quad \cdot \quad \cdot \quad \cdot \quad \cdot \quad \cdot \quad \cdot \quad \cdot \quad \cdot \quad \cdot \quad \cdot \\[2mm] -p_n \dfrac{\partial \mu}{\partial M} + u_{n1} \dfrac{\partial x_1}{\partial M} + u_{n2} \dfrac{\partial x_2}{\partial M} + \dots \quad + u_{nn} \dfrac{\partial x_n}{\partial M} = 0 \end{array}\right\}. \tag{6.2}$$

Resolviendo,

$$\frac{\partial x_r}{\partial M} \begin{vmatrix} 0 & p_1 & p_2 & \cdot & \cdot & p_n \\ p_1 & u_{11} & u_{12} & \cdot & \cdot & u_{1n} \\ p_2 & u_{12} & u_{22} & \cdot & \cdot & u_{2n} \\ \cdot & \cdot & \cdot & \cdot & \cdot & \cdot \\ p_n & u_{1n} & u_{2n} & \cdot & \cdot & u_{nn} \end{vmatrix} = \begin{vmatrix} 0 & p_1 & \cdot & \cdot & p_{r-1} & 1 & p_{r+1} & \cdot & \cdot & p_n \\ p_1 & u_{11} & \cdot & \cdot & u_{1,r-1} & 0 & u_{1,r+1} & \cdot & \cdot & u_{1n} \\ p_2 & u_{12} & \cdot & \cdot & u_{2,r-1} & 0 & u_{2,r+1} & \cdot & \cdot & u_{2n} \\ \cdot & \cdot & \cdot & \cdot & \cdot & \cdot & \cdot & \cdot & \cdot & \cdot \\ p_n & u_{1n} & \cdot & \cdot & u_{r-1,n} & 0 & u_{r+1,n} & \cdot & \cdot & u_{nn} \end{vmatrix}.$$

Dado que según (6.1) $p_s = u_s/\mu$, esto se puede escribir

$$\frac{\partial x_r}{\partial M} = \frac{\mu U_r}{U}. \tag{6.3}$$

El signo de U_r está indeterminado. En consecuencia $\partial x_r/\partial M$ puede ser positivo o negativo. (Ver con anterioridad, capítulo II, pp. 40-2).

7. *El efecto de un cambio de precio con ingresos constantes.* Ahora supongamos que p_r varía, permaneciendo otros precios (y M) sin cambios. Por (6.1)

$$\left. \begin{aligned} p_1\frac{\partial x_1}{\partial p_r} + p_2\frac{\partial x_2}{\partial p_r} + \cdots \quad + p_n\frac{\partial x_n}{\partial p_r} &= -x_r \\ -p_1\frac{\partial \mu}{\partial p_r} + u_{11}\frac{\partial x_1}{\partial p_r} + u_{12}\frac{\partial x_2}{\partial p_r} + \cdots \quad + u_{1n}\frac{\partial x_n}{\partial p_r} &= 0 \\ \cdot \quad \cdot \quad \cdot \quad \cdot \quad \cdot \quad \cdot \quad \cdot \quad \cdot \quad \cdot \quad \cdot \\ -p_r\frac{\partial \mu}{\partial p_r} + u_{1r}\frac{\partial x_1}{\partial p_r} + u_{2r}\frac{\partial x_2}{\partial p_r} + \cdots \quad + u_{rn}\frac{\partial x_n}{\partial p_r} &= \mu \\ \cdot \quad \cdot \quad \cdot \quad \cdot \quad \cdot \quad \cdot \quad \cdot \quad \cdot \quad \cdot \quad \cdot \\ -p_n\frac{\partial \mu}{\partial p_r} + u_{1n}\frac{\partial x_1}{\partial p_r} + u_{2n}\frac{\partial x_2}{\partial p_r} + \cdots \quad + u_{nn}\frac{\partial x_n}{\partial p_r} &= 0 \end{aligned} \right\}. \tag{7.1}$$

Resolviendo y simplificando como antes,

$$\frac{\partial x_s}{\partial p_r} = \frac{1}{U}(-x_r\mu U_s + \mu U_{rs}) \quad (r \text{ and } s = 1, 2, 3, ..., n).$$

Aplicando (6.3), se puede escribir

$$\frac{\partial x_s}{\partial p_r} = - x_r \frac{\partial x_s}{\partial M} + \mu \frac{U_{rs}}{U} \quad (r \text{ and } s = 1, 2, 3, ..., n).\tag{7.2}$$

Esta ecuación, originariamente debida a Slutsky, puede considerarse como la Ecuación Fundamental de la Teoría del Valor. Nos da el efecto de un cambio en el precio de una mercancía x_r sobre la demanda individual de otro bien x_s, dividido en dos términos, que hemos llamado el efecto Renta y el efecto Sustitución, respectivamente. Dado que $x_r = dM/dp_r$, cuando M no está dada, pero todas las x y las demás p sí, de la ecuación se deduce que el término de sustitución representa el efecto sobre la demanda de x_s de un cambio en el precio de x_r, combinado con un cambio en el ingreso tal que le permitiría al consumidor, si así lo quisiera, comprar las mismas cantidades de todos los bienes que antes, a pesar del cambio en p_r. Resulta obvio que este cambio en el ingreso será tanto más pequeño cuanto menos importante sea x_r en el presupuesto del consumidor.

Al igualar los r y s (no hay ninguna razón por la que no debamos hacerlo), la misma ecuación se puede utilizar para dividir el efecto de un cambio en el precio de x_r sobre la demanda del propio x_r. La ecuación entonces será

$$\frac{\partial x_r}{\partial p_r} = - x_r \frac{\partial x_r}{\partial M} + \frac{\mu U_{rr}}{U}.$$

De las condiciones de estabilidad se deduce directamente que el término de sustitución en esta ecuación debe ser negativo.

8. *Propiedades del término de sustitución.* La mayor parte del resto de la teoría de la demanda del consumidor consiste en desarrollar las propiedades de esta ecuación fundamental. En primer lugar, conviene escribirla de forma alternativa. El término de sustitución $\mu U_{rs}/U$ es de hecho invariante frente a una sustitución de $\phi(u)$ por u como función de utilidad; en consecuencia, es mejor escribirla en una forma que no haga referencia directa a una función de utilidad particular. Por tanto, la escribiré en una forma que no nos compromete a nada X_{rs}; para que las ecuaciones se conviertan en

$$\left.\begin{aligned}
\frac{\partial x_s}{\partial p_r} &= - x_r \frac{\partial x_s}{\partial M} + \mathbf{x}_{rs}, \\
\frac{\partial x_r}{\partial p_r} &= - x_r \frac{\partial x_r}{\partial M} + \mathbf{x}_{rr}.
\end{aligned}\right\}\tag{8.1}$$

Nos resultará más conveniente utilizarlas con esta forma en trabajos posteriores.[2]

A partir de lo que ya se ha dicho inmediatamente se deducen dos propiedades del término de sustitución. Antes que nada, escribiré estas propiedades y luego pasaré a trabajar con algunas otras.

(1)   Dado que los determinantes U_{rs} y U son simétricos respecto a r y s, X_{rs} también es simétrico; es decir, $X_{sr} = X_{rs}$. Los términos de sustitución en $\partial x_s/\partial p_r$ y $\partial x_r/\partial p_s$ son, por tanto, idénticos; pero los términos de ingresos no son, en general, iguales. Así, para que $\partial x_s/\partial p_r$ y $\partial x_r/\partial p_s$ sean iguales, es necesario que $x_r (\partial x_s/\partial M)$ y $x_s (\partial x_r/\partial M)$ sean iguales. Esto implica que $(M/x_r)\partial x_r/\partial M$ y $(M/x_s)\partial x_s/\partial M$ deben ser iguales; es decir, las elasticidades de la demanda de x_r y x_s con respecto al ingreso deben ser las mismas.

(2)   Dado que U_{rr}/U es negativo y μ es positivo, $X_{rr}< 0$.

(3)   La expresión

$$o.\,U_r + u_1\,U_{1r} + u_2\,U_{2r} + ... + u_n\,U_{nr}$$

forma un determinante en el que dos filas son idénticas y, por tanto, se anulan. Pero como $u_s\,U_{rs} = p_s\mu U_{rs} = p_s\,Ux_{rs}$, podemos deducir de esta relación una relación entre las X, a saber, $\displaystyle\sum_{s=1}^{s=n} p_s\mathbf{x}_{rs} = o$.

$\therefore \sum p_s\mathbf{x}_{rs}$ (para todos los valores de s excepto r) $= -p_r\,X_{rr}$, que es necesariamente positivo.

(4)   Todo nuestro trabajo se ha basado hasta ahora sólo en dos del conjunto de condiciones de estabilidad (4.1), que hemos reducido a una –que U_{rr}/U es negativo–. ¿Cómo entran en escena las otras condiciones de estabilidad? Procedamos a estudiarlo.

Sea $U_{11,22}$ el cofactor de u_{22} en U_{11}; $U_{11,22,33}$ es el cofactor de u_{33} en $U_{11,22}$; y así sucesivamente. Entonces las condiciones de estabilidad nos dicen que

$$\frac{U_{11}}{U},\quad \frac{U_{11,22}}{U},\quad \frac{U_{11,22,33}}{U},...$$

son alternativamente negativos y positivos.

---

[2] Desde algún punto de vista, pero (creo) no desde todos, se puede extraer una ventaja si expresamos la ecuación fundamental en forma de elasticidad, algo que es fácil hacer multiplicando la ecuación por p_r/x_s y agrupando la expresión resultante en fracciones que sean independientes de las unidades. En mi folleto en francés, *La Théorie mathématique de la Valeur* (HERMANN, 1937), he expuesto gran parte del argumento que sigue, utilizando el método de presentación de la elasticidad. Así, queda a elección del lector.

Se sigue (por una propiedad bien conocida de los determinantes recíprocos)[3] que

$$\frac{U_{11}}{U}, \quad \frac{1}{U^2}\begin{vmatrix} U_{11} & U_{12} \\ U_{12} & U_{22} \end{vmatrix}, \quad \frac{1}{U^3}\begin{vmatrix} U_{11} & U_{12} & U_{13} \\ U_{12} & U_{22} & U_{23} \\ U_{13} & U_{23} & U_{33} \end{vmatrix}, \ldots$$

son alternativamente negativos y positivos.

Pero estas son las condiciones por las que una forma cuadrática como

$$\sum_{r=1}^{r=m} \sum_{s=1}^{s=m} z_r z_s \frac{U_{rs}}{U}$$

debe ser necesariamente negativa, para todos los valores de las z. (Cf. 2 (2) anteriormente).

En consecuencia, $\sum_1^m \sum_1^m \lambda_r \lambda_s \mathbf{x}_{rs} < 0$ para todos los valores de los coeficientes arbitrarios λ, y para todos los valores de m hasta n inclusive.

Así hemos acumulado cuatro reglas que deben cumplir los términos de sustitución:

(1) $\mathbf{x}_{sr} = \mathbf{x}_{rs};$ (2) $\mathbf{x}_{rr} < 0;$ (3) $\sum_{s=1}^{s=n} p_s \mathbf{x}_{rs} = 0;$

(4) $\sum_1^m \sum_1^m \lambda_r \lambda_s \mathbf{x}_{rs} < 0$ para todos los valores de m hasta n.

Se observará que la regla (2) es un caso especial de la regla (4). Entre otros valores, las l pueden tomar valores iguales a las p. Así, tenemos como un caso especial de la regla (4)

$$\sum_1^m \sum_1^m p_r p_s \mathbf{x}_{rs} < 0$$ para todos los valores de m menores que n.

De esto se desprende, junto con la tercera regla, que

$$\sum_{r=1}^{r=m} \sum_{s=m+1}^{s=n} p_r p_s \mathbf{x}_{rs} > 0.$$

Esta última desigualdad puede expresarse en palabras de la siguiente manera. Si dividimos las n mercancías en dos grupos en cualquier manera posible y formamos la expresión $p_r p_s X_{rs}$ (x_r se toma de un grupo y x_s del otro), entonces $\sum\sum p_r p_s X_{rs}$ (donde r y s varían de todas las formas posibles dentro de sus respectivos grupos) deben ser positivas.

---

[3] Cf., por ejemplo, BURNSIDE y PANTON, vol. II, p. 42.

Si consideramos un cambio en los precios que sea tal que los cambios en los diferentes precios se *compensen*, dejando al consumidor en el mismo nivel de indiferencia que antes después del cambio, el término ingreso en la ecuación fundamental desaparece, y tenemos

$$dx_r = \sum_s \frac{\partial x_r}{\partial p_s} dp_s = \sum_s \mathbf{x}_{rs}\, dp_s.$$

Por tanto
$$\sum_r dx_r\, dp_r = \sum_r \sum_s \mathbf{x}_{rs}\, dp_r\, dp_s,$$

que por la regla (4) es necesariamente negativa. Ésta es la misma proposición a la que llegamos por otro camino en la p. 65 anterior.

9. Complementariedad. Como a lo largo del texto, afirmo que dos bienes x_r y x_s son sustitutivos desde el punto de vista de un consumidor particular si su $X_{rs} > 0$, y complementarios si su $X_{rs} < 0$. De la regla (5) se deduce inmediatamente que, si bien es posible que todos los demás bienes consumidos sean sustitutivos de x_r, no es posible que todos sean complementarios de él. De la Regla (6) se desprende que existe un límite adicional en la cantidad de complementariedad posible. Hay un gran número de formas en que los términos de sustitución entre pares de bienes pueden agruparse en grupos, dentro de los cuales los pares que son sustitutivos deben pesar más que los pares que pueden ser complementarios. Hay $\frac{1}{2} n\,(n-1)$ pares diferentes de bienes que pueden seleccionarse de un grupo de n bienes; estos $\frac{1}{2} n\,(n-1)$ pares se pueden agrupar de esta forma en

$$\tfrac{1}{2}(C_1^n + C_2^n + \ldots + C_{n-2}^n + C_{n-1}^n) = 2^{n-1} - 1$$

distintas formas. No es necesario que todas las $\frac{1}{2} n\,(n-1)$ expresiones $p_r\, p_s\, X_{rs}$ $(r \neq s)$ sean positivas, pero hay $2^{n-1} - 1$ colecciones diferentes de ellas cuyas sumas deben ser positivas. Este es el sentido en el que la sustitución es dominante en todo el sistema en su conjunto.

10. *La demanda de un grupo de bienes*. Aún tenemos que considerar la aplicación más importante de la Regla (4). Para empezar, se deduce de nuestra ecuación fundamental que el valor del incremento en la demanda de x_s que resulta de un cambio proporcional dado en el precio de x_r

$$= p_r p_s \frac{\partial x_s}{\partial p_r} = -p_r x_r \cdot p_s \frac{\partial x_s}{\partial M} + p_r p_s \mathbf{x}_{rs}. \tag{10.1}$$

Aquí $p_r x_r$ es la cantidad gastada en x_r; $p_s (\partial x_s/\partial M)$ mide el incremento en la cantidad gastada en x_s que resultaría de un aumento en los ingresos.

Ahora supongamos que los precios de un grupo de bienes x_1, x_2, ..., x_m ($m < n$) aumentan todos en la misma proporción. Entonces, el valor del incremento en la demanda de uno de estos bienes x_s ($s < m$) se obtiene sumando las expresiones anteriores:

$$\sum_{r=1}^{r=m} p_r p_s \frac{\partial x_s}{\partial p_r} = -\left(\sum_{1}^{m} p_r x_r\right) p_s \frac{\partial x_s}{\partial M} + \sum_{r=1}^{r=m} p_r p_s \mathbf{x}_{rs}.$$

El valor del incremento en la demanda para todo el grupo tomado en su conjunto se obtiene sumando nuevamente:

$$\sum_{s=1}^{s=m} \sum_{r=1}^{r=m} p_r p_s \frac{\partial x_s}{\partial p_r} = -\left(\sum_{1}^{m} p_r x_r\right)\left(\sum_{1}^{m} p_s \frac{\partial x_s}{\partial M}\right) + \sum_{r=1}^{r=m} \sum_{s=1}^{s=m} p_r p_s \mathbf{x}_{rs}. \quad (10.2)$$

Éste tiene exactamente la misma forma que (10.1) y su interpretación es semejante. Además, dado que las r y las s se suman en el mismo grupo de bienes, de la regla (4) se deduce que el término de sustitución en (10.2) es necesariamente negativo.

Así, hemos demostrado matemáticamente el importante principio, ampliamente utilizado en el texto, de que, si los precios de un grupo de bienes cambian en la misma proporción, ese grupo de bienes se comporta como si fuera un solo bien.

11. *El lado de la oferta.* Supongamos ahora que un individuo, en vez de ir al mercado con una determinada cantidad de dinero que no varía con los precios, va con una cierta cantidad de bienes para la venta, de modo que la cantidad que tiene disponible para gastar se ve afectada por los precios de mercado. Considerando el caso general, supongamos que comienza con las cantidades $\bar{x}_1$, $\bar{x}_2$, $\bar{x}_3$, ..., $\bar{x}_n$ de los n bienes. Como resultado del intercambio, incrementará o disminuirá estas cantidades para adquirir como antes una cesta preferida x_1, x_2, ..., x_n. La primera de las ecuaciones de equilibrio (6.1) debe expresarse como

$$p_1 x_1 + p_2 x_2 + ... + p_n x_n = p_1 \bar{x}_1 + p_2 \bar{x}_2 + ... + p_n \bar{x}_n. \quad (11.1)$$

Esa es la única alteración que se debe realizar en el sistema.

Esta alteración equivale a reemplazar M por la cantidad $\sum p_r \bar{x}_r$, que ya no es independiente de los precios. Por tanto, cuando diferenciamos las ecuaciones, ya no podemos poner $\partial M/\partial p_r = 0$, sino que debemos escribir $\partial M/\partial p_r = \bar{x}_r$. La primera ecuación de (7.1), entonces se convierte en

$$p_1\frac{\partial x_1}{\partial p_r} + p_2\frac{\partial x_2}{\partial p_r} + \ldots + p_n\frac{\partial x_n}{\partial p_r} = \bar{x}_r - x_r.$$

Y en lugar de la ecuación (8.1) obtendremos

$$\frac{\partial x_s}{\partial p_r} = (\bar{x}_r - x_r)\frac{\partial x_s}{\partial M} + \mathbf{x}_{rs}.$$

Esta solo difiere de nuestra primera ecuación fundamental en que el término de ingresos ahora está ponderado por la cantidad neta de x_r adquirida.

12. *Demanda del mercado*. Una de las conveniencias más obvias de nuestra Ecuación Fundamental es que se puede aplicar directamente para tratar el efecto de un cambio en el precio sobre la demanda de un grupo de individuos. Si se efectúan las sumas para todos los miembros del grupo,

$$\frac{\partial}{\partial p_r}\left(\sum x_s\right) = \sum\frac{\partial x_s}{\partial p_r} = \sum\left[(\bar{x}_r - x_r)\frac{\partial x_s}{\partial M}\right] + \sum \mathbf{x}_{rs}. \tag{12.1}$$

El término del ingreso corresponde al efecto sobre la demanda del grupo de x_s, cuando se incrementa el ingreso del grupo, pero el incremento en el ingreso se divide entre sus miembros en proporción a la demanda neta previa de cada individuo por x_r. El término de sustitución es un mero agregado de términos de sustitución individuales y, por tanto, debe obedecer a las mismas reglas que sus componentes. Si escribimos el término de sustitución de grupo $\sum x_{rs}$ en la forma X_{rs} tendremos exactamente las reglas correspondientes

(1) $\mathbf{X}_{sr} = \mathbf{X}_{rs}$,

(2) $\mathbf{X}_{rr} < 0$,

(3) $\sum_{s=1}^{s=n} p_s\,\mathbf{X}_{rs} = 0$,

(4) $\sum_1^m\sum^m p_r p_s\,\mathbf{X}_{rs} < 0$,

(5) $\sum_{s\neq r} p_s\,\mathbf{X}_{rs} > 0$,

(6) $\sum_{r=1}^{r=m}\sum_{s=m+1}^{s=n} p_r p_s\,\mathbf{X}_{rs} > 0$,

Apéndice del capítulo IV

13. *Equilibrio del intercambio.* Aquí sólo es necesario que reafirmemos el argumento clásico de Walras en nuestros propios términos.

Tenemos N individuos que traen al mercado diversas cantidades de n bienes y los intercambian en condiciones de competencia perfecta. Dado que estamos mostrando la cantidad del primer bien que, originalmente, se encuentra a disposición de un individuo representativo $\bar{x}_r$, y la cantidad que finalmente retiene x_r ($x_r > \bar{x}_r$ si es un comprador de ese bien, $< \bar{x}_r$ si es un vendedor), representemos la cantidad total que, originalmente, llevan todos los individuos en su conjunto $\bar{X}_r$ y X_r la cantidad total finalmente retenida.

Al igual que antes, denotaremos a los precios de los n bienes por $p_1, p_2, ..., p_n$. Pero debe recordarse que un bien (digamos x_n) debe considerarse como patrón de valor. Por tanto, $p_n = 1$. Los precios restantes $p_1, p_2, ..., pn-1$ tienen que ser determinados.

Para que el sistema esté en equilibrio, la demanda de cada bien debe ser igual a la oferta.

$$\therefore X_r = \bar{X}_r \quad (r = 1, 2, 3, ..., n). \tag{13.1}$$

Esto nos proporciona n ecuaciones correspondientes a los n bienes, pero solo hay $n-1$ precios por determinar. En cualquier caso, una ecuación se deriva del resto. Entre las ecuaciones de equilibrio de un individuo representativo se encuentra la ecuación

$$\sum_1^n p_r x_r = \sum_1^n p_r \bar{x}_r. \tag{11.1}$$

Sumando estas ecuaciones para todos los individuos, tenemos

$$\sum_1^n p_r X_r = \sum_1^n p_r \bar{X}_r.$$

Dado que esta última ecuación debe necesariamente cumplirse, se satisfagan o no las ecuaciones (13.1), se deduce que si se satisfacen $n-1$ de las ecuaciones (13.1), la enésima ecuación también debe satisfacerse. En consecuencia, solo hay $n-1$ ecuaciones para determinar los $n-1$ precios.

Apéndice del capítulo V

14. *La estabilidad del equilibrio de intercambio.* Dado que $\bar{X}_r$ se puede considerar constante, pueden obtenerse las condiciones para la estabilidad del intercambio examinando el signo de dX_r/dp_r. Para que el equilibrio sea perfectamente estable, dX_r/dp_r debe ser negativo

(1)   cuando todos los demás precios no cambian;

(2)   cuando p_s se ajusta para mantener el equilibrio en el mercado de x_s, pero todos los demás precios no cambian;

(3)   cuando p_s y p_t se ajustan de manera similar; y así sucesivamente, hasta que hayamos ajustado todos los precios, excepto p_r, (y por supuesto p_n, que es necesariamente 1).

La tercera de estas condiciones, por ejemplo, implica que dX_r/dp_r es negativo, cuando

$$\left. \begin{aligned} \frac{dX_r}{dp_r} &= \frac{\partial X_r}{\partial p_r} + \frac{\partial X_r}{\partial p_s}\frac{dp_s}{dp_r} + \frac{\partial X_r}{\partial p_t}\frac{dp_t}{dp_r} \\ 0 &= \frac{\partial X_s}{\partial p_r} + \frac{\partial X_s}{\partial p_s}\frac{dp_s}{dp_r} + \frac{\partial X_s}{\partial p_t}\frac{dp_t}{dp_r} \\ 0 &= \frac{\partial X_t}{\partial p_r} + \frac{\partial X_t}{\partial p_s}\frac{dp_s}{dp_r} + \frac{\partial X_t}{\partial p_t}\frac{dp_t}{dp_r} \end{aligned} \right\}. \tag{14.1}$$

Eliminando dp_s/dp_r y dp_t/dp_r,

$$\frac{dX_r}{dp_r} = \begin{vmatrix} \dfrac{\partial X_r}{\partial p_r} & \dfrac{\partial X_r}{\partial p_s} & \dfrac{\partial X_r}{\partial p_t} \\ \dfrac{\partial X_s}{\partial p_r} & \dfrac{\partial X_s}{\partial p_s} & \dfrac{\partial X_s}{\partial p_t} \\ \dfrac{\partial X_t}{\partial p_r} & \dfrac{\partial X_t}{\partial p_s} & \dfrac{\partial X_t}{\partial p_t} \end{vmatrix} : \begin{vmatrix} \dfrac{\partial X_s}{\partial p_s} & \dfrac{\partial X_s}{\partial p_t} \\ \dfrac{\partial X_t}{\partial p_s} & \dfrac{\partial X_t}{\partial p_t} \end{vmatrix}.$$

Esto nos proporciona una de las expresiones que debe ser negativa para que el sistema sea estable.

Tomando todas las condiciones similares conjuntamente, y recordando que deben ser válidas para el mercado en cada x_r ($r = 1, 2, 3, ..., n - 1$), las condiciones de estabilidad emergen de una forma más conveniente. Es necesario para los determinantes jacobianos

$$\frac{\partial X_r}{\partial p_r}, \quad \begin{vmatrix} \dfrac{\partial X_r}{\partial p_r} & \dfrac{\partial X_r}{\partial p_s} \\ \dfrac{\partial X_s}{\partial p_r} & \dfrac{\partial X_s}{\partial p_s} \end{vmatrix}, \quad \begin{vmatrix} \dfrac{\partial X_r}{\partial p_r} & \dfrac{\partial X_r}{\partial p_s} & \dfrac{\partial X_r}{\partial p_t} \\ \dfrac{\partial X_s}{\partial p_r} & \dfrac{\partial X_s}{\partial p_s} & \dfrac{\partial X_s}{\partial p_t} \\ \dfrac{\partial X_t}{\partial p_r} & \dfrac{\partial X_t}{\partial p_s} & \dfrac{\partial X_t}{\partial p_t} \end{vmatrix}, ... \tag{14.2}$$

(para todos los valores de r, s, t, ..., en el rango 1, 2, 3, ..., $n - 1$) que sean alternativamente negativos y positivos.

15.   Ahora sabemos que

$$\frac{\partial X_r}{\partial p_r} = \sum (\bar{x}_r - x_r) \frac{\partial x_r}{\partial M} + X_{rr}.$$ (12.1)

Por tanto, dado que X_{rr} es necesariamente negativo, la condición de estabilidad de primer orden solo se puede dejar de cumplir si el término de ingresos en la expresión anterior es grande y positivo. Pero cuando la fórmula anterior se aplica al grupo al que ahora la estamos aplicando (el mercado en su conjunto, compradores y vendedores conjuntamente), el término de los ingresos desarrolla una propiedad peculiar. Si $\partial x_r / \partial M$, el incremento de x_r que se compraría como resultado de un aumento dado en los ingresos, es el mismo para todas las personas en el mercado, el término de los ingresos tomará la forma $(\bar{X}_r - X_r)\,(\partial x_r / \partial M)$; y dado que, en equilibrio, $X_r = \bar{X}_r$, esto significa que el término de los ingresos desaparecerá. En consecuencia, si el plazo de ingresos va a ser grande, es necesario que los compradores y vendedores reaccionen de media a los cambios en los ingresos de formas muy diferentes. Para que sea grande y positivo, el sesgo debe ser de tal manera que los vendedores de x_r probablemente aumenten su consumo de x_r cuando se vuelvan más ricos, mucho más de lo que lo harían los compradores de x_r en circunstancias similares.

Un sesgo tan fuerte entre compradores y vendedores es, por tanto, una posible causa de inestabilidad. Para investigar si puede haber alguna otra causa, supongamos que no existiera tal sesgo en ningún mercado, de modo que se pudieran despreciar todos los términos de ingresos.

La estabilidad de los jacobianos, entonces, se reduce a la siguiente forma

$$X_{rr},$$

$$\begin{vmatrix} X_{rr} & X_{rs} \\ X_{rs} & X_{ss} \end{vmatrix},$$

$$\begin{vmatrix} X_{rr} & X_{rs} & X_{rt} \\ X_{rs} & X_{ss} & X_{st} \\ X_{rt} & X_{st} & X_{tt} \end{vmatrix}, \dots .$$

Para que todo el sistema de intercambio sea perfectamente estable, estos determinantes deben ser alternativamente negativos y positivos.

Ahora sabemos por nuestra cuarta regla (p. 350) que, para cada individuo en el mercado, la expresión $\sum_1^m \sum_1^m \lambda_r \lambda_s \mathbf{x}_{rs}$ debe ser negativa, para todos los valores de m hasta n, y para todos los valores de λ. Sumando estas expresiones para todos los individuos, deducimos que

$$\sum_1^m \sum_1^m \lambda_r \lambda_s \mathbf{X}_{rs}$$

es negativa para todos los valores de las λ y para todos los valores de m hasta n. Pero esto implica que los determinantes anteriores son alternativamente negativos y positivos. En consecuencia, si se desprecian los efectos sobre los ingresos, las condiciones de estabilidad deben cumplirse.

Los efectos asimétricos del ingreso son la única causa posible de inestabilidad.

16. *Efectos de un aumento de la demanda.* Supongamos que hay un pequeño aumento en la demanda del bien x_r. Esto puede resolverse, como en el texto (p. 89, anterior), preguntando qué cambio de precios sería necesario en las condiciones anteriores para inducir un pequeño exceso de oferta sobre la demanda en el mercado de x_r, quedando la oferta igual a la demanda en los otros mercados (salvo la de la mercancía patrón x_n, a expensas del cual la demanda de x_r se ha expandido).

A partir de las condiciones de estabilidad, resulta evidente que esto debe implicar un aumento en el precio de x_r.

Los efectos sobre otros precios pueden calcularse a partir de las ecuaciones (14.1). Supongamos primero que los efectos sobre todos los demás precios, salvo el de x_s, son demasiado pequeños como para tenerlos en cuenta. Entonces, de la segunda ecuación de (14.1), tenemos

$$o = \frac{\partial X_s}{\partial p_r} + \frac{\partial X_s}{\partial p_s}\frac{dp_s}{dp_r}.$$

$$\therefore \frac{dp_s}{dp_r} = -\frac{\partial X_s}{\partial p_r}\bigg/\frac{\partial X_s}{\partial p_s} = -\frac{\mathbf{X}_{rs}}{\mathbf{X}_{ss}} \tag{16.1}$$

(si se desprecian los términos de los ingresos). Dado que X_{ss} es negativo, esto significa que el precio de x_s aumentará si x_s y x_r son sustitutivos, y que disminuirá si son complementarios.

Escribiendo la fórmula en la forma

$$\frac{p_r}{p_s}\frac{dp_s}{dp_r} = -\frac{p_r\mathbf{X}_{rs}}{p_s\mathbf{X}_{ss}} = \frac{p_r\mathbf{X}_{rs}}{p_r\mathbf{X}_{rs}+p_0\mathbf{X}_{s0}}$$

(utilizando la tercera regla), se deduce que p_s aumentará menos que proporcionalmente a p_r, excepto en el caso en que haya complementariedad entre x_s y x_0 (es decir, entre x_s y todas las demás mercancías, excepto x_r y x_s, en su conjunto).

A continuación, supongamos que los precios de otras dos mercancías, x_s y x_t, probablemente se vean afectados de forma apreciable. Entonces, de la segunda y tercera ecuaciones de (14.1) tenemos

$$\frac{dp_s}{dp_r} = -\begin{vmatrix}\frac{\partial X_s}{\partial p_r} & \frac{\partial X_s}{\partial p_t}\\[1mm] \frac{\partial X_t}{\partial p_r} & \frac{\partial X_t}{\partial p_t}\end{vmatrix} \div \begin{vmatrix}\frac{\partial X_s}{\partial p_s} & \frac{\partial X_s}{\partial p_t}\\[1mm] \frac{\partial X_t}{\partial p_s} & \frac{\partial X_t}{\partial p_t}\end{vmatrix}$$

$$= \frac{-\mathbf{X}_{rs}\mathbf{X}_{tt}+\mathbf{X}_{rt}\mathbf{X}_{st}}{\mathbf{X}_{ss}\mathbf{X}_{tt}-\mathbf{X}_{st}^2} \qquad (16.2)$$

(ignorándose los términos de los ingresos). En esta última expresión el denominador es positivo por las condiciones de estabilidad. El primer término del numerador da el efecto directo sobre el precio de x_s, y el segundo término el efecto a través de la mediación del precio de x_t. Si x_t no está estrechamente relacionado con x_r y x_s, este segundo término generalmente será insignificante, y la fórmula se reduce a la forma más simple (16.1). Pero si está estrechamente relacionado, entonces los efectos indirectos funcionarán de acuerdo con la regla del «sustitutivo de sustitutivos» (cf. p. 90 en el texto).

17.   Consideremos el último de toda la serie de jacobianos de estabilidad –que tiene $n-1$ filas y columnas–, de modo que incluye todas las mercancías, excepto la mercancía patrón y todos los precios variables. Llamémoslo J. Sean J_{rr}, J_{rs} los cofactores de $\partial X_r/\partial p_r$, $\partial X_r/\partial p_s$ en J. Sean $J_{rr,ss}$, $J_{rs,st}$ los cofactores de $\partial X_s/\partial p_s$, $\partial X_s/\partial p_t$ en J_{rr}.

Entonces, cuando se tienen en cuenta los efectos indirectos a través de todos los demás precios, tenemos (cf. las ecuaciones 14.1)

$$\frac{dX_r}{dp_r} = \frac{J}{J_{rr}}. \qquad (17.1)$$

Si ignoramos los efectos renta y eliminamos los elementos X_{rr}, X_{ss}, etc., por medio de nuestra tercera regla, esta ecuación puede considerarse como una extensión de dX_r/dp_r en términos de los efectos de sustitución entre pares de mercancías (X_{rs}, X_{st}, donde r ≠ s ≠ t). ¿Qué se puede decir acerca de su dependencia de estos efectos de sustitución elementales?

Al diferenciar (17.1) con respecto a X_{st} (donde cualquiera de las s o t –pero obviamente no ambas– puede ser igual a r), tenemos

$$J_{rr}{}^2 \frac{\partial}{\partial \mathbf{X}_{st}} \left(\frac{J}{J_{rr}} \right) = J_{rr} \frac{\partial J}{\partial \mathbf{X}_{st}} - J \frac{\partial J_{rr}}{\partial \mathbf{X}_{st}}.$$

De nuestra tercera regla se deduce que $\dfrac{\partial \mathbf{X}_{ss}}{\partial \mathbf{X}_{st}} = -\dfrac{p_t}{p_s}$, y de una propiedad bien conocida de los determinantes recíprocos[4] que

$$J_{rr} J_{ss} - J_{rs}{}^2 = J J_{rr,ss};$$
$$J_{rr} J_{st} - J_{rt} J_{rs} = J J_{rr,st}.$$

Usando estas proposiciones, podemos llevar a cabo la diferenciación

$$J_{rr}{}^2 \frac{\partial}{\partial \mathbf{X}_{st}} \left(\frac{J}{J_{rr}} \right) = J_{rr} \left(-\frac{p_t}{p_s} J_{ss} - \frac{p_s}{p_t} J_{tt} + 2 J_{st} \right)$$

$$- J \left(-\frac{p_t}{p_s} J_{rr,ss} - \frac{p_s}{p_t} J_{rr,tt} + 2 J_{rr,st} \right)$$

$$= -\frac{p_t}{p_s} J_{rs}{}^2 - \frac{p_s}{p_t} J_{rt}{}^2 + 2 J_{rs} J_{rt}$$

$$= -\frac{1}{p_s p_t} (p_t J_{rs} - p_s J_{rt})^2,$$

que es necesariamente negativa.

dX_r/dp_r es necesariamente negativa. En consecuencia, hemos demostrado que su tamaño absoluto será mayor cuanto mayor sea el efecto sustitución entre cualquier par de bienes del sistema.

[4] Cf. nota al pie p. 310, anteriormente.

Apéndice del capítulo VI

18.   *Equilibrio de la empresa. Las condiciones de equilibrio.* Se puede pensar que la empresa emplea varias cantidades de factores $y_1, y_2, y_3, ..., y_m$ para producir cantidades de productos $x_{m+1}, x_{m+2}, ..., x_n$. Su objeto es maximizar su excedente (o beneficio)

$$V = -p_1 y_1 - p_2 y_2 - ... - p_m y_m + p_{m+1} x_{m+1} + p_{m+2} x_{m+2} + ... + p_n x_n,$$

sujeto a una relación (la función de producción) que conecta las x y las y. Dado que, desde el punto de vista de la empresa, la diferencia entre factor y producto es solo una diferencia de signo, evitaremos problemas si tratamos los factores como productos negativos, escribiendo x_r para $-y_r$ $(r < m)$. Entonces, podemos decir que la empresa pretende maximizar

$$V = \sum_1^n p_r x_r,$$

sujeta a la condición $f(x_1, x_2, x_3, ..., x_n) = 0$. (Debe observarse que la función f es arbitraria, de la misma manera que la función de utilidad u era arbitraria. Cualquier función $\phi(f)$, que sea 0 cuando f es 0, puede servir).

Bajo el supuesto de competencia perfecta, el problema de maximización se puede investigar nuevamente mediante la introducción de un multiplicador de Lagrange y la maximización de $V-\mu f$. De dónde

$$d(V-\mu f) = 0,$$

$$d^2(V-\mu f) < 0.$$

De la primera de estas condiciones, tenemos $p_r = \mu f_r$ $(r = 1, 2, 3, ..., n)$. Si se elimina μ, esto nos proporciona $n-1$ ecuaciones que, junto con la función de producción, determinan las n cantidades $x_1, x_2, ..., x_n$.

Dado que V es lineal, $d^2V = 0$; por tanto, la segunda condición implica que $d^2f > 0$, sujeta a $df = 0$.

Al ampliar (como en el § 4, pero observando la diferencia de signo), obtenemos un conjunto similar de condiciones de estabilidad. Los determinantes

$$\begin{vmatrix} 0 & f_1 & f_2 \\ f_1 & f_{11} & f_{12} \\ f_2 & f_{12} & f_{22} \end{vmatrix}, \quad \begin{vmatrix} 0 & f_1 & f_2 & f_3 \\ f_1 & f_{11} & f_{12} & f_{13} \\ f_2 & f_{12} & f_{22} & f_{23} \\ f_3 & f_{13} & f_{23} & f_{33} \end{vmatrix}, ..., \quad \begin{vmatrix} 0 & f_1 & f_2 & \cdot & \cdot & f_n \\ f_1 & f_{11} & f_{12} & \cdot & \cdot & f_{1n} \\ f_2 & f_{12} & f_{22} & \cdot & \cdot & f_{2n} \\ \cdot & \cdot & \cdot & \cdot & \cdot & \cdot \\ \cdot & \cdot & \cdot & \cdot & \cdot & \cdot \\ f_n & f_{1n} & f_{2n} & \cdot & \cdot & f_{nn} \end{vmatrix}$$

deben ser *todos* negativos. (Véase 2 [3] anteriormente).

Resultará conveniente emplear una notación exactamente análoga a la de nuestra teoría de la utilidad. Por tanto, si F es el último de estos determinantes, el cofactor de f_{rs} en F se denotará por F_{rs}. La condición de que

$$\frac{F_{rr}}{\mu F}$$

sea positivo es invariante frente a la sustitución de $\phi(f)$ por f como función de producción.

Apéndice del capítulo VII

19. *Equilibrio de la empresa. Efecto de un cambio de precios.* Supongamos ahora que p_r varía y los demás precios permanecen sin cambios.

Las ecuaciones del equilibrio son

$$\left.\begin{array}{l} f(x_1, x_2, ..., x_n) = 0 \\[2mm] \mu f_r = p_r \quad (r = 1, 2, ..., n). \end{array}\right\} \tag{19.1}$$

Diferenciando estas con respecto a p_r,

$$\left.\begin{array}{l} f_1\dfrac{\partial x_1}{\partial p_r} + f_2\dfrac{\partial x_2}{\partial p_r} + \cdots + f_n\dfrac{\partial x_n}{\partial p_r} = 0 \\[3mm] f_1\dfrac{\partial \mu}{\partial p_r} + \mu f_{11}\dfrac{\partial x_1}{\partial p_r} + \mu f_{12}\dfrac{\partial x_2}{\partial p_r} + \cdots + \mu f_{1n}\dfrac{\partial x_n}{\partial p_r} = 0 \\[3mm] \cdots \cdots \cdots \cdots \cdots \cdots \cdots \cdots \cdots \\[1mm] f_r\dfrac{\partial \mu}{\partial p_r} + \mu f_{1r}\dfrac{\partial x_1}{\partial p_r} + \mu f_{2r}\dfrac{\partial x_2}{\partial p_r} + \cdots + \mu f_{rn}\dfrac{\partial x_n}{\partial p_r} = 1 \\[3mm] \cdots \cdots \cdots \cdots \cdots \cdots \cdots \cdots \cdots \\[1mm] f_n\dfrac{\partial \mu}{\partial p_r} + \mu f_{1n}\dfrac{\partial x_1}{\partial p_r} + \mu f_{2n}\dfrac{\partial x_2}{\partial p_r} + \cdots + \mu f_{nn}\dfrac{\partial x_n}{\partial p_r} = 0 \end{array}\right\}. \tag{19.2}$$

Resolviendo,

$$\frac{\partial x_s}{\partial p_r} = \frac{F_{rs}}{\mu F}. \tag{19.3}$$

De la forma de los determinantes de estabilidad se desprende que las expresiones $F_{rs}/\mu F$ siguen leyes muy similares a las que siguen los términos de sustitución en la teoría de la utilidad. Al introducir un solo cambio de signo, las reglas pueden hacerse idénticas. Por tanto, escribamos

$$\frac{F_{rs}}{\mu F} = -\mathbf{x}'_{rs}.$$

Consecuentemente, nuestra ecuación fundamental es

$$\frac{\partial x_s}{\partial p_r} = -\mathbf{x}'_{rs},\tag{19.4}$$

y un conjunto de reglas exactamente similar:

(1) $\quad \mathbf{x}'_{sr} = \mathbf{x}'_{rs},$ \hfill (2) $\quad \mathbf{x}'_{rr} < 0,$

(3) $\quad \displaystyle\sum_{s=1}^{s=n} p_s \mathbf{x}'_{rs} = 0,$

(4) $\quad \displaystyle\sum_{1}^{m} \sum_{1}^{m} \lambda_r \lambda_s \mathbf{x}'_{rs} < 0.$

La forma en que se ha escrito la ecuación fundamental produce el efecto de un cambio en el precio (del producto o del factor) sobre la oferta de un producto. Para producir el efecto sobre la demanda de un factor, solo es necesario sustituir $-y_s$ por x_s. La ecuación fundamental entonces será

$$\frac{\partial y_s}{\partial p_r} = \mathbf{x}'_{rs}.$$

Las reglas no han cambiado en absoluto.

20. *La tendencia al predominio de la complementariedad entre factores.* La teoría de la producción elaborada en las dos últimas secciones supone implícitamente que el empresario posee alguna oportunidad productiva fija que limita la escala de producción, y a la que el excedente V puede imputarse como ganancias. Si no existe tal oportunidad fija, entonces no hay razón para que un aumento proporcional igual en todos los factores no permita que todos los productos se incrementen en la misma proporción en que se han incrementado los factores. Matemáticamente, esto significaría que si

$$f(x_1, x_2, ..., x_n) = 0,$$

entonces $\qquad\qquad f(\lambda x_1, \lambda x_2, ..., \lambda x_n) = 0$

para todos los valores de λ. La función de producción (escrita, como lo hemos hecho, en su forma implícita) sería una función homogénea de grado cero.

En consecuencia, según el teorema de Euler, $\sum_1^n x_r f_r = 0$. (Dado que, por 19.1, $p_r = \mu f_r$, esto implica que $V = 0$). Diferenciando de nuevo,

$$f_s + \sum_{r=1}^{r=n} x_r f_{rs} = 0 \quad (s = 1, 2, 3, ..., n).$$

Aplicando estas identidades a los determinantes de estabilidad, es evidente (al multiplicar la segunda, tercera, ... columnas por $x_1, x_2, ...$ y sumándolas a la primera) que F (el último de los determinantes de estabilidad) desaparece.

Dado que $x'_{rs} = -\dfrac{F_{rs}}{\mu F}$, esto implica que todos los términos x' son infinitos. No es posible que el precio de un factor (o producto) cambie, ya que no hay cambios en los precios de todos los demás factores y productos que no rompan el equilibrio por completo. Si el precio de un producto aumenta, la producción se volverá infinita; si el precio de un factor aumenta, se hará cero. En el caso límite que estamos considerando, nuestro análisis amenaza con irse al traste por completo.

No obstante, resulta instructivo investigar lo que determina la dirección en la que es probable que se vean afectadas las ofertas de productos o las demandas de factores, porque se puede esperar que se mantengan las reglas que gobiernan esta dirección, aun cuando se aproxima el caso límite sin llegar a alcanzarlo realmente. Esto se puede resolver calculando F_{rs} para el caso en que la función de producción sea homogénea y de grado cero.

Sabemos que F_{rs}

$$= (-1)^{r+s} \begin{vmatrix} 0 & f_1 & \cdot & \cdot & f_{r-1} & f_{r+1} & \cdot & \cdot & f_n \\ f_1 & f_{11} & \cdot & \cdot & f_{1,r-1} & f_{1,r+1} & \cdot & \cdot & f_{1n} \\ \cdot & \cdot & \cdot & \cdot & \cdot & \cdot & \cdot & \cdot & \cdot \\ f_{s-1} & f_{1,s-1} & \cdot & \cdot & f_{r-1,s-1} & f_{r+1,s-1} & \cdot & \cdot & f_{s-1,n} \\ f_{s+1} & f_{1,s+1} & \cdot & \cdot & f_{r-1,s+1} & f_{r+1,s+1} & \cdot & \cdot & f_{s+1,n} \\ \cdot & \cdot & \cdot & \cdot & \cdot & \cdot & \cdot & \cdot & \cdot \\ f_n & f_{1n} & \cdot & \cdot & f_{r-1,n} & f_{r+1,n} & \cdot & \cdot & f_{nn} \end{vmatrix} .$$

Al reducir esto aplicando doblemente el mismo tipo de método que empleamos para reducir F arriba, encontramos que se hace igual a $x_r x_s F_0$, donde F_0 es el cofactor de 0 en el determinante F, es decir, el menor principal del determinante. Por tanto

$$\mathbf{x}'_{rs} = -x_r x_s \frac{F_0}{\mu F}$$

para todos los valores de r y s.

Como sabemos que X'_{rr} es negativo, se deduce que $F_0/\mu F$ debe ser positivo. Si x_r y x_s son ambos productos, o ambos factores, $x_r x_s$ será positivo y, por tanto, X'_{rs} negativo. Si uno de ellos es un producto y el otro un factor, $x_r x_s$ es negativo y, por tanto, X'_{rs} es positivo.

En consecuencia, a medida que nos acercamos al caso límite que estamos considerando, debemos esperar encontrar que los factores y productos se dividen en dos grupos complementarios, mientras que se proporcionará por completo la «sustitución», que aún debe ser dominante en el sistema en su conjunto (factores y productos juntos) a través de las relaciones factor-producto.

Apéndice del capítulo VIII

21. *El equilibrio general de la producción.* Ahora debemos reunir todas las conclusiones a las que hemos llegado hasta el presente y utilizarlas para que nos den el funcionamiento del sistema estático en su conjunto. Supongamos (como en el texto) que los individuos que componen la economía proporcionan uno (o ambos) de dos tipos de recursos: (1) mercancías o factores que pueden venderse directamente en el mercado, (2) recursos «empresariales» que pueden ser empleados para producir mercancías intercambiables, pero que no pueden venderse por sí mismos. En cualquier sistema dado de precios, solo se emplearán aquellos factores empresariales cuyo empleo producirá una ganancia positiva.

Dado un sistema de precios, habrá una cierta demanda de bienes de los consumidores (representamos por X_r la demanda de consumo total de un bien x_r); habrá una oferta directa de los particulares ($\bar{X}_r$); y habrá una oferta (X'_r) recién producida. El mercado para x_r está en equilibrio si

$$X_r = \bar{X}_r + X'_r. \tag{21.1}$$

Debe observarse que esta ecuación es totalmente generalizable y puede aplicarse a un bien, servicio, producto o factor cualquiera. Si x_r es un bien de consumo terminado, cuya oferta se deriva enteramente de la producción, $\bar{X}_r = 0$, y la ecuación se convierte en

$$X_r = X'_r.$$

Si es un factor de producción, como trabajo, X'_r es negativo. X_r incluye la demanda de los servicios directos del factor, ya sea de otras personas o del propio oferente del factor. (Esta parece ser la forma más conveniente de permitir variaciones en la oferta de un factor). Por tanto, la ecuación será

$$(-X'_r)+X_r = \bar{X}_r.$$

Si x_r es un artículo semi-elaborado, producido a la vez que consumido en el proceso de producción, pero vendido de una empresa a otra, solo por esta razón tanto X_r como $\bar{X}_r = 0$; y la ecuación se convierte en

$$X'_r = 0.$$

(La oferta neta de todas las empresas tomada en su conjunto es cero).

Por tanto, habrá un mismo tipo de ecuación para todos los productos y servicios. Al igual que antes, debe haber una mercancía como patrón de valor, de modo que si hay n mercancías en total, habrá $n-1$ precios por determinar. Como antes, una ecuación se deduce del resto. Entre las ecuaciones de equilibrio de un individuo privado se encuentra

$$\sum_{r=1}^{r=n} p_r x_r = \sum_{r=1}^{r=n} p_r \bar{x}_r + V,$$

donde V es el beneficio que obtiene de la posesión de cualquier recurso empresarial que pueda poseer. Sumando estos para todas las personas

$$\sum_{1}^{n} p_r X_r = \sum_{1}^{n} p_r \bar{X}_r + \sum V,$$

donde $\sum V$ es el total de beneficios de toda la economía.

Del mismo modo, en cualquier empresa
$$\sum_{1}^{n} p_r x_r = V. \tag{18.1}$$

Sumando estas
$$\sum_{1}^{n} p_r X'_r = \sum V.$$

$$\therefore \sum_{1}^{n} p_r (X_r - \bar{X}_r - X'_r) = 0.$$

Por tanto, si las ecuaciones de equilibrio (21.1) son válidas para n–1 bienes, deberán ser válidas para el n–ésimo bien. Solo hay n–1 ecuaciones independientes y el sistema estará determinado.

22.   *La estabilidad del equilibrio general*. Al igual que en el equilibrio del intercambio, la estabilidad exige que una caída del precio en cualquier mercado haga que la demanda sea mayor que la oferta. Para que haya una estabilidad perfecta, esta condición debe mantenerse (1) si todos los demás precios son constantes, (2) si se ajustan uno por uno para mantener el *equilibrio* en los demás mercados. Para una estabilidad imperfecta, solo es necesario que la condición se mantenga cuando se hayan ajustado todos los demás precios.

La condición se puede escribir $\dfrac{d}{dp_r}(X_r - \bar{X}_r - X'_r) < 0$. Pero dado que $\bar{X}_r$ puede considerarse dado, independientemente de los precios, puede reducirse a

$$\frac{d}{dp_r}(X_r - X'_r) < 0.$$

Esto se puede ampliar como en el § 14. Aparece como la razón de dos determinantes, cuyo término representativo es $\dfrac{\partial}{\partial p_r}(X_s - X'_s)$.

Sabemos cómo extender esta última expresión. A partir de (12.1)

$$\frac{\partial X_s}{\partial p_r} = \sum (\bar{x}_r + x'_r - x_r)\frac{\partial x_s}{\partial M} + \mathbf{X}_{rs}$$

(permitiendo el cambio en V cuando p_r cambia).

De (19.4), tenemos $\dfrac{\partial x_s}{\partial p_r} = -\mathbf{x}'_{rs}$ para cada empresa del sistema. Por tanto, sumando $\dfrac{\partial X'_s}{\partial p_r} = -\mathbf{X}'_{rs}$, donde X'_{rs} debe obedecer las mismas reglas que X_{rs}.

En consecuencia $\dfrac{\partial}{\partial p_r}(X_s - X'_s) = \sum (\bar{x}_r + x'_r - x_r)\dfrac{\partial x_s}{\partial M} + \mathbf{X}_{rs} + \mathbf{X}'_{rs}$. Dado que X_{rs} y X'_{rs} obedecen las mismas reglas, $X_{rs} + X'_{rs}$ también deben seguir las mismas reglas.

$\dfrac{\partial}{\partial p_r}(X_s - X'_s)$, por tanto, sigue las mismas reglas que el $\dfrac{\partial X_s}{\partial p_r}$ que estudiamos en la teoría del intercambio. En consecuencia, el análisis siguiente del equilibrio general de producción es idéntico al del equilibrio general de intercambio, y todas las anteriores proposiciones de §§15-17 pueden reinterpretarse en un sentido más amplio.

Apéndice del capítulo XV

23. *La determinación del plan de producción.* Seguiremos tratando los factores como productos negativos, tal como nos pareció conveniente hacerlo en la teoría estática. El problema de la empresa, considerado dinámicamente, es encontrar ese flujo de productos que pueden producirse a partir del equipo inicial, que deberá tener el valor máximo de capital (cf. pp. 220-2 del texto). Si escribimos

$$x_{r0}, x_{r1}, x_{r2}, \ldots, x_{rv}$$

para los outputs de x_r que se planea vender en sucesivas «semanas» a partir de la presente, la función de producción toma la forma

$$f(x_{10}, x_{20}, \ldots, x_{n0}, x_{11}, x_{21}, \ldots, x_{n1}, x_{12}, x_{22}, \ldots, x_{n2}, \ldots, x_{1v}, x_{2v}, \ldots, x_n) = 0$$

suponiendo que el plan durará v semanas.

El valor capitalizado del plan será

$$= C = \sum_{r=1}^{r=n} \sum_{t=0}^{t=v} (\beta_t^t p_{rt} x_{rt}),$$

donde $\beta_t = 1/(1 + i_t)$, e i_t es el tipo de interés por semana para préstamos a t semanas; p_{r0} es el precio actual de x_r, y p_{rt} es el precio que el empresario espera que rija a partir de las t semanas. (Debe suponerse que p_{rt} viene ajustado por el riesgo, en la forma descrita en el texto de las pp. 142-3.)

Desde el punto de vista del empresario individual en competencia perfecta, todas las β y p están dadas. En consecuencia, a pesar de su aparente mayor complejidad, este problema es formalmente idéntico al considerado en el § 18 anterior. No es necesario escribir en su totalidad las ecuaciones de equilibrio. Las leyes que marcan la forma en que se ajustará el plan de producción a un cambio en los precios o expectativas de precios serán similares a las dadas en el § 19. Pero al escribir las seis reglas que aún deben seguir los términos de sustitución, debemos recordar reemplazar p_r por $\beta_t^t p_{rt}$, y sumar todas las t, así como todas las r.

Apéndice del capítulo XVII

24.   *El efecto del tipo de interés en el plan de producción.* Cuando consideramos los efectos de los cambios del tipo de interés en el plan (suponiendo dados los
precios y expectativas de precios), es conveniente hacer uso de la propiedad de que
todos los productos cuyas relaciones de precios descontados se pueden considerar
como dados para el problema en cuestión, pueden tratarse como un solo producto.
En consecuencia, podemos dejar de distinguir entre los diferentes tipos de outputs (e
inputs) planificados para una semana en particular, y también suprimir cualquier referencia explícita a los precios en nuestras fórmulas. A partir de ahora, x_t representará
el valor monetario esperado para los outputs e inputs planificados para la semana que
comenzará tras t semanas, tomados en su conjunto, es decir, el excedente planificado
para la semana en cuestión.

Adoptando esta simplificación, podemos decir que el empresario se esfuerza por
maximizar

$$C = \sum_{t=0}^{t=v} (\beta_t^{\,t} x_t)$$

sujeto a la condición $f(x_0, x_1, ..., x_v) = 0$.

El efecto de un cambio en el tipo de interés para préstamos de t' semanas sobre
el superávit x_t vendrá dado por

$$\frac{\partial x_t}{\partial (\beta_{t'}^{\,t'})} = -\mathbf{x}'_{tt'},$$

mientras que, entre las seis reglas que las X' deben observar, tenemos la regla (3),

$$\sum_{t'=0}^{t'=v} (\beta_{t'}^{\,t'} \mathbf{x}'_{tt'}) = 0. \tag{24.1}$$

Para obtener el efecto sobre el superávit x_t de un cambio general en los tipos de
interés, observemos primero que

$$\frac{d(\beta_{t'}^{\,t'})}{d\beta_{t'}} = t' \beta_{t'}^{\,t'-1}$$

y, por tanto

$$\frac{\partial x_t}{\partial \beta_{t'}} = -t' \beta_{t'}^{\,t'-1} \mathbf{x}'_{tt'}.$$

En consecuencia, si las tasas de descuento (β) para préstamos de todos los períodos cambian en la misma proporción, el efecto sobre x_t vendrá dado por

$$\frac{dx_t}{d\beta} = -\sum_{t'=0}^{t'=v} t'\beta_{t'}^{t'-1}\mathbf{x}'_{tt'} = -\sum_{t'=0}^{t'=v} t'\beta^{t'-1}\mathbf{x}'_{tt'} \qquad (24.2)$$

si los tipos de interés por semana para los préstamos de todos los períodos son iguales y, por tanto, las tasas de descuento son iguales.

Usando (24.1), esto puede formularse

$$\beta\frac{dx_t}{d\beta} = \sum_{t'=0}^{t'=v} (t-t')\beta^{t'}\mathbf{x}'_{tt'}.$$

Cuando se desarrolla esta última expresión, se hace evidente que desaparecerá el término en X'$_{tt}$. Pero, según la Regla 2, X'$_{tt}$ es necesariamente negativo, y si no hay complementariedad, todos los restantes X'$_{tt}$ serán positivos. Esto significa que si el tipo de interés cae (β aumenta), habrá una sustitución en favor de x_t a expensas de todos los excedentes anteriores a x_t, y en contra de x_t a favor de todos los excedentes posteriores a la fecha. Ésta es la regla normal, pero la complementariedad puede complicarla.

25. *El periodo medio del plan.* Como en el capítulo XVII, definimos el periodo medio como

$$P = \frac{\sum_{0}^{v} t\beta^t x_t}{\sum_{0}^{v} \beta^t x_t}.$$

$$\therefore \sum_{0}^{v} (P-t)\beta^t x_t = 0.$$

Diferenciando con respecto a β, pero manteniendo β^t constante, de acuerdo con la regla de la p. 247-8 anterior, obtenemos

$$\sum_{0}^{v} \left[\frac{dP}{d\beta}\beta^t x_t + (P-t)\beta^t\frac{dx_t}{d\beta}\right] = 0.$$

$$\therefore \beta C\frac{dP}{d\beta} = -\sum_{0}^{v}\left[(P-t)\beta^{t+1}\frac{dx_t}{d\beta}\right] \quad \text{(dado que } \sum \beta^t x_t = C\text{)}$$

$$= \sum_{0}^{v}\sum_{0}^{v} [(P-t)t'\beta^{t+t'}\mathbf{x}'_{tt'}] \quad \text{(de 24.2).}$$

Ahora bien, a partir de (24.1) $\sum_{t=0}^{t=\nu} \beta^t \mathbf{x}'_{tt'} = 0$. $\therefore \sum_{t=0}^{t=\nu} (t'P\beta^{t+t'}\mathbf{x}'_{tt'}) = 0$ para todos los valores de t'.

$$\therefore \beta C\frac{dP}{d\beta} = -\sum_{0}^{\nu}\sum_{0}^{\nu} tt'\beta^{t+t'}\mathbf{x}'_{tt'}. \tag{25.1}$$

Si escribimos $t\beta^t = \lambda_t$, la doble suma a la derecha de esta última ecuación se convierte en

$$\sum\sum \lambda_t\lambda_{t'}\mathbf{x}'_{tt'}$$

que sabíamos por la regla (4) en la sección (19) anterior que es necesariamente negativa para todos los valores de las λ. Por tanto, el lado derecho de la ecuación (25.1) es necesariamente positivo y, en consecuencia, $dP/d\beta$ es necesariamente positivo. Un aumento en β significa una caída en el tipo de interés, así que, una caída en el tipo de interés debe alargar el periodo medio del plan.

Notas adicionales

Nota adicional A

La ley generalizada de la demanda

1.   En la p. 65 anterior se mostró que un cambio en los precios que deje al consumidor en el mismo nivel de indiferencia hará que el valor de la cesta de bienes adquiridos después del cambio de precios, calculado a los precios vigentes antes del cambio, sea mayor que el valor de los bienes previamente comprados, valorados a los mismos precios. Esto se debe a que la segunda cesta de bienes se encuentra en el mismo mapa de indiferencia, pero la primera cesta era el único punto de ese mapa que resultaba alcanzable con el gasto total anterior. Por tanto, si p_r ($r = 1, 2, ..., n$) son los precios que rigen antes del cambio, $p_r + dp_r$ serán los precios que regirán después; si x_r son las cantidades compradas antes, $x_r + dx_r$ serán las cantidades compradas después. De este principio se deduce que, a lo largo de un mapa de indiferencia dado

$$\sum p_r x_r < \sum p_r (x_r + dx_r). \qquad \therefore \ \sum p_r \, dx_r > 0.$$

(Para un movimiento infinitesimal, se deduce de nuestra regla 3, en la p. 350 anterior, que $\sum p_r \, dx_r = 0$, como se extrae del contacto entre la «curva de indiferencia» y la «línea de precios». Se cumple la nueva regla para desplazamientos más que infinitesimales).

Si comenzáramos con la segunda posición y volviésemos a la primera, por las mismas razones tendríamos

$$\sum (p_r + dp_r)(x_r + dx_r) < \sum (p_r + dp_r) x_r. \qquad \therefore \ \sum (p_r + dp_r) dx_r < 0.$$

De estas dos desigualdades se deduce que $\sum dp_r\, dx_r < 0$, como sucedía para los desplazamientos infinitesimales en la sección 8 del apéndice matemático.

2. Merece la pena mencionar dos aplicaciones de las proposiciones anteriores. Una se relaciona con la teoría de los números índice. Tenemos, a partir de la segunda de las desigualdades anteriores, que

$$\frac{\sum (p_r + dp_r)(x_r + dx_r)}{\sum p_r(x_r + dx_r)} < \frac{\sum (p_r + dp_r)x_r}{\sum p_r(x_r + dx_r)},$$

Y, a partir de la primera

$$\frac{\sum (p_r + dp_r)x_r}{\sum p_r(x_r + dx_r)} < \frac{\sum (p_r + dp_r)x_r}{\sum p_r\, x_r}.$$

En consecuencia,

$$\frac{\sum (p_r + dp_r)(x_r + dx_r)}{\sum p_r(x_r + dx_r)} < \frac{\sum (p_r + dp_r)x_r}{\sum p_r x_r}.$$

El primero de ellos es el índice de precios de Paasche (ponderado por las cantidades consumidas en la segunda de las dos situaciones); el segundo es el número índice de Laspeyre (ponderado por las cantidades consumidas en el primero). Por tanto, de nuestras proposiciones se desprende que, en las condiciones supuestas, el número índice de Paasche debe ser menor que el de Laspeyre.

Sin embargo, solo se ha demostrado que este resultado se mantiene cuando el consumidor permanece en el mismo nivel de indiferencia –es decir, aunque haya habido un cambio en los precios relativos, no ha habido ningún cambio en el ingreso real–. Si se produce un cambio en el ingreso real, entonces habrá un efecto renta que, posiblemente, distorsione la relación ortodoxa entre los números índice, que, por tanto, podrá verse como una relación en el universo de los efectos sustitución. *A fortiori*, cuando el argumento se aplica a un grupo de consumidores en vez de a uno solo, puede haber perturbaciones debidas a la redistribución del ingreso real como resultado de la variación de precios. (Algunas de estas reservas se discuten en Bowley, «Earnings and Prices», *Review of Economic Studies*, junio de 1941.)

Finalmente, debemos hacer hincapié en que el argumento se refiere al efecto de los precios cambiantes sobre el comportamiento de un consumidor, o consumidores, con deseos dados. Si el cambio que ha tenido lugar es un cambio en los deseos, con una capacidad productiva dada, en vez de un cambio en la capacidad productiva con deseos dados, entonces es posible que debamos esperar que se invierta la relación entre los números índice.

3. La otra aplicación se refiere a la generalización de la proposición fundamental sobre el excedente del consumidor, dada en la p. 52-3. Allí se demostró que, si cae el precio de una mercancía en particular, la variación compensatoria en el ingreso debe ser mayor que la diferencia entre el coste de compra de la cantidad previamente comprada, al precio antiguo y al nuevo. Evidentemente, el mismo argumento se puede utilizar en el caso de un cambio de precios más complejo, digamos una caída de dos o tres precios simultáneamente. Cuando un precio se reduce de p a $p + dp$ (dp se toma como negativo), la variación de compensación es mayor que $-x\,dp$; cuando se reducen varios precios, la variación de compensación es mayor que $-\sum x\,dp$, ya que sigue siendo cierto que si se redujeran los precios y al mismo tiempo se redujeran los ingresos en $-\sum x\,dp$, se podrían comprar las mismas cantidades de bienes que antes, de modo que el consumidor no podría estar en peor situación. Sin embargo, se abrirían nuevas oportunidades de sustitución que no eran posibles en la situación anterior, de modo que, por lo general, podrá mejorar su situación. Si no va a estar mejor, debe perder más de $-\sum x\,dp$.

Considérese la expresión matemática de este teorema. Sabemos que en una posición de equilibrio

$$u = u(x_1, x_2, ..., x_n), \qquad M = \sum p_r x_r, \qquad u_r = \mu p_r \quad (r = 1, 2, ..., n).$$

A partir de estas $n + 2$ ecuaciones, en principio, es posible eliminar las $n + 1$ variables $x_1, x_2, ..., x_n, \mu$, quedándonos con una única ecuación entre $M_1\,p_1, p_2, ..., p_n, u$. Consideremos esta como una expresión de M en términos del resto. Las derivadas parciales de M con respecto a los precios (considerando u constante) nos dan las variaciones compensatorias en M (ingreso) que compensan los cambios particulares en los precios y no afectan al nivel de utilidad u. (Dado que solo nos interesan los casos en los que u se considera constante, la indeterminación de la función de utilidad es irrelevante para el argumento).

La variación compensatoria correspondiente a una variación general de precios vendrá dada por

$$dM = \sum_r \frac{\partial M}{\partial p_r} dp_r + \tfrac{1}{2} \sum_r \sum_s \frac{\partial^2 M}{\partial p_r \, \partial p_s} dp_r \, dp_s,$$

yendo a la aproximación cuadrática, como sucede siempre en los problemas del excedente del consumidor.

Ahora bien, $\dfrac{\partial M}{\partial p_r} = x_r + \sum p_s \dfrac{\partial x_s}{\partial p_r}$ (a partir de la segunda de las ecuaciones

de equilibrio), mientras que con u constante $\mathbf{o} = \dfrac{\partial u}{\partial p_r} = \sum_s u_s \dfrac{\partial x_s}{\partial p_r} = \mu \sum_s p_s \dfrac{\partial x_s}{\partial p_r}$

(a partir de la tercera ecuación de equilibrio), de modo que, con u constante,

$\sum_s p_s \dfrac{\partial x_s}{\partial p_r} = \mathbf{o}$, y, por tanto, $\dfrac{\partial M}{\partial p_r} = x_r.$

En consecuencia, también se deduce que $\dfrac{\partial^2 M}{\partial p_r \partial p_s} = \dfrac{\partial x_r}{\partial p_s}$, tomado a lo largo de la

misma superficie de indiferencia; y esto $= X_{rs}.$ El término cuadrático se reduce, por tanto, a $\frac{1}{2}\sum\sum X_{rs}\,dp_r\,dp_s$ (o $\frac{1}{2}\sum dx_r\,dp_r$ tomado a lo largo de la superficie de indiferencia), y este, como hemos visto, es negativo definido.

Por tanto, $dM = \sum_r x_r\,dp_r + \frac{1}{2}\sum_r\sum_s \mathbf{x}_{rs}\,dp_r\,dp_s.$ Para una caída de los precios, todos estos términos son negativos y, en consecuencia, la variación de la compensación es numéricamente mayor que $-\sum x\,dp$. Para un aumento de precios, los dos primeros términos serán positivos y, por tanto, la variación compensatoria será menor que $\sum x\,dp$.

Discusiones ulteriores sobre la teoría del excedente del consumidor que han tenido lugar desde la primera publicación de este libro han demostrado que es necesario distinguir entre la variación compensatoria, que mide el cambio en el ingreso que compensa un cambio dado en los precios, y la variación equivalente, que es el cambio en el ingreso que tiene lugar en la situación de precios inicial, y que induce el mismo cambio en la utilidad que el producido por el cambio de precios. Dado que el cambio de utilidad resultante de un cambio dado en los precios es igual y opuesto al cambio de utilidad que resulta de un cambio opuesto en los precios, la variación equivalente, para un cambio del sistema de precios A al sistema de precios B, es la misma que la variación compensatoria para un cambio del sistema de precios B al sistema de precios A. Por tanto, podemos calcular la variación equivalente para un cambio de precios de p_r a $p_r + dp_r$ ($r = 1, 2, ..., n$) considerando la variación compensatoria para un cambio de $p_r + dp_r$ a p_r. Sustituyendo en nuestra fórmula (hemos de recordar que las cantidades relevantes ahora deben ajustarse a un cambio en los precios sin compensar el cambio en el ingreso, por lo que debemos extendernos usando nuestra ecuación fundamental (p. 348), y no yendo a lo largo del mapa de indiferencia), para la variación equivalente tenemos, procediendo como antes para la aproximación cuadrática,

$$-d'M = \sum_r (x_r + dx_r)(-dp_r) + \tfrac{1}{2} \sum_r \sum_s \mathbf{x}_{rs}(-dp_r)(-dp_s)$$

$$= -\sum_r (x_r + dx_r)dp_r + \tfrac{1}{2} \sum_r \sum_s \mathbf{x}_{rs} dp_r dp_s$$

$$= -\sum_r x_r dp_r - \sum_{rs} \frac{\partial x_r}{\partial p_s} dp_r dp_s + \tfrac{1}{2} \sum_r \sum_s \mathbf{x}_{rs} dp_r dp_s$$

$$= -\sum_r x_r dp_r + \sum x_s dp_s \sum \frac{\partial x_r}{\partial M} dp_r - \tfrac{1}{2} \sum_r \sum_s \mathbf{x}_{rs} dp_r dp_s.$$

Por tanto,

$$d'M = \sum_r x_r dp_r - \sum x_s dp_s \sum \frac{\partial x_r}{\partial M} dp_r + \tfrac{1}{2} \sum_{rs} \mathbf{x}_{rs} dp_r dp_s.$$

Esta fórmula es igual para la variación compensatoria, excepto por la inclusión de un término de ingreso, que corresponde a la diferencia en la utilidad marginal del dinero en los dos mapas de indiferencia sobre los que estamos procediendo respectivamente.

Se observará que existe una relación simétrica entre las dos variaciones y sus límites, $\sum x\, dp$ y $\sum (x + dx)dp$, que corresponden a los rectángulos interior y exterior *kpzk'*, *kz'p'k'* en la Fig.10 (p. 50 anterior). Para la variación equivalente

$$= \sum (x+dx)dp - \tfrac{1}{2} \sum \sum \mathbf{x}_{rs} dp_r dp_s$$

$$= \sum x\, dp - \sum x\, dp \sum \frac{\partial x}{\partial M} dp + \tfrac{1}{2} \sum \sum \mathbf{x}_{rs} dp_r dp_s;$$

La variación compensatoria es

$$= \sum x\, dp + \tfrac{1}{2} \sum \sum \mathbf{x}_{rs} dp_r dp_s$$

$$= \sum (x+dx)dp + \sum x\, dp \sum \frac{\partial x}{\partial M} dp - \tfrac{1}{2} \sum \sum \mathbf{x}_{rs} dp_r dp_s.$$

El incremento en el triángulo bajo la curva de demanda (*kpp'k'*), medido tomando *pp'* aproximadamente como una línea recta, es $(x + \tfrac{1}{2} dx)\, dp$, y esto se encuentra, exactamente, a medio camino entre las variaciones equivalentes y compensatorias.

Lo anterior es una versión simplificada y mejorada de una discusión que apareció por primera vez en mi artículo «Consumers' Surplus and Index Numbers», *Review of Economic Studies*, 1942. Solo tiene que ver con lo que posteriormente he llamado «variaciones del precio» en contraste con «variaciones de la cantidad» («The Four Consumer's Surpluses», *Review of Economic Studies*, 1944). Un estudio más completo de la teoría del excedente del consumidor excedería el alcance de este libro.

Nota adicional B
La estabilidad imperfecta del sistema en equilibrio temporal

Como resultado del trabajo del profesor Lange[1] y del Dr. Mosak,[2] ahora pienso que la discusión de los capítulos XX y XXI requiere matizarse algo más. Las modificaciones que ahora debo introducir no cambian las líneas principales del argumento y, por tanto, he pensado que es mejor dejar el texto inalterado. Lo que viene a continuación es, en realidad, una nota a pie de página ampliada. La mayor parte es un extracto de una reseña de los libros de Lange y Mosak que publiqué en 1945 en *Economica*.

Las cuestiones cruciales (en torno a las que gira el argumento de estos capítulos) son las del efecto de un aumento (o caída) en los precios de todos los bienes (incluidos los factores) en la misma proporción: (*a*) los tipos de interés no cambian; (*b*) se permiten cambios consiguientes en los tipos de interés. Dado que los precios de todos los bienes varían en la misma proporción, no es necesario distinguir, a los efectos de este problema, entre un bien y otro; podemos agruparlos todos y hablar de cambios en el «nivel de precios» de los bienes corrientes. Del mismo modo, en el problema (*a*) la constancia de los tipos de interés nos permite tratar el dinero y los bonos[3] como una sola «mercancía», de modo que en nuestro sistema solo tenemos dos «mercancías», y las dificultades técnicas se reducen al mínimo. Siguen existiendo ciertas dificultades, bastante importantes, acerca de los supuestos que nos ocupan, y resulta evidente que en el texto no fui lo suficientemente cuidadoso.

Si hay un aumento en el nivel de precios y el tipo de interés es constante, solo es posible que haya un efecto sustitución positivo a favor de los bienes futuros si las expectativas de precios tienen una elasticidad menor que la unidad. Si las expectativas de precio tienen una elasticidad unitaria, no puede haber efecto sustitución. Esto es lo que mantuve, y creo que hay acuerdo en torno a ello. Además, la demanda y oferta de «dinero más bonos» simplemente refleja la demanda y oferta de bienes futuros. Por tanto, no puede haber un efecto sustitución a favor de «dinero más bonos».

Sin embargo, ¿qué pasa con el efecto renta? En principio, habrá un efecto renta, porque las tenencias iniciales de «dinero más bonos» de diferentes personas serán

[1] Lange, *Price Flexibility and Employment,* Cowles Commission, 1944.
[2] Mosak, *General Equilibrium Theory in International Trade,* Cowles Commission, 1944.
[3] Correctamente sustituido por Lange (p. 15) por mis «valores». Por supuesto, los precios de las acciones ordinarias se ajustarán al nivel de precios de las mercancías.

diferentes. De hecho, puede ser que algunas personas comiencen la semana con tenencias positivas de «dinero más bonos», y otras personas con tenencias negativas. Un aumento en el nivel de precios significa una caída en el valor real de estas tenencias, y esto afectará a la distribución del poder adquisitivo en la comunidad. Puede que mi análisis haya resultado defectuoso por no haber considerado suficientes problemas con este efecto renta. (Estaba demasiado enamorado de la simplificación que implica suponer que se cancelan los efectos sobre los ingresos cuando aparecen en ambos lados del mercado).

Es necesario distinguir dos casos. En el primero, el único dinero en nuestra economía es crédito puro. Es dinero, no un bono, en el sentido de que no devenga intereses; simplemente registra una deuda de uno de los «individuos» de la economía (que puede ser un banco) con otro. En este caso, las tenencias positivas y negativas de dinero deben haber sido inicialmente iguales, al igual que las tenencias positivas y negativas de bonos ciertamente deben haber sido iguales. En consecuencia, un aumento en el nivel de precios debe mejorar la situación de algunos «individuos» exactamente en la misma medida en que empeora la situación de otros. Si los efectos sobre los ingresos que producen estos dos movimientos son simétricos, el efecto sobre el ingreso neto será cero. El sistema estará en equilibrio neutro. Este es el caso de Wicksell, y aquí, se ha tenido en cuenta suficientemente el efecto renta en nuestra discusión sobre los contratos pasados, p. 296 anterior.

Volveremos a este caso enseguida. Por el momento, contrastémoslo con el otro. Si el dinero crediticio no es el único tipo de dinero, sino que también hay algo de moneda «fuerte» de cualquier tipo (puede ser dinero en metálico, o puede ser una emisión de letras del tesoro basada en principios que se suponen externos a nuestro sistema) –entonces las tenencias positivas de dinero van más allá de las negativas, de modo que aun cuando los efectos renta sean simétricos, una caída en el valor real del dinero disminuirá el poder adquisitivo real y la estabilidad del sistema se mantendrá mediante el efecto ingreso–. Por supuesto, incluso en este caso, el sistema no es necesariamente estable. Su estabilidad puede verse alterada por efectos asimétricos del ingreso, y puede que resulte muy probable que eso suceda una vez que se elimine el efecto estabilizador habitual del efecto sustitución. La inestabilidad a través de los efectos asimétricos de la renta es, sin embargo, una posibilidad perfectamente general, que pasa por un análisis tanto estático como dinámico.

Hasta aquí el primer problema, el de la estabilidad de un sistema con tipos de interés constantes. No resulta sorprendente descubrir que, cuando tenemos en cuenta las repercusiones en los tipos de interés, tenemos que mantener la misma diferencia. Hemos visto que una economía de crédito pura, con efectos renta simétricos, está en equilibrio neutral cuando los tipos de interés se mantienen constantes. *En tal caso, no es muy evidente por qué debería cambiar el tipo de interés, cuando puede moverse libremente*, ya que, en este tipo de economía, la creación de dinero dependerá de la voluntad de prestar y pedir prestado, al igual que la creación de bonos. El mantenimiento del mismo sistema *real*, a un nivel de precios más alto, debería incentivar la creación de dinero suficientemente como para sostener el nivel de precios más alto. El sistema no es simplemente imperfectamente estable; está en equilibrio neutral incluso cuando se tienen en cuenta todas las repercusiones.

Por otro lado, no es probable que la economía con algo de dinero «base» se mantenga estable simplemente por el efecto renta aquí discutido. Es probable también descubrir que en el nivel de precios más alto no hay suficiente base monetaria como para sostener este nivel de precios, por lo que hay un efecto estabilizador a través del tipo de interés, así como el efecto renta estabilizador. Este es el caso que nos preocupaba principalmente en el texto. Parece por tanto que nuestro análisis es válido, excepto que debería haber tenido en cuenta el efecto renta y lo pasé por alto (lamento decirlo).

Este efecto renta en el caso del dinero «base» parece coincidir con el que ha planteado últimamente el profesor Pigou en su crítica de la teoría keynesiana.[4] Yo mismo no le doy mucha importancia práctica, pero no tengo ninguna duda de que es teóricamente valido y, en principio, debería admitirse.

Nota adicional C
Teoría dinámica del Profesor Samuelson

Quizá el desarrollo teórico más importante que se ha producido entre 1938 y 1946 en el campo de análisis del que se ocupa este libro sea la aparición de la teoría de la «estabilidad dinámica» debida al profesor Samuelson.[5] La teoría de Samuelson es demasiado compleja como para ser discutida adecuadamente en el espacio que ahora tengo a mi disposición. Además, no puedo fingir que me he familiarizado con ella tanto como para haber tomado una decisión al respecto. Pero es demasiado importante como para no decir algo al respecto.

Mi análisis del equilibrio estático en este libro no ha sido más que un preámbulo de lo que he llamado dinámica económica. Por tanto, la discusión sobre la estabilidad estática ha sido deliberada y explícitamente atemporal. Y cuando he pasado a mi dinámica, la discusión de la *estabilidad* se ha mantenido atemporal, al menos

---

[4] Pigou, «The Classical Stationary State», *Economical Journal,* 1943; *Lapses from Full Employment,* 1945, cap. 5.

[5] P. A. Samuelson, «The Stability of Equilibrium: Comparative Statics and Dynamics», *Econometrica,* 1941; «The Stability of Equilibrium: Linear and Non-Linear Systems», *Econometrica,* 1942; «The Relation between Hicksian Stability and True Dynamic Stability», *Econometrica,* 1944· Véase, también, O. Lange, *Price Flexibility and Employment,* Appendix; y Lloyd A. Metzler, «Stability of Multiple Markets: The Hicks Conditions», *Econometrica,* 1945.

en este sentido: que supuse que el proceso de ajuste al equilibrio temporal se completaría en un período corto (una «semana»), en tanto que descuidé el movimiento de precios dentro de la semana, de modo que podría considerarse que mi sistema económico suponía una serie de equilibrios temporales. Al adoptar este mecanismo, estaba siguiendo la tradición de Marshall, aunque, por supuesto, era consciente de que el supuesto de una «transición fácil al equilibrio temporal» requería de una mayor justificación cuando se aplicaba a mi problema de muchos mercados que cuando se aplicaba al caso de Marshall del mercado único. En la nota de las páginas 144-6, me esforcé por proporcionar esa justificación, pero no esperaba quedar muy satisfecho con los resultados. Sin embargo, eso fue todo lo que pude hacer con la técnica que tenía a mi disposición.

El profesor Samuelson ha utilizado una artillería matemática mucho más pesada que la mía en este tema en particular y, sin duda, ha hecho importantes avances. Él deja de creer en una transición rápida y fácil al equilibrio temporal al suponer, en cambio, que las relaciones de cambio de precios son funciones de las diferencias entre la demanda y la oferta. Toda su teoría se vuelve así dinámica en un sentido diferente al mío, pero quizá más aceptable para los matemáticos. El argumento se produce en términos de ecuaciones diferenciales y en diferencias, en vez de mis ecuaciones ordinarias. Así, desarrolla interesantes posibilidades de oscilación y periodicidad.

Con esta nueva técnica, mi teoría estática se puede «dinamizar». Es posible estudiar la estabilidad del sistema estático en el sentido de ver si los movimientos que se producen cuando un sistema está inicialmente fuera de equilibrio convergerán a una posición de equilibrio. Dado que el sistema de Samuelson tiene un nuevo grado de libertad, no es de extrañar que sus condiciones de estabilidad sean diferentes a las mías y sean más elaboradas. Este sistema puede que no tenga estabilidad, no solo por mis razones, sino por la falta de ajuste entre los ritmos de adaptación en diferentes mercados, o los ritmos de respuesta de las personas que intercambian. Todo esto abre una línea de investigación muy prometedora, que en modo alguno se agota con el trabajo realizado hasta ahora.

El trabajo del profesor Samuelson representa, así, un avance importante en nuestro conocimiento de la mecánica de los mercados relacionados. Su «dinamización» de la teoría estática es un logro notable, pero creo que todavía hace falta algo parecido a mi teoría dinámica, y echo de menos eso en el trabajo de Samuelson. Mediante mi hipótesis de ajuste instantáneo en esencia, reduje a los términos más simples la parte puramente mecánica de mi teoría dinámica. Ahora bien, resulta bastante evidente que la simplifiqué en exceso. Pero al hacerlo, quedé libre de poder dedicarme a las partes menos mecánicas de la teoría –las expectativas, etc.– Sigo pensando que este procedimiento tiene su utilidad, y lamento abandonarlo por completo en aras de centrarme únicamente en el mecanismo. Puede ser que para el trabajo econométrico todo lo que necesitemos sea una teoría como la de Samuelson, que proporciona un modelo magnífico para el ajuste estadístico. Sin embargo, para la comprensión del sistema económico necesitamos algo más, algo que se refiera en última instancia al comportamiento de las personas y los motivos de su conducta. Puede que se descubran nuevas formas para conservar estas ventajas, así como las ventajas de una teoría mecánica, pero no creo que todavía se hayan descubierto.

Existe un notable paralelismo entre el trabajo realizado por Samuelson en economía del equilibrio general y el realizado por Kalecki y otros económetras sobre la teoría del ciclo económico. Una de las cuestiones económicas más importantes que queda por resolver es si el ciclo económico se explica mejor en términos de periodicidades mecánicas, que pueden expresarse mediante ecuaciones en diferencias, o si en última instancia es más potente una teoría del equilibrio temporal del tipo keynesiano. Sin duda, la respuesta a esa pregunta resolverá en algún momento la cuestión –acerca del enfoque y el método, más que del detalle– algo que sigue siendo un tema de discusión entre Samuelson y yo.

Escritos escogidos

Keynes y los clásicos: una posible interpretación[*][1]

[*] Traducción del texto original: HICKS, J. R. (1937), «Mr. Keynes and the "Classics"; A Suggested Interpretation», *Econometrica*, Vol. 5, No. 2 (Apr.), pp. 147-159.
[1] Basado en un artículo que se presentó en una reunión de la *Econometric Society* en Oxford (septiembre de 1936) y que suscitó un interesante debate. Posteriormente fue modificado, en parte a la luz de esa polémica, y en parte por debates posteriores en Cambridge.

I

Incluso el lector menos benévolo debe admitir que los detalles satíricos de la *Teoría general del empleo* de Keynes la hacen entretenida. Pero también es evidente que esta Soseida[2] ha dejado desconcertados a muchos lectores. Aunque hayan quedado convencidos con los argumentos de Keynes y reconozcan humildemente haber sido «economistas clásicos» en el pasado, les cuesta recordar que en sus días de ceguera creyeran las cosas que Keynes dice que creían. Y no hay duda de que antiguos reparos frenarán a algunos, y les impedirán obtener tanta iluminación de esta teoría positiva de lo que de otra manera habrían obtenido.

Una de las principales razones de esta situación indudablemente es que Keynes considera típicos de la «economía clásica» los últimos escritos del profesor Pigou, en particular *La teoría del desempleo*. Ahora bien, *La teoría del desempleo* es un libro bastante reciente y extremadamente difícil de entender; por lo que podríamos decir que todavía no ha influido mucho en la enseñanza ordinaria de la economía. Para la mayoría de la gente, sus doctrinas parecen tan extrañas y novedosas como las del propio Keynes; así que el economista común queda bastante desconcertado cuando le dicen que él mismo ha creído esas cosas.

Por ejemplo, la teoría de Pigou está planteada, en una medida bastante sorprendente, en términos reales. Su teoría no solo es una teoría de los salarios reales y el desempleo; si no que Pigou investiga una serie de problemas, que cualquier otra persona hubiera preferido estudiar en términos monetarios, en términos de «bienes salariales». El economista clásico ordinario no hace este esfuerzo titánico.

[2] NT: Dunciad, traducible al español por algo así como La Soseida, es un poema narrativo satírico escrito por el poeta inglés Alexander Pope (1688-1744).

Pero si, en nombre del economista clásico típico, éste hubiera preferido investigar muchos de esos problemas en términos monetarios, Keynes respondería que no existe una teoría clásica de los salarios monetarios y el empleo. Es bastante cierto que tal teoría no se encuentra fácilmente en los libros de texto. Pero esto se debe sólo a que la mayoría de los libros de texto se escribieron en un momento en que las variaciones generales en los salarios monetarios en un sistema cerrado no eran un problema importante. No cabe duda de que la mayoría de los economistas creía tener una idea bastante clara de cuál era realmente la relación entre salarios nominales y empleo.

En estas circunstancias, parece que mereciera la pena intentar construir una teoría «clásica» típica sobre un modelo más viejo y rudimentario que el del profesor Pigou. Si podemos construir una teoría de este tipo y demostrar que da los resultados que habitualmente se han dado por sentados, pero que no concuerdan con las conclusiones de Keynes, entonces tendremos por fin una base de comparación satisfactoria. Podremos esperar aislar las innovaciones de Keynes y así descubrir cuáles son las cuestiones que están en disputa.

Dado que nuestro propósito es establecer comparaciones, intentaré exponer una teoría clásica típica de forma similar a la que Keynes presenta en su propia teoría; y dejaré de lado todas las complicaciones secundarias que no se relacionen directamente con la cuestión que nos ocupa. Por lo tanto, supondré un periodo de corto plazo en el que la cantidad de equipo físico disponible puede considerarse fija. Supongamos que el trabajo es homogéneo. Además supongamos que podemos ignorar la depreciación, de modo que la producción de bienes de inversión corresponde a nuevas inversiones. Ésta es una simplificación arriesgada, pero las importantes cuestiones planteadas por Keynes en su capítulo sobre el coste del consumidor final son irrelevantes para nuestros propósitos.

Comencemos suponiendo que w, la tasa de salario monetario per cápita, puede tomarse como dada.

Sean x e y la producción de bienes de inversión y bienes de consumo respectivamente, y N_x y N_y la cantidad de trabajadores empleados en su producción. Puesto que está dada la cantidad de equipo físico especializado en cada sector, $x = f_x (N_x)$ e $y = f_y (N_y)$, las funciones f_x y f_y también están *dadas*.

Sea M la cantidad *dada* de dinero.

Se desea determinar N_x y N_y.

Primero, el nivel de precios de los bienes de inversión = su costo marginal = $w(dN_x/dx)$. Y el nivel de precios de los bienes de consumo = su costo marginal = $w(dN_y/dy)$

Los ingresos obtenidos en operaciones de inversión (valor de la inversión, o simplemente Inversión) = $wx(dN_x/dx)$. Llamemos a esto I_x.

Los ingresos obtenidos en operaciones de consumo = $wy(dN_y/dy)$.

Los ingresos totales = $wx (dN_x/dx) + wy (dN_y/dy)$. Llámese a esto I.

Por tanto, I_x, es una función dada de N_x, I de N_x y N_y. En el momento en que se determinan I e I_x, pueden determinarse N_x y N_y.

Supongamos ahora la «ecuación cuantitativa de Cambridge», que hay una relación definida entre el ingreso y la demanda de dinero. Entonces, aproximadamente, y aparte del hecho de que la demanda de dinero puede no solo depender del ingreso total, sino también de su distribución entre personas con demandas de saldos relativamente grandes y pequeñas, podemos escribir

$$M = kI.$$

Mientras esté dado k, el ingreso total está determinado.

Para determinar I_x, necesitamos dos ecuaciones. Una que nos diga que la cantidad de inversión (considerada como demanda de capital) depende del tipo de interés:

$$I_x = C(i)$$

Esto se convierte en la curva de eficiencia marginal del capital en la obra de Keynes.

Además, Inversión = Ahorro. Y el ahorro depende del tipo de interés y, si se quiere, de los ingresos. Así, $\therefore I_x = S(i, I)$. (Dado que en cualquier caso los ingresos ya están determinados, no necesitamos introducir los ingresos aquí a menos que queramos).

Sin embargo, tomándolas como un sistema, tenemos tres ecuaciones fundamentales,

$$M = kI, \quad I_x = C(i), \quad I_x = S(i, I)$$

para determinar tres incógnitas, I, I_x, i. Como vimos anteriormente, N_x y N_y pueden determinarse a partir de I e I_x. El empleo total, $N_x + N_y$, está entonces determinado.

Consideremos algunas propiedades de este sistema. De la primera ecuación se deduce directamente que si k y M están dadas, entonces I queda completamente determinada; es decir, la renta total depende directamente de la cantidad de dinero. Sin embargo, el empleo total no se determina necesariamente de inmediato a partir del ingreso, ya que generalmente dependerá en cierto modo de la proporción ahorrada de los ingresos y, por lo tanto, de la forma en que la producción se divide entre las operaciones de inversión y los bienes de consumo. Si las elasticidades de la oferta fueran las mismas en cada una de estas operaciones, entonces un desplazamiento de la demanda entre ellas produciría movimientos compensatorios entre N_x y N_y, y por lo tanto no hay cambio en el empleo total.

Un aumento en el incentivo a invertir (es decir, un movimiento hacia la derecha de la curva de eficiencia marginal del capital, que hemos escrito como $C(i)$) tenderá a elevar el tipo de interés y, por lo tanto, afectará al ahorro. Si la cantidad de ahorro aumenta, la cantidad de inversión también aumentará; la mano de obra se empleará más en las operaciones de inversión que en las de consumo; esto aumentará el empleo total si la elasticidad de la oferta en las operaciones de inversión es mayor que en las de bienes de consumo –y disminuirá si *viceversa*–.

Un aumento en la oferta de dinero necesariamente aumentará el ingreso total, ya que la gente hará más gastos y préstamos hasta que los ingresos hayan aumentado lo suficiente como para restaurar k a su nivel anterior. El aumento del ingreso tenderá a aumentar el empleo, tanto para la fabricación de bienes de consumo como de bienes de inversión. El efecto total sobre el empleo dependerá de la relación entre las expansiones de estas industrias; y eso depende de la proporción que la gente desee ahorrar sus mayores ingresos, lo que también determina el tipo de interés.

Hasta ahora hemos supuesto dada la tasa de salario monetario; pero siempre que supongamos que *k* es independiente del nivel de salarios, ello no entraña ningún problema. Un aumento en la tasa de salarios monetarios necesariamente disminuirá el empleo y aumentará los salarios reales. Una renta monetaria invariable no puede seguir comprando una cantidad invariable de bienes a un nivel de precios más alto; y, a menos que aumente el nivel de precios, los precios de los bienes no cubrirán sus costos marginales. Por tanto, debe producirse una caída del empleo; a medida que disminuye el empleo, los costes marginales en términos de mano de obra disminuirán y, por lo tanto, los salarios reales aumentarán. Dado que un cambio en los salarios monetarios siempre va acompañado de un cambio en los salarios reales en la misma dirección, si no en la misma proporción, no hay objeción, y quizás si alguna ventaja, en trabajar en términos de salarios reales. Naturalmente, la mayoría de los «economistas clásicos» han adoptado esta estrategia.

Creo que estaremos de acuerdo en que esta es una teoría bastante coherente, y que además es coherente con lo que un destacado grupo de economistas ha defendido. De esta teoría se desprende que puede aumentar el empleo usando directamente la inflación; pero que se decida defender esa política depende de cuál se piense que es la reacción probable en los salarios y también, en el ámbito nacional, en el patrón internacional.

Históricamente, esta teoría proviene de Ricardo, aunque en realidad no es ricardiana; puede ser aproximadamente la teoría que sostuvo Marshall. Pero en el momento en que la presentó Marshall, ya estaba comenzando a matizarse de manera importante; sus sucesores la han matizado aún más. Lo que ha hecho Keynes es poner un enorme énfasis en las restricciones, de modo que casi anulan la teoría original. Sigamos este proceso de desarrollo.

II

Cuando una teoría como la «clásica» que acabamos de describir se aplica al análisis de las fluctuaciones industriales, comienza a encontrarse con dificultades. Es evidente que los ingresos monetarios totales experimentan grandes variaciones en el curso del ciclo económico, y la teoría clásica sólo puede explicarlas a través de variaciones en M o k, o, como tercera y última alternativa, por cambios en la distribución.

(1)   La variación en M es la más simple y obvia, y ha sido utilizada en gran medida. Pero las variaciones en M que son rastreables durante un ciclo económico se producen a través de los bancos –son variaciones en los préstamos bancarios–. Si vamos a confiar en ellas, es urgente que expliquemos la conexión entre la oferta de dinero bancario y el tipo de interés. A grandes rasgos, podemos hacerlo considerando a los bancos como personas propensas a transferir dinero prestando en vez de gastando. Por tanto, al principio tienden a reducir los tipos de interés, y sólo después, cuando el dinero pasa a las manos de los que gastan, los precios y los ingresos se elevan. «La nueva moneda, o el aumento de la cantidad de moneda, va, no a los individuos, sino a los centros bancarios; y por lo tanto, aumenta la disposición de los prestamistas a prestar en primera instancia y baja el tipo de descuento. Pero luego eleva los precios y, por tanto, tiende a incrementar el descuento»[3]. Esto es superficialmente satisfactorio; pero si quisiéramos dar una descripción más precisa de este proceso, pronto nos encontraríamos en aprietos. ¿Qué determina la cantidad de dinero necesaria para producir una caída determinada en el tipo de interés? ¿Qué determina el período de tiempo que durará el bajo tipo de interés? Estas no son preguntas fáciles de responder.

(2)   Mientras confiemos en los cambios en k, podemos seguir adelante. Los cambios en k pueden estar relacionados con cambios en la confianza, y es realista sostener que el aumento de los precios en un periodo de auge se produce porque el optimismo hace que se reduzcan los saldos; la caída de precios de una recesión se da porque el pesimismo y la incertidumbre hacen que estos aumenten. Pero una vez dicho esto, sería natural preguntarnos si k no ha dejado de ser una variable independiente y no puede verse influida por otras variables de nuestras ecuaciones fundamentales.

(3)   Esta última consideración está claramente respaldada por otra, de carácter más puramente teórico. Basándose en la teoría pura del valor, es evidente que el sacrificio directo que hace una persona por poseer una reserva de dinero son los intereses que no obtiene; y es difícil creer que el principio marginal no funcione en absoluto en este área. Como dijo Lavington: «La cantidad de recursos que (un individuo) tiene en forma de dinero será tal que la unidad de dinero que le merece la pena mantener le produce un retorno en forma de comodidad y seguridad igual a la tasa de satisfacción derivada de la unidad marginal gastada en bienes consumibles, e igual también al tipo de interés neto».[4] ¡La demanda de dinero depende del tipo de interés! El escenario está listo para el Sr Keynes.

Frente a las tres ecuaciones de la teoría clásica,

$$M = kI, \quad I_x = C(i), \quad I_x = S(i, I)$$

[3]   MARSHALL, *Money, Credit and Commerce*, p. 257.
[4]   LAVINGTON, *English Capital Market*, 1921, p. 30. Véase, también, PIGOU, «El valor de cambio del dinero de curso legal», en *Essays in Applied Economics*, 1922, pp. 179-181.

Keynes comienza con tres ecuaciones,

$$M = L(i), \quad I_x = C(i), \quad I_x = S(I)$$

Estas difieren de las ecuaciones clásicas de dos maneras. Por un lado, la demanda de dinero se considera dependiente del tipo de interés (la preferencia por la liquidez). Por otro lado, se ignora cualquier posible influencia del tipo de interés sobre la cantidad ahorrada de un ingreso dado. Aunque eso implica que la tercera ecuación se convierte en la ecuación del multiplicador, en ocasiones tan engañosa, no obstante, esta segunda rectificación es una mera simplificación y, en última instancia, es de poca importancia.[5] Lo que es clave es la doctrina de la preferencia por la liquidez.

Porque en este caso es el tipo de interés, no el ingreso, el que queda determinado por la cantidad de dinero. La relación entre el tipo de interés y la curva de eficiencia marginal del capital determina el valor de la inversión; que determina el ingreso a través del multiplicador. Entonces, el volumen de empleo (a tipos de salario dados) está determinado por el valor de la inversión y de la renta que no se ahorra sino que se gasta en bienes de consumo.

Este sistema de ecuaciones arroja la sorprendente conclusión de que un aumento en el incentivo a invertir, o en la propensión a consumir, no tenderá a elevar el tipo de interés, sino sólo a aumentar el empleo. A pesar de esto, y a pesar de que gran parte del argumento se plantea dentro sólo de este sistema, esto *no es la Teoría General*. Podemos llamarla, si queremos, la *teoría especial* de Keynes. La Teoría General es claramente más ortodoxa.

Como Lavington y el profesor Pigou, Keynes no cree en última instancia que la demanda de dinero pueda determinarse sólo a través de una variable, ni aunque sea el tipo de interés. Keynes le da más importancia que aquellos, pero ni para él ni para ellos puede ser la única variable a considerar. La dependencia de la demanda de dinero de los intereses no hace más que calificar la antigua dependencia de los ingresos. Por mucho hincapié que hagamos en el «motivo especulación», el motivo «transacciones» siempre debe estar ahí.

Por tanto, tenemos para la Teoría General

$$M = L(I, i), \quad I_x = C(i), \quad I_x = S(I)$$

[5] Esto se puede ver fácilmente si consideramos las ecuaciones
$$M = kI, \quad I_x = C(i), \quad I_x = S(I),$$
que incorporan la segunda enmienda de Keynes sin la primera. La tercera ecuación ya es la ecuación del multiplicador, pero al multiplicador le han cortado las alas. Porque como todavía I depende solo de M, Ix ahora depende solo de M, y es imposible aumentar la inversión sin aumentar la voluntad de ahorrar o la cantidad de dinero. El sistema así generado es, por tanto, idéntico al que, hace unos años, solía llamarse Treasury view (ortodoxia fiscal). Pero la preferencia por la liquidez nos transporta de la «Treasury view» a la «teoría general del empleo».

Con esta revisión, Keynes da un gran paso hacia la ortodoxia marshalliana, y su teoría se hace difícil de distinguir de las teorías marshallianas revisadas y restringidas que, como hemos visto, no son nuevas. ¿Existe realmente alguna diferencia entre ellas, o es todo un espejismo? Recurramos a un gráfico (Figura 1).

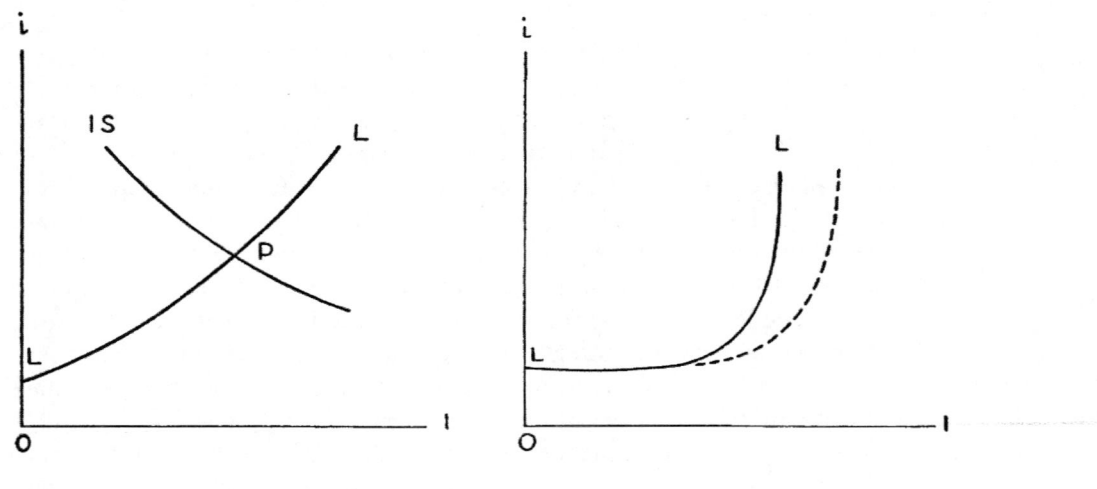

Fig. 1.   Fig. 2.

Con una cantidad de dinero determinada, la primera ecuación, $M = L$ (I, i), define una relación entre el Ingreso (I) y el tipo de interés (i). Esto se puede dibujar como una curva (LL) inclinada hacia arriba, ya que un aumento en el ingreso tiende a elevar la demanda de dinero y un aumento en el tipo de interés tiende a bajarla. Además, las dos segundas ecuaciones tomadas en su conjunto suponen otra relación entre ingreso e interés. La eficiencia marginal del capital determina el valor de la inversión a cualquier tipo de interés dado, y el multiplicador nos dice qué nivel de ingreso será necesario para igualar el ahorro a ese valor de la inversión. Por lo tanto, puede dibujarse la curva IS que muestra la relación entre ingresos y tipo de interés que debe mantenerse para que el ahorro sea igual a la inversión.

El ingreso y el tipo de interés ahora se fijan en P, el punto de intersección de las curvas LL e IS. Se determinan juntos; al igual que el precio y la producción se determinan juntos en la teoría moderna de la oferta y la demanda. Efectivamente, la novedad introducida por Keynes es muy similar, en este sentido, a la de los marginalistas. La teoría cuantitativa intenta determinar el ingreso sin tener en cuenta el tipo de interés, del mismo modo que la teoría del valor-trabajo trató de determinar el precio sin producción. Cada una da lugar a una teoría que reconoce un mayor grado de interdependencia.

III

Pero si esta es la verdadera «Teoría General», ¿por qué Keynes hace sus comentarios sobre un aumento del incentivo a invertir sin elevar el tipo de interés? De nuestro gráfico parecería que un aumento en la curva de eficiencia marginal del capital debe elevar la curva IS; y, por tanto, si bien aumentará el ingreso y el empleo, también aumentará el tipo de interés.

Esto nos lleva a lo que, desde muchos puntos de vista, es la clave del libro de Keynes. No solo podemos decir que una determinada oferta de dinero determina una cierta relación entre ingreso e interés (que hemos expresado mediante la curva *LL*); también es posible decir algo sobre la forma de la curva. Probablemente tenderá a ser casi horizontal a la izquierda y casi vertical a la derecha. Esto se debe a que hay (1) un mínimo por debajo del cual es poco probable que baje el tipo de interés, y (aunque Keynes no hace hincapié en esto) hay (2) un máximo para el nivel de ingresos que posiblemente se pueda financiar con una determinada cantidad de dinero. Si queremos, podemos pensar que la curva se aproxima asintóticamente a estos límites (Figura 2).

Por tanto, si la curva *IS* se encuentra muy a la derecha (ya sea por un fuerte incentivo a invertir o por una fuerte propensión a consumir), *P* estará en la parte de la curva que tiene una pendiente claramente ascendente, y la teoría clásica será una buena aproximación, que no requiere más que las restricciones que le pusieron los últimos marshallianos. Un aumento en el incentivo a invertir elevará el tipo de interés, como en la teoría clásica, pero también tendrá algún efecto subsidiario en el aumento de los ingresos y, por tanto, el empleo (Keynes en 1936 no fue el primer economista de Cambridge que tuvo alguna fe en la inversión en obras públicas). Pero si el punto P se encuentra a la izquierda de la curva *LL*, entonces será válida la forma *especial* de la teoría de Keynes. Un aumento en la curva de eficiencia marginal del capital solo aumenta el empleo y no el tipo de interés. Estamos alejados del mundo clásico.

La demostración de este mínimo es, por tanto, de vital importancia. Es tan importante que me atreveré a parafrasear la evidencia, exponiéndola de una manera bastante diferente a la adoptada por Keynes.[6]

Si pudiéramos ignorar los costes de tenencia de dinero, si el tipo de interés no es mayor que cero siempre será rentable mantener dinero en vez de prestarlo. En consecuencia, el tipo de interés debe ser siempre positivo. En un caso extremo, el menor tipo a corto plazo puede ser casi cero. Pero si es así, el tipo a largo plazo debe estar por encima de él, ya que el tipo a largo plazo debe tener en cuenta el riesgo de que el tipo a corto pueda subir durante la vigencia del préstamo, y debe observarse que el tipo a corto solo puede subir, nunca bajar.[7] Esto no sólo significa

[6] KEYNES, *Teoría general*, pp. 201-202.
[7] Podríamos imaginar que la gente se pudiera acostumbrar tanto a la idea de tipos de interés a corto muy bajos que no les impresionase mucho este riesgo; pero es muy poco probable. Porque el tipo a corto

que el tipo de largo plazo debe ser una especie de promedio de los probables tipos a corto a lo largo de su duración, y que este promedio debe estar por encima del tipo a corto plazo actual. También existe el más importante riesgo de que el prestamista a largo plazo puede desear tener efectivo antes de la fecha de reembolso acordada, y, si en ese tiempo el tipo a corto ha aumentado, ello puede implicar una sustancial pérdida de capital. Es este último riesgo el que acarrea el «motivo especulación» de Keynes y el que asegura que el tipo de interés de los préstamos de duración indefinida (que él siempre considera como *el* tipo de interés) no pueda caer muy cerca de cero.[8]

Debe observarse que este mínimo del tipo de interés se aplica no sólo a una curva *LL* (que corresponde a una cantidad determinada de dinero) sino a cualquier curva de este tipo. Si aumenta la oferta de dinero, la curva *LL* se mueve hacia la derecha (como la curva dibujada en la Figura 2), pero las partes horizontales de la curva son casi iguales. Por lo tanto, nuevamente, es este estancamiento a la izquierda de la curva lo que no cuadra con la teoría clásica. Si *IS* está a la derecha, entonces podemos aumentar el empleo aumentando la cantidad de dinero; pero si *IS* se encuentra a la izquierda, no podemos hacerlo. Usando mecanismos meramente monetarios no podremos bajar más el tipo de interés.

Así que la Teoría General del Empleo es la Economía de la Depresión.

IV

Para entender la relación entre Keynes y los «Clásicos», hemos construido un sencillo aparato analítico. La utilidad de este aparato no parece agotada, así que concluiremos dejando que funcione un poco por sí mismo.

Disponiendo de ese aparato, ya no estamos obligados a hacer ciertas simplificaciones que hace Keynes en su exposición. Podemos reinsertar la *i* faltante en la tercera ecuación y tener en cuenta cualquier posible efecto del tipo de interés sobre el ahorro; y, lo que es mucho más importante, podemos cuestionar la sola dependencia de la inversión del tipo de interés, lo que hace sospechosa la segunda ecuación. La

puede subir, ya sea porque se reactive el comercio y aumente la renta; o porque el comercio empeore y aumente el deseo de liquidez. Dudo que sea realista un sistema monetario tan elástico como para descartar ambas posibilidades.

[8] No obstante, se necesita algo más que el «motivo especulativo» para entender el sistema de tipos de interés. La menor de todas las tasas a corto debe ser igual a la valoración relativa, en el margen, del dinero y ese activo; y el activo tiene un descuento principalmente por la «conveniencia y seguridad» de tener dinero - el posible inconveniente de no tener efectivo disponible de inmediato. Lo que importa es el posible deseo de descontar el activo, no la posibilidad de que haya que descontarlo en términos desfavorables. Aquí domina el «motivo de precaución», no el «motivo especulación». Pero los términos esperados del redescuento son vitales cuando se trata de la diferencia entre tipos de interés a corto y largo plazo.

elegancia matemática sugeriría que I e i deberían estar en las tres ecuaciones, si la teoría ha de ser realmente General. Podríamos incluirlas así.

$$M = L(I, i), \quad I_x = C(I, i), \quad I_x = S(I, i)$$

Si nos preguntamos por los ingresos en la segunda ecuación, es evidente que tiene mucho sentido introducirlos. De hecho, Keynes solo pudo omitirlo por su estrategia de medir todo en «unidades de salario», lo que significa que puede haber cambios en la curva de eficiencia marginal del capital cuando hay un cambio en el nivel de los salarios monetarios, pero se considera que otros cambios en los ingresos no afectan a la curva, o al menos no de manera tan inmediata. Pero, ¿por qué hacer esta distinción? Seguramente hay muchas razones para suponer que un aumento en la demanda de bienes de consumo derivado de un aumento en el empleo a menudo estimulará la inversión de manera directa, al menos cuando haya una expectativa de que el aumento de la demanda continuará. Si es así, deberíamos incluir I en la segunda ecuación, aunque en realidad el efecto de I sobre la eficiencia marginal del capital será intermitente e irregular.

Podemos establecer de esta manera la Teoría General Generalizada. Supongamos, en primer lugar, un ingreso monetario total dado. Dibujemos una curva CC que muestre la eficiencia marginal del capital (en términos monetarios) con el ingreso dado y una curva SS que muestre la curva de oferta de ahorro a ese ingreso *dado* (Figura 3). Su intersección determinará el tipo de interés que hace que los ahorros sean iguales a la inversión a ese nivel de ingresos. A esto podemos llamarlo «tasa de inversión».

Si la renta aumenta, la curva SS se desplazará hacia la derecha; probablemente CC también se desplazará a la derecha. Si SS se desplaza más que CC, el tipo de interés de la inversión caerá; si CC se desplaza más que SS, subirá. (Sin embargo, cuánto sube y baja depende de las elasticidades de las curvas CC y SS).

La curva IS (dibujada en un gráfico aparte) ahora muestra la relación entre el ingreso y el tipo de interés correspondiente de la inversión. Debe ponerse (como en nuestras construcciones anteriores) frente a una curva LL que muestre la relación entre el ingreso y el tipo de interés «monetario»; solo que ahora podemos generalizar un poco nuestra curva LL. En vez de suponer, como antes, que la oferta de dinero está dada, podemos suponer que existe un sistema monetario dado que –hasta cierto punto, pero solo hasta cierto punto– las autoridades monetarias preferirán crear dinero nuevo en vez de permitir que los tipos de interés suban. Una curva LL tan generalizada se inclinará hacia arriba sólo gradualmente; la elasticidad de la curva dependerá de la elasticidad del sistema monetario (en el sentido ordinario de monetario).

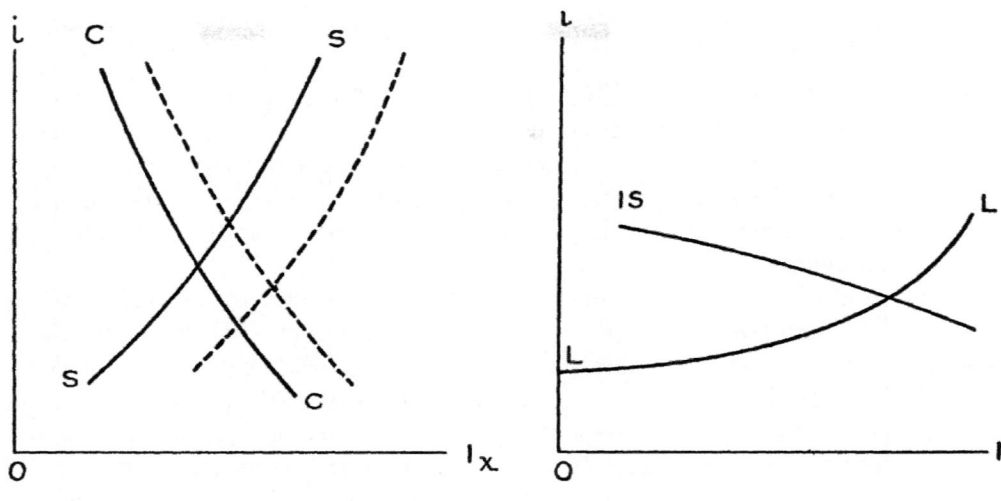

Fig. 3.

Como antes, los ingresos y los intereses se determinan donde se cruzan las curvas *IS* y *LL* –en el punto en que el tipo de interés de la inversión se iguala al tipo monetario–. Cualquier cambio en el incentivo a invertir o la propensión a consumir desplazará la curva *IS*; cualquier cambio en la preferencia por la liquidez o en la política monetaria desplazará la curva *LL*. Si, como resultado de tal cambio, la tasa de inversión se eleva por encima de la tasa monetaria, el ingreso tenderá a aumentar; en el caso contrario, el ingreso tenderá a caer. La medida en que el ingreso aumenta o disminuye depende de las elasticidades de la curvas.[9]

Cuando se generaliza de esta manera, la teoría de Keynes comienza a parecerse mucho a la de Wicksell; esto, por supuesto, no es sorprendente.[10] De hecho, hay un caso especial en el que encaja absolutamente con la construcción de Wicksell. Si hay «pleno empleo» en el sentido de que cualquier aumento de la renta provoca inmediatamente un aumento de los salarios nominales; entonces es posible que las curvas *CC* y *SS* se muevan hacia la derecha exactamente en la misma medida, de modo que *IS* sea horizontal. Digo posible, porque de hecho no es improbable que el aumento

---

[9]   Dado que C(I, i) = S(I, i), $\dfrac{dI}{di} = -\dfrac{\partial S/\partial i - \partial C/\partial i}{\partial S/\partial I - \partial C/\partial I}$
El mercado de inversión - ahorro no será estable a menos que $\delta S/\delta i + (-\delta C/\delta i)$ sea positiva. Creo que podemos suponer que se cumple esta condición.
Si $\delta S/\delta i$ es positivo, $\delta C/\delta i$ negativo, $\delta S/\delta i$ y $\delta C/\delta i$ positivo (la situación más probable), podemos decir que la curva *IS* será más elástica cuanto más elásticas sean las curvas *CC* y *SS*, y mayor sea $\delta C/\delta i$ relativamente a $\delta S/\delta i$. Cuando $\delta C/\delta i > \delta S/\delta i$, la curva *IS* tiene pendiente ascendente.
[10] Cf. Keynes, Teoría General, p. 242.

en el nivel salarial cree la presunción de que los salarios subirán nuevamente más adelante; si es así, *CC* probablemente se desplazará más que SS, por lo que *IS* tendrá pendiente ascendente. Sin embargo, si *IS* es horizontal, tenemos una construcción perfectamente wickselliana.[11] La tasa de inversión se convierte en la *tasa natural* de Wicksell, porque en este caso se puede pensar que está determinada por causas reales. Si hay un sistema monetario perfectamente elástico, y el tipo monetario se fija por debajo del tipo de interés natural, hay inflación acumulada; si se fija por encima, hay deflación acumulada.

Sin embargo, por ahora consideramos que este es sólo un caso especial; podemos usar nuestro constructo para ampliar nuestras posibilidades. Si hay mucho desempleo, es muy probable que $\delta C/\delta I$ sea bastante pequeño; en ese caso, se puede confiar en que IS se inclinará hacia abajo. Este es el tipo de economía de la depresión que tanto le preocupa a Keynes. Pero es inevitable pensar que puede haber otras condiciones cuando las expectativas son ígneas, como una chispa que fácilmente puede provocar una llama con una ligera tendencia inflacionaria. Entonces $\delta C/\delta I$ puede ser grande y un aumento en el ingreso tenderá a elevar el tipo de interés de la inversión. En estas circunstancias, la situación es inestable a cualquier tipo monetario determinado. Sólo un sistema monetario imperfectamente elástico –una curva *LL* ascendente– puede evitar que la situación se salga de control por completo.

Así, estas son algunas de las cuestiones que podemos concluir de la estructura de nuestro aparato analítico. Pero aunque pueda parecer una extensión del aparato de Keynes, sigue siendo todo muy improvisado. En particular, es muy difícil determinar el concepto de «Ingresos»; la mayoría de nuestras curvas realmente no quedan determinadas a menos que se diga algo sobre la distribución y magnitud del ingreso. De hecho, lo que expresan es algo así como una relación entre el sistema de precios y el sistema de tipos de interés; y no puedes meter eso en una curva. Además, se han descuidado todo tipo de cuestiones sobre la depreciación; y de los momentos en que se producen los procesos considerados.

La *Teoría General del Empleo* es un libro útil; pero no es ni el principio ni el fin de la Economía Dinámica.

J. R. Hicks
Gonville y Caius College,
Cambridge

---

[11] Cf. Myrdal, «Gleichgewichtsbegriff», en Beitrdge zur Geldtheorie, ed. Hayek.

La formación de un economista* 1

[*] Traducción de texto original: HICKS, John (1937), «The Formation of an Economist», *Quarterly Review of Economics*, Vol. 5, No. 2 (Apr.), pp. 147-159.
[1] La Revista ha incluido en su índice una serie de evocaciones de distinguidos economistas. No se ha impuesto a los autores ningún modelo rígido. La serie, que se abre ahora con una contribución del profesor Hicks, reflejará una variedad de enfoques, intereses y experiencias (el Editor).

A la pregunta de por qué me hice economista, no puedo dar mejor contestación que la típica respuesta venal: para ganarme la vida. En el momento en que tuve que tomar la decisión, acababa de graduarme en Oxford. Había tenido una muy buena educación general, aunque muy poco especializada, y no me decantaba hacia ninguna dirección. Había logrado financiarla a través de «becas» concedidas con pruebas competitivas (a las edades de 13 y 17). En esa etapa mi asignatura principal eran las matemáticas. Pero me había apartado de las matemáticas; me licencié en «filosofía, política y economía», un curso recién creado en Oxford que quizás estaba mejor diseñado para la formación de políticos que de académicos (Hugh Gaitskell, Harold Wilson, Edward Heath y Reginald Maudling todos tenían ese bagaje.) Pero yo quería ser académico; y aunque había estudiado poco de economía, me dijeron que la economía era un campo en expansión, por lo que si iba por ese camino tendría mejores oportunidades de empleo. Así lo hice.

La economía, en Oxford, era muy «social». Por ello, al principio tuve que trabajar en temas laborales. Hice mi tesis sobre diferenciales de habilidades en los sectores de la construcción y la ingeniería. Pero me habían aconsejado bien sobre el mercado para economistas; así que cuando intenté buscar trabajo por mí mismo, pude conseguir lo que quería. De 1926 a 1935 enseñé en la *London School of Economics*; y también aprendí en la *London School of Economics*. En esos nueve años pasé de un estado de terrible ignorancia, desde el que partía, a proponer mis primeras aportaciones teóricas: la invención de la elasticidad de sustitución (*Teoría de los salarios*, 1932), la diferencia entre efectos renta y sustitución («Reconsideración de la teoría del valor», en colaboración con Roy Allen, *Economica*, 1934) y los grados de liquidez («Una sugerencia para simplificar la teoría del dinero», *Economica*, 1935). Antes de dejar la LSE, ya había hecho lo que todavía creo que son unos de mis mejores trabajos.

¿Cómo había sucedido esto? Esos nueve años en la LSE, desde mi punto de vista, se dividen claramente en dos partes. La línea divisoria es 1929, con la llegada de Lionel Robbins como director de departamento. En los tres años anteriores había estado trabajando principalmente solo. Tenía acceso a esa ya espléndida biblioteca y recibí consejos de mis colegas sobre lo que debía leer, pero no era miembro de un grupo. Después de 1929 fui miembro de un grupo, el grupo que Robbins formó a su alrededor. Todos éramos gente bastante joven por lo que la mayoría todavía estamos vivos. Además del propio Robbins, estaban Hayek y Roy Allen, Richard Sayers, Nicholas Kaldor y Abba Lerner, junto con Marian Bowley y Ursula Webb (Ursula Hicks después de 1935). Así que el trabajo que hice en estos últimos años fue en gran medida un trabajo colectivo.

Vuelvo a los años de preparación que precedieron. Durante esos años sucedieron dos cosas reseñables.

Una de ellas, en el primero de esos años, es que Hugh Dalton[2] (entonces director temporal del departamento de economía) me dijo «tú lees italiano, deberías leer a Pareto». Así que fue la lectura del *Manual* lo que me inició en la teoría económica[3]. Estaba absorbido por Pareto antes de empezar a embarcarme en las enseñanzas de Marshall.

La otra fue un largo interludio en el segundo año, cuando fui a Sudáfrica. El profesor de la Universidad de Johannesburgo (¡su único profesor de economía!) había muerto repentinamente. Las autoridades pidieron a Londres un reemplazo temporal, mientras tomaban una decisión sobre el nombramiento de un sucesor. Ningún profesor más antiguo que yo aceptaría el reto, pero yo me sentí tentado a ello –en realidad, afortunadamente–. Tuve que dar conferencias sobre una amplia variedad de temas, desde estadísticas a historia económica; pero me las arreglé.

Mi propio interés aún seguía en los temas laborales en ese momento; y desde ese punto de vista, Sudáfrica fue una revelación. Yo vengo de un país donde los sindicatos

---

[2] Dalton había aprendido economía en Cambridge, donde fue alumno de PIGOU; pero cuando le conocí, su interés por la economía estaba menguando. Había comenzado su carrera política y aspiraba a ser secretario de Relaciones Exteriores en un futuro gobierno laborista. Es bien sabido que cuando llegó el momento no tuvo éxito en esa ambición, y tuvo que volver a la economía como Ministro de Hacienda. Pero en 1945 sus conocimientos de economía estaban muy anticuados.

Sus conferencias, a las que asistí en 1926, parecían un poco como discursos políticos. «Yo siempre empiezo con la población –un tema pícaro muy adecuado, capta su interés–», me dijo él mismo.

Había aprendido italiano cuando sirvió en el ejército británico en Italia en 1918. Sentía un gran afecto por Italia, pero no pudo visitar Italia durante el fascismo.

Mi italiano comenzó tropezando con Dante, mientras todavía estaba en la escuela. Había seguido leyendo bastante sobre literatura italiana. Pero no fue hasta 1933, después de haber publicado *Teoría de los Salarios*, que tuve mi primer contacto con economistas italianos, visitando a EINAUDI y CABIATI en Turín, a DEL VECCHIO en Bolonia y a Marco FANNO en Padua.

[3] De manera natural, PARETO me llevó a WALRAS y EDGEWORTH. Llegué demasiado tarde a Oxford para poder asistir a las conferencias de EDGEWORTH, y dudo que mis profesores de Oxford lo mencionaran siquiera. Así que no fue hasta que llegué a la LSE que encontré *Mathematical Psychics*.

todavía podían considerarse por sus simpatizantes –yo había sido uno– agentes para el progreso del trabajo en general. Pero en Sudáfrica no representaban más que el interés de una minoría, sólo eran para trabajadores blancos. Tanto se ha hablado en años posteriores del problema del color en Sudáfrica que no es que me enorgullezca, pero Dalton me presentó a su «compañero-socialista», el líder del Partido Laborista de Sudáfrica, más tarde en coalición con los nacionalistas, los que crearon el apartheid, al que pronto pude ver que pertenecían. Así mi percepción de los sindicatos cambió radicalmente. Empecé a pensar en ellos como monopolistas, y entendí que sus efectos podrían entenderse mediante la aplicación de la teoría del monopolio. Los obstáculos económicos al progreso de la mayoría negra eran que se reservaban a la mano de obra blanca los trabajos cualificados y a los propietarios blancos la mejor tierra del país. En un sistema de libre mercado, estos obstáculos desaparecerían, por lo que me convertí en un defensor del libre mercado, incluso antes de dejar Sudáfrica.

Por lo tanto, cuando comenzó a formarse el círculo de Robbins, encajé fácilmente ahí. Acepté sin reparos su rechazo a la comparabilidad interpersonal de utilidad (que entonces se consideraba una justificación para la tributación progresiva), dado que el rechazo estaba en consonancia con la visión ordinalista que había aprendido de Pareto. Y fui rápidamente seducido por la gran «síntesis neoclásica» (lo que efectivamente era entonces, aunque ese nombre se ha aplicado sobre todo a variantes posteriores), según la cual un sistema competitivo, libre de elementos monopolísticos que solo surgirían al abrigo de la «interferencia» estatal, encontraría un «equilibrio» fácilmente. Estaba dispuesto a aplicar esta doctrina, incluso al mercado laboral; aunque allí tenía algunas reservas que aparecen todavía en algunos capítulos de *Salarios*. Sin embargo, ese libro *Salarios* es completamente «neoclásico».

Los observadores externos veían con sorpresa que estas doctrinas derechistas pudieran haber estado tan de moda en la London School, popularmente considerada como un semillero de socialistas. De hecho, teníamos a nuestros eminentes socialistas, como Laski y Tawney (Dalton, a estas alturas, se había ido a un puesto político); pero una señal de la atmósfera tolerante de la LSE era que todos teníamos buenas relaciones personales. No en vano, tanto los socialistas como los defensores del libre mercado tenían ahí un sustrato de principios políticos «liberales» comunes.

LSE no solo fue tolerante; también fue, en gran medida, internacional. (¡Se ha vuelto aún más internacional desde entonces!). Lo que los economistas pensamos que estábamos haciendo era no solo recuperar la herencia de los economistas clásicos británicos, sino también ampliar los horizontes de los economistas británicos de nuestro tiempo al revitalizarlos con lo que se estaba haciendo, y se había hecho, en otros países. Mi mirada estaba, como he comentado, puesta en Walras y Pareto; Robbins, por otro lado, miraba a los estadounidenses (Chicago ya era otro refugio de la economía de libre mercado) y aún más a los austriacos. Los libros escritos en otros idiomas no se habían traducido al inglés; pero yo controlaba suficientemente el alemán para leer a los austriacos, y también a Wicksell y Myrdal (que en ese momento solo podía leer en alemán). Nunca aprendí sueco, pero, como se verá, la economía sueca me ha influido profundamente.

Tales contactos no se lograban sólo a través de los libros. Por Londres pasaban eminentes economistas, de muchos países, y cuando llegaban a Londres venían a la LSE. Así fue como conocí a Taussig y Viner, a Mises y Schumpeter, a Ohlin y Lindahl, así como a una generación más joven de austriacos, a menudo en su camino al exilio, dado que Austria ya estaba cayendo bajo el influjo de Hitler[4]. El mismo Hayek llegó a Londres antes de la revolución de Hitler; vino a hablarnos de la economía austriaca, y lo hizo.

Mi reacción a las enseñanzas de Hayek en ese momento, la he descrito en otros escritos[5]; y también he expuesto en otro lugar, el cambio en mis propias ideas que se produjo con ellas[6]. Aquí diré sólo que comencé, una vez más, desde Pareto, haciendo un intento, en primer lugar muy tosco, de hacer el sistema Paretiano menos estático, para poder incorporar la planificación a lo largo del tiempo, planificando un futuro que no se conocía de antemano. Hayek nos estaba haciendo pensar en el proceso productivo como un proceso en el tiempo, donde los inputs preceden a los outputs; pero su descripción más completa, y más lógica, de las relaciones intertemporales se limitó a un modelo en el que todo funcionaba según lo previsto: un modelo de «previsión perfecta».[7] En sus *Precios y producción* (1932), las conferencias a través de las cuales lo conocimos por primera vez, se permitía que las cosas salieran mal, pero solo por razones monetarias. Sólo se permitía esa excepción de que hubiera perturbaciones monetarias a la regla de que las fuerzas del mercado deben tender a un equilibrio. Si el dinero pudiera mantenerse «neutral», todo funcionaría. (¡Era una anticipación del reciente monetarismo!) En los modelos que traté de construir, en los que la gente no sabía lo que iba a pasar, y sabía que no sabía lo que iba a suceder, no había lugar para un «dinero neutral».

---

[4] Úrsula pasó un semestre en la Universidad de Viena en 1931, por lo que tenía experiencia de primera mano de la incipiente nazificación. Pero no fue difícil para el resto de nosotros, a través de la relación con los exiliados alemanes y austriacos, hacernos una idea de lo que se avecinaba. Cuando fui a Cambridge en 1935 (hablaré de ello más abajo) encontré una atmósfera muy diferente. Recuerdo lo sorprendido que me quedé al escuchar a PIGOU, un gran economista, pero curiosamente estrecho de miras, comentar en ese momento que suponía que Hitler iba a «bombardear a las ranas» (es decir, a los franceses). ¡No era asunto nuestro! Y fue incluso más tarde cuando Claude GUILLEBAUD (sobrino de MARSHALL y editor posteriormente) escribió un libro sobre la *Recuperación Económica de Alemania,* elogiando la política económica de Hitler como una aplicación de la economía keynesiana. (No me gustaría hacer esa referencia sin decir que GUILLEBAUD era un buen amigo mío en Cambridge; era el único otro economista británico que he conocido que se sabía de memoria el último canto del Paraíso de Dante). Era clamoroso el hábito de apaciguamiento en Oxford durante esos años; pero el letargo en Cambridge fue aún más profundo.

[5] «La historia de Hayek» (*Critical Essays in Monetary Theory,* 1967).

[6] «Recuerdos y Documentos» (*Economic Perspectives,* 1977).

[7] «Das intertemporale Gleichgewichtsystem», en *Weltwirtschaftliches Archiv.* 1928.

Antes de dejar la LSE en 1935 y antes de la aparición de la *Teoría General* de Keynes a principios de 1936, yo era consciente que la dirección en la que mi mente se movía no era diferente a la suya (él mismo me lo dijo, en alguna correspondencia que mantuvimos[8]). Pero no partí de Keynes; empecé con Pareto y Hayek.[9] Sin embargo, en 1935 había seguido sacando consecuencias de mi nuevo enfoque; y me di cuenta de que me había separado de la fe en el libre mercado que había sido dominante entre mis colegas. Después de presentarles mi artículo *Simplificación* (a finales de 1934) debieron darse cuenta de lo que estaba sucediendo; pero, como he dicho, el ambiente en la LSE era tolerante y he podido conservar su amistad.[10]

No era porque me estuviera volviendo keynesiano (en cierto sentido lo era) que en el verano de 1935 me mudé a Cambridge. Fui allí por una invitación de Pigou, y me atrajo la amistad que ya había entablado con Robertson[11]. Cambridge, sin embargo, ya estaba dividida en la disputa entre keynesianos y anti-keynesianos; y dado que se me asociaba con Pigou y Robertson, consideraban que estaba, al menos algunos keynesianos, en el campo «anti». La versión IS-LM de la teoría de Keynes,[12] que yo mismo cree, pero que nunca fue muy apreciada por los keynesianos ortodoxos, no me ayudó.

Mi principal ocupación durante esos años en Cambridge (1935-38) fue escribir *Valor y Capital*. Este no es en absoluto un libro de Cambridge; es una sistematización del trabajo que había realizado en la LSE. Se trata de un trabajo de construcción de puentes, no tanto entre la micro y macroeconomía (como a menudo se ha afirmado) sino entre el sistema neoclásico estático, que se había considerado el fundamento de la economía de libre mercado, y los modelos «dinámicos» que distinguen claramente el pasado y el futuro, en los que me había interesado más en ese momento. Mi propio modelo dinámico se presenta en unos términos que tienen alguna relación con el trabajo de Keynes; pero no es muy keynesiano. Debe mucho más a lo que me habían trasmitido los suecos, Myrdal y Lindahl. Fue de Myrdal que obtuve la idea de «equilibrio temporal», un equilibrio de mercado momentáneo en el que se toman las expectativas de precios como datos; fue Lindahl, con su trabajo pionero en el marco de la contabilidad social, quien me enseñó (al menos formalmente) a dar coherencia a mis conceptos de equilibrios temporales.[13]

---

[8] Reimpreso en «Recuerdos y Documentos», citado previamente.

[9] Hay pruebas de esto en un artículo que publiqué (en una traducción del alemán) en *Zeitschrift für Nationalökonomie* en 1933.

[10] Creo que HAYEK, y quizás Vera LUTZ, han sido los únicos de entre nosotros que se han mantenido en la antigua fe. Incluso Robbins se ha apartado en gran medida de ella.

[11] He descrito mis primeras relaciones con ROBERTSON en «Recuerdos y Documentos». Véanse también las memorias de él que escribí para la Academia Británica y que reimprimí como prefacio a la selección de sus *Ensayos sobre el dinero y el Interés* (1966).

[12] «El señor Keynes y los clásicos» (*Econometrica*, 1937); reimpreso en *Critical Essays*.

[13] Leí *Equilibrio monetario*, de Myrdal, en alemán, a principios de 1934. Fue a través de las referencias de Myrdal que oí hablar por primera vez de Lindahl. Encontré estas referencias muy interesantes; pero no pude seguirlas, ya que no sabía leer sueco. Así que cuando lo conocí en la LSE fue un momento

Ahora no creo que los capítulos monetarios de *Valor y Capital* sean buenos; no es de ellos, sino del artículo de *Simplificación* de 1935, que viene mi trabajo posterior sobre el dinero. En *Valor y Capital*, poco se dice de la liquidez.

Cuando se publicó *Valor y Capital*, me había trasladado a Manchester, donde permanecí durante los años de guerra. Las universidades británicas se cerraron sólo en parte, por lo que había trabajo que hacer, aunque la mayor parte de la enseñanza era bastante elemental. Aproveché esto para escribir *Estructura Social*, que parece haber sido el libro con más amplia circulación de entre los que he escrito. Debería haberse llamado *Las cuentas sociales,* porque su novedad consistía en el uso sistemático de material de contabilidad social para la enseñanza elemental; pero la idea de la auditoría social era entonces desconocida, por lo que pensé que era mejor recurrir a ese título inexacto.

Valor y capital se había publicado a principios de 1939; por lo que se distribuyó por todo el mundo antes de que estallara la guerra. Pero a partir de entonces quedé aislado de las reacciones que estaba creando. Solo después de la guerra descubrí lo que había estado sucediendo.[14]

En la segunda mitad de 1946 hice mi primera visita a Estados Unidos. Allí volví a encontrarme con algunos viejos amigos, como Schumpeter y Viner, pero también hice mis primeros contactos con la generación más joven, que pronto se haría famosa. En Cambridge (Massachusetts) conocí a Samuelson; en Nueva York conocí a Arrow; y en Chicago a Milton Friedman y Don Patinkin. Yo no los conocía, pero ellos me conocían a mí; porque yo era el autor de *Valor y Capital*, que (como se ha hecho obvio desde entonces) estaba influyendo profundamente en su trabajo. Lo consideraban como el comienzo de *su* «síntesis neoclásica» – nada más que el comienzo, porque ellos y sus contemporáneos, con mucha más habilidad matemática que yo, estaban afinando el análisis que yo simplemente había esbozado. Pero me temo que les decepcioné; y he seguido decepcionándolos. Sus logros han sido impresionantes; pero no están en mi línea. No tengo mucha simpatía por la teoría en sí misma, que ha caracterizado a una rama de la economía estadounidense; ni con la idealización del libre mercado, que ha sido característica de la otra; y tengo poca fe en la econometría, en la que tanto han confiado para relacionarse con la realidad. Pero no estoy diciendo que en 1946 empezara a tener claro todo esto. Tuvieron que pasar muchos años para comenzar a definir mi nueva posición.

muy especial: él había venido a Londres en busca de ayuda para la traducción de sus ensayos al inglés. Pude encontrarle un ayudante. Un año después, en otra visita para ver a esa ayudante, ella tuvo que decirle que habíamos decidido casarnos. «Ah», dijo en su imperfecto inglés, «tenía mis dudas».

[14] Años después, cuando estaba de visita en Japón, me aseguraron que mi libro había sido parte de la bibliografía básica en la Universidad de Kyoto desde 1943. Me quedé asombrado y les pregunté cómo pudieron conseguir copias entonces. Me recordaron que hasta diciembre de 1941 podían recibir importaciones a través de América; y luego, dijeron, ¡capturamos algunos en Singapur!

Echando la vista atrás, veo una gran brecha entre mis primeras contribuciones, sustancialmente concluidas en 1950, y el trabajo en el que he estado comprometido desde 1960 en adelante. No es que en ese ínterin haya permanecido inactivo. Había trabajo por hacer en Oxford, donde entre 1946 y 1952 participé en la formación del Nuffield College; y donde de 1952 a 1965 ocupé la Cátedra Drummond, con algunas responsabilidades generales para la organización de estudios de posgrado. Y también estaba muy involucrado en otras actividades, que surgieron inicialmente del trabajo de Ursula en Finanzas Públicas, y de otros trabajos en ese campo en el que me uní a ella. Siempre he sostenido (como dije en el prefacio de *Valor y Capital*) que la teoría debía estar «al servicio de la economía aplicada»; pero también me he dado cuenta de que la teoría no da derecho a pronunciarse sobre problemas prácticos a menos que uno se haya tomado el trabajo, extraordinario en ocasiones, de dominar los hechos relevantes. Los hechos que deben controlarse antes de poder pronunciarse sobre los problemas macroeconómicos de los países desarrollados son tan amplios que la tarea de dominarlos suele dejarse en manos de especialistas; pero ha habido casos más simples que parecían más manejables. Durante los años en que el Imperio Británico se estaba desintegrando, a los economistas británicos se les abrieron muchas oportunidades en este sentido; a menudo se les pedía asesoramiento para facilitar la transición al autogobierno y luego a la independencia. Nosotros hemos trabajado un poco en ese campo, en Nigeria y en el Caribe, en India y en Ceilán. Durante los años cincuenta fue un tema de máximo interés.

Ahora conviene que pasemos a los años en torno a 1960, que considero la época de mi *Risorgimento*. Lo primero que tuve que hacer, al retomar mi trabajo anterior, fue ponerme al día en lo que otros habían estado haciendo; y sabía que no podía entender lo que otros habían estado haciendo a menos que pudiera expresarlo con mis propias palabras. Hice dos ejercicios de ese tipo[15], que me tomaron bastante tiempo. Pero no me parece que estas cosas sean totalmente obra mía; son meras «traducciones».

Sin embargo, con este bagaje, el futuro se me abría. Podría empezar a construir sobre el trabajo que había hecho en los años treinta, pero reconstruyéndolo a mi manera. Podría tomar aquellas partes del sistema de Keynes que quisiera y rechazar las que no quisiera. Entonces, de manera incidental, me vi orientado hacia los modelos formales, principalmente a nuevos conceptos analíticos que pueden ayudarnos a mejorar la comprensión de lo que ha sucedido y está sucediendo en el mundo.

Señalaré tres de ellos que ahora mismo creo que son suficientemente relevantes.

---

[15] El primero se publicó como «Una Encuestas de la teoría lineal» (*Economic Journal*, 1960); el segundo está incluido en los capítulos intermedios de *Capital y Crecimiento* (1965). La redacción de este último se debió en gran parte a las clases que recibí de Michio MORISHIMA, mientras era profesor visitante en All Souls College en 1963-64.

El primero es el contraste entre lo que he llamado mercados de precios flexibles y de precios fijos: los primeros son aquellos en los que los precios los determina el mercado (por la oferta y la demanda, como en los libros de texto), los segundos son aquellos en los que los precios los determinan los productores, siendo un cambio de precio un acto de política económica. Esto aparece ya en *Capital y Crecimiento*[16], pero sus frutos se recogen en mi trabajo posterior. Sostengo que los mercados de precios flexibles, tal y como se dan en la práctica, dependen de que haya intermediarios que no sean productores ni consumidores finales de los productos que intercambian. Mi *Teoría de la Historia Económica* es esencialmente un intento de analizar los rasgos principales del desarrollo económico como parte de la evolución de la figura de intermediario-comerciante y sus consecuencias. Pero reconozco que en tiempos más actuales prima el mercado de precios fijos. Así, cuando trato problemas contemporáneos, intento pensar en términos de una economía mixta de precios fijos y flexibles.

El segundo es una profundización del concepto de liquidez que, aunque es el gran concepto de Keynes, creo que éste trató de manera imperfecta. Keynes no enfatizó lo suficiente (al menos en la *Teoría General*) la relación entre liquidez y tiempo. «La liquidez no es cuestión de elección única; es fruto de una secuencia de elecciones, una secuencia relacionada. Se trata del paso de lo desconocido a lo conocido –sabiendo que, si esperamos, podremos tener más conocimiento–».[17]

El tercero es el concepto de impulso, que surgió de *Capital y Tiempo*, pero que no apareció finalmente hasta el ensayo sobre «Industrialismo» en *Perspectivas económicas*. Considero que una invención, u otro cambio importante en las circunstancias, como la apertura de un nuevo mercado, produce una cadena de consecuencias, algunas de las cuales pueden seguirse en teoría. No me daba cuenta de esto cuando escribí mi *Teoría de la historia económica*; es necesario tenerlo en cuenta para completar el análisis que hice en ese libro anterior.

Desde 1965 he sido profesor jubilado, años en que he escrito mis últimos libros; y se me ha permitido seguir trabajando en Oxford en All Souls College. Aunque mantengo discusiones útiles con colegas en Oxford, no he sido miembro de un grupo, como lo fui en los primeros tiempos en LSE. Los que han trabajado más estrechamente conmigo han sido visitantes de Oxford y estudiantes de posgrado, que van y vienen. Porque, aunque en Oxford nuestros estudiantes de primero de grado son principalmente británicos, la mayoría de nuestros estudiantes de posgrado vienen del extranjero. Cuando han cumplido sus dos o tres años, vuelven a los lugares de origen, a menudo muy distantes. Si quieres estar en contacto con ellos, debes hacerlo por co-

---

[16] Especialmente en el capítulo 5.
[17] *Crisis en la Economía Keynesiana* (1974), pp. 38-39. Ver también mi ensayo 3 de *Perspectivas económicas* (1977) y *Causalidad en la Economía* (1979) capítulos 6 y 7.

rrespondencia, a menos que uno pueda ir a verlos a sus hogares o lugares de trabajo. Desde luego, algo que he hecho en muchas ocasiones.

Así, un número considerable de graduados en economía y de otros economistas que han visitado Oxford han venido de Italia. ¡Y no hay tanta distancia de Inglaterra a Italia como a lugares más lejanos! Ya he comentado la importancia de haber sabido italiano (aunque, me temo, que no sea más que a nivel de lectura) en los inicios de mi periplo por la economía. Me ha llenado de satisfacción haber podido volver a utilizarlo en mis contactos con economistas italianos de los últimos veinte años. Ahora, tenemos la sensación de que un año sin visitar Italia es un año en el que se echa algo en falta. Y ahora, ir a Italia, es poder ver a nuestros amigos.

J. R. Hicks
Oxford

Los *fundamentos*
de la economía del bienestar* 1

[*] Traducción del texto original: J. R. HICKS (1939), «The Foundations of Welfare Economics», *The Economic Journal*, Dec., 1939, Vol. 49, No. 196, pp. 696-712 https://www.jstor.org/stable/2225023
[1] Basado en la ponencia presentada en la Sociedad Económica de Estocolmo, mayo 1939.

1. El tema de este artículo es un asunto de la máxima importancia, tanto para la teoría económica como para la correcta actitud de los economistas hacia la política económica. Siendo así, no es de extrañar que haya sido objeto de controversia, controversia que ha tendido a crear profundas diferencias de opinión. Durante el siglo XIX, se consideraba en general que el economista no solo debía explicar el mundo económico tal como es y ha sido, no sólo debía hacer pronósticos (en la medida de sus posibilidades) sobre el rumbo futuro de los acontecimientos económicos, sino que también debía sentar los principios de política económica para decidir las políticas que es posible que conduzcan al bienestar social y cuáles llevarán al despilfarro y el empobrecimiento. En la actualidad, una escuela de economistas sigue afirmando que la economía puede cumplir esta segunda función, pero alguna otra (al menos formalmente) rechaza esa idea. Según ellos, la economía del bienestar, la política económica, es demasiado poco científica como para formar parte de la *ciencia* económica. Si el objetivo de la economía es explicar, puede llegar a conclusiones que merecerán la aceptación universal si estas dan explicaciones correctas; pero si la economía va más allá e intenta prescribir principios de política, entonces (dicen ellos) sus conclusiones dependen de la escala de valores sociales del investigador. Tales conclusiones no tienen validez para nadie fuera del círculo en el que estos valores son aceptados. La economía positiva puede, y debe, ser la misma para todo el mundo. Pero, la economía del bienestar será inevitablemente diferente si uno es liberal o socialista, nacionalista o internacionalista, cristiano o pagano.

De hecho, no se puede negar que este último punto de vista es ampliamente aceptado. Si puede confirmarse racionalmente, entonces, por supuesto, debería aceptarse; y debo admitir que lo debí suscribir yo mismo no hace mucho tiempo. Pero es terrible tener que aceptar algo sin más. Nadie cuestionará la importancia que tiene la crítica de las instituciones actuales de algunos de nuestros «positivistas»; pero difícilmente se podrá negar que su abnegación disminuye su autoridad para promover tales críticas en su *rol* de economistas, de modo que el positivismo económico podría fácilmente convertirse en otras manos en una excusa para eludir cuestiones de actualidad, que abocan a nuestra ciencia a la eutanasia.

Afortunadamente, no es necesario que lo aceptemos. Podemos plantear así una política económica que supere las objeciones planteadas contra las teorías anteriores.

El libro representativo de estas teorías anteriores es, por supuesto, *Economía del bienestar* del profesor Pigou. Lo es, no solo por derecho propio, sino como la culminación de una importante línea de pensamiento económico. Toda una serie de economistas, entre los cuales merecen una mención especial Dupuit, Walras, Marshall y Edgeworth, trataron de encontrar en la teoría de la utilidad una base segura para sus prescripciones de la política económica. En los aspectos que nos conciernen particularmente, la Economía del Bienestar es esencialmente una sistematización de esta tradición.

En este artículo no me interesan tanto las conclusiones de Pigou (la mayoría de las cuales son fácilmente aceptables e incluso los positivistas son reticentes a abandonar), sino los fundamentos en los que se basan esas conclusiones. No es sorprendente que estos fundamentos hayan causado tantos problemas. El profesor Pigou deriva sus prescripciones del postulado de que el objetivo de la política económica es maximizar el valor real de la renta social. Para llegar a tal *valor real*, las cantidades de las diversas mercancías producidas deben ponderarse por un conjunto *dado* de precios –y los precios realmente seleccionados son los que determina el mercado en las circunstancias reales consideradas–. Para justificar este procedimiento, se necesita un largo argumento, que ocupa la mayor parte de la Parte I del libro. Hay tres pasos en este argumento que entrañan dificultades. El primero se da al principio, cuando se le pide al lector que acepte una correlación directa entre el bienestar económico y el bienestar social en general (sea esto lo que sea). Esto es difícil de aceptar; en cualquier caso, un positivista objetaría que refleja una perspectiva social particular, defendida por ciertas clases en un momento dado, y que no es universalmente asumible. En el siguiente paso, tenemos que aceptar que podemos comparar las satisfacciones que produce la riqueza a diferentes individuos (aquí es donde Robbins se desmarca; y yo le sigo). Y, además, aunque admitamos lo anterior, hay que dar un tercer salto. [2] Estrictamente hablando, la cantidad a maximizar es la suma de los excedentes del consumidor de las diversas mercancías en el dividendo social. Esto es demasiado difícil de manejar, por lo que se reemplaza por el valor real del dividendo –que no es en absoluto lo mismo–.

No creo que se pueda culpar a nadie de negarse a confiar en una cadena que contiene tres eslabones tan débiles como estos. Si no hubiera fundamentos alterna-

[2] *Economía del bienestar,* 4 edición, p. 57.

tivos para la teoría del bienestar económico, tan sólo implicaría el desarrollo de un interesante postulado ético: el estatus en palabras de Robbins. Sin embargo, existen otros posibles fundamentos. Harrod ha mostrado una forma de sortear la primera dificultad,[3] y Kaldor de la segunda;[4] mientras que Hotelling, en un artículo sumamente valioso y sugerente que abarca todo el tema, ha proporcionado un análisis matemático en el que de hecho todas estas dificultades se superan[5].

Por tanto, mi tarea es principalmente de síntesis. Propongo exponer breve y simplemente las líneas principales de la nueva economía del bienestar. Se mostrará que las proposiciones principales pueden establecerse rápida y fácilmente y, al mismo tiempo, que su relevancia es evidente.

2.   La teoría económica *positiva* se basa en un sistema en el que las personas cooperan entre sí para satisfacer sus deseos. Supone que cada individuo (cada unidad económica libre[6]) tiene una cierta escala de preferencias y que regula sus actividades de la mejor manera para satisfacer esas preferencias. Como dijo Pareto en su famosa obra maestra de generalización, el problema económico es una oposición de «gustos» y «restricciones», cada individuo se esfuerza por satisfacer sus gustos en la medida de lo posible en vista de las restricciones a la satisfacción que enfrenta. Mirando a la sociedad en su conjunto, las restricciones son técnicas: la cantidad limitada de fuerza productiva disponible y los límites técnicos a la cantidad de producción que genera esta fuerza productiva. Para un solo individuo, las restricciones que le impiden alcanzar una satisfacción más completa de sus deseos no son solo técnicas, sino también los deseos o gustos de otras personas. Esto impide que esté mejor, no solo porque hay una producción total limitada, sino también porque gran parte de la producción total está a disposición de otras personas. Lo mismo sucede, por supuesto, para cualquier grupo o sociedad de individuos, siempre que ese grupo sea menor que la totalidad de una comunidad cerrada.

Ahora bien, mientras concibamos el problema económico de esta manera (y todos los economistas modernos lo hacen), nos vemos obligados a mantener esa línea argumental y considerar como parte de nuestra tarea no sólo las consecuencias objetivas de esta búsqueda de satisfacciones (las cantidades de bienes producidos e intercambiados, y los precios a los que se intercambian –los problemas de la economía positiva–), sino también un problema adicional. Debemos examinar

---

[3] «Scope and Method of Economics», *Economic Journal,* Sept. 1938, pp. 389-395.
[4] «Welfare Propositions and Inter-personal Comparisons of Utility», *Economic Journal,* Sept. 1939, pp. 549-52. Ver, también, VINER, *Studies in the Theory of International Trade*, pp. 553-4.
[5] «The General Welfare in Relation to Problems of Taxation and of Railway and Utility Rates», *Econometrica*, Julio 1938.
[6] Del análisis de Harrod parece que deberíamos estar dispuestos, en ocasiones, a reconocer cuerpos públicos y semi-publicos entre los «individuos».

hasta qué punto estas actividades son efectivas para lograr los fines para las que están diseñadas, y examinar la eficiencia de cualquier sistema económico particular como un medio de ajustar los medios a los fines. Debemos ir así de lejos, porque el tema de nuestro estudio se define en relación con su propósito. No somos como los geólogos que observaran rocas depositadas por fuerzas naturales; somos como los arqueólogos, que analizan piedras de sílex fabricadas por el hombre con un propósito, y una de cuyas funciones debe ser comparar la eficiencia relativa de estas herramientas y rastrear los altibajos de esa eficiencia, trazar el tortuoso curso de la evolución humana.

Por tanto, nos gustaría considerar como parte de la economía la tarea de examinar este tipo de eficiencia de una organización económica determinada. Pero antes de que podamos aceptar eso, tenemos que enfrentarnos a la segunda dificultad, la de las comparaciones interpersonales. Aunque el sistema económico puede considerarse como un mecanismo para ajustar los medios a los fines, los fines en cuestión no suelen ser un sistema único, sino tantos sistemas independientes como «individuos» haya en la comunidad. Esto parece introducir una arbitrariedad irremediable en la prueba de eficiencia. No se puede tomar una temperatura cuando no se tiene que usar un termómetro, sino una inmensa cantidad de termómetros diferentes, que funcionan con principios diferentes y sin una correlación necesaria entre sus registros. ¿Cómo se puede superar esta dificultad?

Podemos enumerar tres posibles formas de abordarlo, dos de las cuales deben rechazarse por insatisfactorias. Una es reemplazar los termómetros dados (las escalas de preferencia de los individuos) por un nuevo termómetro propio. El investigador en cuestión decide lo que cree que es bueno para la sociedad y elogia o condena el sistema que está estudiando basado en esa prueba. Este es el método que, con razón, se condena como acientífico. Es el camino del profeta y del reformador social, no del economista.

En segundo lugar, se puede buscar alguna forma de agregar los informes de los diferentes termómetros. Este es el método tradicional de Marshall, Edgeworth y Pigou. La razón fundamental por la que este sistema no puede aceptarse es que es imposible llegar a un agregado sin «ponderar» las partes componentes; y en este caso no hay ninguna razón relevante por la que debamos elegir un sistema de ponderaciones en lugar de otro. (Las ponderaciones iguales, 1, 1, 1... son sólo un posible sistema de ponderaciones, igual que el resto.) De hecho, cuando están construyendo su agregado, Marshall y Pigou no prestan atención a las variaciones de la utilidad marginal del dinero entre ricos y pobres –un punto que, según sus propios principios, debería y podría tenerse en cuenta–.[7] Así, aunque su método puede producir resultados, la importancia de esos resultados sigue siendo bastante incierta.

[7] Cf. Kahn, «Notes on Ideal Output,» *Economic Journal,* 1935, p. 2.

El tercer método es el de Kaldor. Consiste en concentrar la atención en aquellos casos que han sido admitidos, incluso por algunos positivistas,[8] como una excepción a su regla general de que la imposibilidad de las comparaciones interpersonales impide cualquier estimación de la eficiencia general del sistema económico. La contribución de Kaldor es haber demostrado que estos casos no son la excepción insignificante que parece ser a primera vista, sino que en realidad ofrecen una base suficiente para la mayor parte de la economía del bienestar.

3. Volvamos al esquema Paretiano al que nos hemos referido hace un momento. Para la sociedad en su conjunto, las únicas *restricciones* a la satisfacción son la cantidad limitada de recursos físicos y las cantidades limitadas de productos que pueden obtenerse de esos recursos. Para el individuo, sin embargo, los deseos de otras personas deben considerarse restricciones que limitan la satisfacción de sus propios deseos. Por lo general, se puede mejorar de algún modo la posición de alguien sin dañar las satisfacciones de otras personas; en los otros casos, una mejora en su posición (un movimiento ascendente en la escala de preferencias) implica un movimiento descendente para otras personas en sus escalas. Ahora bien, estos últimos movimientos, que mejoran la situación de algunos y empeoran la de otros, no pueden considerarse como un aumento de la «satisfacción social» a menos que tengamos algún medio para reducir las satisfacciones de diferentes individuos a una medida común –y no parece existir un medio claro para esa reducción–. Pero los primeros movimientos que benefician a algunas personas sin dañar a otras pertenecen a otra categoría. Desde cualquier punto de vista, representan un aumento del bienestar económico o, mejor dicho, un aumento de la eficiencia del sistema como medio para satisfacer deseos, es decir, la eficiencia del sistema a secas.

Definamos entonces una organización óptima del sistema económico como aquella en la que cada individuo esté lo mejor posible, mientras que no se permite ninguna reorganización que empeore a ningún individuo. Ésta no es una definición inequívoca de una organización óptima; no nos permite decir que, con unos recursos y escalas de preferencia dados, habrá una posición y sólo una posición, óptima. Eso no es así. Habrá un número indefinido de diferentes óptimos posibles, que se distinguirán entre sí por diferencias en la *distribución* de la riqueza social.[9] A pesar de ello, podemos

[8] Cf., por ejemplo, G. MYRDAL, *Das politische Element in der nationalokono-mischen Doktrinbildung*, p. 288.

[9] Si partimos de una determinada organización que no es óptima, habrá varios óptimos diferentes que se pueden alcanzar sin que nadie resulte dañado, ya que el «incremento de riqueza» se puede dividir de diferentes maneras. Además de estos, habrá muchos otros óptimos que no se pueden alcanzar desde la posición inicial, ya que implican que algunas personas estén peor de lo que estaban inicialmente. En cualquier caso, estas son posiciones óptimas, aunque, si partimos de algún otro punto de partida, sólo podrían alcanzarse mediante una «reorganización permitida».

establecer las condiciones que deben cumplirse para que una determinada organización sea óptima, y así probar si una organización real es óptima o no. Si no es óptima, entonces hay una determinada manera en la que se puede aumentar su eficiencia. Al menos algunos de los individuos del sistema pueden satisfacer mejor sus deseos sin que nadie tenga que hacer un sacrificio para lograr ese fin.

La importancia de esta definición puede ilustrarse tomando el caso familiar de los costes comparativos en el comercio interregional. Supongamos que las ofertas de dos productos provienen cada una de dos regiones, y cada región produce un producto. Supongamos que cada producto, en cada región, se produce con rendimientos decrecientes, y que no es posible la migración de factores entre regiones. Entonces, como es bien sabido, las posibilidades técnicas de producción en cada región pueden representarse mediante una *curva de sustitución*.[10] La abscisa de cada punto de esta curva representa una cierta cantidad de una mercancía, y la ordenada correspondiente representa la cantidad máxima de la otra cuya producción es consistente con la cantidad de la primera. *A* y *B* (Fig. 1) representan las curvas de sustitución de las dos regiones. Bajo unos supuestos rendimientos decrecientes, cada curva de sustitución será cóncava hacia el origen.

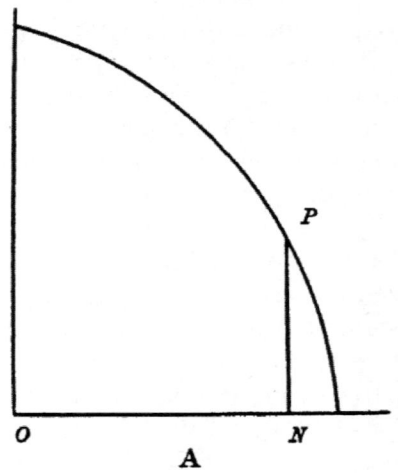
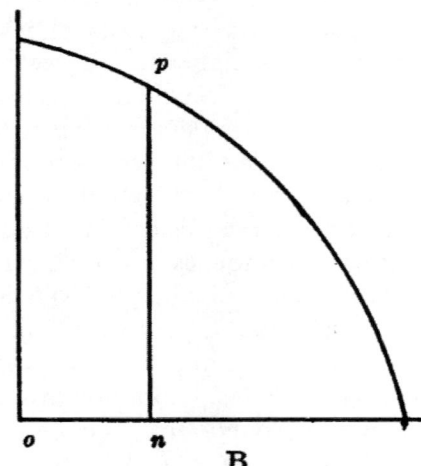

Fig. 1.

Supongamos que comenzamos con un caso en el que las cantidades producidas en las dos regiones son *ON*, *PN* y *on, pn.* Entonces, tomando las dos regiones juntas, las cantidades totales producidas de los dos productos básicos son *ON* + *on*, *PN* + *pn*. Estas cantidades totales se pueden representar en un tercer gráfico, pero un

[10] HABERLER, *Teoría del comercio internacional*, p. 176.

método más intrincado de composición sería «superponer» una curva sobre la otra, manteniendo los ejes paralelos, como en la Fig. 2.

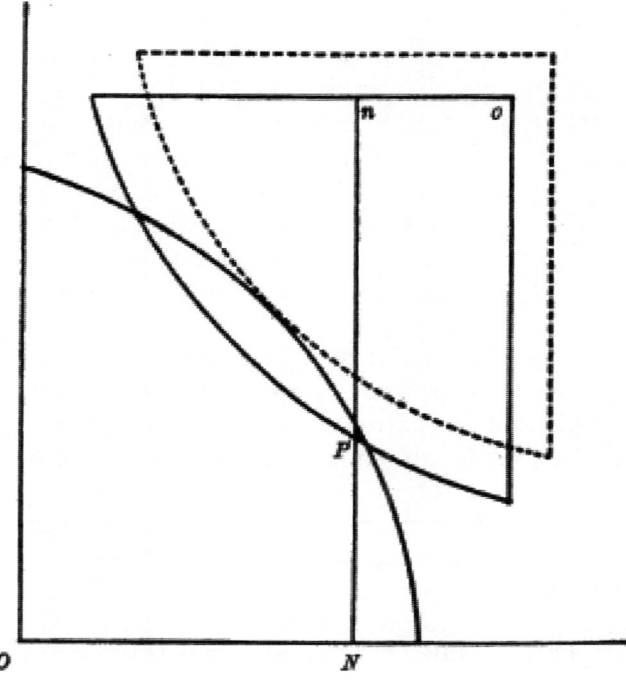

Fig. 2.

Se observará que la curva B se invierte antes de superponerse,[11] de modo que son las coordenadas de *o* con respecto a los ejes A las que representan las cantidades totales producidas. Esta inversión tiene una clara ventaja, ya que nos muestra de una vez qué condición debe cumplirse para que la distribución de la producción entre las regiones sea óptima. Si cuando se superponen los diagramas, las curvas se cruzan, una reorganización de la producción permitirá aumentar los *outputs* de ambos productos (en las dos áreas tomadas en conjunto). Sólo cuando las curvas se tocan (como en la posición punteada) llegamos a una organización óptima.

Cuando dos curvas se tocan, sus pendientes son las mismas; y la pendiente de una curva de sustitución mide la relación entre los costes marginales de los dos productos. Por tanto, una condición de la organización óptima es que los costes marginales de los dos productos estén en la misma proporción en las dos regiones. Si no se cumple

[11] Debo este artificio a KALDOR.

esta condición, la posición no es óptima; porque puede incrementarse la producción de ambas mercancías mediante una reorganización adecuada.

Se puede usar un modelo similar para el intercambio entre dos individuos. Aquí nuevamente podemos construir una curva de sustitución (una curva de indiferencia, como se la llama más comúnmente), que muestra las diversas cantidades de dos productos que darán a un individuo la misma cantidad de satisfacción. Toda su escala de preferencias se puede representar mediante una serie de curvas de ese tipo. Ahora bien, si el primer individuo solo se mueve de una posición en su escala a otra posición intercambiando bienes con el segundo, todo movimiento del primer individuo implica un movimiento del segundo en la dirección opuesta. Entonces podemos dibujar el mapa de indiferencia del segundo individuo en el mismo gráfico que el del primero, pero sus curvas girarán naturalmente en sentido contrario.[12]

Una vez más, si las cantidades que poseen las dos partes son tales que sus curvas de indiferencia se cruzan por ese punto, la posición no puede ser un óptimo. Porque será posible que cualquiera de las partes alcance una posición preferida (una posición en una curva de indiferencia más alta) mientras que la otra parte permanece en la misma curva de indiferencia que antes. Una parte puede mejorar sin que la otra empeore, por lo que la posición no es la óptima. La posición sólo será óptima si las curvas se tocan, en este caso, si la relación de las utilidades marginales de las dos mercancías es la misma para ambas partes.

4.   Las condiciones generales para conseguir una organización óptima puede determinarse ahora formalmente.[13]

El primer conjunto de condiciones son condiciones *marginales*. En la terminología que más me gusta, afirman que la tasa marginal de sustitución[14] entre dos mercancías cualesquiera debe ser la misma para cada individuo (que consume ambas) y para cada unidad de producción (que produce ambas) en toda la economía. En la antigua terminología, la relación de las utilidades marginales de las dos mercancías debe ser la misma para todos los individuos; la relación de los costes marginales debe ser la misma para todas las unidades de producción; y estas proporciones deben ser iguales.

---

[12] BOWLEY, *Mathematical Groundwork of Economics,* Figura 1.

[13] Debe apuntarse que no es en absoluto necesario plantear los incómodos problemas sobre la definición de ingreso real, que tantos quebraderos de cabeza le dieron al profesor PIGOU. Podemos proceder directamente al análisis del óptimo. Esto no significa, por supuesto, negar que sea deseable una definición de ingreso social real para otros fines (estadísticos), y que las cuestiones planteadas en la búsqueda de esa definición sean muy afines a las que se plantean aquí. En mis *Principios de Economía*, la teoría del bienestar económico y la teoría de la renta social eran los temas de capítulos consecutivos –pero no aparecían en el mismo capítulo–.

[14] Véase mi *Valor y capital*, pp. 20, 86.

Deben darse condiciones exactamente similares entre factor y producto, y factor y factor, así como entre producto y producto. De este modo, el producto marginal del trabajo en términos de un producto particular debe ser igual a la desutilidad marginal del trabajo en términos de ese producto. Y así siguiendo.

Si no se cumplen estas condiciones, siempre será posible algún «ajuste» (del tipo ilustrado en nuestros gráficos).

El segundo conjunto de condiciones son las condiciones de estabilidad. Su función es garantizar que estamos ante un máximo, no un mínimo, de satisfacción. Estas condiciones pueden definirse en términos de la forma de las curvas de sustitución; pero no parece necesario desarrollarlas aquí, porque su importancia para la teoría del óptimo en gran medida queda eclipsada por la del tercer conjunto de condiciones, que podemos llamar condiciones *globales*.[15]

La función de las condiciones globales es asegurar que el completo abandono de la producción o el consumo de un determinado bien no pueda producir ninguna mejora, ya sea en una unidad de producción o consumo, o en su conjunto; y que no se pueda asegurar ninguna mejora mediante la introducción de nuevos productos, que podrían haberse producido o consumido, pero que en la situación inicial no se estaban produciendo o consumiendo, ya sea en forma parcial o general. Esas mismas condiciones deben mantenerse para los factores – así, las condiciones respecto a la movilidad del trabajo (ocupacional o local) pasan a tener la forma de condiciones globales.

En nuestros gráficos, el funcionamiento de estos dos últimos conjuntos de condiciones puede entenderse fácilmente. En la Figura 2 (el caso del comercio interregional) se supuso de hecho que se satisfacían tanto la condición de estabilidad como la condición global como consecuencia del supuesto de rendimientos decrecientes. Las complicaciones surgen de los rendimientos crecientes. En la Figura 3 se satisface la condición marginal, pero ninguna de las otras condiciones. En la Figura 4 tenemos tanto la condición marginal como la condición de estabilidad, pero no la condición global. En ambos casos, sólo es posible alcanzar una posición óptima si se abandona la producción de un producto en una de las regiones (las posiciones óptimas son las indicadas por las curvas discontinuas). En el caso interregional debe haber especialización. De manera más general, debe haber un cambio en los tipos de bienes producidos o consumidos en algún lugar.

[15] Compárese con la triple clasificación de las condiciones de equilibrio en la economía positiva dada en *Valor y Capital*, cap. 6.

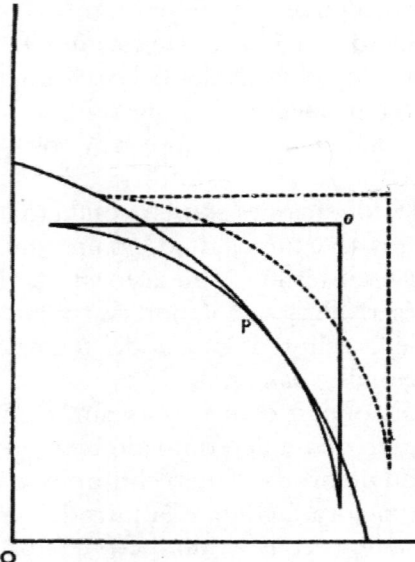

Fig. 3.

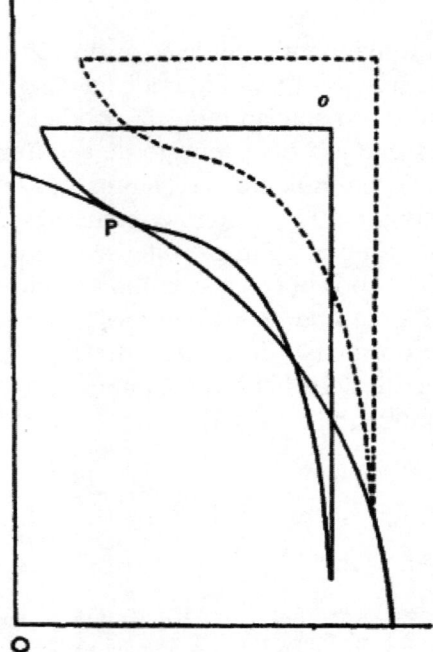

Fig. 4.

5. Estas son las condiciones generales para una organización óptima; son universalmente válidas, siendo aplicables a todo tipo de sociedad concebible. Nunca ha existido ningún sistema económico, ni (podemos estar seguros) existirá jamás, para los que sean irrelevantes.[16] Pero para nosotros la aplicación más interesante que ofrecen todavía reside en su uso como medio para falsar o probar la eficiencia de la producción por parte de la empresa privada.[17] Este será el tema que trataré en el resto de este artículo.

Cuando se trata del sistema de empresa privada, hay un punto que requiere una atención especial, aunque (en cierto sentido) no es más que el aspecto práctico del escollo teórico que nos ha preocupado desde el principio. En un sistema de empresa privada, cualquier cambio ordinario en la política económica implica un cambio en el sistema de precios, y cualquier variación en los precios beneficia a una parte del mercado y perjudica a la otra. Por tanto, ninguna reforma económica puede implicar una reorganización en el sentido descrito, porque siempre supone algún tipo de pérdida para alguien. Sin embargo, esto no nos impide aplicar nuestro criterio al caso de la empresa privada, pues siempre se pueden tomar medidas específicas a través de la recaudación del estado para indemnizar a las personas dañadas. Por tanto, de ahora en adelante debe entenderse una «reorganización permitida» como la que permita el pago de una compensación y que, sin embargo, suponga una ventaja neta. La situación no es óptima mientras sea posible dicha reorganización.

La crítica a la empresa privada comienza, naturalmente, señalando el único caso concebible en el que se puede alcanzar una posición óptima mediante un perfecto *laissez-faire*. Esto ocurre cuando la competencia es *perfecta* en todas las industrias, de modo que cada productor y cada consumidor da por sentado los precios de todas las cosas que compra o vende, y se contenta con ajustar cantidades a estos precios dados (para él). Si se cumplen estas condiciones, la *perfección* del mercado de consumidores asegura que cada consumidor individual iguale su tasa marginal de sustitución entre cada par de bienes a la proporción de sus precios de mercado; y la *perfección* del mercado de productores asegura que cada productor iguale el coste marginal de cada artículo que vende a su precio. Por tanto, deben satisfacerse las condiciones marginales para que se dé el óptimo. El hecho de que tal competencia perfecta universal sólo

---

[16] La mayoría siguen siendo relevantes incluso cuando solo hay *un* agente económico libre.

[17] Otra aplicación importante de la Economía del Bienestar, que quizás debería distinguirse de ésta, es la aplicación a las Finanzas Públicas. La economía del bienestar, definida como la hemos definido, no puede establecer cuál es el método óptimo para obtener un ingreso determinado: el método del «menor sacrificio», como lo llamarían los teóricos de la fiscalidad. Eso es imposible sin comparaciones interpersonales. Sin embargo, se puede distinguir entre los métodos de recaudación de ingresos que son compatibles con la producción óptima y los que no lo son. En la práctica, esto parece un logro suficiente.
Sobre estas cuestiones de la imposición óptima, el profesor HOTELLING (op. cit.) ha arrojado mucha luz.

sea posible bajo rendimientos decrecientes universales[18] asegura que también deban satisfacerse la estabilidad y las condiciones globales para el óptimo. Por tanto, debe alcanzarse una posición óptima, o al menos eso parece.

Sin embargo, hay razones por las que no se puede alcanzar una posición óptima, incluso en estas circunstancias favorables de competencia perfecta y *laissez-faire* universal. La primera ha sido correctamente apuntada por Pigou.[19] Es de crucial importancia entender que el sistema de precios solo afecta a algunas formas en que los seres humanos influimos en la prosperidad de los demás. Pero también nos vemos afectados por las actividades económicas de otras personas por las que no pagamos o no nos pagan. Por lo tanto, no es necesariamente una ventaja social (incluso en el sentido estricto en el que estamos usando ese término) que una persona pueda adquirir un producto determinado siempre que esté dispuesta a pagar un precio igual al coste marginal de ese producto. Esta condición asegura que pueda adquirirlo sin empeorar a nadie porque esa persona tiene que asumir una parte de los costes ordinarios de producción del bien; pero puede que otros resulten dañados (o beneficiados) de otras formas. Las implicaciones finales de esta excepción son de hecho importantes. Esta circunstancia encubre algunas de las cuestiones filosóficas más profundas sobre la relación entre individuo y sociedad.

Generalmente se admite esta restricción; pero hay otras restricciones, de carácter más dinámico, que se tienen menos en cuenta en la teoría. Tomadas estrictamente, las condiciones óptimas sólo pueden interpretarse ex post; sólo *después del momento a explicar* podemos decir si se ha logrado realmente una organización óptima. Ahora bien, incluso bajo competencia perfecta, los productores solo equiparan los precios a los costes marginales *ex ante*. Se trata de costes marginales anticipados que se igualan a los precios anticipados, de modo que, si alguna de estas anticipaciones es incorrecta, los precios reales no serán iguales a los costes marginales reales, y la posición lograda, aunque se plantee como óptima, no resultará serlo de hecho. Por supuesto, lo máximo que se puede hacer con una política económica inteligente es asegurar la igualdad *ex ante* –el óptimo previsto– pero, para que quede claro el papel que juega la previsión en la eficiencia económica, es bueno recordar que esto no implica necesariamente un óptimo real.

Esto no es todo; si las condiciones óptimas se interpretan *ex post*, no pueden tener en cuenta el riesgo, ya que el riesgo es un fenómeno que depende de la incertidumbre sobre el *futuro*. Por otro lado, la estrategia del productor individual, siendo *ex ante*,

[18] Dado que estas condiciones técnicas particulares son necesarias para que la competencia perfecta sea un posible estado de cosas, la crítica de la producción monopolista se basa siempre en la comparación con la producción óptima no con la producción competitiva (que puede ser un término sin sentido en la situación supuesta). Cualesquiera que sean las condiciones técnicas, siempre hay un rendimiento óptimo.

[19] Op. cit., pp. 172 y ss.

está muy influida por el riesgo; en consecuencia, los precios siempre tienden a exceder en una prima de riesgo los costes marginales relevantes. Por tanto, la producción es menor en las industrias de mayor riesgo de lo que es teóricamente deseable.

Puede que la previsión errónea no haga mucho daño porque no dedicar recursos a empresas arriesgadas puede evitar muchas malas inversiones y despilfarros. Efectivamente, mientras nos limitemos a desviar recursos de tipos de producción más arriesgados a tipos de *producción* menos arriesgados, en la práctica no habrá mucha discusión sobre el factor de riesgo. El problema es que se puede ir más allá. La preferencia por la liquidez es sólo una forma de aversión al riesgo; y es bien sabido el efecto de la preferencia por la liquidez sobre la actividad general de la industria. Cuando la preferencia por la liquidez se manifiesta en una gran cantidad de «desempleo involuntario», una política monetaria dirigida a la reducción de los tipos de interés, e incluso una política de obras públicas que calcule la rentabilidad de la empresa pública a un tipo de interés «artificialmente» bajo, pueden dirigirnos al óptimo tal como lo hemos definido[20].

6.   En este artículo no me propongo decir mucho sobre la economía del bienestar del monopolio y la competencia imperfecta, ya que éste es un tema demasiado extenso para tratarlo en el espacio de que disponemos. Una gran parte de la teoría de la competencia imperfecta cae bajo la categoría de economía del bienestar, y en realidad ésa es la parte más sólida de la teoría. Considerada como una rama de la economía positiva, la teoría de la competencia imperfecta aún no es muy convincente; se ha cuestionado justificadamente el supuesto de que el productor individual tiene una idea clara de la curva de demanda a la que se enfrenta, y se ha sospechado justificadamente de la presencia de elementos de oligopolio ineludibles en la mayoría de los mercados.[21] Cuando la teoría de la competencia imperfecta se considera una rama de la economía del bienestar, ésta tiene un estatus mucho más claro. El oligopolio y la competencia monopolística se convierten fácilmente en causa de la desigualdad entre precio y coste marginal, cuyas consecuencias son entonces un campo sumamente fértil para el estudio en lo que se refiere al bienestar.

[20] A pesar de la estrecha dependencia de los tipos de interés reales respecto a los factores de riesgo (expresada por KEYNES en su teoría de la preferencia por la liquidez), no debe suponerse que el pago de intereses sea en sí mismo incompatible con la organización óptima. Para una demostración convincente de esto, véase LINDAHL, «The Place of Capital in the Theory of Price» (*Ekonomisk Tidskrift*, 1929, traducido al inglés como Parte III de sus *Estudios sobre la teoría del dinero y el capital*). La economía con previsión perfecta y competencia perfecta, analizada detalladamente por el profesor LINDAHL, es automáticamente una economía con una organización óptima y, sin embargo, tiene un tipo de interés (por supuesto, un tipo de preferencia temporal pura). El elemento de preferencia temporal del tipo de interés es coherente con el óptimo, es el elemento de preferencia por la liquidez el que no lo es.

[21] Cf. HALL y HITCH, «Prices Theory and Business Behaviour», *Oxford Economic Papers*, número 2.

Quizá haya que lamentar que las teorías modernas de la competencia imperfecta no hayan adoptado más abiertamente esta forma; porque el aparato general de la economía del bienestar habría hecho posible enunciar algunas de las proposiciones más importantes de una manera más cautelosa. Tomemos, por ejemplo, la muy importante cuestión del número óptimo de empresas en una industria imperfectamente competitiva, que forma parte del eje de las discusiones modernas. Dado que (*ex hypothesi*) las empresas fabrican productos diferenciables, la cuestión podría entrar en la categoría de nuestro tercer conjunto de condiciones óptimas –las condiciones *globales*–. Tenemos que preguntarnos si una reducción en el número de productos llevaría al óptimo.

Supongamos entonces que una empresa determinada echa el cierre. La pérdida por el cese de su actividad se mide por la cantidad que debería darse a los consumidores para compensar la pérdida de la oportunidad de consumir el producto que ya no está en el mercado, *más* la compensación que debería darse a los productores por el exceso de sus ganancias en este uso sobre lo que podrían obtener en otros usos. Por lo tanto, la pérdida se mide por los excedentes de Marshall (el excedente del consumidor[22] *más* el excedente del productor). En condiciones de competencia perfecta, esto supone una pérdida neta. Porque cuando los factores se transfieren a otros usos, tendrán que distribuirse en los márgenes de esos usos; y (dado que las ganancias de un factor son iguales al valor de su producto marginal) la producción adicional a que lleva el uso de los factores en estos nuevos empleos es igual en valor a las ganancias de los factores (ya tenidos en cuenta). Bajo competencia perfecta, la ley de productividad marginal implica que no se creará excedente del productor en los nuevos márgenes; mientras que, dado que la unidad marginal de cualquier mercancía no vale más de lo que se paga por ella, tampoco puede haber excedente del consumidor. Por tanto, no hay nada que pueda compensar la pérdida inicial; si se reduce el número de productos, no podemos movernos hacia el óptimo.

Pero si la competencia es imperfecta, queda algo por decir. Las ganancias de un factor son ahora menores que el valor de su producto marginal en una cantidad que varía en función del grado de explotación monopólica; y, por lo tanto, el incremento de la producción que puede obtenerse utilizando los factores con otros márgenes es mayor que las ganancias de los factores. Hay un excedente del productor, incluso en el margen, y este excedente puede superar la pérdida inicial. La condición general

---

[22] Este uso del excedente del consumidor no está sujeto a ninguna de las objeciones que ha suscitado el concepto de Marshall; no implica comparaciones interpersonales ni medición de la utilidad. El excedente del consumidor es la medida de la compensación que los consumidores necesitarían para mantenerse en el mismo nivel de satisfacción que antes, una vez que se ha retirado la oferta de la mercancía. Sin embargo, no es exactamente igual al área bajo la curva de demanda ordinaria (ver mi *Valor y capital*, Apéndice del Capítulo II). Esta desigualdad (por lo general sólo una ligera desigualdad) llevó a Pigou a encontrar dificultades de agregación de los excedentes del consumidor.

para que la existencia de una determinada empresa sea compatible con el óptimo es que la suma de los excedentes del consumidor y del productor a que lleva su actividad debe ser mayor que el excedente del productor que se generaría empleando sus factores (y utilizándolos) en otros empleos.

La norma habitual es un caso especial de esta regla general. Si hay «libre entrada» a la industria, el precio es igual al coste medio y se puede ignorar el excedente del productor de la empresa. Si los productos de las diferentes empresas son sustitutos muy cercanos, o simplemente se tratan como «preferencias irracionales», quizás también se pueda descuidar el excedente del consumidor. Con estas simplificaciones, el número de empresas en una industria imperfectamente competitiva es siempre excesivo, mientras el precio sea mayor que el coste marginal en los distintos empleos del sector. (O, si podemos mantener la identidad del precio con el coste medio, el número de empresas será excesivo hasta que el coste medio se reduzca al mínimo).

En cualquier caso, todo esto son simplificaciones. No siempre es cierto que el número de empresas en una industria imperfectamente competitiva sea excesivo, aunque muy a menudo lo es. Antes de recomendar una política de cierre de empresas redundantes, debemos estar seguros de que se cumple del todo la condición; y debemos estar muy seguros de que los factores descartados se transferirán de hecho a usos más productivos. En un mundo donde lo máximo que puede esperar el economista es que lo escuchen de vez en cuando, eso no siempre está claro.

7.   Bajo la línea de investigación planteada en este artículo, es posible crear unas bases seguras de la economía del bienestar y hacerla inmune a la crítica positivista. Eso es en sí mismo una ventaja; pero, como sucede a menudo en estos casos, también tiene otras ventajas. La principal ventaja práctica de este enfoque es que centra la atención en la cuestión de la compensación. Cualquier reforma económica ocasiona pérdidas a alguien; las reformas que hemos estudiado permitirán una compensación que equilibrará esa pérdida, y seguirá produciendo una ventaja neta. Sin embargo, cuando tales reformas se han llevado a cabo, el progreso generalmente se ha dado en medio del choque de intereses contrapuestos, de modo que, si no se da ninguna compensación, el progreso económico deja tras de sí una larga lista de víctimas, suficiente para hacer mala una buena política.

No creo que siempre se deba dar una compensación. El que se compense o no en un caso determinado es una cuestión de distribución, en la que no hay identidad de intereses, por lo que no puede haber ningún principio general. Por tanto, habrá casos en los que el economista no tenga especial afán por que se dé una compensación[23];

[23] La típica actitud extremista es, por supuesto, rechazar toda compensación sobre la base de que tales riesgos deberían haberse tenido en cuenta. Dada la importancia de la predicción para la eficiencia económica, hay algo de verdad en esto; cuando se aplica a las variaciones ordinarias en los datos que

pero su preferencia personal en ese sentido se basará en el motivo no económico de que las personas perjudicadas no merecen mucha consideración, o sólo en el motivo cuasi económico de que la pérdida producida no es más que la materialización de un riesgo que se supone que han aceptado. Sin embargo, habrá muchos otros casos en los que el economista considere la redistribución, resultante de una medida buena pero sin compensación, deplorable; y entonces, si se aísla la medida de la compensación, hará un flaco favor a la eficiencia productiva y probablemente el economista la rechazará en la práctica. De ahí hay sólo un paso a juzgar las medidas únicamente en referencia a su justicia distributiva, sin relación a la eficiencia. Para que haya alguna opción de aplicar medidas que contribuyen a la eficiencia, es muy deseable que queden tan libres de complicaciones distributivas como sea posible.

Podemos hacer esta distinción en nuestra mente, siempre que sea posible, si nos acostumbramos a pensar en cada reforma económica en relación a alguna medida de compensación diseñada para hacerla más o menos inocua desde el punto de vista distributivo. Puesto que es de esperar que casi todos los tipos de compensación concebibles (por ejemplo, la reorganización fiscal) tengan alguna influencia en la producción, la tarea del economista del bienestar no será completa hasta que no haya previsto los efectos de la reforma propuesta en ambos lados. No debe dar su bendición a la reforma hasta que haya considerado los efectos totales y los dé por buenos. Si, como a menudo ocurre, los mejores métodos de compensación implican alguna pérdida en la eficiencia productiva, esta pérdida debe tenerse en cuenta. En la práctica, no sería improbable que tuviéramos que rechazar por estos motivos muchas medidas que serían aprobadas por el análisis tradicional, pero que según ese análisis sólo reportan una pequeña ganancia. (No es de sorprender que algunas de las sutilezas de la teoría del bienestar no sean más que cebos).

Hacer otras disquisiciones sobre estos temas excedería a los «Fundamentos» que han ocupado a este artículo. El objetivo se ha logrado si mi alegato demuestra el derecho de la economía del bienestar –el «cálculo utilitario» de Edgeworth–, a ser considerado como una parte integrante de la teoría económica, capaz de la misma precisión lógica y la misma elaboración significativa que su hermana gemela, la Economía positiva, el «Cálculo económico».

J. R. Hicks

---

estimulan la productividad (como las invenciones) es probablemente un punto fundamental; sin embargo, si siempre se piensa así, se debilita seriamente el argumento a favor de una búsqueda activa de la eficiencia económica.